《合肥通史》编纂委员会

主　　任：凌　云
副 主 任：韩　冰　钟俊杰　林存安　吴春梅
委　　员（以姓氏笔画为序）：
　　　　　王家贵　王道才　吴利林　汪秀坤　李尚才
　　　　　罗　平　查　凯　洪家友　夏毓平　黄群英
　　　　　谢　军

《合肥通史》编纂委员会办公室

主　　任：夏毓平
副 主 任：夏元荣　许昭堂
成　　员：王东征　贾　猛　李平原

《合肥通史》学术指导委员会

顾　　问：卜宪群　黄传新　朱士群

主　　任：陆勤毅

委　　员（以姓氏笔画为序）：

　　　　　王道才　宁业高　朱万曙　朱玉龙　汤奇学

　　　　　张　生　苏士珩　沈世培　施立业　翁　飞

　　　　　戴　健

当代卷(下)

沈葵 ◎ 主编

合肥通史

《合肥通史》编纂委员会 编

全国百佳图书出版单位
时代出版传媒股份有限公司
安徽人民出版社

目 录（下）

第七章　开启改革之路

第一节　源自肥西县山南的包产到户 / 418
　一、实行工作重心转移 / 418
　二、"省委六条"的宣传贯彻 / 420
　三、山南迈出"惊天一小步" / 422
　四、包产到户迅速推开 / 424
　五、阻力与动力的较量 / 426
　六、邓小平肯定包产到户 / 428
　七、长丰县农村的"丰收年" / 430

第二节　贯彻中共十一届三中全会精神 / 432
　一、贯彻国民经济"八字方针" / 432
　二、工业管理体制改革与学上海、学沿海 / 435
　三、发展多种经济形式　安置待业人员 / 439

第三节　尊重知识　尊重人才 / 442
　一、贯彻落实全国科学大会精神 / 442
　二、重视和发挥知识分子作用 / 444

第四节　精神文明建设、民主法治和城乡居民生活 / 447
　一、民主法治的恢复 / 447

二、市政、市容、市貌建设 / 449

三、开展"五讲四美"文明礼貌活动 / 453

四、城乡居民生活水平有所提高 / 455

第八章 改革开放全面展开

第一节 农村改革全面展开 / 459

一、承包责任制的扩展、巩固和深化 / 459

二、改革农产品流通体制 / 465

三、农村产业结构调整 / 468

四、乡镇企业的兴起和发展 / 470

第二节 城市经济体制改革全面展开 / 475

一、经济体制改革综合试点 / 475

二、利改税 / 482

三、拨改贷 / 483

第三节 构建对外开放的格局 / 485

一、技术引进和外资利用 / 485

二、"走出去"与"请进来" / 489

第四节 城市规划与城市建设的改革 / 492

一、1982年城市总体规划 / 492

二、旧城改造 / 494

三、市政、住房及商业设施建设 / 499

第五节 民主法制与精神文明建设 / 508

一、加强民主法制建设 / 508

二、维护社会治安与平息"八九政治风波" / 512

三、城乡精神文明建设 / 516

第六节 以改革推动科教文卫事业发展 / 519

一、教育事业在改革中发展 / 519

二、改革科研体制　增强科技力量 / 523

三、文化卫生事业的发展进步 / 525

第七节　抗洪救灾　重建家园 / 529

一、1984 年抗洪救灾 / 529

二、1991 年抗击特大洪水灾害 / 531

第九章　深化改革　扩大开放

第一节　抓住机遇　开放开发 / 537

一、对外开放的新举措 / 537

二、开发区的建设和发展 / 540

第二节　综合改革全面展开 / 552

一、全面推进国有企业改组改制 / 552

二、非公有制经济的发展 / 561

第三节　进一步深化农村改革 / 564

一、农村产业化及综合开发 / 564

二、科技兴农 / 570

三、乡镇企业转型与发展 / 572

四、农民工进城 / 575

第四节　实施科教兴市战略 / 577

一、科教兴市战略的实施 / 577

二、教育事业协调发展 / 584

三、文化事业持续发展 / 588

第五节　加强精神文明建设 / 589

一、创建文明城市 / 589

二、增强社会主义民主法制建设 / 595

第六节 建设现代化大城市 / 598

一、"九五"时期的城市规划 / 598

二、再造新合肥 / 600

三、城市建设新格局 / 606

第十章 全面建设小康社会

第一节 新世纪初的社会结构与社会变迁 / 611

一、城乡人口分布及其变化 / 611

二、城乡一体化进程与社会整合 / 617

第二节 建设社会主义新农村 / 622

一、取消农业税 "三农"得实惠 / 622

二、实施以增加农民收入为核心的农村政策 / 628

三、拓宽现代农业新路径 / 632

四、坚持城乡统筹 建设社会主义新农村 / 635

第三节 现代化大城市粗具规模 / 639

一、城区区划调整 / 639

二、城市规划建设 / 641

三、政务文化新区建设 / 646

第四节 工业立市 实现跨越式发展 / 650

一、GDP千亿规划与"1346"行动计划 / 650

二、工业立市战略 / 656

三、大发展、大建设、大环境 / 664

四、"大招商"与"招大商" / 673

第五节 拓展民营经济与第三产业 / 679

一、县域经济的新发展 / 679

二、民营经济实力增强 / 683

三、第三产业蓬勃兴旺 / 687

第六节 科技与教育事业的新突破 / 696
一、科技创新型试点市建设 / 696
二、高等教育的新视野 / 700
三、中小学教育的重组与深化改革 / 705

第七节 加强民主法制 改善民生 / 710
一、建设"平安合肥" / 710
二、全面实施民生工程 / 715
三、促进就业与健全社会保障 / 720
四、加强文明创建 构建和谐社会 / 727

第八节 建设区域性特大城市 / 736
一、"141"城市发展战略 / 736
二、建设滨湖新区 / 740
三、建设区域性特大城市 / 746
四、新起点、新期望、新目标 / 752

第十一章 1979年至2011年的巢湖、庐江

第一节 1979年至2011年的巢湖 / 761
一、开启改革开放之路 / 761
二、发展社会主义市场经济新阶段 / 764

第二节 1979年至2011年的庐江 / 792
一、开启改革开放之路 / 792
二、发展社会主义市场经济新阶段 / 800

附 录

附录一:大事记 / 823

附录二:历届合肥市主要领导人名单(1949年至2011年)　/ 873

附录三:合肥市综合统计表(主要年份人口数、主要年份生产总值、主要年份财政收入)　/ 882

附录四:1955年合肥行政区划图　2011年合肥行政区划图　/ 891

参考文献　/ 893

后　记　/ 904

第七章

开启改革之路

1978年12月召开的中共十一届三中全会，实现了党和国家历史性伟大转折，开辟了中国发展的新道路。从此，中国进入了改革开放和社会主义现代化建设新的历史时期。从1979年起，中共合肥市委把工作重心转移到经济建设上来，合肥的改革开放之路由此开启。

　　合肥贯彻落实中共中央提出的"调整、改革、整顿、提高"八字方针，着重研究、调整全市发展国民经济的任务和措施，目标是要使农业、轻工业、重工业的比例关系和各部门、各行业内部的比例关系大体协调，积累和消费的比例关系基本合理。

　　农业管理体制上，合肥贯彻落实中共安徽省委制定的"省委六条"，在农村逐步实行以包产到户为主要形式的生产责任制，从而调动广大农民的生产积极性。

　　工业管理体制上，合肥积极扩大企业自主权，加强企业合并经营，把各方面的积极性调动起来，发挥各个经济实体的优势，提高经济效益。

　　商业管理体制上，曾被视为"资本主义尾巴"而被割掉、停业十多年的个体工商业者，重新出现在合肥的大街小巷、车站、码头。

　　人才队伍建设上，合肥积极响应全国科学大会"向科学技术现代化进军"的号召，尊重知识、尊重人才，努力为知识分子的学习、生活和工作创造良好的条件。

　　这一时期的合肥，还加强了市政、市容和市貌建设，开展"五讲""四美"文明礼貌活动。此外，城乡居民的生活水平也有一定的提高。

第一节 源自肥西县山南的包产到户

一、实行工作重心转移

1978年12月召开的中共十一届三中全会重新确立了解放思想、实事求是的思想路线,停止"以阶级斗争为纲",做出把党和国家的工作重心转移到经济建设上来,实行改革开放的重大战略决策,实现了新中国成立以来中共历史上具有深远意义的伟大转折。从此,开启了中国改革开放之路。

中共十一届三中全会公报发表后,合肥人民欢欣鼓舞,"从机关到基层,从工厂到农村,人人精神振奋,个个豪情满怀"。中共十一届三中全会公报刚刚发表后的12月24日,中共合肥市委立即组织全体常委学习中共十一届三中全会公报,座谈心得体会。① 各单位纷纷组织职工认真学习中共十一届三中全会公报内容。

1979年2月5日至12日,中共合肥市委常委召开扩大会议,主要学习和贯彻中共十一届三中全会、中央工作会议和省委工作会议精神,讨论如何把全市工作着重点转移到社会主义现代化建设上来。会议提出,当前合肥的首要任务是巩固和发展安定团结、生动活泼的政治局面,以保证工作着重点的顺利转移;实事求是地做好平反冤假错案工作,严格区分和正确处理两类不同性质的矛盾。会议根据中央和省委指示精神,实事求是地对一些重大的、人民群众所关心的历史遗留问题进行梳理,并确定了处理的基本原则和立场。

---

① 《全市人民热烈拥护三中全会公报——转移重点搞四化,迈开大步新长征》,《合肥报》1978年12月27日。

一是关于合肥市"文化大革命"前17年的评价问题。会议认为,"文化大革命"前的17年,中共合肥市委的工作,成绩是主要的。全市绝大多数党员和干部是好的和比较好的,对社会主义建设做出了重要贡献。所谓全盘否定"文化大革命"前市委工作的做法,是不符合实际情况的,是错误的。1976年1月,"造反派"夺了市委、市人民委员会的党政财文大权,夺了各级基层组织的权,都是非法的、错误的;对原市委杨效椿、刘征田、赵凯等领导干部在不同范围内进行的批判和斗争也是错误的,应推翻强加于他们身上的一切诬蔑不实之词,恢复他们的名誉,并公开宣布撤销对原市委常委的专案审查报告。二是关于"文化大革命"初期市委批准重点批判和逮捕的一些干部、群众的问题。"文化大革命"初,对原市委委员、副市长潘毅等一批领导干部进行批判斗争,强加于他们的一切诬蔑不实之词都应统统推倒,予以平反昭雪,恢复名誉。1976年1月,有些领导干部、劳动模范、群众组织的负责人遭到逮捕、关押、游斗,是错误的,应推倒强加于他们身上的一切诬蔑不实之词,予以平反,恢复名誉。三是关于"反击右倾翻案风"的问题。根据中央和省委指示精神,宣布撤销市委1976年发出的关于"反击右倾翻案风"的六份错误报告,对被错打成"走资派"或"重犯走资派错误"的人给予平反,恢复名誉。至于当时揭发和处理的投机倒把、贪污盗窃、严重违法乱纪案件,应本着实事求是的原则,全错全平反、部分错部分平反、不错不平反。四是关于与"天安门事件"有牵连而受迫害的案件。1976年清明节前后,合肥许多干部群众悼念周恩来总理、反对"四人帮"、为邓小平被诬蔑鸣不平,却受到"四人帮"在安徽的代理人的打击迫害,应当予以全部平反,恢复名誉。[①]

两个月后,中共合肥市委又召开全市思想政治工作会议,继续学习贯彻十一届三中全会精神,在坚持四项基本原则、确保安定团结的

[①] 《落实政策、促进安定团结、解决急迫问题、保证工作重点迅速转移——中共合肥市委常委举行扩大会议》,《合肥报》1979年2月21日。

政治局面基础上,大力促进全市工作重点的转移,加快社会主义现代化建设的步伐。①

与此同时,全市各县、区、局纷纷召开负责干部学习务虚会,传达学习邓小平在中央理论工作务虚会上的讲话,进一步开展解放思想、发扬民主,坚持四项基本原则的宣传和教育。

通过上述会议,使全市各级干部深刻领会中共十一届三中全会的精神,为实现全市工作重心转移到经济建设上来,为实现改革开放,奠定了思想政治基础。

二、"省委六条"的宣传贯彻

早在十一届三中全会召开前的1977年11月,中共安徽省委召开全省各地、市、县委书记及省直有关部门负责人参加的全省农村工作会议,制定并颁布《关于当前农村经济政策几个问题的规定》(简称"省委六条"),要求全省各地贯彻执行。

"省委六条"对原有的农村政策做了较大幅度的调整,明确提出:尊重生产队的自主权;落实按劳分配制度;减轻生产队和社员负担;允许和鼓励社员经营自留地和正当的家庭副业;允许生产队根据不同农活建立不同的生产责任制,可以组织作业组,只需个别人完成的农活,也可以责任到人;队干部参加集体生产劳动。

"省委六条"的许多规定都触犯了当时的"天条",突破了长期无人敢逾越的禁区,更是对"文化大革命"极左农村政策的强烈撞击,是一份关于农村政策的开拓性文件。邓小平看到安徽"省委六条"后,拍案叫好。1978年春,他对四川省委主要负责人说,"农村的路子要宽一些,思想要解放,安徽的万里搞了个农村政策六条规定,你们可

---

① 《市委召开思想政治工作会议——坚持四项基本原则,围绕四化加强思想政治工作》,《合肥报》1979年4月16日。

以参考一下"。①

"省委六条"刚刚颁布,中共合肥市委立即组织召开农村公社党委书记、城市独立单位支部书记以上负责干部参加的农村工作会议,对"省委六条"做传达、部署。之后,一场不同凡响且深得人心的宣传、贯彻"省委六条"的活动在全市农村迅速展开。合肥各级党委和基层组织对"省委六条"都做了认真的宣传和贯彻。长丰县委抽调6名常委和县、区、公社三级干部629人,组成宣讲"省委六条"工作队,采取常委带队,部、委、办包区,局包公社,公社包大队的办法,进行宣传贯彻。郊区区委也专门召开常委会,研究贯彻意见,每名常委分工抓一个公社。广大的农村公社社员要求了解、学习"省委六条"的积极性更是高涨,上至七八十岁的老人,下至十几岁的青少年都非常关心政策。有的自动到会,有的奔走相告,有的凑油点灯学到深夜,家家户户、男女老少都在学"省委六条",讲"省委六条",讨论"省委六条"。

到1977年年底,"省委六条"已被传达贯彻到全市农村的公社、大队和生产队,家喻户晓。

1978年年初,中共合肥市委下发《关于认真抓好当前农村几项工作的通知》,要求各级党委采取有力措施,认真贯彻落实"省委六条",把广大农民的积极性调动起来。

2月14日至16日,中共安徽省委召开地、市委书记会议,省委书记万里提出:农村要以生产为中心,不能"以阶级斗争为纲"。

当年午季,中共合肥市委按照省委的指示,组织干部在全市农村开展解决农民不合理负担的调查。调查过程中,结合宣传"省委六条",倾听农民的意见,并对省委提出"午季粮食分配一定要充分考虑农民利益"的要求,予以执行和督促。

---

① 1978年2月3日,《人民日报》在头版显要位置,加"编者按"发表了该报记者姚力文和新华社记者田文喜所写的文章,题目为《一份省委文件的诞生》。这篇报道介绍了"省委六条"的诞生经过、主要内容和深得人心的状况,在全国产生了较大反响。

"省委六条"的宣传贯彻，改变了合肥地区农村管理体制高度集中的局面，纠正了损害农民生产积极性的极左做法，有利于农村经济的恢复和发展，也为后来的农村改革营造着舆论和条件。

三、山南迈出"惊天一小步"

肥西县位于合肥西南。1978年，肥西县遭遇大旱。1月到9月，全部降雨量比正常年份同期少三分之一，且降雨量极不平均，绝大部分雨量在5月份以前降下，急需用水的5月至9月几乎无雨。同时，由于日照期增多，地表水蒸发量比正常年份同期多330毫米。县境内3条主要河流断流，124座中小水库枯竭，2.8万个塘坝干涸。

到9月底，全县8546个生产队、72万农业人口中，受灾的达4647个生产队、48万多人口。有61.1万亩农作物大幅度减产，其中，30多万亩晚稻和旱粮绝收，20万亩中稻干枯。当年粮食减产已成定局。

山南区位于肥西的西南部，因地处大潜山南而得名。全区7个公社1个镇，10万人口，17.7万亩耕地，农作物种植以水稻、油菜为主，兼种小麦、棉花、花生、山芋等作物。区内大多为岗地缓坡，自然条件算不上优越，但也不能说很差，遇上风调雨顺的年份，粮食丰收不成问题。①

自安徽发生旱灾以后，中共安徽省委第一书记万里和省委一班人就在寻找调动社员积极性、全力抗旱救灾的办法和措施。9月初，在省委常委紧急会议上，万里提出了"借部分土地给农民种麦保命"的想法。省委"借地种麦"的决定还没有来得及向各地传达，万里的讲话却不胫而走，很快在全省各地传开了。

时任中共山南区委书记的汤茂林，当时正在山南柿树公社黄花

---

① 窦永记主编：《起点——中国农村改革发端纪实》，安徽教育出版社1997年版，第222、223、226页。

大队蹲点，了解旱情，听取民意，寻找抗旱秋种的有效办法。9月15日晚，他在黄花大队主持召开大队党支部扩大会议。着重就"借地"和"责任制"谈了自己的看法，供与会者讨论。最后，会议研讨出"四定一奖"办法细则。"四定"即定任务，全大队每人承包1亩麦地、半亩油菜地；定工本费，社员每种1亩地，生产队补贴5元钱，用于买种子、化肥；定工分，社员每种1亩地，生产队给社员记200分；定上缴，明年午收时，社员按承包亩数向生产队上缴粮食，其中小麦每亩上缴200斤，油菜每亩上缴100斤。"一奖"即粮食超产或减产，全由承包人承担，即全奖全赔。

"四定一奖"办法出台，实际上孕育着包产到户责任制的诞生，而包产到户的推行又使农村改革迈出了关键的一步。没有谁会想到，就是这样一群普通的农村基层干部，就是这样一次极为平常的大队会议，竟会产生石破天惊般的效果，农村改革由此迈出了第一步。

次日上午，汤茂林在中共山南区党委会议上和盘托出了"四定一奖"办法，让大家讨论。17日，黄花大队开始"借地"给社员。仅用两天的时间，全大队1037口人，1690亩耕地，除100余亩不宜秋种的土地外，其余耕地按人均1.5亩，"借"给社员个人耕种。

中共山南区委在黄花大队试点的消息立即传遍了全区，所属各公社和大队的干部群众纷纷要求搞试点，模仿黄花大队的办法。9月19日晚，区委召开会议，决定扩大"借地"试点。

第二天，中共山南区委在黄花大队召开现场会，可是消息迅速传开，全区所有的公社党委书记、革委会主任都跑来了。区委顺水推舟，一不做二不休，干脆去掉"扩大试点"四个字，在山南全区全面推广黄花大队办法，借地给社员耕种。

中共山南区委5天之内开4次会，借地之风刮遍山南全区。不要干部动员，也无需层层部署，一切都是主动地、自发地、有序地、悄悄地进行。任何一次"运动"都不能与之相比，干部和群众的想法从未有过这样一致，行动之迅速也是多少年来未曾见过。仅仅20天时间，到10月上旬，在山南全区，凡是适宜秋耕秋种的土地全部借给社员个人。耕地多的生产队,借给社员的耕地突破1.5亩的限制,有些生产队更大胆,干脆把所有耕地统统划到社员头上,由社员自主耕种。

一夜之间,蕴藏于广大社员群众中的生产积极性喷涌而出。天旱地干,牛耕不动,社员就用铁器一块一块地砸;种麦缺水,社员就跑到几里外挑水,在低洼处打井;农时紧迫,社员全家男女老幼齐上阵,起早贪黑,挑灯夜种。

10月初,中共安徽省委正式做出"借地给社员耕地"的决定,并立即向全省各地农村传达。

到11月上旬,全区播种小麦8万余亩,大麦2万亩,油菜近5万亩,总计约15万亩,比上级下达的秋种任务多播种9万亩,比正常年份多播种7万亩。①

四、包产到户迅速推开

在借地度荒过程中,山南有的社队悄悄地把土地都分给社员,实行包产到户,并私下说好,次年午季以后继续维持不变。这样一来,借地度荒变成了实实在在的包产到户,人民公社"三级所有,队为基础"原则名存实亡,一时间引起了一部分干部群众的非议。一些受极左错误思想影响太深的人,公开反对借地度荒和包产到户,并激烈抨击汤茂林等人的做法。

9月下旬,一封来自山南区柿树公社的"人民来信",分别寄给了中共安徽省委第一书记万里和肥西县委书记常振英。这封信的部分文字如下:

山南干部社员正在分田到户,搞单干,破坏人民公社所有制,并且得到汤茂林和山南区委的怂恿、支持。汤茂林在山南代表的是曾

---

① 《起点——中国农村改革发端纪实》,第235页。

希圣分田单干的错误路线,他是中了刘少奇"三自一包"的毒害,照他这样干下去,整个山南区不是走社会主义道路,搞集体经济,而是走资本主义道路,搞私有经济,变成"小香港"了。……

汤茂林究竟要把10万山南人民带向何处去?看他的所作所为,不是昭然若揭吗?①

显然,这是一封状告中共山南区委,状告支持包产到户干部社员的信,信尾署名者自称是一名农村教师。

是时,全国仍在继续开展"农业学大寨"运动,推广大寨的大队核算经验;由于"两个凡是"和"按既定方针办"极左思想仍有很大市场,中央的农业两个文件明确规定"不许分田单干""不许包产到户",致使农村一些地方刚刚出现的包产到户在内的多种形式的责任制处境艰难。

1979年2月初,由中共安徽省委政策研究室主任周曰礼和副主任刘家瑞领头,省委有关部门人员及魏忠、施道周组成的省委驻山南公社试点工作队到山南展开实地调查。

经过几天的实地调查后,周曰礼带上根据第一手材料整理的《农民普遍要求实行包产到户——宣讲中央关于农业两个文件的试点情况》报告,向万里汇报了山南农民的呼声和要求。

2月7日,万里主持召开中共安徽省委常委会议,讨论山南包产到户问题。周曰礼列席会议,并在会上首先汇报了省委工作队在山南宣讲中央关于农业两个文件和干部群众的要求。常委们听了汇报,认为农民的意见应当听取,包产到户是个好办法;但也有人提出,中央文件明确规定"不许包产到户",如果安徽要搞试点包产到户,应当先请示中央。最后,在万里主张下,会议决定在山南公社进行包产到户试验。

2月8日,周曰礼在中共山南公社党委扩大会上传达了省委常委

---

① 《起点——中国农村改革发端纪实》,第241页。

会议决定在山南公社试行包产到户的意见。

不到半个月时间,全山南公社206个生产队中200个生产队公开包产到户,不久,其余的6个队也跟了上来。山南公社一举成为全县、全省、全国第一个公开实行包产到户的公社。

包产到户符合农民的意愿,邻近公社自发地仿效,试点地区很快突破了山南公社的范围,波及山南全区,传遍全县乡村。自1978年9月实行借地种麦,推行"四定一奖"办法,私下搞包产到户,至1979年2月公开实行包产到户,山南农民在改革征途上迈出了重要的一步。

又过了10来天,肥西全县有40%的生产队实行包产到户,其余的生产队大多实行各种形式的农业生产责任制。

一个月后,夏粮收获的季节到了。山南全区大小麦总产2010万斤,比上年同期增产两倍多,交售国家粮食1000万斤,比去年同期增加近一倍。事实说明,包产到户对了,农村改革初战告捷。

五、阻力与动力的较量

包产到户增加了粮食产量,广大农民要求继续实行下去。万里支持,省委支持,县、区、公社的大多数干部更是积极拥护推广。可是也有包括高层在内的一些人想不通,不支持,甚至反对。这些人表示要"坚决抵制包产到户,走社会主义道路";有人认为包产到户是复辟;还有些干部不参加会议,不表态,在自己职权范围内拼命阻止包产到户。

1979年3月15日,《人民日报》在头版显要位置发表了一篇《"三级所有,队为基础"应当稳定》的读者来信,态度鲜明地反对包产到户。"人民公社现在要继续稳定地实行'三级所有,队为基础'的制度,不能在条件不具备的条件下,匆匆忙忙地搞基本核算单位的过渡;更不能从'队为基础'退回去,搞'分田到组'、'包产到组'。"[①] 由

---

① 《"三级所有,队为基础"应当稳定》,《人民日报》1979年3月15日。

此,在安徽、在肥西,反对和制止包产到户的声浪越掀越高。

压力之下,中共肥西县委下发第46号文件。文件规定:"不许划小核算单位,不许分田单干,不许包产到户。""要把包产到户的重新组织起来,把各种责任制形式中出现的偏向纠正过来。"①县委还召开县、区、公社三级干部会,要求各级干部以党籍做保证,立即纠正包产到户。

接到县委的46号文件,已经"包产"的社队干部,有的据理力争,公开"抗上";有的软拖,敷衍了事;也有少数干部顶不住县委的压力,被迫执行文件。

安徽省革命委员会(简称"革委会")参事室参事郭崇毅、《安徽日报》记者汪言海对肥西县委下发46号文件极为愤慨,先后来到肥西山南,访问包产到户的农民,了解包产到户的实情,并且各写了一份调查报告,送给万里。万里接到郭崇毅、汪言海的报告后,立刻派人到肥西了解情况。

随后,在召开的中共安徽省委常委会议上,万里严肃地说:"山南包产到户试点是省委决定的,如果有什么错误,应由省委首先是我来承担。肥西县委强制收回包产田是错误的。要告诉他们以及已经实行包产到户的地方,不要强行扭转,不要跟群众闹对立,不要违背群众意愿,不要挫伤群众的积极性。包产到户到底对不对,至少要让群众干到秋后吧!要让实践来检验。"②会议提出由王光宇和周曰礼前往肥西,做县委的思想工作。

王光宇和周曰礼来到肥西后,立即组织召开中共肥西县委常委会议,传达万里的意见。县委常委表示要按照万里的意见办。随后,县委下发第50号文件,改变第46号文件中的一些决定,不再强行改正包产到户,不再强令干部群众按期改回来。但是,迫于当时全国农业学大寨风潮,迫于中央关于农业发展的有关政策规定,第50号文

---

① 《起点——中国农村改革发端纪实》,第257页。
② 《起点——中国农村改革发端纪实》,第260页。

件仍然认为包产到户"失去了统一经营的优越性,暴露了小农经济固有的弱点",要求在全县积极推广包产到组,用包产到组取代包产到户。

由于种种原因,中共安徽省委一时也难以下文正式肯定包产到户。于是,原先来山南参观学习的外地人,现在不来了;原先积极报道山南包产到户的记者,现在不见踪影了。

肥西县包产到户遭受挫折,表面上看,问题出在中共肥西县委,但从实质分析,根子却在上面。唯有冲破条条框框的限制,直接向中央反映农民的意愿,让关心农村改革的中央有关负责人了解农村实情,形成全国上上下下都来为农民"鼓与呼"的良好气氛,才可能使包产到户"名正言顺"。

六、邓小平肯定包产到户

1980年1月11日至2月2日,国家农委在北京召开全国农村人民公社经营管理会议。召开这次会议,主要是因为农村一些地方的改革,已经冲击了"三级所有、队为基础"的人民公社体制,在国家农委看来,必须迅速研究对策,统一思想,以坚持农村集体经济原则,巩固农村的社会主义阵地。

根据大会安排,安徽省农委副主任周曰礼以《联系产量责任制的强大生命力》为题,在全体会议上做长篇发言。他在介绍安徽实行联产承包责任制带来的巨大变化后,着重阐述了包产到户的优越性。

安徽代表的观点,除少数省的代表和一些新闻单位、经济研究部门的与会者表示支持外,大部分参加会议的人都持反对态度。会上两种思想展开了激烈的交锋,争论的焦点是:包产到户到底是姓"社"还是姓"资"?

2月29日,在中共十一届五中全会上,万里被选为中央书记处书记,分工主持制定党的农村政策,主管全国农业工作。此后,万里多次向邓小平、陈云等中央领导汇报安徽农村包产到户的情况,谈论改革给安徽农村带来的喜人变化。

而邓小平对这场农村改革及其产生的争论十分关注,他不仅仔细听取万里的汇报,还花精力翻阅了大量有关材料,认真思考。4月2日,邓小平找胡耀邦、万里、姚依林、邓力群等人谈话。他说:政策一定要放宽,使每家每户都自己想办法,多找门路,增加生产,增加收入。有的可以包产到组,有的可以包给个人。这个不用怕,这不会影响我们制度的社会主义性质。政策放宽以后,有的地方一年可以增加收入一倍多。①

5月31日,邓小平再次就农村改革发表重要谈话,对包产到户予以充分肯定和支持。他说:"农村政策放宽以后,一些适宜搞包产到户的地方搞了包产到户,效果很好,变化很快。安徽肥西县绝大多数生产队搞了包产到户,增产幅度很大……有的同志担心,这样搞会不会影响集体经济。我看这种担心是不必要的。实行包产到户的地方,经济的主体现在也还是生产队。"②

肥西县山南镇小井庄村"小井庄"包产到户纪念馆　马启兵　摄

邓小平在不到两个月的时间里,两次就农村改革发表谈话,不仅表明了自己的态度,平息了关于包产到户、大包干的争论,更为全国

---

① 张广友:《改革风云中的万里》,人民出版社1995年版,第226—227页。
② 《邓小平文选(一九七五—一九八二年)》,人民出版社1983年版,第275页。

农村的改革指明了方向。

七、长丰县农村的"丰收年"

长丰县,时为合肥市的唯一行政辖县,地处合肥北部,江淮分水岭上,全县总人口中,90%以上是农村人口,农业经济占据举足轻重的地位。但是,与建县之初"长治久安、人寿年丰"之寓意相反,受"文化大革命"中极左路线政策的钳制,直到20世纪80年代前,农业经济仍然处于落后状态,粮食产量低,每年都需要国家供应返销粮。

1978年年底,肥西县开始试行包产到户,第二年又大规模推广,长丰县却未曾有"动作"。但基层干部和农民心向往之,强烈要求实行包产到户。

1980年春,长丰农村开始出现包产到户、以生产小组大包干、水统旱分(水田统一经营、旱地分户经营)和以生产队经营(实行"一组四定")四种农业生产经营责任制形式。其中,主要是包产到户这种形式。而且,包产到户发展很快,当年即推广到全县86.2%的生产队,大有后来居上之势。至1981年8月,全县实行包产到户的生产队,已达生产队总数的99.7%。

1980年,对于长丰县的农村而言,是个灾害严重的年份。这一年,全县的洪涝、病虫等自然灾害频繁发生。特别是六、七两个月,雨量集中,降水强度超过了1954年,沿瓦埠、高塘两湖的11个公社75个大队遭受洪灾,有2731个生产队被洪水包围,许多低洼社队出现内涝,受淹受涝的农田达54万多亩,占全县总耕地面积的37%。

然而,就是面对这样的灾害年份,农民们却信心十足,干劲无穷。"普遍出现冒雨抗洪、冒雨排涝,抢晴天战雨天,抗灾补种,消灭空白田的动人情景;出现了'晴天靠锄头,雨天靠指头,不让草出头'的劳动景象,体现了与严重灾荒作斗争的顽强抗灾精神。"

这一年,长丰在大灾之年取得了大增产的可喜成果。整个农村呈现出一派"五业兴旺、人欢年丰"的喜人景象。全县粮食总产达

6.18亿斤,比1979年增产1.84亿斤,增长42.1%,比计划总产增长7.8%,比历史最高水平的1976年增长8.8%,实现了超计划、超历史。油料总产2053万斤,比1979年增长近一倍。棉花总产4.44万担,比1979年增长78.5%。林、牧、副、渔生产也有所发展,与1979年相比,生猪存栏量增长了50%,养羊增加6971只,家禽增长两倍,大牲畜增加553头,成鱼捕捞增加13.5万斤。社队企业总收入增长3.2%。

生产发展了,农产品增收了,农民对国家的贡献也增加了。"这是建县以来向国家贡献最大的一年。"1980年,全县向国家交售粮食1.02亿斤,为征超购任务8802万斤的128.3%,其中征购任务6538.5万斤,实际完成6602.9万斤,超购任务1743.1万斤,实际完成4006万斤。油脂统购任务80万斤,实际完成427.3万斤,一年完成了五年的任务。交售皮棉279.3万斤,比上年增加15万斤。农业税和生猪、鲜蛋征购以及贷款、水电费的回收均超额完成任务。十大指标除烤烟外,有九项超额完成。

当年,全县农副业总收入达9392万元,比1979年增长了47.1%,人均分配纯收入80.44元,比1979年人均分配收入50元增长60.9%,比1976年人均分配收入63元增长27.7%。人均生产粮食和社员口粮标准都有较大增长。全县人均生产粮食859斤,口粮标准达到571斤,比历史最高的1976年人均483斤增加88斤。农民生活水平比往年明显提高了。全县除少数灾区外,社员普遍增产增收。

仅仅一年时间,长丰农村经济取得如此大的发展,主要原因是生产责任制的改变。由于全县各地实行了包产到户的生产责任制,把广大干群抗灾夺丰收的积极性充分调动了起来。干群们一致反映说:包产到户见效快,劳力强的开始富,劳力弱的也变成了快活户,社社队队没有超支户。初步"冒了尖"的社员兴高采烈地说:仓满粮、禽满庄,猪羊满圈装;添新衣、盖新房,多卖余粮感谢党。一些穷队的社员满怀信心地说:今年打了翻身仗,明年大步上,两年还清账,三年盖新房。

第二节 贯彻中共十一届三中全会精神

一、贯彻国民经济"八字方针"

1979年4月5日至28日,中共中央召开工作会议,主要讨论经济调整问题。会议提出对国民经济进行"调整、改革、整顿、提高"的八字方针,决定用3年时间调整国民经济,努力恢复因"文化大革命"而遭受破坏的国民经济。随后,中共安徽省委于5月召开工作会议,决定贯彻落实中央"八字方针",发展安徽经济。

为传达贯彻中共中央和省委工作会议精神,部署落实合肥市国民经济调整、改革、整顿、提高的任务和措施,6月3日至5日,中共合肥市委召开三届十六次全委扩大会议。市委书记郑锐代表市委对市经济调整的主要任务和措施进行规划部署。会议确定,全市经济要边调整边前进,在调整中改革,在调整中整顿,在调整中提高,既要把比例关系严重失调的状况逐步改变过来,又要保持相当的增长速度,在技术水平和管理水平上求得新的提高,在经济效果上达到新的水平。调整中,农业要大上,特别是蔬菜、家禽、养鱼等副食品生产要有一个较大的发展。工业要立足现有基础,着眼于革新、改造、挖掘潜力,大力加快轻纺、建材工业的发展速度,首先解决群众的吃、穿、用、住问题;钢铁、机械、电子工业的重点要放在提高质量和增加品种上;基本建设必须树立全局观点,坚决缩短战线,确保重点,填平补齐。要大力组织财政收入,搞好市场供应,继续发展教育、科学、文化、卫生事业。①

这次会议的各项要求和措施,在随后的一年多时间内得到比较有效的贯彻执行。期间,市委还反复强调,要在调整中改革,改革要有利于调整,服从于调整。调整中既要采取有效的经济手段,又必须进行必要的行政手段,特别要强调集中统一,局部要服从全局,全面执行党的经济政策。

经过全市干部职工的共同努力,至1981年年初,合肥市工业在调整中发生了明显变化。一是组织了多种形式的经济联合。全市有230家企业参加联合经营,其种类有:按行业或产品组织专业化协作的联合公司;以产品为中心组织厂外联合加工;实行全民所有制之间、全民所有制与集体所有制之间、地区之间的联营;农工商联合体;实行补偿贸易以及和国外联合加工。二是轻工业发展速度和比重皆超过重工业。1980年,合肥市轻工业增长15%,重工业下降6%,轻工业所占的比重由上年的49.9%上升到55%,轻、重工业的比例渐趋协调、合理。三是实行计划经济与市场经济调节相结合。机械、汽车、化工、二轻等行业面向市场,从市场需要出发,发展生产。全市工业品市场零售额1980年达3000多万元,比上年增长2倍以上。四是扩权试点企业取得初步成果。全市31个扩权试点企业截至1980年11月份,实现工业总产值6亿多元,比上年同期增长5.2%,超过全市增长水平。五是注重经济效益。各工业部门认真抓产品质量,降低成本,以提高竞争能力。全市将近三分之二的产品达到或超过本企业历史最高水平。据对79种产品考核,一半以上的产品消耗比1979年同期有所下降。②

1981年2月18日至23日,中共合肥市委召开四届二次全委扩大会议,确定继续贯彻执行中央工作会议的决定,在经济上实行进一

---

① 《市委召开三届十六次全委扩大会议——深入贯彻三中全会精神 搞好国民经济调整》,《合肥报》1979年6月8日。
② 《我市工业生产在调整中继续发展——去年全市工业总产值增长百分之四左右,市属企业可望增长百分之八》,《合肥晚报》1981年1月8日。

步的调整,在政治上实现进一步安定团结。会议强调,为保证经济调整的顺利进行,必须端正经济建设指导思想,肃清"文化大革命"极左思想流毒的影响。

这一阶段的经济调整,纷繁复杂,千头万绪,但主要围绕着控制基本建设规模、增收节支、稳定农业生产责任制、调整轻重工业比例、稳定物价和实行计划指导下的市场调节等目标展开。

在大力实施经济调整的同时,合肥还着手园林绿化、城市道路、公共卫生等市政建设,以弥补"文化大革命"的欠账。文化、教育、卫生、体育事业也在可能的条件下逐步有所发展。① 据统计,截至1982年9月,全市直接用于改善人民居住条件和文化生活服务的非生产性建设投资大幅度增加。1980年至1982年的3年,全市完成的投资额相当于"文化大革命"10年间的2.66倍。其主要增长数据有:在建设住宅方面,3年中,全民所有制单位累计建成住宅面积115万平方米,按平均每人居住水平5.5平方米计算,共解决了11.5万人的住房问题。此外,集体所有制单位以及私人还兴建了大量住宅。在增加城市公共事业和市政设施投资方面,3年中投资额达2620多万元。城市公共设施1981年同1978年相比,自来水的日供水能力增长33.3%;公共交通车增加了98辆,增长66.7%;园林绿化面积增加189.33公顷,增长14.4%。在增加商业服务网点方面,3年中累计建成商业营业用房1.3万平方米。到1981年年底,全市零售商业、饮食、服务业网点达到4394个,比1979年增加1898个,增长76%。在发展文化、教育、卫生事业方面,全市用于文化、教育、卫生福利等项建设投资占基本建设投资总额,由过去的13.46%提高到24.14%。建设大、中、小学校舍面积5.9万平方米,增加学生座位1.18万个;新建和扩建医疗用房面积9456平方米。同时还新建了两个影剧院

---

① 《经济上实行进一步调整,政治上实现进一步安定——中共合肥市委召开四届二次全委扩大会议,认真贯彻中央工作会议精神》,《合肥晚报》1981年2月24日。

以及市图书馆、少年宫、省图书馆书库楼等,体育活动场所也增加多处。①

由于目标明确,政策对路,措施有效,且没有各种运动的干扰,合肥经济调整工作顺利,因"文化大革命"运动而濒临崩溃边缘的经济得以恢复发展。

二、工业管理体制改革与学上海、学沿海

(一)工业管理体制改革

1979年7月13日,国务院正式下达5个关于改革国营企业管理体制的文件,并发出通知,要求各省、市、自治区和国务院有关部门在工业、交通系统选择少数企业进行试点。这5个文件包括:《关于扩大国营工业企业经营管理自主权的若干规定》《关于国营企业实行利润留成的规定》《关于提高国营工业企业固定资产折旧率和改进折旧费使用办法的暂行规定》等。这些文件把经济利益、经济效果、经济责任结合起来,把国家、企业和个人三者的利益结合起来,核心是扩大企业的自主权,使企业的手脚能够放得开一些,可以办更多的事情。这对于调动企业和职工的积极性,把工业生产、交通运输搞得更活,使经济效果更好;对于推动经济体制的改革,都有重要的意义。

扩大企业自主权,是贯彻国民经济"调整、改革、整顿、提高"的重要内容。11月,安徽省革委会根据国务院有关文件精神,批准安徽拖拉机厂、合肥化工厂、合肥制药厂、安徽橡胶轮胎厂、安纺一厂、安纺二厂、合肥矿山机器厂、合肥卷烟厂、安徽印染厂、合肥日用化工厂、安徽丝绸厂、合肥变压器厂等12家国营工厂实行扩大企业自主权的试点。

---

① 《调整"骨"与"肉"的关系,改善人民群众生活——我市非生产性建设成绩显著》,《合肥晚报》1982年9月30日。

除扩大企业自主权外,企业合并经营也是经济体制改革的内容之一。企业合并经营可以取人之长,避己之短,把各方面的积极性调动起来,发挥各个经济单位的优势,提高经济效果。如合肥商业机械厂生产设备较好,技术力量较强,生产能力富余,生产的主要产品电冰箱、冰水机、冷藏柜等冷冻设备是市场畅销货。但由于缺少厂房,又没有就地扩建条件,扩大生产受到了限制。而合肥交通电器厂生产的抛布轮、闪光器等产品,销路很小,生产任务不足,新盖的两千多平方米的厂房公用设施没有充分发挥作用,劳动力也有富余。这两厂合并经营,就能充分利用各自的有利条件,形成新的生产能力,加快生产发展。① 1980年4月底,中共合肥市委做出决定,将市二商局下属的集体所有制企业合肥商业机械厂和合肥交通电器厂合并经营。这是一次冲破所有制界限,改革经济体制的新尝试。

在企业合并和企业联合试点取得一定经验后,8月初,市委召开工业会议,肯定了企业合并经营、企业联合经营方向正确,认为企业合并经营是促进企业发展的一条道路。会议还提出要扫除各种思想障碍,大胆实践,加快企业合并、企业联合步伐。

这一阶段,合肥的企业合并、企业联合主要是围绕以下几点展开的。一是从发展生产出发,有利于国民经济的调整和经济体制的改革,有利于发挥各自的优势;二是坚持自愿原则,采取多种多样的合并、联合形式,不受行业、地区和所有制隶属关系的限制;三是企业合并或联合后不改变各方所有制的性质和隶属关系、财务关系、职工身份和工资福利待遇;四是要平等互利、兼顾各方面的利益;五是要努力提高经济效果,增产增收,在保证国家多得的前提下,实现企业多分,职工多得。为保障企业合并或联合的过程顺利,少走弯路,全市各有关部门加强对企业合并或联合的领导,各有关局都成立了专门班子,全市计划、物资、财政等部门也给予积极支持和帮助,共同促进

---

① 《改革经济体制的新尝试——全民企业与集体企业合并经营》,《合肥报》1980年5月7日。

企业联合的进行和巩固。①

1980年11月5日和7日,中共安徽省委第一书记张劲夫带领省委有关部门负责人与中共合肥市委、市政府领导班子进行座谈。在工业发展问题上,座谈会达成的会议纪要认为:抓长期规划和体制改革是必要的,但今后一个时期,还是要进一步抓国民经济的调整,在调整中前进。发挥优势,用联合的办法,发挥现有企业的潜力,不争投资,量力办事,少搞新建项目,不搞重复建设,一定要用较少的钱,办较多的事。要着重抓好两头,一头抓尖端产品,高级、轻型产品,可以同国内外搞经济合作,开展补偿贸易,引进新技术;一头抓劳动密集型的加工工业和服务行业。这次座谈会为以后合肥城市工业管理体制改革和工业经济的发展明确了目标。

同时,中共合肥市委、市政府结合合肥自身条件,积极发展手表、自行车、电视机等轻工业;增加以传统食品为主的食品工业生产;扩大家具业、服装业等劳动密集型企业的生产规模。为弥补多年来城市建设的严重不足,市委还把加快发展建材工业放在先行位置,鼓励和支持农村社队建砖瓦厂。利用大专院校集中、科研机构众多的优势,积极推动校企联系、科企联系,推广新技术,开发新产品,以满足企业和人民生活的需求。

1981年7月底,根据中共安徽省委发布的《关于工商企业实行经济责任制的通知》,合肥又着手对企业的财务包干和企业内部经济责任制进行改革。至11月中旬,全市市级国营工商企业130户中,实行各种包干责任制的已有110户,占市级国营企业总数的84.6%,包干金额7384万元,占市级国营企业入库利润总数的96.43%。

(二)学上海、学沿海

20世纪80年代初期,为改变安徽经济尤其是工业落后的面貌,

---

① 《联合起来发展生产搞活经济——市委召开工业会议,要求继续解放思想,大胆实践,打开新局面》,《合肥报》1980年8月9日。

中共安徽省委第一书记张劲夫倡导,并经省委讨论决定,在全省开展"学上海、学沿海"的活动。

合肥"学上海、学沿海"活动从1981年开始。首先从纺织行业启动。9月13日,上海市纺织工业局派出85人的帮促队来到合肥,经过两个月的帮促,圆满完成预定目标,上海的先进经验在安纺一厂、印染厂、丝绸厂、针织厂和被单厂五个试点企业开花结果。

10月,中共合肥市委书记郑锐带领市二轻、工商、粮食等部门负责人到上海卢湾区学习食品、皮革、服装生产和市场管理等方面经验。次月,上海卢湾区区委书记带领22位领导干部、技术人员、老工人来合肥进行考察,商谈帮促规划和措施,落实了一批技术培训、技术协作和联营项目。

与此同时,合肥市各企业根据和上海有关单位商定下来的帮学计划,纷纷派人去上海学习培训。据合肥市一轻、二轻两个局统计,仅一个多月里,就先后派出了100多人次去上海学习。

为加强对全市"学上海、学沿海、学先进"的领导,中共合肥市委决定成立合肥市学上海办公室,由市计委、经委、财政局某部门抽调人员,负责日常具体工作。

11月12日,安徽省直机关召开处级以上干部会议,中共合肥市委、市政府领导和有关委、办、局的负责人参加会议,张劲夫在会上做《学上海,学沿海,进一步把我省工业搞上去》的报告。报告提出,要把"学上海、学沿海"作为今后一段时间推动全省工业发展的主要任务和目标。会后,合肥市委立即组织市直机关和各区局以及工交系统独立支部以上单位负责干部1000多人收听张劲夫报告的录音。尔后,再组织广大干部和职工收听。到11月底,全市干部和多数职工基本都已收听学习一遍。

至此,"学上海、学沿海"活动在全市大规模开展起来。市纺织工业系统在学上海的活动中先走一步,取得了显著成效,积累了一些经验。工交、财贸、基建等行业也掀起"学上海、学沿海"的热潮。

全市各行业"学上海、学沿海"的活动,大体有四种形式。一是抓重点行业。除纺织行业先走一步,市一轻局重点抓永康、好华两个食品厂;二轻局重点抓服装、皮革、塑料等重点行业。二是抓重点产品。手表厂和自行车厂与上海对口企业挂钩,开展帮学活动;市电子局确定"黄山"牌电视机学上海十八厂"飞跃"牌电视机,"黄山"牌收音机学上海"凯歌"牌收音机。三是选对口企业挂钩拜师。合钢公司与上钢五厂建立"师徒"关系。皮革公司有5家工厂派出85人到上海对口学习,回合肥后组织生产新品种、新花色皮鞋。塑料公司与上海塑料一厂商定,由上海方面提供帮助生产针织人造革。四是全市商业服务由点及面,全面学习上海卢湾区市场管理及饮食、服务等先进经验。①

三、发展多种经济形式　安置待业人员

"文化大革命"10年动乱,国民经济濒临崩溃的边缘;单一的计划经济体制严重束缚了企业的发展;1978年以后逐渐停止的知识青年上山下乡运动;因"割资本主义尾巴"而被迫停止的个体工商业,等等,都使得"文化大革命"结束不久的合肥待业、就业人口增多,社会负担加大。安置就业,成为中共合肥市委和市革委会的当务之急。为此,市委、市革委会除了根据国家政策、要求,扩大学生升学比例和鼓励企业招收更多工人外,还下大力气发展多种经济形式,安置待业人员。

"文化大革命"前,合肥有个体工商业者1600多户,到1979年年底,全市个体工商业户仅存170户,从业人员1000人左右,主要从事饮食、服务、修理和手工编织等,远远不能满足人民日常生活的需要。为此,中共合肥市委、市革委会决定,不失时机地恢复和发展个体工商业,一方面方便人民群众日常生活需要,另一方面安置大批待业人员。而

---

① 《学先进、找差距、订规划、提措施——我市学上海学沿海活动深入发展》,《合肥晚报》1981年12月19日。

这些从事个体工商业人员,充分发挥服务多样、灵活方便的特点,摆摊设点,走街串巷,上门服务。从饮食、蔬菜贩卖、小吃,到缝纫、理发、修补,凡是人民群众日常生活中所需要的服务项目,他们都积极经营,而且待客热情,服务周到,价格灵活。这样,个体经营同国营和集体商业相互补充,相互促进,既活跃了市场,又方便了群众生活。

个体工商业者经营活动的发展,为广开就业门路找到新的途径,减轻了社会的负担。"一些长期靠社会救济的城市闲散人口,现在经济有了保障,经营得好的还能养活五六口人。"[1]

到1980年6月上旬,合肥市工商行政管理部门正式批准发给营业执照的个体户已有650家,还有众多暂未办理营业执照的个体工商户。他们经营的种类有饮食、缝纫、理发、修理、织补、手工编织等30多个行业。网点遍布全市。由于他们的经营项目多是拾遗补缺,经营方式灵活,有的设固定摊点,有的走街串巷,有的服务上门,营业时间长,弥补了国营和集体企业网点不足的缺陷,很受群众欢迎。[2]

在个体工商户发展较快的西市区,截至当年10月底,已达584户(其中有证328户,无证256户),比上年年底的90户增加了6.5倍。

合肥发展个体工商业的做法得到了中共安徽省委的肯定。1980年7月,省委批转了合肥市《关于恢复和发展个体工商业的情况报告》,认为合肥允许和支持个体工商业开业,不仅对国营商业是一种补充,而且有利于改变国营商业独家经营、越搞越死的局面,对活跃经济生活,扩大就业门路,满足人民生活多方面的需要,都有重大意义,并要求全省各地按照合肥市的办法执行。

个体工商业的恢复发展,获得了许多合肥市民的称赞。在西市区三孝口附近,有个光明小吃部,被誉为"全市办得最好的小吃店之一",被群众称为"放心店"。中共合肥市委派出联合调查组,总结他们的经验,并专门发出文件,表彰他们的先进事迹。1981年年初,《人

---

[1] 《报摊设点、走街串巷、多种经营——千名个体工商业者又活跃起来了》,《合肥报》1979年12月31日。

[2] 《我市批准六百多个个体经营户开业》,《合肥报》1980年6月16日。

民日报》发表新华社记者撰写的报道《"放心店"叫人更放心了》。随后,市委下发通知,希望商业战线的各级领导和广大职工,认真学习光明小吃部的先进事迹,进一步端正经营思想,改进服务态度。

1981年5月28日至30日,合肥召开了全市劳动就业工作会议,明确提出:今后劳动就业的主要方向就是发展各种形式的城镇集体经济和个体经济。12月,中共合肥市委、市政府再次召开劳动就业工作会议,重申合肥"当前和今后一个时期劳动就业的方向首先要大力发展消费品生产,其次要积极发展商业、饮食业和服务业。劳动就业的主要途径是努力办好城镇集体经济,大力提倡和指导待业青年组织起来在集体单位就业"①。会议认为:劳动者只要同社会需要相结合,有事可做,通过自己的劳动,获得生活来源,就算就业;过去实行"统包统配"的劳动制度,积累了大量就业问题,现在实行全民、集体、个体等多种经济形式和多种经营方式并存,这是加快经济建设的一项战略决策,同时也为解决就业问题开辟了多种渠道;今后经济建设主要是发展集体经济和个体经济,与此相适应,这也是今后劳动就业的主要途径。

这次会议取得的认识和得出的结论是,中共合肥市委、市政府解放思想,革除旧弊,向前迈出了一大步,为全市个体经济的进一步发展扫清了障碍。到1982年7月,全市有证个体户2541户,从业人员3337人,是1979年170户的14.95倍。经营六大行业,36个小行业,商品品种和各种服务项目达1400余种,其中商业627户,735人;饮食业618户,1101人;服务业236户,287人;修理业322户,380人;工艺手工业403户,495人;运输业303户,303人;其他32户,36人。

在个体经济迅速发展的同时,1979年以后,合肥市的集体企业也得到了较快发展,安置了大批人员。3年中,先后兴办集体企业856个,通过各种渠道安置待业青年8.36万人,占历年需要安置就业

---

① 《办好集体经济扩大就业领域——市委、市政府召开就业工作会议》,《合肥晚报》1981年12月16日。

总人数的 90.8%。

从 1979 年到 1982 年,短短 3 年间,合肥千方百计大力发展多种经济形式,集体、个体工商业得到迅速增长,不仅缓解了人民日常生活面临的困难,也支持了大批待业人员走上就业岗位。

第三节 尊重知识 尊重人才

一、贯彻落实全国科学大会精神

1977 年 9 月 18 日,中共中央发出关于召开全国科学大会的通知。29 日,中共合肥市委召开"坚决贯彻中央发出的关于召开全国科学大会的通知,向科学技术现代化进军"动员大会,号召"全市科技战线上的广大科技人员、干部和职工,尽快把科学研究搞上去,向科学技术现代化进军,为加速实现四个现代化作出更大贡献"①。市委还提出立即掀起学习、宣传、贯彻中央有关全国科学大会指示精神的热潮;切实搞好三个"抓紧",即抓紧搞好科技战线的整顿,抓紧落实党的知识分子政策,抓紧制定科学技术规划;努力建设一支又红又专的科技队伍等。②

为迎接全国科学大会的召开,合肥市于 1977 年 12 月 31 日至 1978 年 1 月 3 日,召开第一次科学技术大会。会议做出《全党动员,向科学现代化进军》的决定。会上评选出 257 项科技成果,其中 98 项科技成果获得全国科学大会奖。③ 这次科学大会的召开,标志着合

---

① 《市委召开向科学技术现代化进军动员大会》,《合肥通讯》1977 年 9 月 30 日。
② 《中共合肥市委关于贯彻〈中共中央关于召开全国科学大会的通知〉的通知》,《合肥通讯》1977 年 9 月 30 日。
③ 《走进合肥》,第 79 页。

肥市科技事业停滞不前的局面结束,科技事业迎来了恢复发展时期。

1978年3月18日至31日,全国科学大会在北京召开,邓小平发表重要讲话,他指出四个现代化的关键是科学技术的现代化,"知识分子是工人阶级的一部分",并着重阐述"科学技术是生产力"这个重要观点。这次大会是中国共产党在粉碎"四人帮"之后,国家百废待兴的形势下召开的一次重要会议,也是中国科技发展史上一次具有里程碑意义的盛会。大会通过了《1978—1985年全国科学技术发展规划纲要(草案)》。在这次大会上,由安徽无线电厂(后改名为安徽电子计算机厂)和清华大学等单位协作,联合设计试制成功的中国第一台DJS-050微型电子计算机获国家"重大成果奖"。

全国科学大会闭幕之后,中共合肥市委召开全市基层党委、总支、支部党员负责干部会议,传达全国科学大会的精神,要求各级党组织把科技工作列入党的重要议事日程。接着,合肥市科学委员会召开全市科技管理干部和科技人员会议。全市各系统和长丰县也分别召开所属单位负责人和科技人员会议,传达全国科学大会精神。据统计,全市计有1.3万多人参加了全国科学大会精神的传达会议。

在传达贯彻全国科学大会精神后,合肥科技工作迅速全面展开。经过持续不懈的努力,全市在健全科研机构、落实科研人才政策以及科技转化等方面取得了十分明显的进展。

在健全科研机构方面,主要是加强各级科技管理部门和专业科研机构的建设。市、县、郊区恢复了科委和科协;部分局设立了科技管理科;建立了情报、冶金、电子、化工、服装、家具、五金、电信、广播、农业和农机等14个专业科研所;不少工厂、企业办起了科研组(室);随着农村各种生产责任制的不断完善,已有的部分农科站(队)得到巩固和发展。全市科技工作走上正常、健康的轨道。

在落实科研人才政策方面,主要是拨乱反正。全市各级党委及有关部门,抓紧平反科技人员的冤假错案;解决科技人员中的学非所用问题;为2867名工程技术干部恢复和确定了技术职称;600多名"文化大革命"期间入学的大学生分批走上科研岗位;一批工程技术人员被选拔到各级领导岗位。

在科研能力提高和科研成果转化方面,取得了一批有一定水平和实际应用价值、经济效果好的科研成果。全市完成科研、中间试验和新产品试制项目120项。经过各级评选,有5项被选入1979年国家科技重要成果汇编;有7项成果得到国务院有关部门奖励;有21项获省优秀成果奖。从项目选题来看,轻纺、电子和人民生活中吃、穿、用、住的课题占73.6%,体现了科技工作为经济建设和人民生活服务的方针。从科研成果推广应用来看,经济效益较为显著。如市日用化工厂的芳草药物牙膏,既洁齿,又防治牙病,颇受国内外市场欢迎,为国家创利达186万多元;合肥制药厂和宁夏化工科研所研制的生产新工艺,总投资7.6万余元,用于生产之后,仅1980年一年比原工艺降低成本174.21万元,是总投资的20多倍。

二、重视和发挥知识分子作用

在极左思潮泛滥时期,知识分子被批为"反动技术权威""臭老九"。"文化大革命"结束后,拨乱反正,重新确定中共对知识分子的政策。1977年5月24日,邓小平特别指出:"一定要在党内造成一种空气:尊重知识,尊重人才。要反对不尊重知识分子的错误思想。"① 自此,全国开始大力落实党对知识分子的政策,并将其列为拨乱反正的重要内容。

7月,中共合肥市委组织召开区、县委书记会议,专门研究部署落实干部政策和知识分子政策。在落实党的知识分子政策上,会议认为:要充分发挥知识分子的专长,没有安排使用的要适当安排使用,用非所学的要适当调整,使知识分子在社会主义革命和社会主义建设中,为实现四个现代化发挥积极作用。要从政治上、生活上关心知识分子,对一些实际问题,在可能范围内适当加以解决。

---

① 《邓小平文选(一九七五——一九八二年)》,人民出版社1983年版,第38页。

针对被"文化大革命"运动摧残的教育,结合落实党的知识分子政策,10月下旬,中共合肥市委首先召开全市教育革命先进学校、先进教师(教育工作者)代表大会,表彰一批中小学优秀教师,以此表达对教师的尊重、关怀和鼓励。全市共有先进教师(教育工作者)代表和特邀代表818人参会。安徽省委十分重视这次会议,省委第一书记万里等领导专门到会接见会议代表。市委、市革委会主要领导分别做报告。这次会议充分肯定了教师在全社会中的地位和作用,批判极左路线政策对知识分子的种种做法。①

1978年3月和5月,全国科学大会和全国教育工作会议分别召开。重新确定了党的教育方针和知识分子政策,全社会尊重知识、重视教育的氛围蔚然成风。

这一时期,合肥各级领导机关都十分重视落实党的知识分子政策。例如,中市区委提拔一批教师担任领导职务,以充实学校的领导班子。② 合肥钢铁厂第一钢厂党委在对技术人员进行考察后,提拔9名技术人员到各级领导岗位,又着力帮助技术人员解决生活中的实际困难,为他们创造必要的工作条件。③

1982年2月中旬到6月上旬,中共合肥市委用近4个月时间对全市落实党的知识分子政策情况工作进行全面检查。检查报告写道:

三中全会以来,我市较认真地落实了知识分子政策,复查平反了冤假错案;通过套改和考核,晋升了中级以上技术人员1220人;调整了用非所学、使用不当的专业技术干部622人,录用和安排了40多名社会闲散科技人员;吸收了530个知识分子入党;选拔了222人进入县以上各级领导班子;基本解决了中级以上技术人员夫妻分居两

---

① 《落实党的知识分子政策,表达党对教师的关怀和鼓励——市委召开全市先进学校、先进教师代表大会》,《合肥通讯》1977年10月31日。
② 《中市区委认真落实党的知识分子政策》,《合肥报》1978年6月26日。
③ 《政治上关怀、工作上支持、生活上关心——合钢一厂党委认真落实知识分子政策》,《合肥报》1979年3月5日。

地的问题；同时还举办了46个学制一到两年的科技干部专业进修班，参加学习的达2800多人。

据这次全面检查统计，全市已有中专以上文化程度的知识分子1.89万人，占干部总数3.56万人的53.2%。从事技术工作和知识传授工作的技术干部1.41万人，其中36岁至55岁的中年知识分子9569人，占技术干部总数的67.7%；中级以上知识分子1220人，占知识分子总数的6.4%。这支为数不小的知识分子队伍是合肥市进行四化建设的重要依靠力量。

这一时期，全市各级党组织着力落实党的知识分子政策，一是复查平反知识分子中的冤假错案，在需复查的1140起案件中，已复查结案1110起，结案率为97.4%；二是完成技术干部技术职称的套改复查，并通过考核开展技术职称的晋升工作，对622名用非所长的专业技术干部的工作进行了专业对口调整；三是选拔一批优秀的知识分子进入各级领导班子，其中担任县级以上单位领导职务的222人，接收530名知识分子入党；四是恢复和建立各种专业学会和科普活动，举办46期学制一至两年的专业进修班，有2800余人参加进修学习，同时举办各类短训班多期，对一大批专业技术干部进行了业务短训；五是调整了875户知识分子的住房，其中中、高级知识分子200户，解决了一批知识分子的夫妻两地分居问题。

1982年8月7日，中共合肥市委、市政府召开知识分子工作会议，总结近几年来合肥市知识分子工作情况，并研究、部署进一步做好知识分子的工作。会议提出：

一、要进一步肃清"左"的错误影响，端正对知识分子的看法；二、要加强对知识分子工作的领导，各级党委要广泛地和知识分子谈心、交朋友，帮助他们解决实际问题；三、要认真落实知识分子的政治待遇和生活待遇问题；四、要充分发挥知识分子的作用，大胆选拔德才兼备、年富力强、有组织领导能力的知识分子到各级领导岗位上来，积极关心他们政治上的进步;五、要加强对知识分子的培训工作,不断提高他们的业务能力。①

随着认真落实党的知识分子政策工作的开展,全市知识分子在为合肥经济社会发展上做出的贡献日益显著。全市"科技战线积极为经济建设服务,取得了卓有成效的成绩,推广科研成果及新技术、新工艺70多项,帮助190多家企业攻克技术难题200多个,取得直接经济效益1000多万元。全市已建立各种学会、协会、研究会50多个,拥有会员5000多人"②。知识分子在奉献聪明才智的同时,也赢得了全社会的重视与尊重。

第四节 精神文明建设、民主法治和城乡居民生活

一、民主法治的恢复

(一)人民代表大会制度的恢复

中共十一届三中全会以后,人民代表大会制度得到恢复和发展。1980年1月,合肥市依法召开了中断14年之久的人民代表大会——市八届人大一次会议。会议的召开标志着合肥市人民民主政治的恢复,标志着各方面工作重新走向法治的轨道,标志着合肥市政权建设进入一个崭新的历史阶段。会议选举产生了市人民政府、市中级人

---

① 《市委、市政府召开知识分子工作会议——总结经验进一步调动知识分子的积极性》,《合肥晚报》1982年8月9日。
② 《发挥技术专长,积极为生产服务——我市科技战线成绩显著》,《合肥晚报》1982年8月16日。

民法院、市人民检察院,并第一次选举产生了市人民代表大会常务委员会,使权力机关、执行机关、审判机关和监察机关,既能独立地依法行使职权,又能依法受到监督。人民代表大会的恢复,使合肥市依法治市走向健康发展的道路。人大常委会一经成立,即有针对性地制定了城市园林绿化、公路交通、建筑市场等管理规定,使这些方面的工作有章可循、有法可依。

(二)中共合肥市第四次代表大会

为了深入贯彻中共十一届三中全会精神,1980年12月,中共合肥市第四次代表大会召开。大会听取了市委书记郑锐代表第三届市委所做的《全市党员动员起来,为加速我市四化建设而奋斗》的工作报告和市委纪律检查委员会的工作报告,会议讨论通过《关于市委工作报告的决议》和《关于市委纪律检查委员会的工作报告的决议》,选举产生中共合肥市第四届委员会和市委纪律检查委员会。全委会选举了书记、副书记和常务委员。郑锐为书记。

这次大会回顾了前10年的工作,对第三次党代会工作报告中的错误给予否定,恢复了历史的本来面目。会议提出了合肥市国民经济建设的调整任务,号召全市党员,团结全市人民,同心同德,专心致志,狠抓调整,稳定经济,按照党的政治路线和调整国民经济"八字"方针的要求,从合肥实际出发,把经济搞活。

(三)1983年机构改革和领导班子"四化"建设

1983年,针对政府机构臃肿重叠,职责不明,互相扯皮,兼职、副职过多,人浮于事、党政不分,领导班子年龄偏大、文化偏低等问题,合肥市进行了机构改革和领导班子四化建设。中共合肥市委、市政府按照"革命化、年轻化、知识化、专业化"四化方针和德才兼备的原则,选拔配备全市各级领导班子。首先坚决执行老干部退休制度,破除干部职务终身制。二是按照四化方针,大力选拔优秀年轻干部充实到各级领导岗位。三是重视强化对年轻后备干部的培养锻炼。至

1984年年底，共上报后备干部433名，形成了一支粗具规模的后备干部队伍。① 1983年的机构改革，大力加强了领导班子和干部队伍建设，选拔了一批年轻有为的人士充实到全市各级党政领导班子中，积极、稳妥地实现了新老交替，为合肥改革开放和现代化建设奠定了坚实的基础。

（四）恢复多党合作与政治协商制度

中共十一届三中全会后，中共合肥市委遵循中共同各民主党派"长期共存、互相监督、肝胆相照、荣辱与共"的基本方针，建立了民主党派参政议政，实行民主党派监督的一系列制度，全市性的重大活动和重要会议，均根据情况邀请有关民主党派负责人参加。为了加强与党外人士的合作共事，市委重视安排使用党外人士。1980年，在市八届人大750名代表中，安排党外人士代表185名，占代表总数25%；在1980年市六届政协412名委员中，安排党外人士225名，占总数54.6%。② 在全市各级领导岗位中，党外人士也有相当数量。

1980年1月，市政协在中断活动10多年之后，召开了具有广泛代表性的第六届委员会第一次会议。此后，政协工作有很大发展。

二、市政、市容、市貌建设

中共十一届三中全会召开后，拨乱反正工作全面展开。"文化大革命"运动所造成的社会治安混乱也是其中需要解决的问题。因此，1979年4月4日，合肥市革委会发出《关于加强治安管理的通告》和《关于张贴大字报的通告》，禁止"文化大革命"中盛行的"打、砸、抢"

---

① 郑锐、杜宏本、冯希仁、邢刘亚：《八三年机构改革和领导班子四化建设的回顾》，中共合肥市委党史研究室编《五十年征程（1949—1999）》（皖内部图书：2001－103号），2001年，第236页。

② 合肥市地方志编纂委员会编纂：《合肥市志》，安徽人民出版社1999年版，第1809—1810页。

行为,取缔所谓"大鸣、大放、大字报、大辩论",严禁造谣惑众,煽动闹事,诽谤诬陷他人的行为。

这两份通告对于消除因"文化大革命"运动造成的社会混乱局面,维持社会正常生产、生活和工作秩序,促进社会稳定发挥了重要作用,有利于维护安定团结的政治局面。

1980年11月5日和7日,中共安徽省委、省政府负责人听取合肥市委、市政府负责人关于合肥工业和城市建设的汇报。其中,关于合肥城市建设的方针和目标,省市负责人一致认为,合肥市要按照省会的要求,努力搞好各方面的工作,要努力在政治、社会风尚、秩序、文明等方面给人以良好的印象,要建设为全省的文明示范城市,要逐步向着经济繁荣、高度民主、高度文明的社会主义现代化城市的方向迈进。

在这次会上,省市负责人还专门就合肥市市政建设、人民群众生活设施等问题进行讨论、研究和部署。在市政建设方面,会议认为,这是关系到人民群众日常生活的大事。过去在市政建设方面"欠账太多",因此"要埋头苦干,少说多干,不声不响地干,实实在在地为人民多办点事,有步骤地还欠账,解决好骨头与肉的关系"。合肥市以旧城墙为基础的环城绿化林带有一定的地方特色,要切实保护好这条绿化林带,并加以充实、美化,逐步建成环城公园,使合肥变成有特色的美丽城市。为此,杏花村菜地以及南淝河与青年路之间的低洼地和环城路,不能兴建任何建筑物。新的建筑物,都尽量安排在靠环城路外围的延安路、潍溪路、蚌埠路、青年路等一带,尽量少拆迁、不拆迁,投资少、见效快,力争在短期内使城市面貌有较大的改观。

关于解决人民群众生活问题,会议强调:"要放在党和政府的主要议事日程上,作为当务之急来抓。"一是房子。一直以来,合肥城市居民住宅紧张,因此,中共合肥市委要下决心进行调整,把暂时不急需的项目压下来,"拿一部分钱多搞点住宅建设"。要搞房产经营公司,采取单位群众集资的办法,动员各方面资金,加快住宅建设。二是"篮子"。要让群众能经常买到丰富多样的蔬菜和其他副食品。要千方百计抓好郊区的蔬菜生产,保证蔬菜种植面积,严格控制征用菜地。三是"车子"。要解决好市区交通问题,省市交通、城建部门要共同研究,把交通道路工作搞好。要努力多为群众着想,多给群众方便。四是孩子。在就学、就业等问题上,要广开门路,妥善安排。五是"票子"。要增加城乡人民的收入,物价要保持基本稳定。

会议还提出,在加强市政建设的同时,要加强城市管理工作。要做到:安全、安静、绿化、卫生,这样才符合文明城市的要求。

为使城市建设有法可依,1981年9月15日,合肥市政府发出布告:"为了加强城市管理,逐步把合肥建设成高度物质文明和精神文明的现代化城市,特制定《关于城市卫生管理实施细则》《关于城市交通管理暂行规定》《关于城市噪音管理暂行规定》《关于当前市场管理若干问题的规定》《关于加强文化市场管理的规定》《关于城市计划用水、节约用水暂行办法》。"①这六项细则、规定和办法,后经合肥市人大常务委员会审议通过,批准实施。合肥的市容、市貌建设逐步走上有法可依的轨道,文明城市建设有序地开展起来。

1982年开春,合肥开展"春季绿化和全民义务植树"活动。"市区(不含长丰县和郊区)参加义务植树的达120多万人次,植树66.4万棵。"在逍遥津公园、包河公园、环城公园,共栽树1.32万棵,各种花卉5.13万多株。包河公园大门口东西两侧拆掉了临时工棚和一些早点店,栽上了火炬松和黑松。包公祠周围新栽了松、竹、柏。环城公园新栽了一批火炬树、枫香、杜英等红叶树种,稻香游园补栽了雪松、珊瑚树、樱花等名贵树木。蜀山公园是全市成片造林的重点,造林469亩,栽树12.9万多株,同时还沿山脚栽植了4里长的女贞绿篱10.96万株。原计划安排14条主干道和40个小片绿地的绿化任务,后随着绿化形势的发展,计划一再突破,除对金寨路、和平路、蚌埠路等16条主干道行道树进行缺棵补栽和必要的更新以外,对三水厂路、铜陵路、望江路、机场路等四条没有行道树的马路,都栽上了行道树。其中,机场路是绿化的重点,道路两侧各拓宽了6米,栽植了

---

① 《合肥市人民政府布告》,《合肥晚报》1981年9月15日。

雪松、水杉、水腊球等3800多株。在街头绿地建设上。全市小型街头绿地基本上形成了6个中心,即四牌楼中心、南门中心、稻香楼中心、北门中心、东门中心、南七中心。由此,全市初步构成了点线结合的公共绿地系统,为合肥市民创造了一个美好的生活和休闲环境。

1982年2月23日,中共合肥市委召开全市独立支部书记以上党员负责干部会议,部署开展"全民文明礼貌月"活动,会议号召全市人民立即行动起来,人人讲文明,个个懂礼貌,培养高尚的情操和道德观,树立新的社会风尚和社会秩序,为把合肥市建设成为一个文明、整洁、美丽、繁荣的社会主义新型城市而努力奋斗。市委决定:在3月份的"全民文明礼貌月"活动中,组织9次大的统一行动,即举办"学雷锋宣传活动日",组织3万名中小学生上街开展宣传教育活动;举行"五好家庭"表彰大会;举行"为民服务日"活动,组织3000个学雷锋小组和100个青年服务队做好事;举行卫生先进单位、先进个人表彰大会,并进一步搞好卫生包干区的突击清扫活动,清除过时的标语、口号;开展植树造林活动;组织全市交通秩序大检查和市容整顿活动;开展"卫生清扫日"活动,组织中小学生清扫市区206个公共厕所、菜市场和大街小巷;举办"良好服务检查周",对全市商业部门开展突击检查;月底组织全市进行卫生大检查。①

"全民文明礼貌月"活动后,合肥市的市容、市貌有了初步改观。《合肥晚报》为此报道:

一是我市脏、乱、差状况有了明显改善,全市共出动35万人次大搞室内外卫生,清扫面积238.7万平方米,打扫、冲刷厕所580次,平整凹地7万平方米,清除各种垃圾2万多吨;二是园林绿化工作取得了显著成绩:全市有25.5万多人参加了植树造林,共植树149万多棵,超额完成了今年的植树任务;三是清除了精神污染,加强了文化

---

① 《全市人民立即行动起来,开展"全民文明礼貌月"活动——市委召开党员负责干部大会进行动员》,《合肥晚报》1982年2月24日。

市场管理;四是社会风气和人们的精神面貌方面发生了变化,出现了"三多一少":互相关心、互相爱护、互相帮助的人多了;讲文明、讲礼貌、要求进步的青年多了;拾金不昧的多了;歪风有所收敛,坏事大大减少了;五是推动了生产,促进了工作。①

三、开展"五讲四美"文明礼貌活动

1981年2月25日,全国总工会、共青团中央、全国妇联、全国文联等9个单位联合向全国人民特别是青少年发出《关于开展文明礼貌活动的倡议》,开展以讲文明、讲礼貌、讲卫生、讲秩序、讲道德和心灵美、语言美、行为美、环境美为内容的"五讲四美"文明礼貌活动,目的是使全国城乡的社会风气和道德面貌有一个根本改观。接着,中宣部、教育部等5个部门又联合发出通知,积极支持各群众团体开展"五讲四美"文明礼貌活动的倡议,并对所属各部门提出具体要求。一个以"五讲四美"为主要内容的建设社会主义精神文明的群众性活动,很快在全国展开。

为响应全国总工会等单位的联合倡议,3月4日,合肥市总工会、团市委、市妇联、市文联、市爱卫会召开联席会议,决定在全市开展"五讲四美"文明礼貌活动,并向全市人民特别是青少年发出倡议。②5日,中共合肥市委发出《关于在全市开展"五讲四美"文明礼貌活动的通知》,号召全市人民立即行动起来,在全市范围内广泛开展五讲四美文明礼貌活动,把它作为当前建设社会主义精神文明的一件大事,认真抓好。要求:"各行各业都要运用各种宣传阵地和宣传工具,采取群众喜闻乐见的形式,深入宣传开展'五讲四美'活动的重大意

---

① 《总结经验,发扬成绩,把"五讲四美"活动深入持久地开展下去——市委市政府召开"全民文明礼貌月"总结表彰大会》,《合肥晚报》1982年4月13日。

② 《市工会、团市委、市妇联、市文联、市爱卫会联合倡议——开展文明礼貌活动,大兴五讲四美新风》,《合肥晚报》1981年3月7日。

义和具体要求,真正做到家喻户晓,深入人心。"①

中共合肥市委《关于在全市开展"五讲四美"文明礼貌活动的通知》引起社会的热烈反响,广大群众特别是青少年热烈响应并立即行动起来。社会风气和社会治安发生了可喜的变化,市容、厂容、校容、店容都有了不同程度的改观。讲文明,守纪律,助人为乐,见义勇为等新人新事不断涌现。

在1981年首次开展"五讲四美"文明礼貌活动并取得明显成效基础上,1982年,中共合肥市委、市政府及各有关部门结合整治环境卫生、公共场所秩序和服务部门的服务质量等,进一步推动"五讲四美"活动的持续开展。1月至3月,市委多次召开会议,对活动提出要求,进行部署。市委提出:要把"五讲四美"文明礼貌活动提高到精神文明建设的高度,持久深入地开展下去。

"五讲四美"文明礼貌活动的持续开展,使合肥城市的精神文明发生明显的变化。在学校,自开展"五讲四美"活动后,校风校貌有了改变。不少学校里,关心集体的多了,爱护公物的多了,拾金不昧的多了,搞义务劳动的多了,环境卫生好了,教学秩序好了,吵架骂人的少了,损坏门窗桌椅、打碎玻璃的少了。在工交部门,许多工厂开展"五讲四美"活动后,职工特别是青年职工的精神面貌有了改观。上班迟到早退的少了,遵守制度和劳动纪律的多了。公交公司四路车队,开展"五讲四美"活动后,服务态度有较大的改善。行车准点率达到96%,驾驶员不开"赌气车",不无故甩站,售票员积极主动,服务热情,受到乘客的好评。市电信局长话分局,结合实际工作列出"禁语",改善了服务态度,提高了服务质量,受到用户的好评。市邮局两位青年投递员热爱本职工作,不辞辛苦为侨胞投送疑难信件,受到赞扬。两位侨属在给支局的表扬信中写到:"感谢你们教育的好投递员,为人民不辞辛苦,这样的精神感动了我们,我们

---

① 《中共合肥市委发出号召:全市人民立即行动起来,广泛开展文明礼貌活动》,《合肥晚报》1981年3月6日。

要更加努力工作,为四化出力。"在财贸服务行业,文明经商,礼貌待客,方便群众,取得新的成绩。市百货大楼开展"五讲四美"活动以来,对待顾客热情、服务周到。他们提出在晚上下班前"接待好最后一位顾客,做好最后一笔生意"的要求,深受顾客赞扬。西市区益民街道旅社,是个属于"房小、人老、基金少"的旅社,由于他们服务工作做得出色,受到旅客的多次表扬。有的旅客在表扬信中写到:"虽是旅栈胜似家""莫道在家千日好,出门何有半点难"。合肥饭店制定落实"五讲四美"活动的五条具体要求,不断改善服务态度,提高服务质量。

"五讲四美"文明礼貌活动的开展,也提升了人们的道德水平。拾金不昧的事迹不断涌现。许多商店营业员,公共汽车售票员,旅社、影剧院的服务员,中小学生等,拾到手表、现金、存折、票证以及一些贵重物品,千方百计地寻找失主,归还原物,失主深受感动,赞扬社会主义新风尚。见义勇为,救人危难的人也渐多起来。搬运公司子弟学校学生陈荣生等敢于跟坏人坏事作斗争,维护安定团结,受到人民群众和有关部门的鼓励和嘉奖。在公共场所,尊老爱幼的事也多起来了。有位老年人,在公共汽车上被让座后,感慨地说:"这样的事多年不见了,真是雷锋又回来了。"

合肥开展的"五讲四美"文明礼貌活动,是对 10 年"文化大革命"造成的社会公德、个人品德、职业道德一度混乱状况的拨乱反正,是弘扬社会主义精神文明的重要举措。但是,社会主义精神文明建设不可能一蹴而就,必须持续不断地开展下去,精神文明之参天大树才能根深叶茂。

四、城乡居民生活水平有所提高

"文化大革命"结束以后,特别是 1978 年中共十一届三中全会召开后,随着农村实行家庭联产承包责任制,城市扩大企业经营自主权等改革措施的推行,合肥城乡居民的生活水平有所提高。1980 年年底,合肥市统计局采用"划类选点,等距抽样"的方法,对抽选的1500户职工进行调查。调查结果表明,合肥市大多数职工收入增加,家庭生活水平有所提高,职工收入也有所增加。

以职工家庭全部人口计算,平均每人每月生活费收入29.59元,比1965年增加11.12元,增长60.2%,剔除这一时期物价上升5.7%的因素,平均每人每月生活费收入增长51.5%。职工家庭五大件有所增加。平均每百户有手表159只,60%的职工家庭有收音机,近一半的职工家庭有自行车和缝纫机,20%以上的职工家庭有电视机,近三分之一的职工家庭有电风扇。职工穿着支出占比明显上升。1980年全市职工穿着比重由1964年的9.9%上升为16.6%。穿着比重的上升反映了职工生活水平的提高。① 另据合肥市统计局数据,全市农村地区(包括长丰县)农民人均纯收入,1978年为103元,1980年达134元,两年即增加了31元,为1949年以来未曾有过的增加额。

在人民群众文化生活水平提高方面。从1977年到1981年,合肥农村文化中心建设在恢复中发展。全市30个社(镇)建立社办文化站和电影放映队。电视和广播事业也发展较快,社办剧场、书场发展到27个。区、社、队办的业余庐剧团、曲艺队发展到61个。在合肥城区,除充实和加强市文化馆、图书馆、工人文化宫外,还恢复了三个市区和郊区文化馆,建立19个街道文化站和157个图书室。各大中型国营企业也都建立起自己的文化馆(室)和图书室等。人民群众文化生活水平有了一定程度的提高。

---

① 《职工家庭生活调查结果表明我市绝大多数职工家庭收入显著增长》,《合肥晚报》1981年1月1日。

第八章

改革开放全面展开

第八章 改革开放全面展开

从1982年9月中共十二大召开到1990年"七五"计划完成,这8年的时间,是中国的改革开放全面展开时期。合肥是全国农村改革的发源地之一,家庭联产承包责任制逐步推开后,粮食连年丰收,农村市场活跃,乡镇企业异军突起,全市农村经济生机勃勃,农民生活有了很大改善。

1984年前后,合肥市的改革重点开始由农村转入城市。围绕搞活企业这个中心,在扩大企业自主权、完善企业经济责任制以及计划、财政、金融、劳资等管理体制方面,合肥进行了一系列改革,长期以来形成的高度集中的计划体制和分配上的平均主义、"大锅饭"开始被打破,蕴含的经济活力逐渐迸发。在经济领域改革全面展开的同时,全市城市建设和科教事业发展步伐明显加快。在旧城改造方面,合肥改造旧街道,新建住宅小区、商店,建成大型环城公园,"绿色的城市""花园城市"美名远扬。在经济发展中,新技术大量运用于生产,新商品不断面市,外资和合资企业不断增加。这一时期,是改革开放以来合肥社会经济发展的转折时期。

第一节 农村改革全面展开

一、承包责任制的扩展、巩固和深化

1982年,作为农村改革的第一步,家庭联产承包责任制已经在合肥广大农村全面推开,农民的积极性被激发起来。在新形势下,如何使农村改革全面展开,成为全市各级领导干部和广大人民群众面临并急需解决的新课题。

1982年9月,中共十二大召开,会议确立了到20世纪末实现工农业总产值翻两番的战略目标,并把农业放在现代化建设的首位,要

求进一步巩固和完善农业生产责任制,继续调整农村生产关系,充分调动广大农民的生产积极性,全面开展农村改革。

9月28日,中共合肥市委书记郑锐在市委全委扩大会上,做题为《认真学习十二大文件,为全面开创社会主义现代化的新局面而奋斗》的报告,要求全市党员干部认真学习和贯彻落实十二大精神,推动全市的改革发展。合肥广大职工、市民,尤其是农民群众对中共十二大报告十分关注。10月9日的《合肥晚报》刊登了长丰马厂公社某位社员的一篇报道,鲜活地反映了一位农民对中共十二大的支持和关注:

9月1日那天,听说党的十二大开幕了。大会上一定要讲农业生产责任制问题,我可要用心听一听……越听越开心,觉得党中央和我们老百姓想到一块来了。报告中说的农业责任制不能走回头路,把我心头压着的那块石头放下了……十二大把我们心中的怕"变"的这块石头放下了,加工厂马上办起来,明年一定搞得还好些,如果还有人担心变,我就理直气壮地告诉他:"少胡思乱想吧,你的头脑子应当用到劳动致富上去。"①

12月20日,中共安徽省委发布的《关于进一步稳定、完善联产承包责任制的意见》指出:要在十二大精神指引下,进一步解放思想,大胆创新,做好农村生产责任制的稳定完善工作,促进全省农业生产更加快速发展。同时要求把联产承包责任制推广到农村的各个领域;积极扶持专业户、重点户,发展各种形式的合作经济;积极鼓励、适当发展劳动者个体经济。

由此,合肥农村的家庭联产承包制迅速向林、牧、渔等其他生产领域扩展,极大地调动了农民的生产积极性,促进了农业生产的快速发展,并很快涌现出一批专业户、重点户和新经济联合体(简称"两户

---

① 《开了十二大,安下我的心》,《合肥晚报》1982年10月9日。

一体")。

随着农业生产迅速发展,合肥农村开始出现多余劳动力和闲散资金,一些生产能手、能工巧匠和农村知识青年,开始寻找新的生产门路:有的向集体承包较多的耕地、山场、水面;有的把家庭副业扩大为主业;有的从土地上分离出来务工、经商或从事运销、建筑、服务等各种行业。新的合作经济组织、新的经济联合体开始出现。

1982年,合肥农村"两户一体"总户数为3万户。其中,合肥郊区从事畜禽饲养的专业户、重点户虽只占总农户数的2.3%,但获得的经济效益较好。合肥郊区对发展专业户、重点户提出明确要求,每个大队发展一至两户专业户,每个生产队发展一户重点户。区、社两级组织积极帮助"两户"解决饲料、资金和建筑材料等问题。郊区"两户"的经营项目主要是养猪、养鸡鸭、养牛(包括奶牛)、养兔、养蜂等。这年,"两户"交售的肥猪,占全区交售总数的五分之一,交售的家禽占总数的二分之一。

1983年,合肥全市农村"两户一体"发展迅猛,专业户、重点户总数近7万户,占总农户的12.31%。这年,合肥市政府还要求在林业、牧业、渔业、社队企业、技术协作等方面,进一步深化承包经营责任制,建立健全合同制。

合肥农村"两户"在发展商品生产力方面起着带头和示范作用:一、"两户"中,从事种植业的占53.2%,他们为建设商品粮基地提供了经验,据长丰县对21个粮食专业户的调查,人均产粮2500多斤,商品率达到65%;二、促进了开发性农业发展。1983年,合肥农村养鱼专业户、重点户超过1万户,承包水面8.5万亩,鱼产量达到480多万斤,发展了渔业生产;三、饲养畜禽专业户、重点户的发展,为城市提供了较多的副食品。郊区600多个养猪专业户,每户平均向国家交售肥猪5头;636户养鸭专业户,平均每户向城市提供活鸭180多只;四、从事商业、运输业等服务业的专业户、重点户,在沟通城乡渠道,活跃农村经济,促进商品生产方面,均起到了积极作用。

1983年,肥西县"两户一体"达1.8万户,占全县总农户的

10.3%。长丰县"两户"1.55万户,占总农业户的10%左右。这些"两户一体"由于在生产经营方向上,逐步走向专业化、社会化、商品化,农副产品的商品率大幅度上升,经济效益明显提高。社员们说:"村看村,户看户,我们瞜的是两户。"长丰全县有可养鱼水面12万亩,1981年前无人承包养鱼。自1982年孔店乡养鱼育珠专业户王吉鹏承包集体127亩水面后,社员主动要求承包水面养鱼,1983年全县共承包了8万亩水面。1983年秋天,合肥郊区姚公镇油坊岗大队3户农民集资购买1辆解放牌货车从事运输,成为合肥市农村第一个办理联运手续的个体运输联户。当年,合肥郊区农村各种类型的专业户、重点户发展到5300多户,占全区总农户的9%左右(不含菜农),比上年"两户"总数增长52%。这些专业户、重点户主要从事种植业、养殖业、运输业、商品服务、农副产品加工五大类。郊区姚公镇竹西大队党支部带头发展商品生产,5名支委中,有3户发展成专业户,2户发展成为重点户。34名党员户中有21户、349户社员中有237户发展成为"两户一体"。全大队67.9%的社员户达到了"两户"的标准。郊区常青公社养蜂专业户朱先文,当年养蜂67箱,产蜜6200斤,全部出售给国家,纯收入6000多元。随着"两户"的不断增加,整个郊区农副产品的产量大幅度增长,对国家贡献也越来越大。

1983年,是合肥农村又一个活力迸发的年份。这年,在遭受严重洪涝灾害的情况下,合肥农业仍稳步发展。全市粮食总产量近30亿斤,比上年增长3.6%。棉花总产量过15万担,比上年增长22%。林业、牧业、渔业和社队企业,也有较大幅度增长。全市农村人均收入341元(含家庭副业收入60元)。大灾之年,合肥农业得以发展的主要原因是,进一步完善了农业生产责任制,调动了广大农民的生产积极性;采取各种措施推广农业新技术,提高产量,积极扶持"两户一体"的发展;中共合肥市委和市政府加强了对农业的领导,发挥了市带县的优势。

1984年1月1日,中央1号文件①明确指出,继续稳定和完善联产承包责任制,延长土地承包期,土地承包期一般应在15年以上。这份文件使广大农民吃了"长效定心丸"。

2月16日至18日,中共合肥市委、市政府召开"两户一体"代表大会。其时,合肥全市农村中的各种专业户、重点户发展到7万多户,其中,出现了不少"万元户"。这次"两户一体"代表会,有来自长丰、肥东、肥西三县和郊区(简称"三县一郊")的430多位专业户、重点户和经济联合体的代表,三县一郊的负责人和市直有关部门领导也参加了会议。会议学习中央1号文件,总结交流致富经验。省委副书记王光宇到会并讲话,强调鼓励和支持农业户发展商品生产,是中央长期坚持的一项重大政策,各级领导要支持广大农民放开手脚发展商品生产,尽快使农民富起来。②市政府有关负责人在报告中总结了合肥过去"两户一体"发展的成绩和经验,指出了存在的问题,提出了新的目标。

2月20日,中共合肥市委、市政府抽调1000多名干部深入农村,宣传政策,支持和扶植"两户一体"。③2月29日,合肥市直13个单位采取多种措施,实实在在地扶持"两户一体"发展商品生产。市税务局根据合肥农村"两户一体"发展的实际情况,决定进一步放宽税收政策,制定了16项减免工商税和所得税的具体规定。市畜牧水产局从提供贷款、物资供应、引进优良鱼种等6个方面,为农村"两户一体"提供优质服务。市工商、供销等系统,积极组织工业品下乡,直接为农村"两户一体"和广大农民服务。

4月28日,肥西县拿出实际行动,积极为农村专业户、重点户解决困难。当时,这个县各种专业户已发展到3万多户,占总农户的17%;新的经济联合体达661个,参加农户2427户,占总农户的

---

① 中央1号文件原指中共中央每年发的第一份文件,后成为中共中央重视农村问题的专有名词。
② 《发展"两户"作用,开创商品生产新局面》,《合肥晚报》1984年2月20日。
③ 袁法群主编:《合肥市大事记(1840—1990)》,黄山书社1993年版,第212页。

1.4%。但是,随着"两户一体"的迅速发展,"两户"面临的发展困难仍然存在。他们一愁没技术,二愁资金、物资不足,三为买难、卖难忧心,四是担心合法权益受侵犯。为解决这些困难,肥西县政府积极动员各方力量,为农民解决实际问题。

5月29日,合肥郊区城东乡农民集资25.95万元,在南淝河北岸建造经营性的隆岗货运码头。这是安徽省第一个由农民建的码头,年吞吐能力20万吨。6月29日,国家农牧渔业部决定将长丰县列为国家城郊地区瘦肉型商品猪生产基地。

1984年,合肥农村由于实施了一系列意义重大、影响深远的改革,产业结构得到调整,农业生产实现全面发展。该年,全市"两户"发展到近12万户,占总农户的20%。全市农业总产值已达到10.41亿元(含村办工业),提前一年实现"六五"计划的指标。合肥农村储蓄存款比1980年增长80%左右。

1985年,合肥根据中央有关精神,在继续完善家庭联产承包责任制的同时,积极开展农村第二步改革,调整产业结构,发展商品生产。要求三县一郊以城市为依托,以小城镇为纽带,以农业为基础,做到城乡结合、协调发展。在稳定粮食生产的同时,大力发展猪、禽、蛋、奶、鱼、蔬菜、瓜果等鲜活产品的生产,继续大力发展各种类型的专业户、专业村,积极扶持养殖业尤其是畜牧业专业户、专业村,发展商品生产基地。

这年,合肥农村第二步改革迈出了成功的一步。全市农村经济继续呈现稳定发展的好势头,粮食产量比上年增长32.1%,生猪出栏增长10.7%,家禽饲养量增长10%,鲜奶产量增长30.2%,水产品产量增长29.2%,农村经济总收入达17亿元,比上一年增长49.8%,农村人均收入389元,比上年增长7%。农村经济生机勃勃,农民生活持续改善。

二、改革农产品流通体制

20世纪80年代初期,随着农村改革不断深入,旧的农产品流通渠道已不再适应农村经济的发展。农村实行家庭联产承包责任制后,合肥农村农产品流通不畅,特别是"卖粮难"成为普遍的、突出的问题。若再维系旧的统购统销制度,就类似于直接剥夺农民的劳动成果,势必会严重挫伤农民的积极性。为了搞好农村商品流通,合肥市从1980年起,着手在三县一郊改革农村商品流通体制。

合肥改革农产品流通体制,并不是一下就断然取消统购统销政策,而是逐渐在粮食买卖上放宽政策,减少统购统销储备,藏粮于民,就地转化,初步改善农产品流通渠道,放开农副产品市场。

1982年,合肥市遵照安徽省统一部署,将农产品国家统购派购的范围缩小为28种农副产品。全市粮食包括超购被控制在一定数量以内,完成统购任务后,粮食部门、供销社、贸易货栈、运输户可以同时经销。鼓励产销见面,农副产品可以直接到城市出售。

1983年,为了搞活粮油流通,促进农业生产,繁荣农村经济,合肥市政府发出《关于开展粮油多渠道经营的通告》,主要内容是:

一、粮食、油脂、油料完成国家征、超购任务后,允许开展多渠道经营。二、农民完成国家征、超购任务以后多余的粮食,可按国家超购价格继续卖给粮站,交易所或集市议价出售,也可以自行加工半成品和成品出售。三、国家分配的粮油征、超购任务完成以后,供销社和农村其他合作商业组织及农民私人可以议价经营。四、全市完成征、超购任务以后的粮食、油脂、油料,允许运往外地销售,无需经主管部门批准,撤销在交通要道设立的粮油检查站。五、各级粮食部门要积极开展粮油议购议销业务,参与市场调节,切实解决农民"卖粮难"问题。六、各粮油交易所,必须要向当地工商部门申请发证,首先搞好当地的余缺调剂,产销调剂,品种调剂,为工厂和饮食业代购议价原料,为粮站代购代销。机关、部队、团体、学校、企业事业单位可以采购自用的粮油,但不许贩运。七、外县、外省来本市购买粮食的,必须向工商行政管理部门登记,委托粮油公司、营业所、交易所或供销社代购,并要依法纳税。受委托的单位应积极承办代购、代存、代运业务,合理收取代办手续费。八、农村"四坊"和饮食业,可以为农民来料加工自食的粮食、油脂、食品和加工畜禽饲料,也可以自行采购粮油,加工成品出售。粮食部门应在加工技术上予以指导和支持。

这份《关于开展粮油多渠道经营的通告》是合肥市为改革农产品流通体制所做的力度最大的政策调整。合肥市按照国家政策,还将统购派购的一、二类副产品,由原来的28种减少到17种。

到1984年年底,合肥的农产品统购派购品种从1980年的183种减少到38种(其中24种是中药材)。1985年,国家不再对农村下达指令性的收购计划。而是采用"合同定购"的方式来收购国家需要的粮食,实行了32年的统购统销开始瓦解。①

统购统销政策与人民公社和"一大二公"的体制息息相关。1983年2月上旬,中共安徽省委召开地、市和部分县委书记会议,根据中发(1983)1号文件精神,结合安徽实际和试点经验,部署农村人民公社体制改革工作。长丰县吴山镇和郊区东方红公社在全市农村第一个实行人民公社体制改革,撤销公社管委会,成立乡人民政府。至当年6月底,合肥三县一郊共建乡镇政府172个,结束了政社合一体制的历史。全市农村的乡镇实行党、政、企分设,划分职责范围,制定工作条例,建立新的工作秩序。至1984年春,全市农村完全实现了政、社分设,建立起170个乡、镇,计1993个村,撤销了人民公社。② 从此,人民公社和"一大二公"体制正式退出历史舞台。

1985年,国务院发布政策规定,变粮油统购统销为合同定购,农

---

① 杨继绳:《邓小平时代》,中央编译出版社1998年版,第207页。
② 中共合肥市委党史研究室编:《中国共产党合肥简史》,中共党史出版社2006年版,第196页。

产品的统购制度被取消。从此,农业经济步入了商品经济轨道。

农产品流通体制的改革,向农民打开了商品流通领域通道,随后,合肥农村从事农副产品交易的个体贩运户急剧上升,城乡贸易发展迅速。1983年年底,合肥个体贩运户中90%以上是农民。他们既贩运农副产品进城,又贩运一部分日用工业品下乡,促进了城乡和地区之间的商品流通,打破了城、乡和行业的界限,千百万农民拥进商品流通领域,不仅活跃在合肥全市各地,而且有一批农民遍及全省乃至全国,充当推销员、采购员、信息员,疏通和拓宽了合肥与其他地区的商品流通渠道,也为发展城乡商品贸易增添了活力。

坝上街是合肥市一条老街,临南淝河,靠滁州路,水陆交通方便。远在清朝咸丰年间,这里就被开辟成为江淮之间粮油、竹木等产品的重要集散地之一。改革开放后,国家实行"对内搞活、对外开放"的经济政策,这里又成为蔬菜、瓜果等农副产品的交易市场。1980年8月,合肥市政府投资5.8万元在长500米、宽12米的滁州路段上封路建市场,共建起简易货棚12个,简易码头4个。1985年8月,市政府又投资80万元,再次对坝上街市场进行改造。改造后的市场宽15米,南段长280米,为批发市场;北段长220米,为小商品市场,总占地面积4200平方米,建筑面积1746平方米,一次能储货20万公斤的封闭式货仓1350平方米,开辟了3个可同时容纳16条船只停泊装卸的码头。合肥坝上街农贸市场主要经营蔬菜、水果、粮油、干杂等4大类300多个品种。农民进入商品流通领域后,成交量逐年递增,1985年与1980年同期比较,上市量和成交额分别增长4.6倍和2.5倍。[1] 坝上街市场是合肥地区名副其实的"大菜篮子""大果盘子",也是华东地区重要的农副产品集散地。而这其中,农村进城经商的专业户、重点户发挥了巨大作用。

在集市贸易的发展过程中,合肥除坝上街市场外,还建立了一批

---

[1] 《合肥市政府志》编纂委员会编:《合肥市政府志(1949.1—1985.12)》,1999年,第68页。

一定规模的农副产品批发市场、农贸市场和专业市场，共84处。一大批商业、服务网点的兴起，形成综合型农村经济中心，由此带动小城镇的振兴和繁荣。

合肥农村农产品流通体制的改革，使农副产品彻底恢复了其商品属性，撤去了过去设在农民与市场之间的关卡，让农民的劳动价值可以在市场上得到体现。

三、农村产业结构调整

改革开放之初，合肥农村产业结构仍然处于低层次状态，种植业产值在农业总产值中的比重占绝对优势，而林、牧、副、渔各业产值偏低。其中主要原因，一是包括乡镇企业在内的其他各业生产落后；二是长期以来注重粮食生产，实行家庭联产承包责任制后，粮食产量大幅提高，经济作物产量提高幅度更大，在其他各业未能同步发展的情况下，种植业产值所占比重自然上升。

为调整农村产业结构，中共合肥市委按照安徽省委的部署，从1979年开始，就决定对粮食生产实行只下达产量指标和收购任务，不下达粮食作物种植面积的办法，以使农民因时制宜、因地制宜地种植作物，搞好多种经营。1981年，合肥大胆地迈开农村改革的第二步，进一步调整农村产业结构：一是调整种植业内部结构，在不放松粮食生产的同时，有计划地发展经济作物，并扩大杂粮生产，丰富粮食品种，建立合理的比例关系；二是调整农业结构，大力发展林、牧、渔业，促进粮食转化，并建若干个粮、棉、油和其他经济作物以及畜产品、林产品、水产品的优质商品生产基地；三是调整整个农村经济结构，大力发展工业、商业、运输业、建筑业、服务业等，以小城镇为依托，以乡镇企业为突破口，促进农村经济全面协调地向专业化、商品化、现代化的方向发展。

经过农村产业结构调整，合肥三县一郊农村经济面貌改观。1983年，肥东县农民建筑队伍迅速发展至2.5万多人，188个建筑队,在全国 19 个省、市、自治区承包上百个大小工程项目,共计收入 1038 万多元。其中乡镇一级组成的建筑队收入达 839 万多元,占全县乡镇企业总收入的 20%。在这支庞大的建筑队伍中,有能承建高楼大厦的"正规军",也有修修补补的"游击队"。各建筑队都有技术员、施工员,有的还聘请了工程师做技术顾问。这些建筑队,建筑机械设备齐全,施工能力较强,他们在承包中信守合同,讲究信誉,服务质量好,受到用户好评。

农村产业结构调整为乡镇经济的发展带来活力。"门朝大街开,家家做买卖",这句话成为肥东县梁园镇居民的"口头禅",道出了该镇经济繁荣的新气象。1984 年,这个拥有 684 家居民户的集镇就有个体工商户 512 户,加上原有的集体所有制商业,几乎是家家做生意、做手艺,缝纫、理发、餐饮、麻油作坊、家具、修配、百货等个体工商户遍布全镇,街道两旁,店连店,摊连摊,生意兴隆。① 1984 年,肥西县官亭镇常住人口 3500 多人,其中自带口粮在镇上务工经商的农民占近一半。这批新居民,已有 70 户在镇上建了 100 多间房屋或设立务工经商的店铺。他们经营的范围十分广泛,包括木业、铁业、食品加工业以及旅社、饭店、理发、修理、照相等服务型行业。还有一些从事百货以及农副产品的销售或贩运。

农民进入集镇务工经商,不仅解决了农村多余劳动力的出路问题,促进了农村分工分业,也给集镇带来了繁荣,为集镇周围农民的生产和生活提供了方便。1984 年,合肥郊区农民进入城郊结合部和市区从事第三产业的个体工商户已有 1831 户。这些来自农村的个体户在为城乡人民服务、活跃城乡市场、疏通商品流通渠道方面都发挥了重要作用。他们不仅增加了个人收入,也为社会发展做出了贡献。②

1984 年,合肥农村产业结构调整初见成效,粮食作物收入比重

---

① 《门朝大街开,家家做买卖》,《合肥晚报》1984 年 3 月 6 日。
② 《肥西县千名农民进官亭镇务工经商》,《合肥晚报》1984 年 3 月 31 日。

由上年的72%下降为69%；林、牧、副、渔的收入由24%上升到27.7%；全市农村人均收入比上年增长9.9%，其主要得益于农村产业结构的调整，即乡镇工商业、农村副业等迅速发展。例如，在合肥郊区常青乡，务工经商劳力占总劳力的64%，工商企业产值已占全乡工农业总产值的74%，人均收入540元。

1985年2月，合肥市召开农村专业户经济联合代表会，继续调整产业结构，加速发展商品生产。会议提出当年合肥调整农村产业结构的主要目标：粮食作物收入比重争取下降到60%，林、牧、副、渔收入比重上升到36.7%，乡镇企业总产值，要达到农业总产值的35%。

当年，合肥农村加大调整产业结构的力度，农村经济出现了持续、稳定、协调发展的新局面。在种植业结构中，粮食作物面积减少，经济作物面积增加，粮食产量保持稳定，经济效益明显提高。在农、林、牧、副、渔五业结构中，林业生产有了新的起色，全市成片造林、育苗、四旁植树（路旁、沟旁、渠旁和宅旁进行植树的总称）都胜过往年。养殖业全面增长，生猪、大牲畜、奶牛、家禽、羊、兔和蜜蜂的饲养量都超过了上年同期水平。水产生产出现了"三多"的好势头，即新挖鱼塘多；乡、村、联户、个体兴办渔场多；联户、专业户、个体户承包养鱼多。全市农村产业结构进一步趋向合理，农业比重下降，农村的工业、建筑业、运输业的比重相应上升。全市农村经济作物与粮食作物种植面积的比重，由上年的1∶3.2调整到1∶2.2；养殖业有了较大发展，生猪增长14.3%，大牲畜增长9%，家禽增长10%，鱼产量增长35.7%；各类专业户已占总农户的21%。

四、乡镇企业的兴起和发展

合肥乡镇企业的前身，是兴建于20世纪50年代后期的社队企业。1984年撤社建乡后，社队企业被改为乡镇企业。此时的乡镇企业主要为集体性质，也包括由农民兴办的各种不同经济成分、多种经济层次的以第二、第三产业为主的多种经济实体。

合肥乡镇企业的兴起,是农村改革和商品经济发展的结果。农村实行家庭联产承包责任制后,极大地解放和发展了生产力,农村剩余劳动力越来越多。农民从土地的束缚下解脱出来,"无农不稳、无工不富、无商不活"的观念开始深入人心。而家庭联产承包责任制带来的连年农副产品丰收,又提供了创办企业加工增值的资源条件,农民的眼光从土地转向更为广阔的城乡市场。合肥以集体经济为主体的乡镇企业迅速兴起并发展起来,成为农村经济的一个亮点。

改革开放初期,合肥乡镇、村一级集体办了一批乡镇企业,其中有的真正是乡村集体办的,而有的却是戴着乡镇企业"红帽子"的个体企业。1984年,合肥社队企业改名为乡镇企业后,乡镇企业则包括乡办企业、村办企业、合作企业和个体企业。为大力发展乡镇企业,合肥市政府也将原来的社队企业局改名为乡镇企业局,由市乡镇企业局统一行使对全市乡镇企业的管理。为此,市乡镇企业局积极开拓流通渠道,发展第三产业,促进商品生产,调剂各方需求,并做好为省会城市服务、安排社会就业人员,充当大工厂配角,以及采取"内引外联"等措施,使全市乡镇企业迅速发展、产值逐年上升。

合肥市乡镇企业发展总体思路是,注重城乡一体、共同前进,走多种模式发展的路子。一是产品扩散型,市县曾多次召开城乡企业、部门洽谈会,实行城乡联合,把大企业的某些产品扩散到乡镇企业;二是家庭联户型,开展专业户的小型加工,连片生产,形成小气候;三是科研生产型,利用合肥市科教优势,组织成果转让,产品开发;四是流动经营型,如某些手工业、修理业、建筑业,鼓励"四面开花"、到各处发展;五是就地加工型,因地制宜组织加工,如食品、粮油加工等;六是拾遗补缺型,凡是大企业不办的、办不了的,由乡镇企业来承担,包括许多第三产业都可以办。

肥东县采取多种形式的联合,增强乡镇企业活力。集中社会闲散资金,实行资金联合,共集资600多万元,兴建和改造企业18个;与合肥市大专院校、科研单位挂钩,进行技术合作,共培训各种技术人才400多个,招聘科技人员118名;将单个的生产者联合起来,扩大生产规模,形成较大的生产能力。该县梁园乡有5个烧窑专业户,过去由于规模小、成本高,所以效益低,通过联合生产,建起了一座大窑,使经济效益大大提高。长临乡毛巾厂生产出口浴巾,因销路不畅准备转产,在与省外贸公司联合经营后,由外贸部门包销,销路大开。梁园乡轮窑厂,因管理不善曾亏损较多,在与江苏省如东县兵房乡实行管理联合后,由对方派1个小组承包管理,很快扭转了亏损,1984年盈利达15万元。

1984年,合肥农村已有乡镇企业1.65万个,总产值由1983年的2.1亿元猛增到3.9亿元。全市共有15万多农民进入乡镇企业,占农村总劳动力的33%。农村大批劳力流入乡镇企业,不仅调整了农村劳力结构,也促进了农业内部结构的调整。

1985年,合肥继续支持乡镇企业发展。3月13日,合肥市政府成立了"发展城乡集体经济领导小组",有领导有计划地组织城市工业品生产扩散工作。4月23日至25日,安徽省政府在合肥召开全省乡镇企业先进代表大会,向全省500多个乡镇企业的先进代表授予了奖旗和奖状。合肥市三县一郊受到大会表彰的有78个先进集体和个人,其中有产值超1亿元的郊区及肥东县,还有产值超过1000万元的14个乡(镇),超200万元的27个企业,超100万元的26个行政村,超20万元的6个联户企业,超5万元的3个家庭企业。

1985年,国家紧缩银根,严格控制信贷,使合肥乡镇企业的资金一度出现困难。各乡镇企业从实际出发,采取发动企业职工集资、利用联营引进外资、农民自办联办企业、预售产品、互相扶持等办法筹措了1560多万元,解决了一部分企业资金困难问题,许多企业如虎添翼活了起来。张洼乡的装饰板厂产品畅销潜力大,只因缺少资金不能扩大生产,乡领导发动乡干部和企业职工集资20多万元,专为装饰板厂增添设备,使其生产更上一层楼。合肥郊区政府采取加强横向联系、扩大第三产业、发展建材工业、开发新产品、与合肥工业大学签订经济技术协作等措施,加快乡镇企业发展步伐,先后兴办了269个企业。这其中,第三产业办得最多,仅旅社就发展了20家,饭店发展了59家,总产值达 750 万元；其次是建材工业，兴建了 6 座轮窑厂，2 座石灰立窑。新产品也有所增加，二氧化碳气体保护半自动弧焊机、空心微珠制品、建材涂料、氯化钾等产品填补了合肥市的空白。

  乡镇企业的迅速发展，为城市大企业更加专业化提供了条件。合肥越来越多的城市企业摒弃"大而全""小而全"的旧观念，与郊县的乡镇企业开展多种形式的经济技术协作，既促进了城市企业的发展，也带活了一大批乡镇企业，取得了较好的经济效益。1985 年，合肥市在经济体制改革中，以城市企业为依托，向乡镇企业扩散产品，走出了一条投入少、产出多、效益好的新路子。城市企业对乡镇企业扩散产品后，弥补了场地、劳力的不足，扩大了适销对路产品的生产；腾出手来发展新产品、新品种。乡镇企业得到城市企业技术、管理、原材料、机械设备的帮助扶持，有了较快发展。1985 年年初，合肥市属工厂企业即有 151 种产品或零部件的生产加工扩散到乡镇企业，加工总值达 1670 多万元。二轻系统有 26 个工厂同 50 多个乡镇企业开展协作，建立了 100 多个加工点，年净增产值 1500 万元，增利 120 万元。市服装工业公司把产品扩散到 39 个乡镇企业生产，增产各种服装 60 万件。市一机公司所属企业向 35 个乡镇企业扩散了 49 个零部件，又签订了 63 种零部件的扩散合同，总产值达 500 多万元。合肥车辆厂上半年零部件生产未扩散，只生产机动三轮车 56 辆，下半年对肥东长临机械厂等 10 个乡镇企业扩散零部件生产，生产机动三轮车 447 辆，产量猛增 8 倍，形成了年产 5000 辆的生产能力。

  城市企业与乡镇企业的联合，是本着平等互利、联合致富，以及隶属关系、纳税渠道不变的原则进行的，有利于发挥各自的优势，很快形成新的生产能力。在城乡协作中，合肥城市企业还从技术、资金、材料、管理等多方面对乡镇企业给予扶持，促进发展。

  到 1985 年年底，合肥乡镇企业已发展到 3.43 万个，从业人数 22.4 万多人，总产值 6.87 亿元，纯利润 5537 万元。[①] 这其中，郊区乡

---

  ① 郑锐等：《乡镇企业在改革开放中迅猛发展》，《五十年征程（1949—1999）》，第 169 页。

镇企业4414个(含乡办企业243个、村办企业648个),总产值1.6亿元,比1984年增长51.2%;产值超千万元乡有12个,其中城东、常青两乡产值超4000万元,杏花、张洼两乡产值超2000万元;产值超过100万元的村有28个,占全区五分之一,其中城东乡隆岗村产值已超500万元,居全省之首。肥东县乡镇企业完成产值过亿元,比1983年翻一番。长丰县利用南依合肥、背靠淮南的优势,开拓城乡协作,发展乡镇企业。全县与合肥、淮南的科研单位、厂矿企业达成协作项目100多个,一批适应市场需求的新项目上马。

合肥乡镇企业中,郊区常青乡和城东乡堪称代表。

1984年4月,常青乡经济开发公司成立,乡党委书记张家谱任总经理。在张家谱的带领下,该公司采取全面开发、综合发展、开发智力等措施,创办企业140个,经营项目有机械、纺织、印刷、橡胶、化工、建材、商业、饮食服务、运输、建筑等行业。主要企业有砖瓦厂、棉织厂、汽车配件厂、自行车配件四厂和五厂、叉车修理厂、食品厂、电冰箱配件二厂、家具厂、青云楼商店、常青养鸡厂、望江饭店等。位于合肥市闹市区的青云楼商店,是常青乡利用企业积累和征收土地资金与合肥市百货公司联营筹建,营业面积5800平方米。常青乡还将望江饭店扩建为具有现代化设施的望江宾馆。常青养鸡场是常青乡政府1984年投资兴建的,占地100亩,年提供市场鲜蛋35万公斤、肉鸡4万只、种蛋10万枚、苗鸡10万羽。为扩张乡镇企业的数量,常青乡成立杏花农工商总公司,辖各类企业94个,从业人员4747名,全年创产值2230万元,主要企业有合肥市礼花工艺厂、合肥郊区五一化工厂、合肥被单三厂、合肥杏花印刷厂、合肥杏花农机厂、永青塑料厂等,产品有50个大类,100个品种。在餐饮服务业设有西园饭店、北苑旅社、濉溪路饭店等。

1985年,城东乡经济开发公司成立,有各类企业439个,从业人员9424人,主要经营轻纺、机械、建材、建筑、化工、食品、电子、文教用品以及饮食服务等10多种行业。乡属主要企业有红旗矿渣水泥厂、合肥铸管厂、篷布厂、针织服装厂、建筑队、运输队、服务队、旅社等；村办企业有隆岗村的红旗棉纺织厂、唐村的纸箱厂、柳荫塘村的红光精密铸造厂、东七村的合肥毛巾三厂等，产值都在百万元以上。城东乡辖9个村，到1985年年底，总劳力1607人，参加各种村办企业的1156人，占总劳力的71.9%；全村专业户和重点户有556个，占总户数的72.4%；经营项目有工业、建筑、运输、商业、饮食服务、体育卫生等；主要企业有：纺织厂、纸盒厂、铁业加工厂、腌腊加工厂、货场、旅社、隆昌百货商店等；年创产值524.24万元，上缴税金25.66万元，在全省名列前茅。

20世纪80年代中后期，合肥乡镇企业持续发展。1986年，全市乡镇工业总产值达4.6亿元，占全市工业总产值的11.8%。1987年，召开第二次城乡经济联合洽谈会，鼓励和支持乡镇企业积极依托城市，加强横向联合，广泛开展联合协作，引进培养科技人才，吸收城市工业扩散产品和零部件及科研项目。1988年之后，在国家对经济发展政策的调整中，一些地方出台了控制乡镇企业发展的政策。但是，中共合肥市委、市政府仍然支持乡镇企业平稳发展。

20世纪80年代中期，是合肥乡镇企业异军突起、快速发展的时期。乡镇企业的崛起，推进了合肥农村产业结构调整，增加了农民就业与收入。为农村找到了一条坚持"以粮为纲"，促进农民富裕的路径。村、乡至县的经济规模，得到壮大，并带动了小城镇建设。

第二节　城市经济体制改革全面展开

一、经济体制改革综合试点

1984年年初，合肥市被中共安徽省委确定为经济体制综合改革试点城市，这是继蚌埠市之后安徽省第二个试点城市，全国第一个进行经济体制综合改革试点的省会城市。从此,合肥的城市经济体制改革步入了一个新阶段。

合肥试行经济体制综合改革,是在中国经济体制改革由农村转向城市、由单项改革过渡到全面改革的大趋势和大背景下启动的。合肥国有企业改革主要经历了从"扩大企业自主权"到"全面推行承包经营责任制"两个探索阶段。

早在农村改革之初,合肥就开始尝试城市企业的改革,主要是把增强国有企业特别是国有大中型企业的活力,作为经济体制改革的中心环节。企业改革的主要任务是解决传统计划经济体制下国家对企业管得过多、统得过死的问题,实行以"利润包干、超收分成、亏损自补"为基本内容的经济责任制,目的是扩大企业经营自主权,调整国家与企业的责权利关系,调动企业的积极性。1979年11月,合肥市政府决定在12家国营工业企业推行扩大企业自主权试点。通过实行利润留成、流动资金全额信贷、提高折旧率和改进折旧费使用办法等,使企业能够随着生产的增长而获得一定比例的经济利益,从而调动试点企业生产积极性。1980年9月,合肥市政府决定改革工业管理体制,按专业和行业成立自行车、手表、电视机、电扇、洗衣机等17个工业公司。10月,在合肥日用化工厂、合肥橡胶厂、合肥金笔厂等企业进行利改税试点。1981年12月和1982年11月,合肥市在扩权试点的基础上,又在部分工业企业试行以利润包干为主的经济责任制。这种经济责任制不仅要与利润、产量、质量、品种、成本等挂钩,而且要在企业内部车间、班组及生产、技术、经营等方面都建立具体的经济责任制。显然,经济责任制已明显地孕育着企业承包经营责任制的许多要素,为以后企业承包制的全面推行积累了经验。

通过扩大企业自主权的改革,合肥国有企业开始改变过去那种全按国家指令性计划安排生产经营的状况,逐步由生产型向经营型转变。全市工业经济呈现恢复性增长,工业产值年均递增8.2%。同时,企业技术开发和新产品研制也取得了明显成效。但是,这一时期的企业改革才刚刚开始,直到1984年,合肥作为经济体制综合改革试点城市后，国有企业改革的深度和广度才取得实质性进展。

1984年，合肥市对国有企业出台了一系列增强企业活力的政策措施，其核心是"进一步扩大企业自主权，完善以承包为主的经济责任制，推行厂长（经理）负责制"，一时间，以企业内部承包为主的"经济责任制"和"厂长（经理）负责制"普遍实行。

4月，中共合肥市委、市政府出台《关于认真贯彻省委、省政府[84]17号文件精神，进一步完善工商企业经济责任制的通知》，决定在企业内部全面推行"经济责任制"，奖金上不封顶，下不保底。5月，又出台《贯彻省委、省政府〈关于改革企业干部管理制度的若干规定〉的意见》，对进一步扩大企业自主权、完善以承包为主的经济责任制、推行"厂长负责制"等，都做出具体的政策规定。7月，合肥开关厂、合肥电冰箱厂、合钢三厂等18家企业首批实行"厂长（经理）负责制"试点。11月，在总结第一批试点企业的经验基础上，又确定合肥市自行车二厂、合肥市啤酒厂、长丰水泥厂、肥东县石油公司、肥西县五金公司等58个企业为第二批"厂长（经理）负责制"试点单位，并召开全市"厂长（经理）负责制"试点工作动员大会。

"厂长（经理）负责制"改变了过去国有企业"书记说了算，厂长照着办"党政不分的局面，加强了厂长生产经营的指挥权，党委摆脱了行政事务，职工参加民主管理的积极性也有了提高。

8月22日《合肥晚报》一篇关于长丰县五金交电化工公司的新闻报道，对实行"厂长（经理）负责制"和"经济责任制"的一个细节做简单描述：

长丰县五金交电化工公司，是国营企业，经营的五金交化商品在水家湖地区原是独家经营。近年来，由于政策放宽，仅水家湖就有国营、集体、个体等17家经营五金交化商品，相互竞争激烈，该公司面临着新的挑战。为了在竞争中求得生存，年初，公司经理梁廷义向县商业局写出承包五金交化公司的报告，经商业局及时批准，签订了承包合同。根据完成利润计划情况，工资上下浮动，连续两年完成利润计划在70%以下,经理就地辞职。合同签订后,梁廷义任命了副经理和门市部主任,并与门市部签订承包合同,实行层层承包责任制。承包后,进货多渠道,经营品种增加;在经营作风上,他们走出柜台,摆摊设点,送货上门,方便客户,沿途丢货、减少中转环节,并代办托运,受到顾客欢迎。实行经理承包责任制后,该公司上半年经济效益显著提高。销售商品总额114.6万元,占年任务的69%,实现利润3.44万元,占年计划的146%,均比上年同期有较大幅度的增长。[①]

1984年10月,合肥在企业招收新工人中实行重大改革,全部实行劳动合同制,改革用工制度,打破铁饭碗。这项改革的推行,事实上已经宣布了国有企业与国有企业合同制职工之间,是不同的利益主体,双方通过契约维系两者之间的关系,国有企业不再是广大职工可以终身依靠的"铁饭碗",职工也不再需要终身依附于国有企业。其时,安徽省下达合肥市全民所有制企业招收新工人2930人(包括农民轮换工),一改过去实行的以固定工为主体的用工制度(事实上的终身制),实行劳动合同制,规定劳动者和用人单位的义务和权利,实行责、权、利相结合,把劳动合同制和经济责任制紧密结合起来。

10月20日,中共十二届三中全会在北京召开,全会做出《中共中央关于经济体制改革的决定》,明确指出社会主义经济是公有制基础上有计划的商品经济。增强企业活力,特别是增强全民所有制大中型企业的活力,是以城市为重点的整个经济体制改革的中心环节。随后,国务院就试行工效挂钩、发展横向联合、改革物资供应和产品销售办法、调减调节税、实行政企职责分开、简政放权、给部分大中型企业直接对外经营权及实行劳动合同制等方面,发布了一系列文件。

厂长干得好不好,经济效益见分晓。"厂长(经理)负责制"的实行,其目的就是为了提高企业经济效益。11月14日,《合肥晚报》发表文章,介绍了合肥市第二机械工业公司实行"厂长(经理)负责制"

---

① 《经理承包效益高》,《合肥晚报》1984年8月22日。

和干部职务任期制的情况。文章开篇引用市第二机械工业公司提出的号召:"谁想当厂长?请在1985年实现人均产值10000元,产值利润率增加15%以上。1986年,产值、利润翻一番。"[1]文章随后介绍,这个公司在1984年上半年已调整过领导班子,部分工厂也试行了干部招聘制,但改革的步子还不能适应形势发展的需要。11月9日,公司的党委成员和所属8个厂的厂长、书记、工会主席等42人,在合肥矿机厂讨论制定了新的改革方案,决定实行"厂长(经理)负责制"和干部职务任期制,破除干部职务终身制。公司把1985年完成工业总产值7625万,1986年完成1.01亿的总任务,分解到8个厂,作为每个厂长负责的具体计划经济指标,厂长候选人,必须在保证实现公司提出该厂目标的前提下,发表任期内逐年奋斗目标的演说,接受职工代表质询答辩。干部的选拔,不搞单一调配制,采用自荐、群众推荐、民主选举、张榜招聘、党委提名等多种形式。所属企业的党组织,在实行"厂长(经理)负责制"和干部职务责任制的同时,按照党章规定进行改选。

1985年,合肥市在上年近80个企业先后进行"厂长(经理)负责制"试点工作后,继续推广扩大"厂长(经理)负责制"。4月10日,又有284个企业单位开始实行"厂长(经理)负责制"。至此,全市共有364个企业实行了"厂长(经理)负责制",占预算内企业的90%。

合肥的"厂长(经理)负责制"和"经济责任制"改革由点到面逐步实行,理顺了党政企关系,调动了职工参加管理的积极性,企业逐步由生产型向经营型转变。全市工业经济呈现恢复性增长,工业产值年均递增8.2%。

在推行"厂长(经理)负责制"的同时,1985年,为促进企业的横向经济联合,加快工业改组的步伐,合肥市又提出了"东引西伸、南靠北联"的方针,采取"三靠一扩"的措施(即靠全国名优产品的企业群体,靠有经济实力的企业和区域,靠大专院校和科研单位,扩散零部件到

---

[1] 《厂长干得好不好,经济效益见分晓》,《合肥晚报》1984年8月22日。

市辖三县一郊),取得了明显成效。开展横向经济联系,给企业带来了活力,全年增加产值1亿多元,税利1800万元。

1985年,在平等互利的原则下,合肥市还同20多个地、市、县建立了经济技术协作关系,开展横向经济联系和协作。各企业本着"取长补短,互惠互利"的原则,采取多种多样的形式。如合肥手表厂产品销路不好,造成亏损,通过和上海手表厂联合生产"宝石花"手表,一举甩掉了亏损的帽子,当年产值比上年增长2倍多。合肥拉链厂、自行车厂等通过和上海相关厂联营,产品质量、经济效益都有明显提高。这一年,合肥市114个企业与乡镇企业开展了产品扩散和零部件加工联营及技术服务,发挥了城市企业的作用。同年,因为经济发展,合肥市煤炭、钢铁、水泥等物资缺口一直较大,为缩小缺口,市物资部门通过各种渠道积极和外地开展物资协作,共协调供应煤炭18万多吨,钢材3.2万吨,水泥3万吨,木材3万立方米,还有各类化工原料等。仅协作煤一项,就给全市增加利税6000多万元。合肥市第二轻工业局、食品等系统通过物资协作,还把一些名优产品和"生产过剩"产品及时扩散出去,全市当年扩散产品总金额就达4490多万元。一些企业通过和大专院校、科研单位进行技术协作,学到了很多新技术、新工艺和先进的管理经验。合肥制革厂与安徽大学、轻工业部皮革研究所等单位长期协作,先后完成了10个科研项目,有力地促进了全系统技术革新和新产品开发。通过400多个项目进行企业内涵技术改造,引进137个新技术项目,使全市工业技术装备和企业素质得到改善和提高,也提高了工业产品质量,当年全市有109种产品分别获得了国优、部优和省优称号。

合肥经济体制综合改革试点的内容之一是在企业试行股份制。1985年11月,合肥选择12家企业试行股份制和资产经营责任制,并在毛巾厂和制笔厂公开招聘厂长。为此,市政府颁布《股份制试行办法》,为企业股份制改革的推行进行有益的探索。①

---

① 《中国共产党合肥简史》,第200页。

1986年,企业股份制改革试点开始在安徽全省启动。企业股份制改革试点的宗旨就是要破除国有企业只有国家这样一个产权主体的局面,通过引入职工的股份,使得企业内部呈利益多元化的局面。这种利益的多元化,使得各方利益主体都去捍卫自身的利益,客观上促进了企业的发展。随着证券市场的出现,企业可以向社会公众发行股票,使得更多的社会股东成为企业的又一利益群体,通过利益主体之间的制衡,使企业健康发展。例如,合肥雨具厂试行股份制改革,向职工发行内部股票26万元,全厂82%的职工投资入股,每人平均投资900元,结果年终每位参股职工享受到了20%的股息利。

但是,这个时候启动的企业股份制改革试点,大都在国有中小企业中进行,由于缺乏配套措施,比如股份的流通、赎回之类的制度性设计,并且由于股份制试点大多在企业内部职工中展开,筹资能力有限,使得股份制改革达不到扭转国有股一股独大的局面。因此,这种股份制改革大多演变成为一种内部借贷,最后不了了之。

1986年到1990年的"七五"时期,是改革和搞活企业、加快经济发展的关键时期。1986年是"七五"计划开局之年。是年,全国有20个城市工业产值达100亿元以上,安徽省的城市却榜上无名,产值最高的合肥市也只有39.2亿元,在全国大中城市中,居第54位,在省会城市中居倒数第8位,处于华东地区的谷底。是年8月,中共安徽省委书记李贵鲜来合肥听取工作汇报,指出安徽各市"不能哥儿们一般高",省会合肥要尽快增强经济实力,为安徽经济发挥更大作用。① 随后,中共合肥市委经过认真讨论,决定由市委副书记钟咏三、副市长崔宗鋆负责,由市计委牵头,制定《合肥市近期工业发展规划纲要》(简称《百亿规划》)。《百亿规划》提出,从1987年起,经过7年的努力,至1993年工业产值达到100亿元,年均增长14.3%。

由于规划全面,措施得力,改革到位,到"七五"末,合肥市已形成

---

① 程干桐:《发展是硬道理——〈百亿规划〉回顾》,《五十年征程(1949—1999)》,第273—274页。

具有一定基础的机械制造、日用电器和电子工业、化学工业和建筑业4大支柱产业,创造出一批名、特产品,如美菱冰箱、荣事达洗衣机、合力叉车、芳草牙膏等名优产品。1990年全市工业产值达93.36亿元。1991年工业总产值达到105.43亿元,突破了百亿大关,提前两年率先在全省实现工业总产值超过百亿。[①]

二、利改税

为理顺国家与企业的分配关系,克服"大锅饭"弊端,促进企业经济责任制的建立,1983年至1986年,合肥在全市国有企业进行了两步利改税改革。

利改税核心内容就是把国有企业向国家上缴利润改为缴纳税金,税后利润全部留归企业。1983年4月,国务院批转财政部《关于国有企业利改税试行办法》,即第一步利改税。其主要内容是:凡有盈利的国营大中型企业,按实现利润缴纳55%的所得税,税后利润一部分上缴国家,另一部分按国家规定的留利比例留给企业。对有盈利的小型企业,按八级超额累进税率缴纳所得税,税后由企业自负盈亏。根据这一精神,合肥市政府于同年6月,决定在377家企业试行第一步利改税。

1984年9月,国务院又批转了《关于国营企业推行利改税第二步改革的报告》。其主要内容是,把工商企业上缴国家财政的利润分别改为按11个税种向国家缴税,把国家和企业的分配关系用税法的形式固定下来。[②] 9月3日,合肥市召开第二步利改税工作会议,改变"税利并存",实行"以税代利"。10月1日,产品税、增值税、营业税条例开始在国营、集体、个体企业一律执行;新规定的小型企业、新核定的调节税率和新的八级超额累进所得税,从1985年起执行。自此,

---

① 程干桐:《发展是硬道理——〈百亿规划〉回顾》,《五十年征程(1949—1999)》,第275—276页。

② 《中国共产党合肥简史》,第201页。

合肥市实现第一步利改税的企业又过渡到第二步利改税。但在少数企业实行的利润上缴递增包干或定额包干经济责任制企业,未实行第二步利改税。

利改税第二步改革后,保证了国家财政收入的稳步增长,使企业在经营管理和发展生产等方面,有一定的财力保证和自主权,在增产增收中得到更多的好处。

实践证明,合肥市两步利改税改革,对于规范政府与企业间的分配关系,稳定各自的利益,确实产生了一定的作用。但是,由于各地区、行业和企业情况千差万别,当时价格管理体制改革刚刚开始,价格体系严重扭曲,导致企业之间的税负不公平,出现"水涨船高,鞭打快牛"的状况,同时因税率定得较高,使企业税负加重,普遍存在缺乏自我改造、自我发展的能力,以致影响了部分企业职工的积极性,也影响了国家财政收入的稳定增长。[①]

三、拨改贷

拨改贷,即拨款改为贷款的简称,是国家预算内基本建设投资在体制上由财政无偿拨款改为银行贷款的一项重大改革。中国的基本建设投资在相当长的一个时期内,一直实行由国家财政拨款、建设单位无偿使用的投资管理体制。这一体制对于集中财力建成一大批大中型骨干企业,迅速改变落后面貌起到了积极作用。但随着国民经济的发展和基本建设规模的扩大,这种无偿分配建设资金的"供给制"日渐暴露出弊端。由于投资无偿使用,各地区、各部门及建设单位没有任何经济责任,在一定程度上助长了争项目、争投资,不讲效果,随意拉长基建战线,造成资金浪费积压、重复建设、"胡子"工程等弊端。

[①] 吴世宏主编,《合肥工业五十年》编委会编:《合肥工业五十年》,黄山书社2000年版,第11页。

为了改变这种状况,1979年8月,国务院批转国家计委、国家建委、财政部《关于基本建设投资试行贷款办法报告的通知》,同意除"行政和无盈利的事业单位,以及国家计划指定的项目仍实行财政拨款办法"外,对实行独立核算,有还款能力的工业、交通运输、农垦、畜牧、水产、商业、旅游等各类企业的基本建设投资试行银行贷款的办法。贷款事宜由建设银行负责办理。

1980年,合肥市试办拨改贷业务,当年对安徽省汽车运输公司、合肥车辆厂的建设项目发放了基建贷款。贷款效果较好,当年就发挥了经济效益。省汽车运输公司精打细算,节约投资,加快建设速度,增进投资效益,是年,基建贷款440万元,增加产值534.4万元,实现利税142.5万元,提取折旧16万元。

1980年11月,国务院决定:从1981年起,凡是实行独立核算、有还款能力的企业,都应实行基建拨改贷制度。财政部门将预算安排的基本建设资金拨给建设银行作为贷款基金,建设银行根据国家确定的基建计划按照贷款条件发放贷款;借款单位定期还本付息。对于因产品价格不合理等因素造成的还款能力差、无法实行贷款的企业,由企业和企业主管部门提出申请,按照中央、地方各级安排计划的权限,经建设银行鉴证,计委、建委审查同意,可继续给予财政拨款。

由于配套改革措施没有跟上,加上长期形成的无偿使用建设资金的观念一时难以转变,拨改贷工作进度不快。1984年,合肥市建设银行经办基建拨改贷项目仅有5个,其中国家预算内项目2个,地方项目3个,贷款总额622万元。

1984年12月,国家计委、财政部和建设银行联合下发《关于国家预算内基本建设投资全部由拨款改为贷款的暂行规定》,要求从次年起,凡预算内安排的基建投资,不论是生产性投资还是非生产性投资,都要实行拨改贷。对非生产经营性项目,实行免还本息;对还款能力差的生产经营性项目,实行贷款豁免。1985年,合肥市建设银行共经办地方拨改贷项目 188 个,年末贷款余额 3.26 亿元。[①]

1980 年至 1990 年,合肥市建设银行共发放预算内基建贷款 8.72 亿元。贷款主要投向合肥啤酒厂、安徽印染厂热电站、合肥发电厂、合肥化肥厂、淮沪 50 万伏输变电工程和驷马山引江灌溉工程等一批基础设施建设项目。

在国家实行预算内基建拨款改贷款的同时,地方财政也对地方机动财力安排的基建投资实行拨改贷。合肥市建设银行自 1980 年开始对安徽省汽车运输公司、合肥电线电缆厂、合肥长征鞋厂、合肥人民服装厂等单位发放机动财力基建贷款。此后历年都经办过此类贷款,1980 年至 1988 年共经办 76 户,累计放款 5850 万元。[②]

第三节 构建对外开放的格局

一、技术引进和外资利用

自 20 世纪 80 年代初以后,随着经济发展和技术进步,合肥市很多企业存在设备老化、技术陈旧、缺乏后劲等问题。因此,重视技术改造、技术引进和利用外资,增强企业发展后劲,成为新的发展目标。

1980 年,合肥市政府成立进出口管理委员会,打破长期封闭状况,着手尝试技术引进。至 1983 年,全市累计技术引进项目 23 个,总金额 1000 万美元。1984 年,中共合肥市委、市政府又先后确定"大面积、小规模""小规模与中规模相结合""少而精"等技术引进方针。由此,合肥掀起了第一轮引进技术和利用外资的热潮。1984 年至

---

① 《合肥市志》,第 1672 页。
② 《合肥市志》,第 1673 页。

1985年，全市共对外签约成交引进技术设备合同151项，成交总额9218万美元，总投资3.9亿元人民币，分别占全省对外签约总额的三分之一和二分之一。合肥无线电二厂的彩电生产线、合肥电冰箱总厂的冰箱生产线、合肥洗衣机总厂的洗衣机生产线、合肥日化总厂的洗衣粉生产技术和设备等，都是技术引进的成功范例。1984年至1991年，合肥争取到省内外汇额度及资金1亿美元，共引进国外先进技术293项，合同成交总额2.03亿美元。[①] 正是通过这一轮大规模的技术引进，使全市80%的较大工业企业进行了不同程度的技术改造，促进了工业产品结构的调整，提高了全市工业技术装备水平，为一批骨干企业的发展奠定了基础。

通过技术引进，原本名不见经传的美菱、荣事达等企业在这一时期得以飞速发展，成为全省乃至全国知名企业。1983年，在市经济贸易委员会工作的张巨声来到市第二轻工机械厂[②]，出任这个濒临倒闭的小厂厂长。他做出的第一个决定是停产落后滞销的农机产品，转产国内刚刚起步的电冰箱，并大胆向银行贷款70万元做启动资金，自制210套模具，建成6条简易的"土制生产线"。1984年1月，第一台美菱电冰箱下线。由于抓住了当时城市消费向自行车、电冰箱、洗衣机、电视机"四大件"升级的市场机遇，美菱电冰箱迅速打开了销路。但是，仅仅两年左右的时间，冰箱面临白热化的市场竞争。[③] 1986年，张巨声从意大利梅洛尼公司引进当时最先进的生产线，企业生产规模进一步扩大。1989年，美菱开发出一种新型的、更符合我国消费者需求的大冷冻室冰箱，立即风靡全国，创造了轰动业界的"美菱效应"。同年，美菱由原来行业的第20位跃升至第4位，成为全国名牌。

---

① 《合肥工业五十年》，第14页。
② 其前身为1951年创建的合肥农具厂，后厂名几经更改，1983年改为合肥第二轻工机械厂，1992年改为美菱集团。
③ 丁传光主编：《为什么是安徽：安徽改革开放三十年纪实》，安徽人民出版社2008年版，第49页。

1986年，陈荣珍被任命为合肥洗衣机厂厂长。此时的合肥洗衣机厂因产品大量积压，经营陷入困顿。陈荣珍在分析形势后，认为合肥洗衣机厂要做大，必须借力发展。于是，他提出了"借牌经营，借船出海"的决策，先将合肥洗衣机厂所有家当作价300万元，凭此做抵押，在银行贷款2700万元，引进日本三洋洗衣机先进的双筒洗衣机生产设备，然后与上海"水仙"达成联营协议，借助"水仙"名牌产品效应迅速跻身市场。此后，在"水仙"洗衣机厂陷入困顿之后，陈荣珍又决定放弃"水仙"品牌，利用已有的市场地位与销售网络打造"荣事达"品牌，并一举成功。

合肥的企业利用引进的技术设备，提高了企业经济效益，促进了新产品的开发和老产品的更新换代。合肥自行车厂从香港引进全套铝型材加工设备，增加产值2000多万元，增加利税400万元，并为生产铝合金轻型自行车出口创造了条件；合肥变压器厂通过引进技术设备生产节能新产品——矿用变压器，产品性能超过西德西门子公司同类产品质量标准，成为安徽省参加广交会的指定产品；合肥洗衣机总厂通过引进日本三洋公司洗衣机生产技术和主要设备及模具，生产出具有20世纪80年代先进水平的大波轮半自动双桶洗衣机，被评为1984年安徽省最佳经济效益单位，并荣获国家轻工业部重大科研成果奖；安徽橡胶轮胎厂于1985年引进"F-270密炼机"，使该设备很快达到或接近20世纪80年代国际水平；合肥无线电二厂通过引进建成了1条14～22英寸彩色电视机生产线，从而提高了黄山牌电视机的灵敏度、色彩逼真度、图像清晰度，达到国内先进水平；合肥橡胶厂从意大利引进B25-14位双色注射机，开发出旅游鞋系列新产品，其产品在市场上供不应求；合肥工业大学和合肥轴承厂协作研制的轴承套圈内外径自动检验仪，是我国第一台套圈自动检验仪器，填补了国内一项空白；合肥锻压机床厂试制成功国内第一台Y32—630型630吨万能液压机床；合肥开关厂试制成功千伏级防爆电磁启动器；中国科学院等离子体研究所和合肥电焊条厂协作研制成功"奥氏体磁高强度钢电焊条"；合肥市淝河汽车制造厂试制成功

HF352型7吨自卸江淮牌载重车和HF150A型江淮牌8吨长轴距载货汽车；合肥电机厂试制成功高效率3000瓦四级节能电机；电子工业部43所与合肥元件五厂联合试制成功CA型固体电解质烧结钽电容器，填补了安徽省电子元件的一项空白。

从1984年到1991年，合肥利用外资经历了从无到有，从少到多，从小到大的发展过程。1984年5月，合肥成立全省第一家中外合资企业——中国安利人造革有限公司，开创了利用国外直接投资、引进先进技术和设备、嫁接改造国有企业的先河，从此拉开了利用外资外技改造工业企业的序幕。到1991年年底，合肥利用外资项目共计105个，合同外资金额1.15亿美元；在直接利用外资项目中，兴办外商投资企业73个，总投资7678.84万美元；间接利用外资9057万美元，间接利用外资项目主要安排在城市基础设施、农田改造和粮食、鱼类、奶类等项目方面。①

1990年8月，经国家外经贸部批准，合肥市进出口公司在全省率先获得进出口自营权，使合肥对外贸易实现了从出口供货型向自营进出口型的转变，推动了合肥对外贸易快速的发展。1991年全市外贸出口供货额近5亿元，是1978年的10倍，自营出口创汇达1500万美元。全市有200多家企业生产出口商品，主要有纺织、轻工等13大类，销往中国港澳、东南亚、美国、加拿大、日本等国家和地区。此外，合肥市还与一些国家和地区开展劳务合作，先后组织纺织技术工人、建筑装修工人、厨师等到日本、中国香港等国家和地区工作。②

在引进技术和利用外资的同时，这一时期，合肥的对内开放也取得了显著成绩。合肥全市与外市外省累计签订各类联合协作项目2360多项，联营产品产值17.7亿元，利税2.74亿元。以骨干企业为主体，组建企业集团或群体24个，组建科研产联合体42个，全市企

---

① 《合肥改革开放二十年》编辑部编：《合肥改革开放二十年》[皖非正式出版字(98)第104号]，1998年，第31页。
② 《合肥改革开放二十年》，第32页。

业加入外市外省企业集团或群体 59 个。① 通过大力开展企业之间的跨地区、跨行业、跨所有制横向经济技术联合,推动了合肥市一批企业集团的发展。一些企业相继加入国内名牌产品集团或走集团联合之路,扩大了产量,促进了销售,提高了效益,增加了出口,加强了合肥工业产品的竞争力和知名度。

二、"走出去"与"请进来"

农村改革的成功,推动了城市经济体制改革,而城市经济体制改革的兴起,迈出了对外开放的步伐。随着改革不断取得进展,20 世纪 80 年代中后期,合肥对外经济交流日益活跃,对外贸易逐年增长,外事交流日趋频繁,对外开放的领域和区域也不断扩大。

1978 年,合肥全市外贸收购额仅为 5087 万元,到 1991 年,全市出口商品供货额 5 亿元,比 1978 年增长 10 倍。在出口商品上,也更趋于优化,从农产品向工业品、从低档次产品向高档次产品方向发展,1991 年,合肥工业品出口比重上升至 75.8%。随着外贸体制的改革,从 1981 年起,合肥市有了自营出口经营权,出口商品供货额随之逐年上升,产品分别销往日本、美国、中国香港等 80 个国家和地区。1985 年,合肥市外贸收购突破 1 亿元大关。

改革开放之前 20 年,合肥市来访的外国代表团组(与经济有关的)只有 8 个。1978 年之后,来合肥市进行访问考察的境外团组逐渐增多,其中最多的是日本代表团,其次,有美国、奥地利、德国等。进入 20 世纪 80 年代后,随着改革开放的逐步展开,外国人前来合肥考察访问的人数逐年增多,这其中包括各国的政府官员、专家学者、企业家、商人及民间各界人士。国外、海外人士来合肥,有的是进行友好访问,有的是投资办企业,有的是进行交流和讲学,有的是前来观光旅游,内容广泛,涉及各个领域各个方面。

---

① 《合肥工业五十年》,第 14 页。

这一时期,合肥在对外交往上,除了敞开大门欢迎来自各国、海外各界的朋友来肥做客即"请进来"外,还主动"走出去",到国外、海外进行考察访问、参观学习、招商引资、交流讲学。中共合肥市委、市政府、市人大、市政协,以及教育界、金融界、商贸界、企业界等有关人士,先后组团,走出国门,到国外参观访问、考察学习。1990年7月,市长钟咏三参加由上海市委书记、市长朱镕基为团长的中国市长代表团到美国访问20天。这次的中国市长代表团访美是在"八九政治风波"后一次重要的外事活动,向世人展示了中国继续实行改革开放的信心。①

这一时期,对外文化往来、对外民间交往方面也较为活跃。从1978年至1985年,来合肥访问的外国新闻、文化、文艺、体育等团组累计有28个;来合肥访问的外国民间团组有135个,其中主要是文化、教育、新闻、体育界人士。合肥则先后组织32个经济、文化、新闻摄影、教育、妇女、青少年友好代表团出国、出境,进行民间友好交往活动。

随着对外交往的增多,合肥先后与一些国家缔结为友好城市关系。1979年10月1日,日本久留米市市长近见敏之致函合肥市市长魏安民,希望与合肥市结成友好城市关系。1980年4月,近见敏之率团访问合肥,双方就两市结成友好城市关系问题举行会谈。5月,魏安民率团回访久留米市,合肥市与久留米市正式结为友好城市。这是合肥市与外国缔结的第一个友好城市。1984年2月24日,合肥市与塞拉利昂首都弗里敦市缔结为友好城市。这是合肥市与非洲国家建立的第一个友好城市。此后,合肥市又先后与布隆迪首都布琼布拉市、美国哥伦布市、丹麦奥尔堡市、西班牙莱里达市结为友好城市,还同美国马里兰州首府巴尔迪摩市、德国汉诺威市和本特海姆市、菲律宾达沃市建立了友好联系,开展经济、贸易、科技、文化和人才交流。

---

① 2015年7月20日,钟咏三对本书《送审稿》提出建议和意见时对本书作者的谈话。

第八章 改革开放全面展开

1981年,日本久留米市友好访问团参观逍遥津公园

20世纪80年代中后期,在对外开放的同时,合肥市还形成了对内开放的新格局。这一时期,合肥先后与上海卢湾区、江西南昌市、山东济南市、宁夏银川市、海南儋县结为友好市区、友好城市。还同15个省的16个市、县建立了经济技术协作关系。为了打开对内开放的局面,合肥采取了许多措施,积极地走出去,开展了"学上海、学沿海、学先进"的活动。中共合肥市委、市政府领导先后带领各相关部门负责人到上海、常州、武汉等地,考察企业管理、技术改造的经验,学习他们发展工业、乡镇企业的思路。通过考察学习,合肥工业企业开展了加强横向联合的热潮,许多企业冲破传统的行政区划和所有制界限,寻求联合、协作的途径。据统计,当时有300多家企业与全国25个省、市、自治区2246个单位签订协作联合项目1400多项,围绕名、优产品,参加了40个企业集团和联合体,与外地名牌联营生产。

在深圳等经济特区建立后,合肥加快了开放的步伐,着手与深圳等经济特区建立联系。1984年,中共合肥市委、市政府决定派人赴深圳开展经济协作,对口洽谈,并决定在深圳设立合肥办事处,作为对外开放的窗口。与此同时,合肥市经济贸易考察团赴香港考察,历时

20 天。通过考察,合肥确定了建立香港、深圳、广州三点一线同合肥联系的外引内联格局,并确定在华润公司设立合肥联络处,派干部常驻香港。

中共合肥市委、市政府的各种举措推动了对外开放的步伐,仅 1984 年、1985 年两年全市对外签约成交项目就有 153 项,金额达 9218 万美元,投资人民币 3.96 亿元。对外开放格局的初步形成,促进了合肥的经济建设不断发展。1985 年,国务院批准合肥市为全国甲类开放城市。

第四节 城市规划与城市建设的改革

一、1982 年城市总体规划

改革开放之初,合肥城市基础设施落后,住房紧缺,交通拥挤,供水不足,排水不畅,城市建设严重滞后。

改革开放伊始,合肥城市建设被迅速提上日程。1979 年,中共合肥市委确定城市建设的中心原则是还城市旧账,大力改善城市基础设施状况。1980 年 12 月,中共合肥市第四次代表大会召开,市委领导在工作报告中,动员全市党员团结和带领全市人民,同心同德,专心致志,狠抓调整,发展经济,努力把合肥建设成为经济繁荣、秩序良好、生活方便、环境优美的社会主义现代化城市。

城市建设,重在规划。早在 1956 年,合肥就编制出《合肥市城市总体规划》,这是新中国成立后合肥第一部城市总体规划。其后做了几次修编。1977 年 9 月,中共安徽省委第一书记万里在听取合肥市城市规划与建设情况汇报后,对合肥城市性质、规模、发展趋向与环境保护等问题提出建议,要求中共合肥市委重新组织修订城市总体规划。这次城市规划经过了两年的调研、设计、论证,最终于1979年1月完成,经合肥市人民代表大会审议后上报。1982年5月,国务院正式批准该规划。

《合肥市城市总体规划(1979—2000年)》,以"三翼伸展、田园楔入"的"风扇形"城市形态而载入中国城市规划史册。该规划确立合肥是安徽省省会,是我国重要的科教基地和建设中的铁路交通枢纽之一。应充分利用科教基地先进的技术和设备,大力发展电子仪表工业,相应发展轻纺工业。努力把合肥建成环境优美、市容整洁、生活方便、社会文明的社会主义现代化城市。在城市人口和用地规模上,近期到1985年年底,城市人口被控制在60万左右,城市用地为59.4平方千米;远期到2000年,城市人口被控制在70万左右,城市用地为77.74平方千米。在交通上,新建合肥至南京、九江、襄樊、阜阳等铁路,使合肥成为五个方向交会的铁路枢纽。① 城市布局上,利用改造老城区;控制东郊工业区;充实北郊工业区,主要作为仓库区和建材生产基地;发展西南区,一是发展以机械、电子、仪表为主西南工业区,二是在西郊和西南郊集中16所大专院校;建设西郊蜀山风景区;开辟湖滨风景游览区。②

《合肥市城市总体规划(1979—2000年)》,是合肥历史上第一次正式编制的较为规范的城市总体规划。总体规划控制中心老城区,充实东、北、西三翼,主要发展西和西南方向,利用西郊蜀山董铺水库的山水自然景色,构成与农田、园林密切结合的风景区,南区不建工厂,不建高层,以便将巢湖的新鲜空气引进城内。这种充满诗情画意的"风扇形"布局,在当时全国城市规划中独树一帜,后来被誉为"合肥模式"。1984年,该规划荣获中国年度城市规划优秀规划设计二等奖(无一等奖),并被编入《中国大百科全书》。

受历史条件的制约,这个规划也有一定的局限性,具体表现在:

---

① 厉德才、李碧传主编,《合肥市城市建设志》编委会编:《合肥城市建设志》〔皖内(95)第0026号〕,安徽省地质印刷厂印刷1995年,第41—42页。
② 合肥市规划局编:《合肥城市规划志》(上),黄山书社2013年版,第125页。

规划的空间视野不够大;城市道路网密度过小;未能摆脱计划经济模式的束缚,忽略了市场经济对城市发展的巨大影响等。

从1982年到20世纪90年代中期,十几年间,合肥按照这个规划,加快了城市建设步伐,取得了巨大成就。

由于城市化速度的加快,城市建设规模、布局、道路系统等方面,很快就突破了1982年国务院批准的规划要求。1985年10月,合肥市提出修订城市总体规划意见。次年1月,市规划设计院受委托开展总体规划调整工作。到1992年7月,总体规划局部调整方案得到安徽省建设厅的正式批复。1992年局部调整规划确定,到2000年,城市人口和城市用地分别被控制在100万和99.38平方千米以内。城市布局仍保持"风扇形"格局。城市建设发展方向以西南区为主。城市建设以"改造旧城、控制中心、充实三翼、发展城郊"为方向,将各个分区建成相对独立、功能齐全的综合区。

二、旧城改造

1949年以后,合肥旧城区虽几经改造,但受计划经济的制约,以及资金少、拆迁难等问题,直到20世纪70年代后期仍保存使用大量的破旧房屋。建筑物平均层数为1.79层,简陋平房占全市全部房屋的49%。

改革开放后,因经济迅速发展,加之合肥市作为安徽省省会,机关团体多,教育、科技、文化、卫生等事业单位比较集中,城市建设落后的问题日趋突出。如城市基础设施差,欠债多,加上人口增长过快,城市道路、交通、住宅、供电、供水等基础设施都远远跟不上发展需要,迫切需要进行旧城改造。

1982年,国务院批复《合肥市城市总体规划(1979—2000年)》时提出:"合肥市是安徽省省会,是我国重要教科基地和建设中的铁路交通枢纽,要按照批准的总体规划,进行合理的改造和建设。"[①]

---

① 《合肥市城市建设志》,第49—50页。

1983年8月,中共合肥市委、市政府根据上述批准的总体规划,制定了"收缩布局,控制征地,合理填补充实,分段改造旧城""城内翻新,城外连片"的近期城市建设方针,并组成"长江路、金寨路沿街改造工程指挥部"(又称"两路改造指挥部",后改为"合肥市城市改造指挥部",以下简称"指挥部"),市委副书记、市长张大为全面负责,副市长吴冀任指挥。改造工程启动之时,张大为就以改革的思路,大胆实施新政策、新办法,排除一切阻碍和困难,倾力推动工程进度。指挥部根据市委、市政府的要求,打破了过去由建设单位各自为政、分散建设的体制,探索并试行了"统一规划、合理布局、综合开发、配套建设"的新体制,采取统一规划、拆迁、施工和开发经营的办法,把分散的各个建设单位的建设资金集中起来,对旧城区进行"社会化"改造。

1983年9月,合肥旧城改造的序幕在长江路中段拉开。指挥部首先对长江路中段进行以改善交通、调整网点、美化市容为重点的综合改造。长江路中段,东起长江饭店,西至三孝口,全长550米,沿街多平房,离道路近,长江饭店往来车辆停留多占用行车道,沿街商业网点基础设施不配套。此次改造,共建成54户居民住宅,21爿商店(建筑面积5023平方米),拓宽人行道,增加了绿化面积。综合改造历时80天,取得"投石问路"的效果。

次年2月,改造金寨路北段工程破土动工,至1987年12月全部竣工并投入使用。金寨路北段,南起芜湖路口,北至安徽省博物馆,全长1400米。该路段改造前,两侧多为20世纪50年代遗留下来的危旧破房,建筑密度低,商业网点和基础设施不配套,街容破落,居民生活不便。此次改造,共拆除危旧房屋1225户,新建楼房49幢(总建筑面积15.03万平方米)。其中商业用房8.07万平方米,办公、教育、服务行业用房6.71万平方米,配套设施用房2580平方米。改造后的金寨路北段,建筑物高低错落,空间起伏变化有序。新建的光明新村、益民街住宅区、幼儿园、居委会、自行车库、公厕等配套齐全。商店集中于步行街,龙图商场、天海商场、玉屏楼商场等商场规模较大。此路改造后,各种管线转入地下,沿街市花、市树、假山、盆景式花坛等园林小品点缀其间,市民居住、工作、游憩、交通诸功能得到改善。

"两路"改造,面临的最大问题是资金严重不足。但中共合肥市委、市政府大胆改革、勇于探索,吸引社会各方面建设资金,集中起来,统筹规划,把基建计划和城市规划有机地结合起来,既满足了各建设单位需要,又改造了城市,从而有效地解决了建设资金不足这个难题。在吸引社会资金的具体做法上,首先,抓宣传。宣传长江路、金寨路地理位置和交通条件好,宣传统一经营、综合开发投资效益好,建成后,投资者得到现成商品房,省心省力,经济合算,鼓励各单位投资建设。其次,抓组织引导。对适合在城区建设的基建计划指标,不管机关的、企业的、全民的、集体的,统一由市里组织起来建设;有计划指标,资金不足的,安排资金贷款;有资金无计划的,用开发指标先行建设;省市单位、个体户愿意投资的都组织起来,统一安排建设。其三,抓统筹安排、统一经营。各方面的资金集中后,按城市改造和用户的需要,由指挥部统筹规划设计,统一承包经营,统一拆迁施工。其时,"安民告示"一公布,投资者接踵而至,在改造长江路、金寨路时,沿街100多个单位都积极申请投资建设办公、经营、住宅用房,也吸引了乡办商业和个体经营户前来投资建设。长江路中段改造总投资约180万元,80%是由沿街单位和个体户投资建设的。金寨路北段改造总投资需要5100多万元,其中,国家投资占6.2%,单位自筹资金占86.6%,乡镇企业自筹资金占7%,个体户投资占0.2%。实践证明,在当时特定的环境下,吸引社会资金改造旧城是一条行之有效的路子。[①]

旧城改造,难题之一是拆迁安置。过去,一些建设单位对拆迁望而生畏,宁愿到城郊征地也不愿在城内建设。在"两路"改造中,合肥市采取新办法,解决了拆迁安置难题。拆迁之初,拆迁户不愿离开原来居住的地方,加之城郊住宅区不少地方建设不配套,生活不便。老

[①] 郑锐:《合肥旧城改造的回顾》,《五十年征程(1949—1999)》,第209页。

百姓流行一种说法，"宁要城区一张床，不要郊外一套房"。针对这种情况，指挥部采取了就近回迁安置的办法。具体做法是实行统一动员，讲清政策，保证兑现。凡是单位职工，由职工单位承担临时安置任务，发给住房证，新楼建成后凭证回迁定居；没有工作单位的居民，凡可投亲靠友或自行解决临时住房者，新楼建成后回迁定居；愿在城外定居的拆迁户，在城外新建生活区进行一次性安置，面积上给予增加30%左右照顾。所有临时安置的住户，按原使用面积发给临时安置补助费。这个办法在长江路中段改造中试行时，93户居民和21家商店，从停业、搬迁、拆除到清理地基，仅用了10天时间。当两个多月工程竣工后，回迁户普遍感到满意。改造金寨路北段需要拆迁的户数更多，难度更大。为此，指挥部又加上一条规定，即谁先搬走谁将优先搬回，而且分配新楼时在层次上予以照顾。由于长江路拆迁安置兑现，再加上这条规定，使金寨路北段的拆迁出现了争先恐后的情势。此外，在拆除旧房时也采取新的办法。过去，都是雇人拆除旧房，既费时又花钱。此次采取经营的做法，将旧房折价包给附近农民，谁拆房谁得到廉价的砖、瓦、门、窗等材料，这样以料抵工，不仅节约了拆房费用，还得到卖房料的钱，公私均得利益。

各种新政策、新措施，创造了罕见的高速度、高效率。合肥老城区是机关、事业单位、学校、办公相对集中的地区，不能长期停留在建筑噪音和机械轰鸣声中，这就要求改造建设必须抢时间，抓速度，讲效率。其时，指挥部结合建筑业改革，对改造工程采取统一经营的方式进行综合开发。以指挥部为总甲方，统一承包各项工程，代替了上百个甲方，变百家难为一家难，缩短了建设周期，提高了工程质量。长江路中段改造的工程周期比规定的竣工时间提前70天。其中，市二建三处施工的鲜花门市部两层混合结构商住楼，仅用50天时间就完工了，工期提前130天，并被评为全优工程。在金寨路北段，光明电影院南片建设地段需清除土方1万多立方米，指挥部统一组织施工公司承包，仅用半个月时间就清运土方1.4万多立方米，为工程缩短建设周期创造了条件。在施工中，指挥部采取分配和议标的办法，开展创优竞赛,加快了工程进度,砖混结构的工程一般10至15天一层楼,最快的达到5天半一层楼,创造了合肥市建筑施工的高速度。

合肥的"两路"改造,在全国产生了很大影响。1984年9月2日,国务院总理赵紫阳来合肥视察时指出:"按需建房,统一规划,改造旧城办法很好",要求国务院有关部门帮助合肥总结经验,在全国推广。10月7日,《人民日报》在头版头条发表"统一规划,统一拆迁,谁投资谁受益,合肥借助社会财力改造旧城办法好"的文章,把合肥旧城改造经验推向了全国。12月22日至27日,国家建设部在合肥召开全国旧城改造经验交流会,把合肥旧城改造经验归纳成两条,一是利用经营方式吸引社会资金,加快旧城改造与建设;二是按照城市规划成街成片地进行改造,并向全国推广。此后,全国各大中城市都派代表来合肥参观取经。截至1986年,合肥共接待全国参观取经团达500多批次,北京、上海以及绝大多数省会城市均参照合肥经验,进行了旧城区改造。1986年11月,国务院召开全国城市建设工作会议,市长周本模在会上介绍了合肥旧城改造的经验,会议肯定了合肥市在城市改造建设中探索出的"统一规划、合理布局、综合开发、配套建设"的16字经验。后来,这16个字加上"因地制宜"4个字,被载入了1989年颁布的《中华人民共和国城市规划法》。

在取得"两路"改造的经验后,从1985年开始,合肥市又对城隍庙地区、安庆路中段、寿春路中段、淮河路西段进行了改造,并取得良好成效。安庆路是一条老街,紧靠长江路,地处旧城区中心腹地,东起宿州路,西至环城西路,全长1760米,其中段自城隍庙以东,至市房地产管理局招待所以西,全长650米。该段路改造自1985年5月开始,至1987年12月竣工并投入使用,共拆迁737户,新建房屋33幢,总建筑面积近10万平方米。淮河路西段改造,东起市第一人民医院,西至杏花村,长500米。1985年12月动工,1986年9月竣工,共在道路两侧建商住楼、住宅楼11幢(总建筑面积3.4万平方米),其中大夫第、杏花村条形住宅错落有致,美观实用。

此后,合肥又相继对寿春路、蒙城路、蚌埠路、金寨路南段、长江路、蜀山路、阜阳路、徽州路进行改造,在建路的同时,充分利用路两侧的黄金地块,建起了写字楼、商业用房、宿舍楼等。

合肥市的旧城改造,取得了很大成就和十分有益的经验。第一,改善了交通。结合旧城改造,合肥市打通了寿春路、蒙城路,形成了城市主干道骨架,并打通了桐城路、红星路、含山北路、淮河路西段、阜南路西段等次干道;新建了三孝口停车场,寿春路停车场;改造了淮河路步行街,形成了旧城步行系统。由于道路的拓建,人车分流,交通疏导,减少了相互干扰。第二,促进了商业发展。此次改造,合肥先后建成了三孝口商业中心、七桂塘市场等,吸引了大量国营、集体、个体经营者。在旧城改造初期,仅指挥部就建成19.45万平方米商业建筑,占总建筑总量的35％,大大缓解了城市商业用房的紧缺状况,改善了商业的布局。第三,提高了居住水平。合肥旧城区通过多年的综合开发,拆迁危旧房屋近50万平方米,1万多个棚户区居民搬入新居。通过旧城改造,平均每户建筑面积由原来的33.54平方米提高到49.56平方米,居住水平每人达10平方米。第四,完善了城市基础设施,改观了市容市貌。这一时期的旧城改造,使公共建筑设施配套较完善,如建设商店、幼儿园、街道用房、文化站、汽车库、自行车棚、信报箱、煤气调压站、变电所、公厕、公共绿地、雕塑、建筑小品等,大大提高了旧城基础设施的现代化水平,改善了城市的投资环境,方便了居民生活。[①] 合肥旧城改造后,市中心建筑错落有致,建筑立面丰富大方,建筑群体构成和谐,使古老、破旧的旧城焕发出新的生机。

三、市政、住房及商业设施建设

20世纪80年代初,合肥市政建设因路而起,因路而建。合肥市政府在财力十分拮据的情况下,逐年增加对市政建设的投资。以新

---

① 郑锐:《合肥旧城改造的回顾》,《五十年征程(1949—1999)》,第215页。

建改建城市干道、整修小区道路为主,先后改建了蚌埠路(东段)、铜陵路、南陵路、裕溪路、青年路、望江东路、金寨路、环城路(环城路—金寨路)、梅山路、蜀山路、桐城路等;新建了合作化北路,扩建了濉溪路。至1985年,全市共有市政道路73条(其中淮河路为步行街),道路总长105.7千米,车行道铺装面积为111万平方米。其中,混凝土路面如望江东路、合作化北路、明光路,共13.17万平方米,占车行道总面积11.8%;沥青路面96.6万平方米,占车行道总面积86.7%;弹石、碎石等低级路面占车行道总面积1.5%;人行道铺装面积为29.76万平方米。在财政拨款捉襟见肘的情况下,能够取得这些成绩,殊为不易。

1979年年末,合肥市公共汽车总数只有175辆,日客运量为38.7万人次。随着城市客流量和客运量日益增加,乘车难成为困扰合肥人民生活的突出问题,解决城市公共交通也摆到了中共合肥市委、市政府的议事日程上。为更好地解决乘车难问题,市领导在乘车高峰时,分赴各路公共汽车,了解拥挤情况及乘车线路设计等问题。从1980年至1983年,合肥市公共汽车公司每年都新购公共汽车,日客运量达54.61万人次。到1985年,合肥市公共汽车已拥有323辆,公共交通拥挤情况有所好转。1984年9月,合肥市成立了出租汽车旅游公司。[①] 1985年4月,合肥开通至南京第一条长途客运旅游线路,其后,借用联营单位运力,先后开辟了合肥通往广州、上海、杭州、武汉、南京、宁波、黄山、九华山、安庆、芜湖等53条长途客运旅游班车线路,形成了以旅游车站为中心的省内外长途客运旅游交通网。

1979年,合肥全市人均居住面积仅3.7平方米,缺房户达1.04万户。而且,全市住宅建设沿袭旧习惯,都是由各机关、学校、企事业单位自建职工住宅,没有统一规划,分散零星建房,呈现随意、杂乱的弊端,给城市建设和综合管理造成隐患。为阻止这种局面进一步蔓

---

① 合肥市交通志编纂委员会编:《合肥市交通志》,安徽人民出版社1992年版,第54页。

延,1978年,合肥市开始尝试推行住房经营统建,即统一建设,统一分配,统一管理。6月,全市第一个配套建设的居民小区太湖新村动工建设。由于资金不足,新村建筑水平一般,却是一次成功的尝试。太湖新村小区内配套齐全,功能分区,给长期居住拥挤、厨卫缺乏的市民开了眼界。

为了建设更多更好的住房,让更多老百姓都能搬进新居,在中共合肥市委、市政府的大力支持下,1983年4月,中国房地产开发公司合肥公司(简称中房合肥公司)成立,这是全市首家房地产开发公司,合肥市房屋商品化从此正式推行。

合肥市西园新村是中房合肥公司成立后的重点项目。西园,位于合肥城西三里庵南边,距市中心仅3千米,原本是郊区常青乡、杏花乡四个生产队的菜农宅基地和蔬菜地,冲岗起伏,阡陌纵横,又与安徽大学北门毗邻,腹地内还有一片天然池塘,是一块非常理想的住宅用地。中共合肥市委、市政府选择在此处建设西园新村,并确定由中房合肥公司组织实施。西园新村建设比较规范,先是市建委和中房合肥公司进行规划招标,请安徽省、合肥市还有上海市一些设计单位各拿方案,经过综合评价,确定最佳方案。在做规划方案时,把能够想到的配套设施都列入其中,如住宅高层控制、道路、绿地、水面、小学、幼儿园、商店、自行车停车场。其次,在建设过程中进行了施工单位招标,分区包干。1987年年底,小区正式建成。西园新村建设对20世纪80年代合肥住宅小区的建设具有示范意义。1988年,在联合国人居中心举办的"发展中国家住宅技术竞赛"中,西园新村获得"利古里亚特别荣誉奖",被视为安徽省、合肥市乃至国家对外开放的一个窗口和国内同行观摩学习的样板。从此,合肥住宅小区建设正式起步。正是有了西园新村的建设经验,后来琥珀山庄才能建设得更好。[①]

---

① 郑锐:《改革开放初期合肥城市建设的回顾》,《五十年征程(1949—1999)》,第190页。

20世纪80年代初期,在进行旧城改造的同时,合肥市还在城郊开发了新的住宅区,使旧城改建和新区建设同步进行,相继建成了太湖新村、西园新村、铜陵新村、蜀山新村、钢铁新村等。中共合肥市委、市政府在城市建设上做出的"城内翻新,城外连片"决策,通过组织实施,基本达到了预期目的。

改革开放初,合肥全市6层以上的楼房只有两栋,一栋是位于长江东路的安徽省煤炭厅7层大楼,一栋是位于胜利路的10层省交通饭店。交通饭店于20世纪70年代中期由安徽省交通厅建造,合肥人习惯称交通饭店为"十层大楼",在合肥,它一度是第一高楼。1981年12月,位于青年路与芜湖路交口的"合肥长话枢纽工程"建成,主机房楼7层,总高度37.5米,塔楼从地面至航标灯的净高为82.55米,超过了交通饭店,成为新的"合肥第一楼",也是合肥市的标志性建筑。因该楼顶安装有机械大钟,准点报时,因此,被合肥市民形象地称为"大钟楼"。

20世纪80年代中期,合肥结合旧城改造,掀起建设高层建筑的热潮。1984年,合肥市学习香港的经验,兴建银河大厦。银河大厦建筑面积8000多平方米,营业面积6000多平方米,开设有百货、旅馆、餐饮、舞厅等,是为合肥首个引进香港"吃住购玩一条龙"服务新观念而建设的综合性高层建筑,成为合肥市商业、服务业发展范例。

这一时期,随着旧城改造,位于三孝口附近的金融大厦、九州大厦和汇通商厦开始兴建。金融大厦位于金寨路北段东侧,主楼21层,总建筑面积1.4万平方米,其中营业面积近4000平方米,办公用房近1万平方米。其西山墙嵌有"国逢盛世,长乐通宝"巨幅马赛克壁画。大厦于1984年9月开工,1986年12月竣工启用。九州大厦坐落于金寨路北段西侧,与金融大厦相对,主楼21层,1984年11月开工,1987年5月竣工启用。汇通大厦原是安徽省劳动局的一个培训中心建设项目,本来准备建在城外。为改变三孝口一带建筑杂乱矮小的状况,合肥市政府大力支持将这个项目建在三孝口,并兴办商业。汇通大厦建好后,三孝口一带面貌焕然一新,成了商业"聚宝盆"。

1986年在建的合肥金融大厦

20世纪80年代中后期,合肥的高层建筑不断开工兴建。1985年7月,位于徽州路北段东侧的12层合肥供电大楼破土动工,两年后竣工交付使用;1985年10月,位于长江路上的两栋大厦同时开工建设,一栋为长江路西段22层的天都大厦,一栋为长江路东段南侧的20层黄山大厦,这两栋大厦分别由安徽省劳改局、安徽省农垦系统投资,三年后两栋大厦竣工启用;1986年年初,位于芜湖路与青年路交口西南角两栋20层的"姊妹楼",即安徽省粮油贸易综合市场大厦和安徽省建设银行大厦开工;1987年11月,位于寿春路、宿州路交口东北角的15层安徽省保险公司大厦和位于同一路口西北角的12层合肥市建行大厦开工;1988年6月,位于合肥市阜阳路与寿春路交口东南角的16层安徽省工商银行综合大厦破土动工。[①] 至20世纪90年代初期,合肥市高层建筑已如雨后春笋,数不胜数。

随着合肥市区中心路段改造、兴建高层建筑及市政设施的不断完善,旧城面貌有了较大改观,商业市场建设也迅速兴旺起来。1984

---

① 《合肥市志》,第352页。

年5月,合肥市政府决定,结合旧城改造,采取社会集资的办法兴建城隍庙小商品市场。在城隍庙市场兴建中,以古建筑为中心,保护古建筑,在建筑上做到既协调,又各具风格,使之具有现代特色的庙会市场。8月15日,合肥市政府主持开业剪彩,安徽省省长王郁昭、国家文化部部长周巍峙、中共合肥市委书记杨永良及省市各界人士、群众代表数千人参加剪彩仪式。1986年元旦,一期工程建成开业,标志着合肥第一家具有多种服务功能的商业市场建成。城隍庙市场东西宽150米,南北长420米,占地6.3万平方米,建筑面积4.9万平方米,室内使用面积2.9万平方米。市场内部建筑全部采用钢筋混凝土框架结构,部分用明代徽派建筑风格装饰,粉墙黛瓦,翘角飞檐,古雅别致,与始建于北宋皇祐年间的原庐州城隍庙融为一体,相互辉映,形成气势宏伟、多姿多彩的古式建筑群。城隍庙市场融购物、观光、娱乐为一体。进场经营的国营、个体企业1000余户,从业人员6000余人,经营有服装、日用百货、烟酒、家用电器、土特产、文物、工艺品等20大类、2.5万多个品种。

1984年9月,七桂塘市场开工建设。该市场位于三孝口东南,西起金寨路,东至桐城路,南自红星路,北至长江路,东西跨度440米,南北跨度180米,总建筑面积近6.4万平方米。1986年10月,工程竣工交付使用。七桂塘市场入口处建有月牙形门楼,上嵌金色铜字"七桂塘市场"。门楼下端置一尊汉白玉雕塑"嫦娥奔月",步行街中央建有7个叠泉水池。整个市场由天海、天池、天仙、天门、玉屏楼五大商场和众多的大小铺面组成,其名均取于黄山景点。建筑立面为现代流行的条块结构墙面,马赛克贴壁。市场建筑群有小剧场、音乐厅、美术馆、俱乐部、餐厅、商店、旅社等。1987年12月,七桂塘市场二期工程开建。

与此前后,合肥市还开工建设位于市中心的花园街市场,位于坝上街农贸市场中段东侧的凤凰商场,并开始改建北门地区最大的集贸市场双岗集贸市场等。商业市场的建设,促进了全市经济的繁荣发展。

改革开放前,合肥城市用水十分紧张。市民流传着一句顺口溜:"一楼哗啦啦,二楼滴答答,三楼眼巴巴。"很多人半夜起床接水。如何解决城市居民供水问题,造福市民,保证经济建设和社会事业发展,是合肥市政建设亟须完成的主要工作。首先从资金上入手,多渠道筹措资金,超前发展供水。合肥市尝试采取收取自来水增容费等方式筹措资金,扩大自来水再生产规模。

20世纪80年代初,煤及其制品一直是合肥市民沿用了几十年的生活能源,不仅造成环境污染,而且不利于改善居民生活和卫生条件。在合肥市政府多次努力下,1983年4月,合肥市煤气一期工程正式动工,1985年2月,煤气管网向首批122户居民供气,从而结束了合肥市无管道煤气的历史。至1986年12月,供气居民用户达1.85万户。同年9月,合肥煤气二期工程动工,主体是建设炼焦制气厂,该厂在生产冶金用焦的同时,可以联产城市煤气。炼焦制气厂厂址定在阜阳北路西侧18千米铁路专用线以北的林店乡境内,距市中心约6千米,距北环城路煤气干管4.5千米。1988年10月及1989年6月,该炼焦制气厂第一、二座焦炉先后建成投产,日产煤气近12万标立方米,供气居民用户2.4万户。工程建成后,不仅使合肥市煤气供应部门有了自己的独立气源,而且也使煤制气厂、合钢、合作化路储配站"三点供气"的合理布局得以形成。合肥管道煤气兴建与发展从根本上改变了市民生活能源的结构,方便了人民生活,改善了城市环境,促进了工业发展,也节约了能源,综合效益越来越显著。

合肥市地处江淮之间,为典型的亚热带季风气候,过渡性比较明显,雨量时空分布不均。加之江淮分水岭延伸其间,全市约87.2%的土地在江淮分水岭两侧,市区地形大部分为岗冲起伏的丘陵,河源短,汇流急,沿河湖平畈易受洪水威胁,水利条件不太好,是典型的易旱、易涝地区。1949年以来的30年间,合肥市几乎每三年就有两年非涝即旱,市区内双岗街东北、三里街,市政府广场、小东门前一带,一遇大雨常常发生内涝。1980年7月,合肥连降暴雨,洪水漫过南淝河及板桥河下游东岸防洪土堤,泛滥成灾。市区受淹面积11平方千米,有1.29万户居民、39家工厂、38家商店、16座大中型仓库被淹。为此,合肥市专门成立了防洪指挥部,组织动员全市军民抢修防洪堤,并将防洪堤从双河村高地延伸到淮河路桥东,总长度为2080米。在解了燃眉之急后,到1981年,市财政拨款1302万元对合肥唯一的大型水库董铺水库进行除险加固,使蓄水量由1.1亿立方增加到2.42亿立方,大大增强了调蓄能力。市政府还对市城建水利部门明确下达任务,要求对市内几条河道进行清障清淤和疏浚,在南淝河上游兴建大型蓄洪工程,在市内沿河道及低洼地区建防洪堤、墙、闸、排涝泵站,初步实现蓄、排、拦的防洪设施体系。到1985年,合肥市的防洪能力从不设防提高到20年一遇。

20世纪80年代,合肥的城市园林绿化建设颇有特点,在全国影响较大,多次获得全国绿化先进城市称号,也是全国著名的园林城市。随着改革开放和城市建设的快速发展,合肥在总结过去绿化经验的基础上,提出并制定了一系列符合市情的园林绿化方针政策,采取了很多行之有效的措施,把整个城市作为一个园林来对待,在造园手法上突破块状和封闭式园林的旧局,采用敞开式的带状或环状布局,将公园景物呈现街头,使公园与城市相互渗透,融生态审美、游览休憩为一体,达到城园相连、浑然一体、园在城中、城在园中的独特风貌。而这其中,影响最大的是环城公园的建设。

合肥环城公园是在中共安徽省委第一书记万里的倡导下规划建设的。1981年秋,万里对合肥城建部门关于环城公园的初步设想表示十分赞同,他在亲临现场察看之后,认为基础很好,应进行园林建设。中共合肥市委、市政府确定由具有多年园林工作经验的副市长吴翼具体负责公园建设。同时,着手制定环城公园建设规划,将护城河、南淝河水系及两岸陆地作为公园范围。规划重视历史传统和时代特点,结合人文和自然景观,与城市建筑互相衬托。在总体上,北环以葱郁林木为主,呈现自然古朴、富有情趣的景观;南环水面开阔,侧重人工造景,点缀园林建筑和雕塑及山石小品,凸显清新秀雅。在植物配置上,各段选择不同树种,突出季节色彩变化。敞开式的环城公园以带串块，连接老城四角的逍遥津、杏花村、稻香楼、包河等块状园林，形成宛如"一串镶着数颗明珠的翡翠项链"。合肥环城公园规划完成后，因资金缺乏，建设进展十分缓慢。1984年春，结合旧城改造，合肥市政府将环城公园建设列为大事来抓，并成立环城公园建设指挥部。环城公园建设贯彻"人民城市人民建""公办民建"的方针，资金来源由国家投资和社会集资，建设速度明显加快。合肥还在市民中开展了"人人关心环城公园建设，个个参加环城公园建设"的活动。在合肥的中央、省直和市直200多个单位分段分片承担建设任务，1984年至1986年3年间，合肥全市参加建园劳动人数达40多万。至1986年，环城公园基本建成，银河、西山景区基本完善，其他景区也具雏形。当年，合肥环城公园荣获国家建设部优秀设计、优质工程一等奖。以环城公园为典范的合肥园林绿化的发展，对改善投资环境，促进经济建设，推动社会进步，提高合肥市在全国的知名度，起到了积极的作用。

在着手环城公园规划和建设的同时，合肥城市雕塑开始起步。合肥市有关部门专门成立雕塑办公室，城市雕塑从形式、题材到材质均不断丰富，陆续建成了一批纪念性雕塑、园林雕塑和建筑装饰雕塑。20世纪80年代中期，全市已有大小雕塑20组、74件。其中，很多雕塑颇具影响。例如，九狮雕塑，位于环城公园包河景区、环城公园入口处的城市广场中央，雕塑总高14米，由3只大狮和6只小狮组成三角鼎立画面，象征着合肥经济繁荣、百业兴旺的时代风貌。环城公园西山野生动物雕塑群，位于金寨路至大西门一带，由"醒狮""象的家族""湖边鹿的一家""鹤翔""熊猫""长颈鹿"等数组动物群组成，设置因地制宜，造型栩栩如生。1988年建成的"鲲鹏志"雕塑，立于寿春路大桥的西北侧。该雕塑是公园一景，也是合肥地标之一。这一时期的合肥城市雕塑在全国赢得声名。[①]

[①] 丁舜：《雕塑把合肥装点得更美》，合肥市政协文史资料委员会编《我与合肥——纪念合肥解放45周年》[皖非正式出版字(93)第82号]，1993年，第165—169页。

"文化大革命"结束后,合肥的环境卫生事业经历了拨乱反正,逐步走上正轨,环卫机构重新建立并扩大。1980年,全市第一座室内机械化垃圾转运站建成。至1985年,市财政共拨款200万元,增建室内机械垃圾转运站12座,废除原有市内露天的人力装车的生活垃圾收集点,从而结束了合肥生活垃圾露天堆放的历史,实现了垃圾转运机械化,生活垃圾日产日清。同时,还在郊区征地建了数处垃圾处理场。1983年7月,合肥市政府提出"人民城市人民建,人民城市人民管"的城市管理方针,在全市范围内推行包卫生、包绿化、包秩序的"门前三包"责任制。1984年、1985年,在开展"门前三包"活动的基础上,加强了城市环境卫生和秩序管理,全市市容环境卫生面貌有明显改观。1989年,全市开展了创建卫生城市活动。

改革开放后,随着城市人口增加,特别是流动人员迅速扩大,公共厕所严重不足问题日渐突出。过去,合肥的公共厕所多为简易旱厕,无论数量还是档次都不能适应城市发展需要。1980年至1983年,合肥财政拨款146万元,新改建公厕109座。1989年至1990年,投资171万元新建改建公厕61座,投资10万元建垃圾箱500多只。这些设备基本做到了布局合理,数量够用,为全面改善环境卫生工作奠定了基础。合肥市民的卫生意识逐步提高,提升城市文明卫生的大环境。

合肥市市政、住房及商业设施建设逐步改进,为合肥由中等城市向大城市迈进奠定了基础。

第五节　民主法制与精神文明建设

一、加强民主法制建设

20世纪80年代中后期,随着改革开放的不断推进,合肥市在民主法制建设方面取得一系列新的成就。在新的历史时期,政法工作重心也从改革之初的拨乱反正转移到支持和促进社会主义现代化建设上来。

(一)坚持和完善人民代表大会制度

这一时期,合肥市各级人大及其常委会充分发挥在政治经济生活中的作用,认真履行立法权、监督权、重大事项决定权和人事任免,促进了地方国家权力机关职能作用的发挥。

一是认真行使立法权,为改革开放和社会发展创造法制环境,推动依法治市和民主法制建设进程。首先是加强立法工作,依据国家和安徽省有关法律、法规,结合合肥市的实际情况,适时地制定一些旨在强化城市管理的地方性法规,促进了依法治市、依法管市。1983年前后,针对一些单位和市民擅自乱搭乱建现象,合肥拟订了《关于合肥市处理违章建筑暂行办法》和《关于合肥市城市园林绿化保护管理暂行办法》;1984年,针对噪声日趋严重的状况,拟订了《合肥市城市噪声管理暂行规定》;1987年1月,制定了《合肥市关于游行、示威的暂行规定》;为加强董铺水库水源水质的保护和管理及环城公园环境保护,合肥市九届人大常委会于1987年10月27日审议通过了《合肥市董铺水库水源水质保护管理暂行办法》《合肥市环城公园环境管理暂行办法》。[1] 其次是参与国家和安徽省立法活动。多次组织人员,进行座谈讨论,广泛征求意见,配合做好国家和安徽省的立法工作。[2]

二是认真履行监督职责,促进"一府两院"依法行政、公正司法。审议监督是人大监督的基本方式。合肥市每年召开一次人代会,会议听取和审议市政府工作报告、市人大常委会工作报告、市中级人民法院工作报告、市人民检察院工作报告、国民经济和社会发展执行情

---

[1] 《合肥市志》,第1908页。
[2] 《合肥市志》,第1909页。

况等,并通过相应决议。执法监督上,市人大常委会每年都会组织几次执行检查活动,1986年以后,重点对土地法、环保法、教育法等法律法规的执行情况展开检查,提出意见和建议,促进了这些法律在全市的有效实施。质询监督上,针对人民群众对政府部门有些工作较为集中、强烈的反映,市人大常委会提出质询案督促政府依法行政。视察监督上,市人大常委会每年组织代表对人民群众关心的热点、难点问题,群众生活、经济改革和重点工程建设、议案建设办理进行视察。

三是审议决定重大事项,推进改革、发展和稳定。市各级人大及其常委会设立后,对贯彻执行宪法、法律和中共的路线、方针、政策中的重大问题,对事关改革开放和经济建设全局的重大问题,对事关人民群众切实利益和社会稳定的重大问题,对本行政区域内带有全局性、长远性的重大问题,如经济建设、反腐倡廉、教育改革与发展等,依法做出决议、决定,推动经济和社会各项事业发展。

四是依法组织换届选举,行使任免权,为"一府两院"履职尽责提供组织保证。

(二)健全和完善共产党领导的多党合作和政治协商制度

中共十一届三中全会后,合肥市认真贯彻执行"长期共存、互相监督、肝胆相照、荣辱与共"的基本方针,注意发挥民主党派和政协的作用。

这一时期,中国民主促进会、九三学社亦在合肥建立组织。合肥的民主党派至此发展到6个。各民主党派及工商联人士的地位和作用得到肯定和提高,为社会主义服务的积极性和创造性也被调动起来。市各民主党派及工商联人士围绕全市中心工作和群众关心的热点难点问题,深入调查研究,通过专题调研报告、人大议案、政协提案、反映社情民意等途径,积极建言献策、履行参政议政职责。

合肥市政协积极贯彻大团结、大统一的精神,继承和发扬人民政协优良传统和作风,积极参加国家大政方针的讨论,运用各种形式为经济体制改革和对外开放献计献策,依靠和帮助各民主党派开展各项活动,落实中共统战政策,加强同台湾同胞、港澳同胞、海外侨胞和去台湾人员在合肥亲属的联系,促进祖国统一,开创了政协工作新局面。1985年,合肥市对合肥解放以来所判处的国民党投诚起义人员案件进行复查,在复查的178人中,92%获得平反纠正,进一步落实了中共的统战政策,收到了良好的社会效果。

（三）加强普法宣传工作

这一时期,中共合肥市委及整个政法系统在法律、法规宣传和普及上做了大量工作。

1983年2月25日,合肥市八届人大常委会第二十一次会议做出《关于进一步掀起学习宣传新宪法的热潮的决议》。根据这一决议,全市各单位普遍开展学习宣传新宪法的活动。3月10日,市司法局与省司法厅和省、市文化局共同配合,联合举办了以"歌唱你,治国安邦的总章程"为题的文艺晚会,主要内容是宣传新宪法、"五讲、四美、三热爱"以及中共对失足青少年教育挽救的政策等。年底,合肥市还开展了"维护妇女儿童合法权益宣传月"活动,50多名合肥公安干警走上街头,宣传保护妇女儿童合法权益的法律规定,进行法律咨询。广大干警深入合肥乡村及时查处拐卖妇女儿童的案件,解救受害妇女20多人。1984年2月,合肥市司法局与市公安局、市工会、共青团合肥市委联合举办了刑事犯罪罪证展览,宣传《刑法》《刑事诉讼法》,10多万群众受到了生动的法制教育。12月,又一次开展了"法制宣传月"活动,相关部门编印了《宣传提纲》《法律知识问答》等宣传材料3万份,翻印了《中华人民共和国宪法》《中华人民共和国刑法》等宣讲材料7500份,并制作数千张解释《中华人民共和国刑法》《中华人民共和国刑事诉讼法》条文的图片,发至基层单位。"法制宣传月"期间,全市共组织了10多辆宣传车,在市区巡回宣传。还以上课的形式开展宣传培训活动。

1985年4月16日,合肥市九届人大常委会第十二次会议做出《关于在全市公民中普及法律常识的决议》。本市公民,除学龄前儿童和无接受能力者外,都是普法对象。要求在5年时间里,70%以上的农民,80%以上的城镇居民,90%以上的干部、工人、学生应不同程度地普遍受到比较有系统的法制教育。主要内容是普及"十法一例",即《中华人民共和国宪法》《中华人民共和国刑法》《中华人民共和国刑事诉讼法》《中华人民共和国民事诉讼法(试行)》《中华人民共和国婚姻法》《中华人民共和国继承法》《中华人民共和国经济合同法》《中华人民共和国兵役法》《中华人民共和国民法通则》《中华人民共和国民族区域自治法》及《中华人民共和国治安管理处罚条例》。全市共聘请宣传员、报告员408人,发行28万余册普法教材并制作大量图片、宣传牌、宣传栏,出动宣传车,组织报告团,上法制课,安排文艺演出,设立咨询站,解答大量群众提出的法律问题。年底,合肥市法律常识宣讲员培训班开学,有近千人参加,由安徽大学教师和市司法部门的法律专业人员授课。同时,还在合肥剧场联合举办了2期由1000多名县以上领导干部参加的学习《中华人民共和国宪法》辅导讲座。1986年,市公安局出动宣传车,设立咨询站,举办法律知识竞赛等,广泛宣传《治安管理处罚条例》。1988年8月1日,合肥市实施国务院颁布的《中华人民共和国道路交通管理条例》,市公安交警支队80名干警上街宣传《交通管理条例》,管理交通,检查执勤情况,并印发了4万册《交通管理条例》单行本和23万份宣传学习资料,在市区设立了多个宣传站、咨询站。这些经常性、大规模的普法宣传,使合肥市广大市民提高了法制意识,增强了法制观念,了解了法律知识。

二、维护社会治安与平息"八九政治风波"

维护社会治安,是事关广大人民群众切身利益、保证社会稳定和经济发展的大事。1983年8月,中共中央做出了关于严厉打击刑事犯罪分子活动的决定。中共合肥市委坚决贯彻中央和安徽省委的决定,结合本市情况,开始部署严厉打击严重刑事犯罪(简称"严打")斗争。自此,一场为期3年的"严打"斗争开始。

"严打"斗争,打击的重点是杀人犯、放火犯、爆炸犯、强奸犯、抢劫犯、重大盗窃犯、流氓集团头子,以及劳改逃跑犯、刑满释放又重新犯罪的分子及其他通缉在案犯等。8月22日,合肥市打了"严打"活动第一战役第一仗,共抓获犯罪分子2000余人。9月,中共合肥市政府对社会治安工作做出进一步部署。12月,合肥市组织巡回展出刑事犯罪罪证展览,同时,将展出的案例汇编为《法网恢恢》的小册子,摄制《合肥人民打击刑事犯罪纪实》的录像片,在人民群众中开展法制教育。[①]

1984年元月和6月,合肥市先后集中实施了"严打"第一战役二、三两仗,取得预期效果。同年9月18日又进行了第二战役第一仗,全市抽调一批党政干部、公安政法干警、保卫干部和民兵,对治安问题较多的地区和单位,开展深挖工作;对在押人犯,发动政治攻势,教育其坦白检举,从中挖出一些隐藏较深的犯罪分子,破获一些重大案件;开展了打击流窜犯的统一行动,对一些公共复杂场所和重点部位进行清查。这一仗,共追捕刑事犯罪分子574名。

通过这一阶段的"严打"和社会治安综合治理,全市刑事案件明显下降。1984年,全市刑事案件发生率比1983年下降近30%。

1986年,合肥市公安机关为全面维护社会治安,还组织开展不同形式的专项斗争。3月,合肥市开展历时1个多月的反扒窃专项斗争,共抓获扒窃犯188名,挖出团伙10个,缴获一批赃款赃物和凶器。

1985年至1986年年底,合肥市先后精心组织了"严打"斗争第二战役后几仗和第三战役,共依法逮捕犯罪分子1322名,缴获了一大批赃款赃物。[②]

至此,为期3年的"严打"斗争到1986年年底基本结束。

1987年,合肥维护社会治安工作进入常态化。全市政法机关、公

---

① 《合肥市志》,第2173页。
② 《合肥市志》,第2174页。

安部门每年都围绕当年的重点问题,开展专项斗争。1987年,全市开展整顿社会治安秩序的专项斗争。通过3个月的集中整顿,流氓持刀案件明显下降。1988年,开展以"严打"活动、整顿夏季治安为重点的专项斗争。全市共破获各类刑事案件178起,大案57起,抓获各类犯罪分子291名。1989年,合肥公安机关针对自行车被盗成风,已为社会"公害"的情况,于7月开展了侦破盗窃自行车案件为主的专项斗争。这次专项斗争为期1个月,共抓获76名盗车犯,摧毁15个盗窃自行车团伙,缴获被盗自行车407辆、摩托车8辆。9月中旬,市公安机关将追缴的自行车全部发还给失主。1989年10月,合肥市在三县农村以打击拐卖人口和查禁赌博为重点,市区以查禁赌博、卖淫嫖娼、传播和复制淫秽物品为重点,开展为期半年的扫"六害"专项斗争。截至1990年4月,全市共查处"六害"案件1861起,打击、处理有"六害"行为的人9995名;摧毁违法犯罪团伙59个,捣毁卖淫、传播淫秽物品的窝点30余处,解救被拐卖的妇女儿童248名,并收缴大量的淫秽非法书刊、画册、淫秽录像带等。1991年,合肥公安机关开展了打击拐卖妇女儿童的专项斗争。市公安局制定《关于打击拐卖妇女儿童犯罪,查禁取缔卖淫嫖娼活动专项斗争实施方案》。专项斗争历时50天,共抓获人贩47名,解救被拐卖妇女59名、被拐卖儿童7名;摧毁拐卖犯罪团伙9个,瓦解团伙成员31名,破获案件13起。①

20世纪80年代,合肥市通过3年"严打"斗争,和每年围绕重点开展的专项斗争,打击、防范并举,既抓治标又抓治本,建立了一个庞大而严密的群众性治安防范网络,使全市社会治安状况明显好转,社会秩序有条不紊。合肥市也因此被国家授予社会治安综合治理先进单位。但是,合肥市在3年"严打"斗争中,出现了一些扩大化的现象,类似运动式的从严从重的判决做法反复出现。此后,这种运动式做法再未出现。

---

① 《合肥市志》,第2176页。

1987年到1989年,中国社会出现一股资产阶级自由化思潮,一些自由化分子宣传资产阶级的民主和自由,企图在政治上对抗中国共产党的领导。1989年4月15日,中共中央原总书记胡耀邦因病逝世,广大群众和青年学生举行各种形式的悼念活动,但是极少数自由化分子利用这个时机,以悼念为借口,挑起了一场政治风波。在他们的鼓动下,北京及地方一些高校的学生大批拥上街头举行游行活动,西安、长沙等地的一些不法分子趁机进行打、砸、抢、烧,学潮迅速发展成为动乱。4月26日,《人民日报》发表题为《必须旗帜鲜明地反对动乱》的社论,指出这是一场有计划的阴谋,是一次动乱,其实质是从根本上否定党的领导,否定社会主义制度。社论号召人们紧急行动起来,采取坚决有力的措施制止动乱。

北京发生的学潮很快波及合肥。在少数人有计划地煽动和组织下,合肥地区也发生了学潮,目的是策应北京学潮。5月15日至19日,安徽大学、中国科学技术大学、合肥工业大学、安徽工学院等几所大学的部分学生,打着声援北京学生爱国行动的旗号,有组织地上街游行、贴大字报,后来又在合肥市政府广场静坐、绝食。5月25日后,这些人成立非法组织,设立非法广播站,冲击安徽省、合肥市的党政机关,设立路障堵塞交通,堵塞合钢、安纺大门,不让职工上下班,在火车站、合钢卧轨,要集体乘车赴京等,制造一系列动乱事件。在此期间,还先后发现攻击中国共产党及其领导人的标语和传单、信件。对此,中共合肥市委、市政府有关部门和各大学,对学生做深入细致的思想工作,加以疏导,利用广播、电视、报纸等多种形式稳定学生和群众情绪,阻止了学生的绝食和打、砸、抢等违法行为,有效地控制了事态的发展。至6月9日,北京天安门广场的动乱平息后,合肥的动乱也得以平息。

动乱平息后,根据中共中央一系列指示和安徽省委部署,合肥市委决定立即在全市范围内开展清查清理(简称"双清")工作,以揭露打击极少数坏人,教育团结大多数学生、群众。"双清"工作自7月初起至年底结束,共分四个阶段:第一阶段学习动员,第二阶段发动群众揭发,第三阶段定性处理,第四阶段总结验收。合肥市委成立了

"双清"领导小组及办公室,7月9日召开了全市"双清"工作动员大会。合肥市各系统、各单位都成立"双清"组织,全市共抽调759名干部,组成50个专案组,分别对动乱中的一些事件列出专案进行清查。与此同时,还抽出484名干部负责内部清理,清理内部和动乱有关的人与事。

合肥市通过对动乱的清查清理,查清了主要事件和专案。至1989年11月底,各单位"双清"工作结束,中共合肥市委组织检查验收,至12月底验收完毕,"双清"工作圆满结束。[①]

三、城乡精神文明建设

改革开放,不仅给人们带来物质上的财富,也为人们解放思想、开阔眼界、激发奋斗拼搏的精神,提供了更大的平台。20世纪80年代,中共合肥市委、市政府在实际工作中,坚持两手抓,两手都要硬,在大力发展经济的同时,积极推动社会主义精神文明建设。

精神文明建设的主体是人民群众。教育、文化、广播电视、出版、体育、卫生和计划生育等在发挥自身功能的同时,也是精神文明建设的载体。合肥在开展城乡精神文明建设活动中,把精神文明建设的主体与载体紧密联系在一起,努力提高全市人民的思想文化素质,把精神文明建设落实到基层。其中,影响深远的是从1982年到1986年,全市广泛开展的"五讲四美三热爱"活动。

"五讲四美三热爱"的内容是:讲文明、讲礼貌、讲卫生、讲秩序、讲道德;心灵美、语言美、行为美、环境美;热爱祖国、热爱社会主义、热爱中国共产党。"五讲四美三热爱"是20世纪80年代最数字化的经典口号,此口号一提出,很快就为合肥市广大市民所接受,成为社会生活中一个公认的指导原则。

---

① 中共合肥市委党史工作委员会办公室:《中共合肥市委志(1926.9—1995.5)》,安徽人民出版社1995年版,第77—78页。

1982年2月,中共合肥市委按照中央宣传部的部署,确定每年3月为"全民文明礼貌月"。这年3月,合肥市开展了第一个声势浩大的"全民文明礼貌月"活动。活动以"治脏、治乱、治差"为重点,共开展了20多场全市性的大型活动。3月4日下午,从机关到工厂,从学校到街道,从市区到郊区,合肥市共出动了20多万人,冒雨打扫公共环境卫生。正在出席安徽省五届人大四次会议的代表在住地参加打扫卫生活动。中共安徽省委第一书记张劲夫、省长周子健、合肥市委书记郑锐等会议代表拿着拖把,把江淮旅社打扫干净。车站街道组织附近单位的6000多人联合行动,清除了火车站一号门到二号门间的垃圾3000多立方米。铜陵路街道组织100多人将铜陵新村27栋大板楼之间乱倒的30多处垃圾全部清理干净。东市清洁队一队组织50多名党团员、班组长和老工人利用休息时间,把胜利路、和平路、蚌埠路、明光路边上的20多个厕所全部清洗了一遍。解放军电子工程学院100多名指战员来到三里庵蜀山新村,彻底清理了多年未清扫的"龙须沟",运走垃圾近30吨。在全市第一个"全民文明礼貌月"活动中,共组织35万人次开展公共卫生大扫除,有25万多人参加植树造林活动,植树近150万棵。4月13日,市委、市政府召开"全民文明礼貌月"总结表彰大会,并向先进集体和个人颁发奖状。

此后,每年的3月,合肥都开展"全民文明礼貌月"活动,使之常态化,并在活动中不断增添新的内容。如,1983年,合肥把日常开展的爱国卫生运动同"五讲四美三热爱"活动结合起来,又与"门前三包"和城市卫生结合起来。

1984年,合肥开展"全民文明礼貌月"活动,从过去的社会性向单位内部延伸,将已经开展的"优质服务、优良秩序、优美环境,学英模、树新风"活动(简称"三优一学")由突击性向经常化、制度化方向发展,共建活动由军民、警民共建向全党、全民多方共建发展,城市绿化逐步向美化方向发展,城市管理由部门治理向综合治理发展。

在精神文明建设过程中,中共合肥市委还通过宣传发生在人民群众身边的好人好事,树典型。1984年5月,市委号召全市人民向烈属韦朝庭周围的先进群体学习。烈属韦朝庭为肥西县人,其儿子韦章友在对越自卫反击战中牺牲。同乡战友胡德平,自愿做烈士双亲的义子,多年如一日,将战友父母视为自己父母,担负起照顾两位老人的责任,事迹感人。

1985年7月3日,市委做出《关于开展学习丁晓兵活动的决定》。丁晓兵,1965年生于合肥,1983年10月入伍,1984年10月在执行军事任务中英勇负伤,失去右臂,但他牢记使命,献身国防,荣立一等战功。

这一时期,合肥市"五讲四美三热爱"活动,既有丰富的内容,又有很强的思想性。通过活动,在全社会形成了人际关系的新特点,也提炼出一些最基本的道德行为规范;既治理了"脏、乱、差",明显改善了城市环境卫生状况,还收获了许多思想建设方面的成果。

1987年,为加强全市精神文明建设,中共合肥市委决定将市"五讲四美三热爱"委员会、城市管理委员会、爱国卫生委员会合并为合肥市文明城市建设协调委员会(简称"市文明委"),统一领导全市的精神文明建设、城市管理和爱国卫生运动等。3月23日,市委、市政府印发了《关于"七五"期间社会主义精神文明建设规划》,要求全市干部职工深入学习,强化省会意识,加强省市共同建设;树立适应改革开放的新观念、新思想;加强社会主义民主、法制和纪律建设;加强社会主义道德建设;深入开展创建文明城市、文明单位活动等,从整体上提出和部署了合肥精神文明建设的目标和工作重点。4月13日,市委宣传部召开向陆忠学习的座谈会。陆忠,长丰县人,合肥1路公交车乘务员。2月19日他在车上当班时,发现一伙歹徒行窃,便立即上前制止,却遭到暴徒的围殴,被歹徒用刀捅死。陆忠"不畏强暴、勇斗歹徒、英勇献身"的事迹,在社会上引起强烈反响,全市上下掀起了一股向陆忠学习的热潮,安徽省政府批准他为革命烈士,合肥市总工会授予他生前所在车组为"陆忠车组"。①

---

① 《中共合肥市委志(1926.9—1995.5)》,第172—173页。

经过持续不断地开展精神文明建设活动,市民的文明素养、社会秩序、公共道德,以及公共环境卫生、市容市貌等都有了明显的提高和改善,合肥的影响力在全国进一步增强。

第六节 以改革推动科教文卫事业发展

一、教育事业在改革中发展

1982年6月,国务院在合肥市总体规划的批复中明确指出"合肥是全国重要的科教基地",而科教基地,其中最重要的一个支点,即是教育。改革开放后,合肥市教育事业重现生机,得到迅速恢复和发展,并在此基础上,逐步进入全面发展和系统改革时期。这一时期,合肥市政府增加了对教育的投入,鼓励多渠道、多形式办学,改变国家包办教育的做法。各级各类学校全面贯彻中共的教育方针,提高教育质量,促进教育同经济、科技的结合。在优化教育结构上,着力加强基础教育,积极发展职业教育、高等教育和成人教育。

基础教育方面。按照1983年国家教育部《关于普及初等教育基本要求的暂行规定》,合肥市区学龄儿童入学率、在校生巩固率、毕业班学生毕业率以及初等教育普及率,均达到或超过部颁要求。1986年,合肥市区有小学246所,在校生8万余人;有初中78所,在校生4万余人;有普通高中38所,在校生近1.5万人,其中,教育部门办高中25所,企事业和社会力量办高中13所,承担普通高中教育任务的主要是市属高中。① 20世纪80年代中期,由于基础教育薄弱以及急

---

① 合肥市地方志编纂委员会编纂:《合肥市志(1986—2005)》,方志出版社2012年版,第1389页。

需调整中等教育结构、大力发展职业技术教育，合肥市普通高中教育在较长时期处于"控制发展"状况。为了打好实施义务教育的基础，1987年8月，安徽省教委颁发《安徽省进一步提高普及初等教育水平的基本标准和复查办法（试行）》，在普及程度上提高标准，在办学条件上提高要求，在师资水平上提出考试合格和学历合格的要求。与此同时，安徽省教委又颁布《安徽省中小学校办学条件基本标准》，规定所列初中小学办学条件的基本标准，是在实现普及义务教育之前必须达到的标准。为此，合肥市政府根据国家《义务教育法》和安徽省《〈义务教育法〉实施办法》，制定了《合肥市普及九年制义务教育实施规划》，明确了普及九年制义务教育的重点在农村，规划全市城乡分四步基本普及九年制义务教育，并制定了170个乡镇的进度表。

幼儿教育方面。自1980年起，合肥市从市到县、区都先后成立了儿童少年工作协调机构，各级党政部门、各行各业都努力为儿童办实事，形成了儿童教育齐抓共管的良好局面。1986年，合肥市区有幼儿园37所，其中属教育部门办园的13所，机关、企业、街道、乡镇等其他方面办园的24所。1989年3月，合肥市政府办公室转发市教育局、市妇联等九部门《关于加强我市幼儿教育工作的意见》，提出幼儿教育工作的发展目标和基本思路，加快了幼儿教育的发展步伐。

职业教育方面。全市完成2.16万名青壮年职工"双补"（文化补课和技术补课）任务。在农村，有步骤地增加农业中学和其他职业学校，对农民进行职业技术教育和培训，逐步建立健全农村建设人才的教育体制。11月，合肥市成立了市职工教育办公室，市属局、公司和各大中型企业也相应建立了职工教育领导小组、职工教育科或职工教育办公室等专门机构，推动了职工教育工作的发展。1985年，合肥市约10余万名职工、农民参加业余学习，5万余名职工取得文化补课合格证，4万余名取得技术补课合格证，5000余名职工取得大学单科或双科结业证。全市各有关部门和培训机构共兴办各种文化职业技能班、导师班近300个，参加学习职工近15万人次。全市的职业学校、技工学校、中等专业学校招生人数占市区高中招生总数一半以上。当年,合肥市区就实现了市政府提出的 3 个"不低于 80％"的目标,即每年初中毕业生的升学率不低于 80％;职业教育招生人数至少应相当于普通高中招生人数,职业学校每届毕业生就业录用率不低于 80％;每年社会招工的总数中,经过职业技术培训的人员比例不低于 80％。这一时期,合肥市技工学校也得到了很大发展,有技工学校 44 所,在校学生 5000 多人,为各类企业培养了大批实用的技术工人。与此同时,农村职业技术教育也得到了较快发展。各县均建立起多所工贸或种植方面的职业教育学校,并涌现出长丰庄墓职业中学、肥西金桥职业中学、肥东长乐职业中学等先进职业教育办学典型。庄墓职业中学的办学经验,受到国家教委的表彰,成为安徽全省农村职业中学教育的先进典型。

成人教育方面。1982 年合肥教师进修学校改名为合肥教师进修学院,次年又改为合肥教育学院,成为全市中小学教师业务进修和培训的基地。高等教育自学考试自 1984 年实行以来,全市已有 11 万人报名参加考试。成人教育已形成一定规模的办学体系,每年为社会培养输送大批实用技术人才。1985 年前,合肥市随着职工教育机构的建立和办学体系的逐步完善,以补文化、补技术为主的"双补"工作,取得很大成绩。1987 年,合肥市成立市职工业余中专学校。之后,职工中专学校发展到 16 所,开设 32 个专业。1988 年,合肥市职工教育重点转向岗位培训和继续教育。1989 年,合肥全市职工学校共培训人员近 10 万人,参加技术岗位培训人员 7 万余人,职工中专学校招生近 2000 人,成人高校招生 1415 人。①

高等教育方面。1980 年中后期,合肥已有中国科学技术大学、合肥工业大学、安徽工学院、安徽大学、安徽农学院、安徽医科大学、安徽中医学院及合肥联合大学、合肥教育学院、合肥市职工业余大学、合肥职工科技大学、安徽广播电视大学合肥分校等高校。在这些诸多高校中,新建的合肥联合大学颇具特色,是合肥市在教育方面锐意

---

① 《合肥市志(1986—2005)》,第 1389 页。

改革的产物。1980年秋,为广开学路,充分发挥合肥地区高等学校的潜力,使大批有培养前途的青年获得系统学习的机会,在中国科学技术大学副校长杨承宗的倡导下,合肥市创办合肥联合大学。学校位于合肥市黄山路,占地130亩,任务是为合肥地区培养德智体全面发展的高级应用型专门人才。开校后,首届在校学生380多名,实行自费走读。合肥联合大学设立董事会,中共合肥市委书记郑锐兼任董事长。学校实行董事会领导下的校长负责制,杨承宗为首任校长。专业设置紧密结合地方经济和社会发展的需要。该校创办之初,设置10个专业,如中文、经济管理、环境化学工程、机电工程、建筑工程、信息科学、外语等,各专业均为全日制,其中新闻出版专业包括函授。另外还设有培训班,学制以三年制专科为主,兼收一定数量的四年制本科学生。到1985年,合肥联合大学在校学生总数达3412人,其中本科生462人,专科生2950人。在教师设置上,该校实行聘请制,多为兼职,合肥地区很多教授、副教授、讲师应聘来合肥联大授课或带实验,另有一定数量的专任教学人员和行政人员。该校在经费来源上,多为学生缴纳的学费、地方财政补助、社会团体和个人的资助,学生不享受助学金和公费医疗待遇,设立奖学金鼓励优秀学生。当时,该校培养一名学生的费用只相当于其他同类大学的五分之一左右,达到了投资少、效益高的要求。该校毕业生不包分配,实行招聘制、合同制、定向分配、自谋职业等灵活方式,供需见面,择优推荐。首届毕业生被安徽省、合肥市有关单位录用后,普遍反映较好。

社会力量办学应运而生。1980年前后,社会力量办学在合肥悄然兴起。社会力量办学主要在高考、中考文化补习等方面崭露头角,并显示出强盛的生命力。到1985年,全市各学会、各民主党派等团体和组织共兴办各种文化职业培训班、辅导班291个,参加学习的职工约有14.9万人。①

---

① 合肥市人民政府地方志编纂办公室编:《合肥概览》,[皖内(87)第2060号],安徽新华印刷厂印刷1987年,第467页。

二、改革科研体制 增强科技力量

合肥作为全国重要的科教基地,不仅高等院校众多,各类科研院所也众多。1980年后,电子工业部第16所、38所、43所相继迁建合肥,进一步壮大了合肥科技实力。1982年6月,国务院确定合肥为全国四大科教基地之一。1984年,合肥国家同步辐射实验室动工兴建,为合肥科教基地建设又添上浓墨重彩的一笔。到1985年,合肥共有县级以上科学研究院所87个,其中中国科学院属4所,国务院部属6所、省属54所、市属23所,科研机构职工总数8863人。① 至此,合肥的科技基地建设已粗具规模。

为了把科技优势和经济建设结合起来,真正发挥科技第一生产力的作用,从1980年开始,合肥市政府以改革的精神,制定了鼓励经济开发的12条措施,对从事科技开发的单位实行有偿合同制,促进科研单位、大专院校和企业实行多层次、多形式、多渠道的科技协作,还成立科技经济协作办公室,专门为科技与经济联姻牵线搭桥。同时,开放技术市场,加速科技成果的转化。在工业企业技术改造方面,1983年,合肥市要求在重点行业、重点产品和骨干企业,安排节约能源、原材料、改进产品结构和提高产品性能等方面的技术改造项目。10月,合肥市政府召开全市经济工作会议,对大力推进技术进步做出部署。1984年4月,合肥市又确定重点抓电子、食品、纺织、建材等行业技术改造,列出114项技术引进项目,其中纳入安徽省技术引进计划的47项。1985年3月,合肥市确定技术改造的重点行业为冶金、机电、橡胶、塑料、食品、纺织、建材等,总投资2.5亿元,技术引进119项,用汇9001万美元。是年,合肥市工业企业技术改造、技术引进达到历史高峰,全市科研技术转让成交额达1736.3万元。

科技的进步,新技术、新工艺、新产品、新材料的大批出现,大大

---

① 《合肥概览》,第468页。

提高了合肥市工业、交通、通讯、城市建设和国防建设的现代化水平。农业科研能力的提高、农业技术推广体系的形成,农业系统工程的应用,也加快了合肥市农业现代化的进度。新医药、新医疗技术设备,在防病治病、保障市民健康方面,发挥了更有效的作用。1986年,在中国科学技术大学西区建成的国家同步辐射实验室,二百兆电子伏

中国科学技术大学同步辐射实验室储存环大厅

特直线加速器的一次出束成功,标志着中国在同步辐射方面的研究已经达到世界先进水平。合肥电机厂研制的QKSG1200千瓦高压潜水泵获国家科技成果奖,"黄牛面革草酶脱毛"等14项成果获全国科学大会奖或国家科技进步奖。荣获1989年度国家科技进步一等奖的异步电动机分层多目标优化设计软件,可覆盖80%的异步电机软件,设计速度比人工设计提高2万至3万倍。合肥还有全国最大、全世界仅有两台的直流脉冲机组。

到1990年,合肥市已拥有国家及部属科研机构12个,省属80个,市属23个,民办科研机构如雨后春笋,多达200多个;涌现出一大批厂办科研所和专业技术学会、协会、研究会;从事自然科学的人员有8.6万余人,其中具有中级以上职称的有4万余人。再加上合肥地区37所高等院校(其中普通高校10所,成人高校25所,军事院

校 2 所)拥有雄厚的科技实力,其开展的科技活动,更突显合肥的科技力量日趋增强。

三、文化卫生事业的发展进步

随着改革开放的不断推进,特别是 20 世纪 80 年代中期以来,合肥市文化事业获得较快发展,文艺创作空前繁荣,传统剧目被重新搬上舞台,民间艺术活动重放光彩,文化市场得到恢复和发展,图书发行与图书馆事业也有新的发展。

文学创作方面。合肥的老作家笔耕不辍,中青年作家勇挑大梁,成果丰硕。无论是小说、传记文学、报告文学、散文、杂文、诗歌、电影文学剧本、电视剧等,都取得较好成绩,一些作品在全国和全省范围产生影响。其中,1986 年,诗人梁小斌出版的诗集《雪白的墙》,获全国优秀诗歌奖;作家许辉的中篇小说《焚烧的春天》《夏天的公事》,分别获得 1989 年、1990 年上海文学奖;完颜艺舟、完颜海瑞创作的长篇历史小说《神鹰》,获得首届全国长篇历史文学作品二等奖;作家陈桂棣、周军、侯露、邹人煜等创作的文学著作,获得奖项。剧本创作方面,1986 年至 1990 年,合肥市先后创作大型歌剧《火鸟》、根据莎士比亚名剧《威尼斯商人》改编的大型庐剧《奇债情缘》等,均受到广泛好评。①

这一时期,合肥市政府拨款相继建立或修缮了长江剧院、花冲剧院、解放电影院、光明电影院、长淮电影院、人民电影院,安徽省政府在合肥兴建了安徽剧院,为合肥文化事业发展创造了条件。至 1985 年年底,全市有电影院、剧院、开放礼堂(俱乐部)22 家,郊区及市辖三县共有放映单位 363 个,郊区基本乡乡都有影剧院。立体声电影在合肥市区影院逐步普及。合肥市新华书店开始重新发行《唐诗》《宋词选》《古文观止》《悲惨世界》《牛虻》等 55 种文艺书籍。1985 年,合肥市新华书店已拥有 4200 平方米的营业大楼及书库,年销售额为建

---

① 《合肥市志(1986—2005)》,第 1428—1432 页。

店时的44倍。合肥市图书馆增至2658平方米,馆藏图书增加到28万册。合肥市群众性的文化活动蓬勃发展。全市农村、街道建立文化站180余个,工厂企业普遍建立了俱乐部、文化室等群众文化组织,全市逐步形成三级群众文化网络,群众性的音乐、舞蹈、戏剧、曲艺、科普活动呈现出繁荣局面。1984年,合肥市庐剧团参加市首届戏剧节演出,"成千上万的观众从四面八方慕名而来,争相观赏阔别十多年的丁玉兰的演出"[①]。同年,该团还分别会同上海、合肥、安徽几家电视台,相继拍摄戏曲电视片《双锁柜》、戏曲电视连续剧《情仇》、戏曲电视片《认母》,并分别在中央、上海、安徽、合肥电视台播放。此后,著名庐剧表演艺术家丁玉兰坚持带团深入工厂农村,为在基层工作的工人农民演出优秀传统庐剧《秦雪梅观画》《讨学钱》《借罗衣》《休丁香》《双锁柜》等,受到广大庐剧爱好者的热烈欢迎。

  文化市场管理方面。20世纪80年代初,合肥市地摊上开始出现自编自印的小册子,亦称"白皮书",这是最初的非法出版物。为此,合肥市文化部门着手对主要街道、交通要道上100多处自发的书报刊经营摊点进行整顿,对从国营新华书店、邮局等正规渠道进书报刊的经营户颁发经营许可证,并制定"公约",签订"责任书",按照"五定"(定人、定点、定价、定进货渠道、定不售非法出版物)要求进行经营活动。1983年,合肥市成立文化市场管理办公室。这一时期,合肥市从事文化市场管理工作的专兼职人员有400多人,主要对舞会、茶座、录音录像、民间剧团、出版发行、买卖文物、旅游活动等方面进行管理。1985年以后,因商品经济大潮涌起,受利益驱动,全国各地假冒、伪造书号,翻印、盗印正版书刊的非法出版活动又开始泛滥。合肥市文化市场管理办公室迅速联合公安、工商部门进行突击检查,收缴各种非法出版物80多万册。为扩大宣传教育,增强群众识别能力,1988年,合肥市文化部门举办了"合肥市严厉打击非法出版物成果展览",参观者十分踊跃,展览收到了预期的效果,社会反响良好。

---

① 完颜海瑞:《丁玉兰》,安徽文艺出版社1989年版,第208页。

1989年，以扫除淫秽物品、打击非法出版物为重点的全国"扫黄打非"活动开始实施，合肥市成立了"书报刊、音像市场清理整顿领导小组"，各区县也相应成立了领导小组，以市、区县文化部门为主，牵头协调各有关部门开展整顿工作。此后，直到20世纪90年代，"扫黄打非"年年抓，每年都要开展两次以上大规模的集中统一行动。

文物保护方面。1985年7月，合肥市政府公布庐州府城隍庙、段氏住宅、李家祠堂、李鸿章住宅楼、李国衡住宅、高家祠堂、李鸿章享堂、大雁墩古文化遗址、烟大古堆古文化遗址、大古堆古文化遗址、三国新城遗址、桃花店古墓葬群、环城公园东汉古墓等为第一批市级文物保护单位，并要求不得擅自损毁、改建、添建、拆除这些古建筑物的本体、院落及环境风貌，使用建筑物的单位应注意保养和维修，古文化遗址100米以内不准兴建地面或地下建筑物，不得取土和深挖，以防破坏文化层，古墓葬封土堆及周围20米内不得取土和兴建建筑物。市文物管理部门要督促和协助相关单位切实做好文物保护管理工作，市规划部门要协同文物管理部门搞好文物保护，将文物保护单位周围的环境建设纳入规划。至1987年，合肥市对所辖地区进行两次文物普查和一次文物复查工作，共查出古文化遗址10处、古墓葬23座（群）、古建筑17处、古城址3处。清理了100余座战国至清代的古墓葬，修复了古教弩台、明教寺建筑群、包公祠等省级文物保护单位，重修了包公墓。这一时期，合肥市对文物的保护，为新时期经济建设和旅游业的发展提供了有益的条件。

这一时期，合肥市体育事业也进入全面发展的新时期。合肥市体育事业实行改革，走社会办体育的路子，扭转了长期以来单靠国家投资办体育的被动局面，迎来了普及与提高并重、群众体育和竞技体育协调发展的新局面。1984年3月，合肥市政府批转市体育运动委员会《关于进一步开创我市体育新局面的报告》，要求各级政府和各基层单位切实加强领导，增加投入，逐步改善体育设施，积极支持群众性体育活动，抓好群众体育的普及，特别是中、小学体育的普及；还要求市体委和广大体育工作者做好群众性体育活动的领导、协调、组织工作，抓好运动员队伍的培养和训练，迎接安徽省首届少年运动会和省第六届运动会。1985年5月至11月，合肥市举行了第四届运动会，省市218个单位组派534支代表队共5315名运动员参加比赛，有20人破市纪录，520人达到国家三级以上运动员水平。从1982年到1985年，合肥市各中、小学全面施行《国家体育锻炼标准》，到1985年，有4.25万名中、小学生达到了这个标准，占全市中、小学生总数的30%。同时，合肥市群众参加经常性体育锻炼的人数越来越多，每天早晨在市区公园、广场、林荫道进行长跑、竞走、打太极拳、做气功等活动的职工、居民、学生有1万余人。

爱国卫生运动方面。1983年，合肥市政府要求已经开展多年的"夏秋爱国卫生运动"同"五讲四美三热爱"活动结合起来，同"门前三包"和饮食卫生结合起来。1985年以后，合肥市爱国卫生运动和城市管理工作同时采取教育与法制、专业队伍与群众参与相结合等多种形式，进行综合治理，使城市环境卫生状况得到明显的改善。同年，合肥市政府采纳了省科学技术协会及市卫生部门、市科学技术协会、市爱国卫生运动委员会、生物学会等单位联合提出的"将合肥市建成无鼠害城市"的建议，在全市组织开展群众性的灭鼠活动，从根本上铲除流行性出血热病的传染源，从而使该病疫情在合肥市得到控制。1990年，合肥市参加国家爱卫会在全国434个城市开展的创建国家卫生城市活动，获"全国卫生城市"称号。1991年，合肥市继续开展"创建全国卫生城市"活动，经复查合格。1992年，合肥市再次荣获"全国卫生城市"称号。

在实行计划生育方面。合肥市开展计划生育的主要内容及目的是，提倡晚婚、晚育，少生、优生，从而有计划地控制人口。自1982年起，合肥市政府制定并实行"奖励一胎、控制二胎、杜绝三胎"的政策。在农村普遍推行生产、生育"双包合同"，把计划生育与承包耕地、划自留地挂钩。1983年，合肥市政府在部署计划生育工作中提出，加强妇幼保健工作及做好孤寡老人生活安排，扶持独生子女户先富起来。1984年1月，合肥市政府发出《关于在春节前后进一步做好计划生育工作的通知》。由于各级政府和各部门各单位加大计划生育工作的力度,狠抓计划生育的宣传教育和各项措施的落实,合肥市计划生育工作不断有新的进展,并取得了显著成绩。1985 年,合肥市区人口出生率比 1978 年下降 3.71‰,有效地遏制了人口快速增长的势头。由于人口惯性作用,虽在不同年份出现人口出生反弹现象,但全市人口出生率总体呈下降趋势。

第七节　抗洪救灾　重建家园

一、1984 年抗洪救灾

1984 年 6 月中旬,合肥地区大暴雨持续。由于雨量大、来势猛而集中,导致市境内几条主要河流河水暴涨,沿河两岸遭受严重的洪涝灾害。6 月 12 日 20 时至次日 20 时,24 小时降雨 232 毫米,超过历史上最大的 1954 年 24 小时降雨量,其中,阜阳路桥水位 12 日 20 时为 8.29 米,14 日 2 时水位猛涨至 15.04 米,最高上涨率为每小时 63 厘米。由于河水上涨迅猛,合肥市区(明光路闸门未来得及关闭)21 处 733 米防洪堤段漫溢造成水灾,东市工厂区受淹 7 平方千米,多家工厂进水。由于受工厂区水位顶托,造成水西门亳州路段 7 平方千米、阜阳路双岗路段 2.5 平方千米,二里河沿岸 1.5 平方千米 3 大片地区受淹。

此次洪涝灾害,合肥市城区 18 平方千米范围被淹,约占城市建成区的三分之一,城区 11 条马路被淹,少数地段水深达 2 米,7 条公共汽车线路停开,交通中断;城东区、城北区 60 多家工厂企业泡在水中;全市倒塌房屋 1000 余间,被淹房屋 4 万余间,有 2 万多居民困在洪水之中,3 人死亡,数百人受伤;城区企业、事业单位直接损失达

4000万元,间接损失和灾民家庭损失无法估算。

面对洪涝灾害,中共合肥市委、市政府立即召开紧急会议,发布动员令,把抗洪抢险作为紧急战斗任务布置下去,各级领导责任到人,分片包干,组织抢险队伍,迅速转移受灾居民和物资财产。在抗洪抢险中,合肥市区组成33支抢险抗洪堵口队,安徽省军区派出大批指战员帮助地方抗洪和抢险,及时抢救被水围困的灾民。合肥市区、郊区和肥东、肥西、长丰三县,凡能用上的抽水机泵和排涝站,均开机排水。

这次洪涝给合肥市尤其是城区带来重大灾害,引起省市两级党委、政府的高度关注。在洪水还没退尽之时,合肥市防洪工程建设指挥部成立,并首先从这次洪涝破堤的南淝河防洪工程的规划和治理抓起。

南淝河综合治理规划的具体内容是：城市上游,以蓄为主。主要是在四里河上游,复建大房郢水库,库容1.84亿立方米,以滞蓄暴雨径流,给市区延长行洪时间。城市中游,提高泄洪和排涝能力。主要是对南淝河及三条支流城市段疏浚、清障、清淤、块石护坡、拓宽河道行洪断面,提高行洪能力。在城市建成区域内,新筑、加高南淝河、板桥河、二里河、四里河防洪墙(堤),并相应建设17座排涝泵站,形成排涝能力。城市下游,提高航运等级和行洪能力。对南淝河航道自屯溪路桥以下至巢湖施口段,按三级航道,进行开发治理,同时提高泄洪能力。

从1984至1992年,经过8年持续不断的努力工作,合肥市共完成南淝河防洪六项工程,总投资4838万元。这六项工程,一是对南淝河中游屯溪路桥至亳州路桥全长9637米、板桥河710米及史家河700米,总长度11千米河道分段组织了4次大规模清淤义务劳动,全市党政军民参加,累计参加人数达446万人次,共清挖淤泥、土石方117万立方米。二是对上述通过市区的11千米河道进行了4次大规模清障行动,共拆迁965户居民房屋和部分构筑物,对其中住宅进行新建楼房安置,使被清障的合肥市户口的拆迁户迁入新居。同时,拆除违章建筑、构筑物 500 余处,清除阻水树木 5000 多棵。通过清障、清淤,使南淝河行洪断面由原来不足 300 平方米,增加到 500 平方米以上,大幅度提高了南淝河城市段的行洪能力。三是构筑了河道两侧总长度 17 千米的护坡和防洪墙,堤顶标高 15 米至 18.5 米,总面积 6.53 万平方米,为城东工业区和老城区筑起了两道防御洪水的坚固屏障。四是提高汇洪能力,新建扩建了三座桥梁,如淮河路桥扩建后,桥长由 40 米增加到 72 米,增加过水断面 230 平方米,使这一阻水瓶颈得到解决。五是沿南淝河东、北岸铺筑了道路与堤防相组合的沿河路堤 7.22 千米,方便了交通,保护了河堤。六是新建、扩建了 9 座排涝泵站,设计排涝能力 55 立方米/秒。

南淝河防洪工程的特点是工程量大、质量好、造价省。8 年间,随着工程建设不断进展,逐年产生不同的效益。如 1987 年汛期,南淝河水位涨到 13.4 米时,已能挡住河水和排出内涝,为低于该标高的工厂减少损失 836 万元;1989 年汛期,南淝河水位达到 13.9 米时,为低于该水位的工厂企业减少损失 1100 万元。

二、1991 年抗击特大洪水灾害

1991 年,合肥遭受了历史上罕见的特大洪涝灾害。是年入夏以后,合肥地区长期阴雨,六七月两次强降雨,累计降水 810 毫米,比正常年份同期降水多 4 至 5 倍。长时期、大面积的强降雨,使合肥地区河、湖、水库及水塘水位暴涨,汛情大大超过设防能力,致使瓦埠湖、高塘湖和巢湖地区大面积被淹,南淝河、丰乐河沿岸 188 个圩口相继漫破。肥西县三河镇更是遭遇灭顶之灾。合肥市区部分地区也出现了内涝。

特大洪涝灾害给合肥市经济建设和人民财产造成了巨大损失。全市午秋两季 741.3 万亩农作物,成灾面积达 532.3 万亩,绝收 84.4 万亩。全市受灾人口 239 万人,其中,重灾、特重灾民 136 万人。先后有 3507 个村庄、近 60 万人被水围困,50 余万间房屋倒塌损坏。造成直接经济损失达31.26亿元,其中,农村28.26亿元。①

面对滔滔洪水,中共合肥市委、市政府组织、动员全市人民奋起抗洪救灾。在救灾之初,市委、市政府就明确提出了保城市,保铁路和重要公路,保水库与圩堤,保人民生命安全的"四保"目标。② 在危急时刻,及时采取了一系列紧急救援措施,在驻合肥市人民解放军、武警官兵和公安干警全力以赴的支援和配合下,成功组织了三河镇抢险,长丰"两湖"、肥东和合肥郊区抢险救人及城区抗洪的战斗,安全转移46.4万被洪水围困的群众。

1991年大水淹没街面

肥西县三河镇被洪水淹没后,一场大范围的军民齐力大营救立即展开。大营救中,7月10日,因汛情告急,肥西县、三河镇主要领导坐镇指挥,转移居民,抢运物资。下午,合肥炮兵学院280名官兵赶赴三河镇,参加抗洪抢险。合肥市政府和肥西县政府组织的由合钢公司、安徽省第二建筑工程公司、市机械化施工公司、县保险公司、肥西汽车八队等100余辆抢险救灾车队,驶进三河。11日下午,三河镇被洪水淹没后,合肥市、肥西县、三河镇和人民解放军合肥炮兵学院、合肥市军分区负责人在三河大桥头组成临时抢险指挥部,率领干部群众和1000余名解放军、武警官兵和公安干警全力开展大营救,营救人员划着小船,穿街入巷,从危房内、废墟上、房顶和楼上抢救出一

---

① 安徽省人民政府办公厅编:《安徽省情5(1990—1995)》,方志出版社1997年版,第476页。

② 中共合肥市委党史办公室编:《严峻的考验——1991年合肥抗洪救灾纪事》,安徽人民出版社1992年版,第17页。

批批群众。肥西县航运公司 22 名水手组成的抢险队,连续战斗 30 个小时,营救群众 400 多人,并和解放军官兵一起救出 1000 多人。三河中学 268 名师生被洪水围困一天多时间,多次去船营救,因风大浪急,小船无法靠近,抢险指挥部及时调集船只,将三船联为一体,强行靠近学校,架跳板、拉绳索救人。从 7 月 11 日下午至 15 日,三河镇共安全转移被洪水围困的居民 6000 多人,还营救出毗邻的舒城县舒三镇、庐江县黄道乡灾民数千人。①

灾民救出后,为了保证他们有吃、有住、有烧、有医,不发生流行疾病,中共合肥市委、市政府又想方设法安置灾民生活。坚持因乡、因村、因户制宜,及时发放救急食品和救济粮,并发动群众开展互助互济等活动,解决灾民吃饭问题。在安置过程中,动员灾民投亲靠友,发动未受淹地区干部、党员挤出自己的房子,腾出礼堂、学校、车间等公房,搭盖简易庵棚等,解决灾民住宿问题。又及时向灾区调运无烟煤,并发动社会捐款,赶制一批简易煤炉,帮助灾民解决烧的问题。及时组织卫生防疫部门派出医疗队,到灾区送医送药,防病治病,指导和帮助灾民搞好饮用水和环境消毒。同时发动群众开展环境卫生大检查,有效地防止了疫病流行。

灾情稳定后,合肥全市各级党委和政府都把大灾之后学生按时开学作为大事来抓,发动城区支援农村、岗区支援圩区,采取抢修校舍、搭建大棚、开二部制、办复式班、投亲靠友就近入学等形式,千方百计解决灾区中小学按时开学问题。全市从社会捐助的救灾资金中拨出 50 多万元,从城市教育附加费中压缩调整了 200 万元支持乡村受灾学校。社会各方面还普遍开展了支援灾区复课、向灾区儿童献爱心等活动。由于采取了多种措施和办法,保证了全市灾区 10 万中小学生全部按时开学上课。②

在汛情基本稳定以后,合肥市又及时组织灾区恢复和发展生产,

---

① 《严峻的考验——1991 年合肥抗洪救灾纪事》,第 61 页。
② 《严峻的考验——1991 年合肥抗洪救灾纪事》,第 17 页。

以尽可能弥补灾害造成的损失。在农业上,抓紧晚秋作物的抢种,并发动群众广开生产门路,千方百计增加收入。在工业上,认真抓好受灾企业的生产恢复,组织没有受灾的企业特别是效益好的企业开足马力生产,加快生产适销对路产品,增产增收。市工业经济部门从市属企业选派出190名干部到城镇挂职,并举办合肥地区第三次城乡经济洽谈会,帮助乡镇企业加快发展。至当年9月底,全市因洪灾停产的乡镇企业已有90%以上恢复生产,并出现较好的发展势头。

1991年秋后,灾民过冬生活的安置显得急迫。合肥市一边动员灾区人民自力更生,生产自救,恢复发展经济,一边发放各类救灾款、捐赠款共7347.8万元。同时,还为灾区4.8万住房全倒户搭建了永久性住房、过渡性住房和过冬庵棚,及时发放北京和全国各地捐赠的过冬衣被178万件。入冬后,合肥市各级政府进一步落实灾民安全度过"雨雪严寒关"和"春荒关"的工作。

在1991年抗灾救灾中,中共中央总书记江泽民、国务院总理李鹏等中央领导亲临灾区慰问灾民,安徽省委、省政府主要负责人到第一线指导救灾,国家30多个部委、全国红十字会等人民团体、各方人士和全国各地人民群众纷纷捐钱捐物,捐赠衣被,大力支援灾区,北京、济南、西安、青岛、银川、南昌、荣城、泰安、深圳、乌鲁木齐、上海卢湾区、海南儋县等兄弟市县,港澳台胞、海外侨胞及国际朋友送来了救灾款物,以表示对合肥人民抗洪救灾的慰问与支持。

1991年合肥市抗洪救灾的事实告诉人们,在重大自然灾害面前,合肥市各级干部群众同心同德,经受住了考验。合肥人民在抗洪斗争中展现的抗洪精神,进一步增强了合肥人民改革开放、建设社会主义的信心。

第九章

深化改革　扩大开放

进入20世纪90年代,随着中共安徽省委、省政府"开发皖江,呼应浦东"战略决策的实施,合肥抓住机遇,加快开放开发的步伐,"八五""九五"期间的经济社会发展取得了重大成就。

这一时期,合肥企业改革和发展进入制度创新、转换机制阶段,加快了现代企业制度建设,初步建立了社会主义市场经济体制。开发区建设发展迅速,三个开发区——城西的"合肥国家高新技术产业开发区"、城南的"合肥经济技术开发区"和城东的"合肥新站综合开发试验区"先后建立,在拉动合肥乃至安徽全省经济发展上,发挥了重要作用。1995年,合肥抓住中共安徽省委、省政府"首先要把合肥建设成为现代化大城市"的政策机遇,城市建设跃上了一个新台阶,城区面积迅速扩大,城市人口增多。至2000年,一环路、二环路等主干道路陆续建成,"二环九射"加方格网的大城市道路框架基本形成,一批改善城市环境、方便群众生活、提高城市品位的重点工程相继建成,城市面貌进一步改观,现代化大城市格局初露端倪。

第一节 抓住机遇 开放开发

一、对外开放的新举措

1990年年初,中共中央、国务院做出开发浦东的重大决策,中国对外开放从沿海向内地迅速扩展,整个长江经济带加快开发开放,给安徽省和合肥市的发展带来新的机遇。

安徽地处长江中下游,与沪、苏、浙有着密切联系,浦东的开发、开放必然给安徽的经济发展带来强烈的辐射力和巨大的吸引力。长江安徽段被俗称为"皖江",全长416千米。1990年7月5日至14日,中共安徽省委常委会成员带领相关部门负责人和专家学者,对沿江的安庆、铜陵、芜湖、马鞍山4市和池州地区的经济发展战略进行了集体调研,紧接着在芜湖市召开省委常委扩大会议,提出按照高起点、外向型、全方位、现代化的要求,形成以沿江芜湖、马鞍山、铜陵、安庆4个城市的长江经济带作为"一线",和省会合肥、旅游城市黄山市为"两点"的"一线两点"对外开放格局,进而带动全省的开放开发。①

改革开放至1990年,合肥市经济、城市建设和科教事业发展步伐明显加快。在旧城改造方面,合肥市实行一系列改革措施,改造旧街道,新建住宅、商店,建成大型环城公园,新建水厂、煤气工程等。在经济发展中新技术大量运用于生产,新商品不断面市,外资和合资企业不断增加,1990年全市工业总产值79.12亿元,财政收入6.9亿元。合肥有高等学校11所,在校学生2.6万人,中专和职业学校87所,在校学生3.3万人,全市拥有各类科研、设计机构120多个,拥有自然科学和社会科学研究人员13万人,市区每万人口中科研人员比例达12%,居全国各城市前茅。合肥市已成为全国重要科教城市之一。

1990年,中共安徽省委、省政府做出"开发皖江,呼应浦东"的战略决策,并将合肥和黄山列入开发开放北、南"两个点",确定合肥积极发挥科教基地和人才集中的优势,加速科技与经济的有效结合,使合肥经济技术水平跃上新台阶;要求合肥大力发展乡镇企业和第三产业,发展和建设卫星城市,使合肥经济规模进一步提高;增强合肥省会城市和中心城市的功能,提高城市的市政建设水平,把合肥建成一个开放型、多功能、现代化的城市。

根据上述要求和合肥市经济社会发展规划,中共合肥市委、市政府积极有效地推进开发开放和城市建设。1990年,经省人民政府批准,合肥市在西郊建立科技与经济结合的高新技术成果商品化开发试验区——合肥科技工业园。1991年,工业园经国务院批准为国家

---

① 侯永主编:《当代安徽简史》,当代中国出版社2001年版,第463—464页。

高新技术产业开发区。1992年,合肥市对主干道长江路进行大规模综合改造,对环城公园进行美化。同年,合肥市进入全国城市综合实力50强之列,位列第26位;并先后荣获"全国卫生城市""全国园林城市""全国环境治理优秀城市""全国双拥模范城市"等称号。

合肥的对外开放也跨入了新的发展阶段,取得了显著成绩。1992年7月,合肥市被国务院批准为对外开放城市,享受沿海地区利用外资的优惠政策。中共合肥市委、市政府审时度势,及时做出了"抓住机遇,深化改革,开放开发,再造新合肥"的战略决策,掀起了进一步扩大对外开放的新一轮热潮。这一时期,对外开放经历了快速和稳步两个发展阶段。

1992年至1995年为对外经济快速发展阶段。短短4年间,合肥地区共批准外商投资企业938家,总投资27.9亿美元,合同利用外资11.6亿美元。外商投资企业数和协议利用外资分别是1992年以前历年总和的12倍和40倍。外商投资的行业以工业为主,并向高新技术产业等领域扩展。外商投资规模进一步扩大。外商投资企业平均每个项目投资额由1992年以前的100万美元上升到1992年至1995年的280万美元。出现了一些国际大公司、大集团来合肥投资的热潮。瑞士ABB,泰国正大,日本日立建机和三洋电机,意大利梅罗尼,中国香港兆峰,新加坡佳元,英国联合利华,美国美泰克、飞歌和太古可乐等跨国公司集团纷纷来合肥投资,投资额都在千万美元以上,有的达上亿美元,如佳通轮胎有限公司总投资为4亿美元。形成一支由大中型生产企业组成的自营进口大军。四年间,经外经贸部批准,安徽轮胎厂、合肥叉车厂、冰箱厂、洗衣机厂、日化总厂、无线电二厂等10家生产企业,先后获得进出口自营权,为合肥市对外贸易的快速增长做出了重要贡献。①

1996年至1998年,是国内外经济形势发生重大变化的时期,受国内通货紧缩和亚洲金融危机等因素的影响,合肥市对外开放进入

---

① 《合肥工业五十年》,第22页。

调整和稳步发展阶段。1996年后,全市利用外资总量明显减少,但开始从重数量向重质量、重效益转变。一批规模大、效益好的生产型企业成为合肥工业新的经济增长点,其中产值超亿元的已有11家。利用外资形式呈现多样化。1996年,美菱股份有限公司发行境内上市外资股1亿股。1997年4月,"美菱牌"注册商标被国家工商局认定为中国驰名商标,成为安徽省第一件由国家商标管理权威机构认定的驰名商标,实现了安徽省驰名商标"零"的突破。是年,美菱实现产值28亿元,利税2.55亿元,综合实力跃居全国同行业之首。荣事达集团通过与中国香港、日本和美国等几家公司三次合资,共引进资金近10亿元人民币,成功地实现资本的三次裂变和扩张,成为国内洗衣机行业的排头兵。1995年至1997年,荣事达集团主导产品洗衣机连续3年产销量全国第一,改写了安徽家电在全国无第一的历史。1997年又以175万台洗衣机产量创造了中国洗衣机行业新纪录,成为亚洲最大的洗衣机供应商。合肥第二发电厂项目是新中国成立以来合肥市最大的项目,通过项目融资,从国外和国内一些知名企业及金融机构筹得资金35亿元,开创了合肥通过项目本身在国内外筹措资金的先河。同时,合肥涌现出一批出口创汇型和技术先进型企业,如佳通轮胎、合肥三洋洗衣机、合肥日立挖掘机、合肥华凌电器等20多家公司的主要产品和质量都具有国内先进水平。合肥市三资企业出口创汇占全市出口总额的34.2%,成为发展外向型经济的主力军之一。在此期间,合肥市的对内开放也卓有成效,全市有440多家企业与全国各地企事业单位建立了多层次、多形式的协作关系,累计签订项目3069项,协议引进国内资金9.3亿元,联营产品产值63.64亿元,创利税7.45亿元,有力地促进了全市工业经济的发展。①

二、开发区的建设和发展

20世纪90年代,合肥高新技术产业开发区、合肥经济技术开发

---

① 《合肥工业五十年》,第22页。

区、合肥新站综合开发试验区相继在合肥的东、西、南三个方向建立，鼎足而立，相互促进，成为合肥对外开放的重要窗口。三个开发区是改革开放的产物，是对中共安徽省委、省政府发出的开发皖江，呼应浦东的响应，是"开放开发，再造新合肥"的载体和三根支柱。这三个开发区，不仅对拉动合肥乃至全省经济发展作用重大，也从根本上改变了合肥的经济社会面貌。

（一）合肥高新技术产业开发区

20世纪70年代，世界新技术革命加速发展，并迅速波及各个产业领域。进入80年代后，科技工业园在世界范围内如雨后春笋般地涌现，高新技术产业飞速增长。1988年，国务院《关于深化科技体制改革若干问题的决定》指出："智力密集的大城市，可以积极创造条件，试办新技术产业发展区，并制定相应的扶持政策。"[1]面对新技术革命的浪潮，面对安徽省与沿海地区和经济发达省市差距逐渐拉大，安徽省及合肥市领导和许多有识之士心中激起了强烈的危机感和紧迫感，希望借助发展高新技术产业奋起直追。

1988年8月，经过调研论证，中共合肥市委、市政府正式提交建立合肥科技工业园的请示，得到安徽省委、省政府大力支持。1990年1月，省长傅锡寿主持召开省长办公会议，专题研究合肥建立科技工业园事宜，决定在税收、贷款、基建和对外权限等方面对其实行特殊政策。1990年10月，合肥科技工业园破土动工。1991年3月6日，国务院批准成立合肥科技工业园。由此，安徽有了一个可以享受国家优惠政策的"特区"。至1991年年底，合肥科技工业园基本建设完成投资1418万元，开工厂房1.54万平方米。[2]

---

[1] 合肥高新技术产业开发区地方志编纂委员会编：《合肥高新技术产业开发区志(1991—2005)》，黄山书社2011年版，第1页。

[2] 《合肥市志(1986—2005)》，第621页。

高新区

　　1992年邓小平南方谈话发表后,浦东的开放开发迅速启动,其影响波及整个长江经济带。作为呼应浦东开发的重要组成部分,中共合肥市委、市政府提出"开放开发,再造新合肥"的战略目标,这给合肥科技工业园的发展带来新的契机。2月,经安徽省委批准,合肥市委组建科技工业园管理委员会。3月,省委批准合肥科技工业园管委会为副厅级单位。5月,市政府下发《关于加快建设合肥高新技术产业开发区的意见》,科技工业园的建设揭开新的一页,同时,"科技工业园"之名称开始被"高新技术产业开发区"所替代(简称高新区)。新成立的高新区管委会在指导思想上,提出全面规划、合理布局、成片开发、配套建设的方针;在规划上,要把高新区建成融科研、开发、生产、生活、教育、娱乐和公园化环境于一体的现代化科技新区,力求体现高质量的生态环境、高水平的配套设施,体现完整的城区功能。在开发建设上,提出"筑巢引凤"和"引凤筑巢"相结合、定向开发和适度超前开发相并举的办法,基础设施先行,生产、生活服务设施一齐上,创造招商引资的条件,并制定和实施一系列优惠政策,力求在基本建设、招商引资、资金筹集和优化硬软环境等5个方面实现新突破。7月8日,市政府同意实施《合肥高新技术产业开发区综合改革方案》,授予合肥高新区管委会以市级管理权限,有关部门在开发区内的派驻机构履行各自市级主管部门的职责。7月15日,国家科委正式批复同意将"合肥科技工业园"更名为"合肥高新技术产业开发区"，时为安徽唯一的国家级高新技术产业开发区。安徽省政府和省人民银行适时批准合肥高新区成立金融机构。9月，全省乃至全国没有先例的、带有实验性质的、股份制的合肥科技开发实验银行挂牌，当年就为开发区解决首期基础建设三分之一的资金缺口，此后两年融资5亿多元，有力地支持了高新区的发展。与此同时，安徽省第一家中外合资的房地产开发公司对外商实行的第一笔土地批租，也在合肥高新区成为现实。至此，合肥高新区进入大规模开发时期。是年下半年，合肥高新区内400多户农民、5万多平方米的农舍，1个月内拆迁完毕。3个月内，起步区2.2平方千米土地全面实现道路、供水、排水、供电、供热、煤气、通讯等"七通一平"。当年，合肥高新区完成基建投资1.21亿元，开工房屋面积16.4万平方米，分别是上年的9倍和10倍左右；修建混凝土路网9.1千米，搬土方90多万立方米，铺设地下管道13.5千米，迅速改变区内的面貌，开创了安徽建设史上的"深圳速度"。①

1993年，合肥高新开发区建设乘势而上，继续保持强劲的发展势头，全年完成基建投资1.88亿元，竣工房屋建筑面积17.86万平方米，开发区软硬环境进一步改善。合肥地区所有的高等院校、较大的科研机构和有实力的大中型企业都在开发区创办了高新技术产业；美国、日本、德国、韩国、加拿大、意大利、新加坡和中国香港、中国台湾等几十个国家和地区纷纷来开发区投资。截至1994年8月，进区企业已达273家，高新技术项目300多个，总投资26亿元。其中外商投资企业79家，总投资2.21亿美元。1994年实现工业产值15.5亿元，技工贸总收入14.5亿元，利税1.61亿元。

1994年10月，中共合肥市委、市政府出台《关于进一步加快合肥高新技术产业开发区建设的意见》，重申继续贯彻落实已确定的行之有效的一系列优惠政策措施，根据发展需要制定更加优惠的政策，为高新区的进一步发展奠定基础。万燕电子、美菱空调器、合肥三洋洗

---

① 《合肥市志(1986—2005)》，第622页。

衣机、华东电子工程研究所、安徽现代电视技术研究所等一批技术水平高、产业规模大、市场前景好的项目入区。是年,合肥高新技术产业开发区已完成"日"字形干道网络建设,引进项目68个,其中"三资"企业28个,总投资达3.86亿美元。合肥高新技术产业粗具规模。国家科委在苏州召开的全国高新区工作会议上,号召各地学习借鉴"合肥模式"。

1995年11月,中共合肥市委、市政府决定将蜀山镇(所辖98平方千米)直接划归高新区管理,设立市人民政府蜀山新区管委会,与高新区管委会一套机构、两块牌子,同时批准设立中共高新区工作委员会。截至当年年底,高新区进区企业已达395家,总投资41.82亿元,注册资本33.51亿元。

1996年4月,中央编办、国务院特区办、国家科委批准合肥高新区为全国"开发区行政管理体制和机构改革试点单位"。1997年9月,首届亚太经济合作组织(APEC)科技工业园区网络年会在北京召开,合肥等4个国家高新技术产业开发区被授予"中国亚太经济合作组织科技工作园区"。这一殊荣,使合肥高新区的创业者们受到极大鼓舞。是年年底,合肥高新区"七通一平"土地面积扩展到5平方千米,开工房屋面积130多万平方米,竣工80万平方米,修建水泥混凝土路网长20千米,铺设地下管线长65千米,绿化面积30万平方米,累计完成投资14亿元。110千伏变电所、110吨供热站、万门程控电话等一大批关键配套工程相继投入使用。

1998年,合肥高新区进区企业已达480多家,项目550多个,总投资逾65亿元。美国、德国、瑞士、意大利、日本、韩国和中国台湾、中国香港等20多个国家和地区在区内创办了127家外商投资企业,总投资5.5亿美元。一些国际知名的跨国公司,如美国美泰克集团、飞歌国际公司,日本三洋、丰田、三菱重工,瑞士ABB,韩国现代等都纷纷落户,投资兴业。一大批技术水平高、投资规模大的骨干企业迅速成长。安徽现代电视技术研究所于1989年12月研制出中国第一台彩色图文制作系统(字幕机),打破了日本索尼公司在国内的垄断地位，领导了字幕机国产新潮流。1992年实现产值2650万元，创利税1107万元，被国家科委授予"实施火炬计划先进高新技术企业"称号。1993年，安徽万燕电子系统有限公司在合肥高新区成立，开发生产出世界上第一台VCD。1994年，万燕生产了数万台VCD机，迅速占领市场100％份额。安徽安科生物工程（集团）股份有限公司研制的基因工程——2b干扰素新药"安达芬"，填补了我国基因工程生物医药产业的一项空白，经国家卫生部批准，向全国推广使用。中日合资合肥三洋荣事达电器有限公司，投资3400万美元，建成全国最大的模糊控制洗衣机生产基地。中、美、日合资的达西浦国际实业（安徽）有限公司投资1.1亿美元，生产飞歌牌高效节能空调。合肥叉车集团已经成为全国同行业的排头兵；合肥金菱里克公司为国内最大的BOPP双向拉伸塑料薄膜生产线。高新区初步形成了电子信息、机电一体化、新材料、生物医药、高科技农业等支柱产业。[①] 高新区还在技术成果转化方面取得重大成效，初步形成了一个以高等院校、科研院所就地孵化和高新区创业服务中心集中孵化相结合的高新技术成果孵化体系，累计吸收孵化企业110多家，为高新区输送高新技术企业26家。

1999年，合肥高新区被国家科技部批准为技术创新工程区域试点。2000年，又被国家科技部和对外贸易经济合作部认定为高新技术产品出口基地。至此，合肥高新区一跃成为中国高新技术产业的重要基地和对外开放的重要窗口。

（二）合肥经济技术开发区

1992年7月，合肥高新技术产业开发区刚刚进入大规模开发期，中共合肥市委、市政府力排众议，果断决策，在合肥南部兴建经济技术开发区。当年年底，合肥市上报安徽省政府，要求批准设立合肥经济技术开发区，以推进合肥市"开放开发，再造新合肥"的战略。1993

[①] 戴健等编著：《锦绣安徽：庐阳春晖》，安徽教育出版社1999年版，第62页。

年1月8日,市政府下发《关于成立合肥经济技术开发区协调服务领导小组的通知》,成立以市委副书记、市长钟咏三为组长的协调服务领导小组。由此,拉开合肥经济技术开发区建设的序幕。4月3日,合肥经济技术开发区(简称"合肥经开区")正式开工建设。

经开区

合肥经开区行政管辖面积53平方千米,位于合肥市南部,距市中心6.5千米,区域东起沪蓉高速,西至合九铁路,南靠方兴大道,北接312国道,祖居人口3.3万多人。①

合肥经开区建立之初,由于国家实行宏观调控政策,开发区遇到资金、体制、项目等方面的诸多困难。面对巨大的困难和压力,开发区党工委、管委会发扬"团结拼搏、艰苦挺进、改革创新、无私奉献"的精神,在困苦中挺进发展。

新区开发,白手起家,最大的问题是筹措资金。为解决资金问题,建区之初,合肥经开区决策者从实际出发,采取"筑巢引凤"和"引凤筑巢"相结合,相应制定了"低门槛"出让土地的优惠政策,积极招商引资。此举推出,吸引了大量国内外客商前来考察、洽谈投资,仅在建区3个月内就引进兆峰陶瓷等近30个项目入区,与外商签订土地出让协议8.7亿元,到位1.47亿元,从而保证了开发区基础设施

---

① 《合肥市志(1986—2005)》,第631页。

建设的顺利启动。① 1993 年 4 月 3 日,开发区第一条主干道繁华大道开工,紧接着莲花路、始信路和锦绣大道也相继破土。数千名施工大军夜以继日,仅用短短 88 天,10.8 千米长的框形大道就全部完工,形成了开发区中心起步区的基本框架。

1993 年 7 月 6 日,安徽省机构编制委员会下发《关于同意成立合肥经济技术开发区管理委员会的批复》,至此,经开区管委会正式成立。1994 年秋,佳安轮胎项目入区,开发区招商引资工作全面启动。紧接着,世界 500 强企业泰国正大饲料、日立建机、可口可乐等项目陆续入区。这些大项目的入驻,发挥了以外带外、以大带大的联动效应。

1995 年 12 月 28 日,中央编办和国务院特区办下发《关于确定开发区行政管理体制和机制改革试点单位的通知》,批准合肥经开区为全国开发区首批行政管理体制和机构改革试点单位之一。1996 年 9 月,试点方案在全国首批试点开发区中第一个得到中编办、国务院特区办批准,1997 年 4 月改革方案正式实施。同年 9 月,中共合肥市委、市政府下发文件,确立"小政府、大社会,小机构、大服务"的管理模式,建立精干、高效的现代行政管理体制,设立"两办八局"机构,明确职能职责和管辖区域,积极探索出一条开发区行政管理体制和运行机制的新路子,并在全市开发区开花结果。开发区体制改革的顺利实施,使开发区由政策优势转向体制优势。

在管理体制改革的基础上,合肥经开区继续不断深化体制改革,更加注重民生工程,强化城市管理职能。1998 年,是合肥经开区进入"二次创业"的开局之年。在加快工业化、城市化和现代化进程中,经开区结合实际,提出"三个主旋律",并以"两个安置"和"三个转变"②

---

① 杜平太:《开放开发再造新合肥 凝心聚力建设新城区》,吴昌期、王开玉主编《安徽省开发区年鉴·1992—1997》,安徽人民出版社 1997 年版,第 212 页。

② "三个主旋律":指"项目是生命线,带领农民致富是立身之本,改革创新是永恒的主题";"两个安置":指住房安置和就业安置;"三个转变":指农村向城市转变,农业向二三产业转变,农民向市民转变。

为重点,跳出"农"字谋农利,实行以土地换保障,创新征地拆迁模式,全面实施社区开发建设,并使全区所有居民都参与社会资源的分配,创造性地总结出一套妥善解决"三农"问题的做法,被商务部誉为"合肥模式",在全国推荐。

  投资环境的优化、发展空间的拓展,使得合肥经开区的招商引资和经济建设得以快速发展。到1998年6月底,合肥经开区已完成固定资产投资44亿元,进区项目达到115家,总投资96.53亿元,协议外资10.08亿美元,实际到位4.9亿美元。其中外资项目52家,总投资11.6亿美元,投资千万美元以上的外资项目数已达19家,涉及17个国家和地区。合肥经开区项目建设已粗具规模。新加坡佳通轮胎、日本日立挖掘机、中国香港兆峰陶瓷、泰国正大饲料、美国可口可乐和油脂公司等一批支柱工业项目已进入全面投产和部分投产阶段;台湾统一食品、中德彩印中心、华新电工、中富容器、祥泰能源等一批重点项目建设快速推进,初步形成了以机械制造、化工、新型建材、食品和饲料加工为主体的现代工业格局。至1999年,合肥经开区共实现国内生产总值(GDP)28.8亿元,实现工业总产值64.7亿元,批准外商投资项目7家,实际利用外资1.7亿美元,实现财政收入近4亿元。[①]

  2000年2月,合肥经开区被国务院批准为国家级经济技术开发区,标志着开发区发展规模、竞争实力和影响力都跨入国家级开发区行列。由此,合肥经开区的经济社会各项事业进入全面发展阶段。

(三)合肥新站综合开发试验区

  合肥新站综合开发试验区的设立,源于合肥新火车站的建设。合肥老火车站是淮南铁路线上一个客站,规模很小。随着合肥城市人口和城市规模的不断发展,老火车站虽多次在原地扩建、改造,仍远不能适应省会城市政治、经济和社会全面发展的需要。1977年9

[①] 戴健编著:《锦绣安徽:庐阳春晖》,安徽教育出版社1999年版,第63页。

月,万里任安徽省委第一书记,在合肥城市总体规划编制过程中,提出把合肥原有火车站和铁路向城外移,解决铁路分割城市问题。1985年,市规划院副院长兼总工程师夏有才和省规划院总工程师许保春,联名向省政协提交建设合肥新火车站的提案,得到一致赞同,并写出专题报告,报全国政协转给全国人大常委会讨论。1986年,全国人大表态要铁道部会同安徽省人大和合肥市政府研究。① 1989年10月10日,铁道部下达《关于变更合肥站址方案的批复》,根据总体规划,批准在现有老站沿胜利路向北1.8千米处建设合肥新客站。建设合肥新客站及其配套基础设施总投资7亿元,合肥市需承担5亿元。这笔巨大的投资额,合肥市地方财政无力承担。因此,自1989年立项以来一拖就是3年。

新站区

1992年,随着合肥铁路枢纽开工建设,安徽省、合肥市开始启动建设合肥新客站。为筹集项目所需资金,中共合肥市委、市政府改革原有的建设模式,决定组建一班人马,划征一块土地,赋予优惠政策,运用社会主义市场经济规律,自筹资金建设国家重点工程。1992年10月,合肥新火车站工程建设指挥部(试验区管委会前身)在市委、市政府赋予的"建设一个新客站,完善一片新城区"的历史重任下应运而生。1992年12月18日,合肥市城市建设综合开发总公司(和新

---

① 夏有才:《合肥城市规划事业的回顾与展望》,中国城市规划学会编《五十年回眸:新中国的城市规划》,商务印书馆1999年版,第338页。

火车站建设指挥部为一个机构、两块牌子)正式宣告成立,主要负责以企业化运作为新站建设筹集资金。

由营造新火车站而筹划启动新站综合开发试验区,称得上是再造新合肥的又一大手笔。建设之初,合肥新火车站工程指挥部分7批征用原郊区4个行政村的606.8万平方米集体土地,提出了"以地生财,综合开发,增值回收,滚动发展"[①]的模式,着力在土地上做文章,向土地要效益,筹集建设资金。在国家和安徽省两级财政仅拨款6000万元的情况下,新站指挥部通过发行建设债券和银行贷款等方式又筹集资金3900万元,迅速启动新客站建设,并大力开展基础设施建设,对土地分期进行熟化,使之升值。新站工程建设指挥部对熟化后的土地做出细致的成本测算和价格分析比较,确定较为合理的出让价格,同时,还为客商提供经济测算、规划、代办使用证及许可证等服务。

优越的交通区位优势、优质的服务和一系列招商引资活动,吸引来自新加坡、马来西亚等国家和中国香港地区的中外客商前来洽谈土地出让、合作开发,引资势头强劲。新站区建设者抓住机遇,驾驭市场,对土地坚持出让与联合开发并举的方针,实行"出让土地从严,联合开发从优"政策,于是引发了第一拨购地投资的热潮。

1993年3月,安徽中州置业股份有限公司在新站建设区内率先开工建设五州商城D区,拉开新站区开发建设的序幕。4月,珠海金宇实业发展股份有限公司,看好合肥新站广场对面胜利路与站前路交口西南角土地,以每平方米950元(每亩63.3万元)成交,并付390万元订金。这是新站开发区出让成功第一宗土地,起到了稳定人心、鼓舞士气的作用。1994年5月,安徽省新鸿安房地产开发公司取得胜利路与站前路交口东南角第二宗土地的开发权。

1995年4月,安徽省人民政府批准设立合肥新站综合开发试验

[①] 合肥新站综合开发试验区地方志编纂委员会编:《合肥新站综合开发试验区志(1992—2005)》,黄山书社2010年版,第1页。

区(简称"合肥新站试验区"),批准规划面积 10 平方千米,集中开发面积 6 平方千米。

1996 年 7 月 23 日,中共中央政治局常委、书记处书记胡锦涛视察合肥新站试验区,对该区开发建设过程中探索出的一些好做法给予充分肯定,认为试验区生机勃勃,大有作为。在整个合肥新站试验区开发建设过程中,党和国家领导人万里、丁关根、吕正操、陈锦华等先后前来视察。国家建设部部长侯捷在听取安徽省、合肥市汇报后,认为合肥新站试验区以重点工程建设为依托,以自筹资金为主,以城市基础设施为骨干,商、工、贸、住宅、文化协调同步发展,大规模成片开发建设现代化新城区的经验值得推广,并派专人来调研,决定把合肥新站试验区列为全国首家城市综合开发试点区。12 月 22 日,合肥新站试验区第一届党工委、管委会领导班子成立。

1997 年 4 月 1 日,随着合肥新火车站正式投入使用,新站试验区工程建设指挥部胜利完成中共合肥市委、市政府交给的"三年建成,两年完善"任务。从第一宗土地出让起,到 1997 年年底,合肥新站试验区共出让土地 709.55 亩,出让总价约 3.41 亿元,资金到位 3.29 亿元,资金到位率 96.5%。同期,试验区还与 8 家开发商联合开发 11 公顷土地,开发建房 21.9 万平方米,收益在 1 亿元以上。自此,合肥新火车站地区出现前所未有的繁荣兴旺景象,一个综合性、多功能、现代化的新城区已见雏形。安徽大市场、五州商城、新鸿安商城、瑶海家具世界及建材市场等一大批商业楼群拔地而起,站前商贸群体也逐步形成。以地生财,有力地推动合肥新客站站房主体工程及各项配套设施建设,先后建设站前广场和站前路、全椒路、琅琊山路、铜陵路、临泉路等 23 条 25 千米道路(含同步建设的供水、排水、煤气、供电等),110 千伏变电所和 6 万门程控电话交换局。

1998 年开始,合肥新站试验区进入全面发展时期。试验区管委会提出了"新站、新区、新生活"的工作思路,并提出以建设合肥市现代化新城区为主体,以开放开发为主线、以第三产业为龙头、以现代商贸为重点、以专业市场为特色,实施"商贸兴区,开放强区,形象立区,可持续发展"四大战略,开创房地产业和商贸业的繁荣,使合肥新站试验区快速融入合肥现代化大城市建设之中。① 1999年12月,由安徽省交通投资集团公司投资兴建的合肥市首家现代物流项目"新站综合储运中心"投入使用,合肥新站试验区以建设现代物流园为依托,开始向国家中部重要物流园区迈进。②

第二节　综合改革全面展开

一、全面推进国有企业改组改制

进入20世纪90年代以来,以邓小平南方谈话和中共十四大提出建立社会主义市场经济体制为标志,合肥市的企业改革和发展进入制度创新、转换机制阶段。改革的主要任务是重新塑造社会主义市场经济的微观基础,使企业真正成为自主经营、自负盈亏的法人实体和市场主体;改革的方向是中共十四届三中全会提出的建立"产权清晰、权责明确、政企分开、管理科学"的现代企业制度;改革的形式是以股份制和股份合作制、优化资本结构、实施资产重组为重点,探索建立现代企业制度的方式和途径。1992年至1998年,合肥市企业改革和发展步入了一个新的阶段,主要进行了以下几个方面的改革探索。

(一)转换企业经营机制,实行三项制度改革

1992年7月,国务院颁布了《全民所有制工业企业转换经营机制

---

① 《合肥市志(1986—2005)》,第648页。
② 《合肥市志(1986—2005)》,第651页。

条例》。该条例明确了企业经营权,企业自负盈亏的责任,企业和政府的关系,企业和政府的法律责任等问题。为贯彻此条例,合肥市从实际出发,在全市工业企业推行劳动、人事、工资三项制度改革。改革的主要内容是,工人实行劳动合同制,干部实行聘用制,岗位进行优化组合,工资与效益挂钩,打破长期以来形成的"铁饭碗""铁交椅""铁工资",建立干部能上能下,工人能进能出,工资能升能降的新机制。这项改革经过试点,逐步推开。到1993年年底,合肥市有15万名职工已实行了全员劳动合同制或上岗合同制。[①] 同时还在一些工业企业进行了仿"三资企业"试点、劳动制度综合改革试点、无行政主管试点,以及关、停、并、转、兼并、联合、分离、租赁、破产、拍卖和国有民营试点。这些改革措施,不仅促进了企业经营机制的转换,也使职工解放了思想,为今后企业进行减员增效、职工下岗分流打下了思想基础。

(二)推进公有制企业的股份制改革,探索公有制多种实现形式

在20世纪80年代末、90年代初,合肥市就在一些企业进行了股份制改革的试点。1992以后,全市本着先易后难、以点带面、实事求是的原则,从再造与社会主义市场经济相适应的微观基础入手,高强度地推进国有大中型企业股份制改造。1992年12月,合肥电冰箱总厂率先改制为美菱股份有限公司。1993年,首次向社会公开发行3000万股A股股票,成为全省第一家上市公司。1996年8月,美菱电器还向境外投资者发行10000万股B股股票,再次成为合肥首家发行B股的上市公司。通过股票上市,筹集了几亿元资金,使美菱的发展跨入了一个新阶段。经过几年努力,到1998年年底,合肥市属大中型工业企业已有45家实施了股份制,改制面达80%,其中19户改制为股份有限公司,26户改制为有限责任公司。先后有美菱、国

---

① 《合肥市志(1986—2005)》,第596页。

风塑业等4家上市公司5只股票上市。改制企业总股本金达32亿元,其中股票上市及配股筹集资金18亿元。

在改制的基础上,合肥市又选择美菱、荣事达、合钢、锻压、国风塑业等12家企业进行现代企业制度试点。安徽开元集团被列为全国百家现代企业制度试点企业,是合肥第一个被安徽省政府授权为国有资产主体、实行授权经营的企业集团。1998年,全市共有合资、控股、参股子公司16个,实现了由产品经营向资产经营跨越。通过改制,明晰了产权,促进了政企分开,转换了企业经营机制,加强了企业管理,拓宽了融资渠道,推动了大公司、大集团发展战略的实施。

1995年以后,合肥市对国有小型企业和集体企业,在探索多种改革形式的同时,主要进行了股份合作制改革。针对国有小型工业企业机制不活和整体素质不高的状态,合肥在全市国有小型企业进行"先出售后改制,内部职工持股"为主要形式的产权制度改革。1998年,合肥市实行产权制度改革的小型企业有112户,占全部国有小型工业企业总数的91%。通过改制改组,全市约有80%国有工业小企业退出了国有范畴,增强了企业活力。同时,经过多年坚持不懈的改革,1998年,合肥市572户市属乡及乡以上独立核算工业企业,50%以上实行了改制。

与此同时,合肥市乡镇企业的改革也在向纵深推进,全面开展了各种形式的产权制度改革,为全市乡镇企业二次创业注入了强大动力。常青纺织印染总厂、金钟纸业股份有限公司等一批上规模、上档次的重点骨干乡镇企业改制后,成为合肥市乡镇企业的排头兵和主要经济增长点。1997年,安徽双墩食品有限公司成立,它是一家跨地区、跨所有制的联合公司,以乡镇企业灵活的机制优势及名牌,与国有企业合肥面粉厂实现资产优化组合,成功地实现了低成本扩张,壮大了自身实力,成为合肥市首家"老乡"吃"老大"的企业。到1998年年底,合肥实行各种改制形式的乡镇企业达800多家,占计划改制的40%以上。其中实行股份制和股份合作制企业271家(改为股份有限公司的9家),占改制企业的34%,募集各类资金2亿多元,实行拍卖、租赁、兼并的企业有 343 家。

（三）加强企业管理，坚持制度创新和管理创新

20 世纪 80 年代，合肥市在推行承包经营责任制的同时，就开展过企业整顿、管理上等级、现代化管理试点等工作。进入 90 年代，在深化企业改革中，合肥加强企业管理，在工业企业中深入开展学邯钢活动，不断提高企业素质与管理水平，使企业管理工作有了新进展，涌现出一批基础管理实、创新意识强、整体素质高、经济效益好的优势骨干企业和先进的管理理念。如美菱集团成立的"三维动态管理法"，以及在此基础上创立的成本战略法；荣事达集团以市场为轴心，创立的"零缺陷管理法"，已被列入"安徽十大企业管理法"之中，在安徽全省乃至全国产生很大影响。

同时，合肥市在推动资产重组中，坚持把管理同企业改革、改组、改造相结合，不失时机地引进优秀的企业文化、先进的管理方法以及灵活的经营机制，使企业管理工作增添了新的生机和活力。如海尔集团的企业文化、昌河集团的管理模式、紫星集团的经营机制，均在合肥市企业中产生积极影响，促进了企业管理创新。

（四）优化资本结构，实施国有企业政策性破产

1995 年，随着国企改革的不断推进及国内宏观经济环境的变化，多年来积淀在经济发展中的深层次矛盾和问题更加尖锐、突出，国有企业只生不死、机制不活、资产凝固、冗员过多、负担沉重等弊端，使其在体制转换、结构调整过程中遇到了前所未有的困难。该年年末，合肥市仅预算内工业企业计挂账亏损 5.17 亿元，各类内亏 4.25 亿元，库存产品和应收账款年末占用资金 24 亿元，接近银行短期贷款年末余额，资产负债率高达 81%。

1996年年初,合肥市进入全国"优化资本结构"试点城市行列。[①] 合肥紧紧抓住这一契机,按照"增资、改造、分流、破产"的八字方针,深化国有企业改革,实施重点突破,出台了一系列配套政策,在多渠道增资减债、剥离企业办社会职能、积极搞好富余人员分流的同时,于当年年底依法对51户企业实施破产。这些破产企业共涉及债务32亿元,其中银行贷款本息达27.3亿元,可核销的呆坏账总额为20.18亿元。通过对一些资不抵债、不能清偿到期债务、长期亏损的国有企业依法破产,促进了优胜劣汰竞争机制的形成,从根本上解决了资不抵债企业无法进行兼并重组走出困境的难题,为推进合肥市工业经济结构调整和国有企业战略性重组创造了有利条件。

1996年至1997年,合肥市按照国家关于"鼓励兼并、规范破产、减员增效、下岗分流、实施再就业工程"的总体要求,以及国家批准下达的企业兼并破产和职工再就业工作计划,累计核销银行呆坏账准备金4.83亿元。1998年,合肥市经国家批准下达的兼并破产和职工再就业工作计划,共有22个项目,涉及核销银行呆坏账总额1.85亿元。其中,昌河飞机工业公司兼并安徽淮海机械厂,被列入重大结构调整项目,涉及核销银行呆坏账准备金6000万元。经过3年的兼并破产,使合肥市预算内工业企业资产负债率由81%降至62%,为加快全市国有企业改革和发展奠定了基础。[②]

(五)着眼全局,国有企业战略性重组

1997年9月召开的中共十五大指出,要调整和完善所有制结构,探索所有制的多种实现形式,从战略上调整国有经济布局;要着眼于搞好整个国有经济,抓好大的,放活小的,对国有企业实施战略改组。随后,合肥市根据这一精神,遵循市场经济发展的客观要求,按照"三

---

① 1994年2月,国家选定18个城市进行"优化资本机构"试点,安徽的蚌埠位列其中。1995年年初,国务院又决定从1996年起,将18个城市"优化资本结构"试点扩大到50个大中城市。

② 《合肥市志(1986—2005)》,第597页。

个有利于"和"不求所有,但求发展"的思路,突出盘活存量资产,大力推进国有企业战略性重组。截至1998年,全市共有29户工业企业被省内外34户各种所有制优势企业兼并或收购,共盘活存量资金23.9亿元,安置职工4.7万人。合肥市经贸委在资产重组工作中,坚持"效率、效益、市场、稳进"的原则,始终把整体接收或基本接受、妥善安置职工作为前提条件,并分类指导、组织实施,从而保证了这项工作顺利推进,获得约90%的成功率。到1998年年底,全市实行产权制度改革的国有中小企业达112家,占此类企业总数的91%。通过改制改组,约80%的国有工业小企业退出了国有序列。[①]

合肥市国有资产重组主要有四种类型,即同业扩张型、资产划转型、跨制转移型、外商购买型。同业扩张型,是指同行业之间为了扩大生产规模,组建企业集团而采取的一种强强联合形式。如昌河飞机工业公司兼并淮海机械厂,海尔集团兼并黄山电器有限责任公司,中国轻骑集团兼并合肥自行车厂,上海华源集团整体接收安纺一厂、二厂。资产划转型,是指在国有企业中进行兼并行为,即将被兼并企业的资产无偿划给兼并企业,由兼并企业全部接收安置被兼并企业的职工,如江淮汽车集团兼并合肥客车厂等。跨制转移型,是指资产重组打破行业和所有制界限,国有或国有控股企业兼并集体企业,乡镇企业、私营企业等兼并国有企业,即跨所有制兼并。如合肥四方集团(国有)兼并合肥环卫车辆厂(集体),安徽华贝集团(乡镇企业)收购合肥皮革总厂(国有),安徽紫星公司(私营)收购合肥新光包装彩印厂等。外商购买型,是指由外商投资企业出资,购买市属国有或集体企业。如合肥润安发展有限公司收购合肥毛巾厂等。

通过国有资产的流动和重组,合肥市工业结构得到了调整优化,困难企业重获生机,有效资产逐步向名牌产品、优势企业和优秀经营者集中,一批大企业、大集团如海尔、昌河、中国轻骑、古井集团等先后落户合肥,引进资金2亿多元,为全市工业经济发展注入了新的活

---

① 《合肥市志(1986—2005)》,第597页。

力,增添了后劲。以合肥昌河、合肥海尔为代表的资产重组企业,1998年累计实现工业总产值30亿元,占合肥市规模以上工业总值的13.2%,对全市工业增长的贡献率达67.7%。在吸引外地企业来肥进行资产重组的同时,合肥市的一些优势企业也跨出了市域、省域,向外地成功地进行了扩张。如美菱集团兼并了昆明电冰箱厂;荣事达集团在芜湖市经济技术开发区建立了注塑中心,兼并了重庆市洗衣机厂,实现了跨区域的资产重组,救活了经营困难、濒临倒闭的企业。

作为资产重组工作的延伸,优势企业产品配套工作也同步推进。为做好此项工作,合肥市政府在资金注入、贷款贴息等方面积极支持中小企业进行技术改造,围绕合肥美菱、荣事达、合肥昌河、合肥海尔等优势企业,大力推进企业间产品配套工作,实现大中小企业共同发展。截至1998年,合肥已有江南机械、汽车油泵、合肥佳通、红旗机械等企业为合肥昌河配套;晶体管厂、元件三厂、国风塑业等为合肥海尔配套;手表厂等为荣事达配套等。这不仅解决了一部分中小企业的生存和发展问题,而且扩大了合肥市重点产品的覆盖面,为优势企业低成本扩张创造了条件。

(六)扶优扶强,实施大公司、大集团战略

"八五"期间,合肥市就把组建和发展大公司大集团作为加快工业结构调整、培育支柱产业、增强经济综合实力的关键来抓,提出了"扶优扶强、创牌造舰"的发展思路。先后选择了一些有名牌产品、有发展潜力的大企业进行企业集团试点,按照建立现代企业制度的要求,进行资产重组,扩大了规模,壮大了实力。

为进一步推动大公司、大集团战略实施,1996年,合肥市政府下发了《关于加快组建发展重点企业集团若干意见的通知》,提出了赋予重点企业集团的有关优惠政策。合肥市在指导企业集团组建过程中,坚持从实际出发,遵循"宜大则大、宜优则优、规模经济"的原则,不搞"拉郎配"式的行政捏合,注重发挥企业的内在要求和生产要素

的社会优势，以资本为纽带，以名牌产品、科技人才、营销网络为依托，不断发展壮大企业集团的实力。至1998年年底，合肥市已有35户企业集团，其中工业企业集团30户。同时，坚持实施"五个十工程"（企业集团、骨干企业、外资企业、乡镇企业、个私企业各10户）。1998年，合肥市列入"五个十工程"的10户重点集团，即美菱、荣事达、开元、四方、芳草、王冠、廉泉、华德、安利、华贝，拥有总资产98.9亿元，净资产52.9亿元，销售收入63.7亿元，实现利税6.6亿元。这些重点集团对增强合肥市工业经济的竞争力，保持工业经济持续快速健康发展，发挥了重要作用。[①]

（七）探索下岗职工再就业工作

1996年以来，合肥市在实施破产重组，搞好结构调整的同时，坚持把国有企业下岗职工基本生活保障和再就业工作作为维护大局稳定的头等大事来抓，按照"明确目标，突出重点，典型引路，规范操作，加强调控，稳定大局"的思路，努力做到认识、领导、政策、工作、督查五到位，使合肥全市下岗职工基本生活保障和再就业工作取得阶段性成果。这些成果可简单概括为"四个百分之百""三个确保""两个实现""一个目标"。

做到了"四个百分之百"，即凡有下岗职工的国有企业都建立了再就业服务中心和分中心；全市符合进中心条件的3.24万名下岗职工，全部按规定进入了再就业服务中心；进入中心的下岗职工全部和中心签订了基本保障和再就业协议；进入中心下岗职工全部按月足额领到了基本生活费。实现了"三个确保"，即确保合肥市国有企业下岗职工的基本生活；确保离退休职工工资按足额发放；确保"三无"特困职工基本生活不出问题。做到了"两个实现"，即实现了养老金和失业保险金由社保部门征集向税务部门代征的平稳过渡；实现了由建中心、进中心向培训分流的工作重心转移。完成了"一个目标"，

---

① 《合肥工业五十年》，第20页。

即1998年合肥全市7.3万名国有企业下岗职工,到年底有3.6万名国有企业下岗职工通过资产重组、发展三产、社区服务、个人自谋等方式实现了再就业。①

(八)初步建立国有资产管理和经营机制,中小企业改革初见成效

1995年,中共合肥市委、市政府从建立规章制度、促进政企分开、提高国有资产的运营质量和效益的目标出发,制定《关于加强国有资产管理工作意见》,在安徽省率先确立了国有资产管理和经营体制改革的"三层次框架"。经过几年努力,1998年已在第一层次上,成立了国有资产管理委员会及办事机构,并明确了职责;在第二层次上,先后组建了安徽开元、合肥美菱、合肥纺织集团等控股有限责任公司和合肥国有资产控股有限公司等5个三种不同模式的国有资产营运主体,并对其进行国有资产授权经营,按照母子公司的体制进行了改造;到1998年年末,5户控股公司拥有子公司40户,经营国有净资产23.03亿元,占合肥全市经营性国有资产的31.4%;在第三层次上,一批国有大型企业按照现代企业制度的要求进行改制,从而为构筑新型的国有资产管理、监督、营运体系,确保出资人到位,积累了经验,奠定了基础。到1998年,合肥市通过国有资产授权经营等方式,发展了一批大公司、大集团,培育壮大了合肥市的支柱企业,也盘活了大量的国有存量资产,实现了国有资产保值增值,防止国有资产流失。

1998年,合肥市曾采取多种改革和扶持措施,力图帮助一些亏损严重、陷入困境的中小企业扭亏脱困,步入健康的发展轨道。但事实说明,对这些企业仍沿袭"市里管、财政包、单纯搞工业生产"的老路是行不通的,必须换个思路求发展,对它们实施产业结构战略性调整。中共合肥市委、市政府经过认真研究,参照外地经验,结合合肥

---

① 《合肥工业五十年》,第21页。

实际,决定将1998年年底销售收入在1000万元以下的市属经委口工业企业划转市辖区管理。首批共划转45户企业,13.4亿元总资产,3630.3亩土地面积,53.6万平方米厂房。划转的方式是,按属地原则,将企业整建制划转市辖区管理。为做好划转工作,合肥出台了10条配套政策,并成立企业划转办公室,具体负责协调解决企业划转过程中的相关事宜。一些企业通过退二进三,即办市场、办教育、搞开发、资产重组、技术改造等多种途径走出困境。随后,合肥又下划了11家中小企业。

20世纪90年代,合肥市国有企业的改组改制,从总体上增强了国有企业的活力和国有经济的控制力,对于建立社会主义市场经济体制,促进经济持续快速健康发展,提高人民生活水平,保持安定团结局面,都具有十分重要的意义。

二、非公有制经济的发展

进入20世纪90年代后,合肥市民营经济发展迅速,已成为国民经济的重要组成部分,成为促进社会生产力发展的重要力量。以邓小平南方谈话为起点,民营经济发展环境宽松程度前所未有,发展速度明显加快。特别是中共"十四大"确立建立社会主义市场经济体制的发展目标,使民营经济在徘徊中重新步入加快发展的轨道,出现前所未有的发展态势。

1992年,合肥市个体工商户登记数为1.23万户,从业人数近2万人;私营企业为457个,从业人数为5172人。到1995年,合肥市个体工商户登记数为7.34万户,从业人数近13.6万人;私营企业为2361个,从业人数近3万人。[①]

1996年后,随着集体企业、国有企业的转轨改制,一些有技术、懂管理的人脱离国有、集体企业后,加入到个体私营队伍中来。他们在

---

① 《合肥市志(1986—2005)》,第881页。

失去"铁饭碗"之后,利用原来在企业的经验,开始了创业。或合伙成立民营企业,或从事小本买卖,其中佼佼者有的成为合肥民营企业的领头人。这一阶段,合肥市个体私营等民营经济总量加快增长。

1997年9月,中共十五大确立"以公有制为主体、多种所有制经济共同发展,是我国社会主义初级阶段的一项基本经济制度"。确认"非公有制经济是我国社会主义市场经济的重要组成部分。个体、私营等非公有制经济要继续鼓励、引导,使之健康发展"。在这一政策指导下,合肥市民营经济继续加快发展。仅1998年一年,合肥市民营企业就增加1000多家,且规模不断扩大,制度创新、管理创新、技术创新力度不断加大,经营领域不断拓展,产业结构不断优化,队伍素质不断提高,逐步从粗放型向集约型转变。

1999年3月,全国人大九届二次会议通过的《中华人民共和国宪法修正案》明确规定:"在法律规定范围内的个体经济、私营经济等非公有制经济,是社会主义市场经济的重要组成部分。"这是国家根本大法对非公有制经济20年来生存发展及其贡献的充分肯定。1999年,合肥市个体工商户登记数已超过10万户,从业人数21.8万人;私营企业为6689个,从业人数为8.7万人。[①] 从合肥市民营经济发展历程可以看出,1990年以来,其迅速发展绝不是偶然的,它主要源于全市上下在思想观念、政策制度、工作措施等方面的突破。具体表现在以下三个方面。

首先,齐抓共管,协调配合。中共合肥市委、市政府一直高度重视个体、私营等非公有制经济的发展,先后出台了《关于放手发动个体私营经济的决定》(安徽全省首创)、《关于进一步加快发展个体私营经济的决定》、《关于深入贯彻落实合发1998年7号文件的通知》、《合肥市发展私营企业条例》等一系列政策和法规,引导、鼓励和规范民营经济的发展;成立并不断充实合肥市个体私营经济发展领导小组,加强对个体私营经济的领导、协调和管理;相继出台了合肥市和

---

① 《合肥市志(1986—2005)》,第882页。

三县四区的个体私营经济发展计划和"八五""九五"等五年规划；合肥市区和原郊区规划并开辟了个体私营经济开发小区，在全市创造了个体私营经济发展的良好条件，形成适合个体私营经济发展的良好氛围。同时，工商、税务、物价、技术监督、乡镇企业管理、交通、城建、市容、卫生防疫等部门在各自职责范围内，主动创造条件，竭尽全力支持、服务个体私营等民营经济的发展，形成了推动民营经济发展的强大合力和长效机制，有力地保障了民营经济又好又快发展。

其次，国退民进，拓展空间。改革开放是合肥市民营经济发展的不竭动力。社会主义市场经济体制的建立和完善，使长期在计划经济体制下形成的体制逐步革除，合肥市民营经济与其他经济成分平等竞争、优胜劣汰的政策和市场环境日益形成，生存和发展的空间大大拓宽；国有企业的改革不断深入，"国退民进"战略的实施，为合肥民营经济的发展提供广阔的空间；对外开放的纵深推进，及安徽省东向发展战略的实施，为合肥市民营经济在更大范围、更高层次上配置资源扩大了空间，为"请进来""走出去"提供了历史性机遇和条件。

再次，以民为本，鼓励创业。民营经济的本质是民本经济，因此，坚持以民为本，调动和激发广大群众的创业激情和智慧，始终是各级党委、政府及其相关部门努力发展经济的出发点和立足点。在个体私营经济处于姓"资"姓"社"的怀疑时期，中共合肥市委、市政府采取"不争论、不张扬、不阻止"的态度，放手让个体私营经济发展；对民营企业在发展过程中出现的问题或错误，政府不是"一棍子打死"，而是统一思想，积极引导，逐步规范，帮助其趋利避害，最终使不少企业做大做强；按照邓小平1992年南方谈话中"三个有利于"的原则（即有利于发展社会主义社会的生产力，有利于增强社会主义国家的综合国力，有利于提高人民的生活水平的原则），鼓励民营企业自主选择产权制度形式、经营方式等，并大张旗鼓地宣传具有示范性、典型性的创新举措，保护和调动了广大民众的创业、创新精神。

20世纪90年代以后，合肥市民营经济的长足发展，对于促进全市国民经济增长、扩大社会就业、增加财政收入、优化经济结构等方面都发挥了积极而巨大的作用。但与全国个体私营经济发展相比、与做大做强经济总量的发展要求相比,合肥市民营经济的发展仍然不是很快,在发展过程中仍面临着许多困难与问题。这既有体制、政策、环境等原因,也有民营企业自身存在的缺陷和弱点。

第三节　进一步深化农村改革

一、农村产业化及综合开发

家庭联产承包责任制的推广与发展,使合肥农村逐步形成多种形式的经济组织,农村经济新体制的框架初步显现。同时,经过十多年的改革探索,合肥农村经济不仅发展迅速,还在发展过程中,使农村劳动力结构发生很大变化。由此,中共合肥市委、市政府有针对性地开展了一系列深化农村改革的政策、措施。

（一）实施第二轮土地承包

"八五"后期,合肥市农村改革的深化,最重要举措是实行第二轮土地承包。1994年年底,合肥市第一轮15年土地承包基本到期。1995年,合肥农村开始启动第二轮土地承包。此轮土地承包工作共分为三个阶段进行:第一阶段实行试点引路,自1995年开始,到1997年基本结束。此间,全市以县（区）为单位,层层成立组织、制定方案、印发承包合同书,由发包方与农户签订30年不变的承包合同,部分行政村留有预留地不得超过总耕地的5%限额。各地大都以村集体经济组织或村民委员会进行发包,并履行宣传发动、召开会议、讨论方案、登记造册、张榜公布、签订合同、检查验收等程序。对土地所有权属于村民小组的,按安徽省统一要求,于1998年年底补办了村民小组委托村集体组织发包的委托书。农业第二轮土地承包合同签订一式三份,村民小组、村、乡镇各保留一份,村、乡存档管理,乡镇农经站办理农业承包合同的签证手续。自1998年起,合肥市农委组织力量对全市已经签订30年承包合同书的农户再发放土地承包经营权证书,进一步完善土地承包关系,给农民吃了"长效定心丸"。同时,逐级建立健全农村土地合同承包管理办公室和农业承包合同仲裁委员会,加强合同管理指导,开展土地承包经营权流转和纠纷仲裁,规范土地承包合同的档案管理。第三阶段工作主要对农村土地承包工作进行依法管理,突出重点,全面完善。

总体上看,二轮土地承包工作开展以来,合肥农村土地承包关系是稳定的,农村土地承包政策得到认真落实,绝大多数农民对土地承包关系是满意的。但是随着时间的推移,特别是随着农村税费改革的深入,农业承包合同管理工作出现了一些新情况、新问题。主要是:一些地方土地承包合同纠纷较多;由于时间跨度长、涉及面广、政策可操作性不强,解决起来难度较大;土地流转处于无序和不规范状态等。①

1995年全市农村启动第二轮土地承包后,土地流转现象逐渐多了起来。起初,外出务工经商的农民将承包地交由亲友代耕代种,承包时间和流转形式主要是口头协议。后期由于农村小城镇建设加快,二、三产业发展,土地流转越来越多,呈加快趋势。

(二)农民专业合作组织的兴起

农民专业合作组织,是改革开放以来在农村发展市场经济的过程中,适应拓展经营领域、延伸产业链的需要而逐步发展起来的。合肥市农民专业合作组织的发展大致经历了从无到有、从小到大、从少到多、从弱到强的过程,从简单的技术协会,走向生产、技术、信息等多形式、多层次、多类型的合作。

---

① 《合肥市志(1986—2005)》,第593页。

20世纪80年代中期至90年代末期,是合肥农民专业合作组织自发发展和政府支持态度逐步明朗化的阶段。实行联产承包制以后,农户生产经营领域的拓展、农产品统派购制度的改革,激发了农户面向市场需求改进农产品营销或学习新技术的积极性。在需求诱导下,农民合作组织逐步形成和发展起来。但就总体而言,这一阶段农民专业合作组织的发展,基本上处于自生自灭状态。农民专业合作组织不仅数量少、规模小、稳定性差,而且规范化程度低,多数没有章程。

(三) 继续改革农产品流通体制

改革开放后,合肥农村农产品流通体制逐步改革,废除传统的统购统销制度,国家施行"合同"定购制度,逐步缩小政府定价购销范围,扩大市场机制范围。除棉花和部分粮食等外,绝大多数农产品市场购销和价格均已放开。随着市场对农产品需求的不断变化,农村分散的小规模农户经营与大市场的矛盾日益突出。为适应急剧变化的市场需求,各地相继形成一批"贸工农、产加销一体化"经营实体。

(四) 推进农业产业化

1995年,合肥市在全省率先出台《合肥市加快实施贸工农一体化建设若干规定》。1996年3月,中共合肥市第七次代表大会提出"推进农业产业化"。1996年12月和1998年6月,中共合肥市委、市政府两次召开全市农业产业化工作会议,统一思想认识。1997年,市政府出台《关于印发合肥市加快发展农业产业化实施意见的通知》;同年成立农业产业化工作指导委员会,并下发《合肥市农业产业化发展资金管理暂行办法》;1998年又下发《合肥市农业产业化考核奖惩暂行办法》《合肥市农业产业化龙头企业定量考核细则(试行)》,农业产业化经营初露端倪。

在产业发展措施方面。一是大力扶持龙头企业。为加快农业产业化的发展,壮大扶持农业产业化龙头企业,从1998年起,合肥市农业产业化工作指导委员会确定市级农业产业化龙头企业,首批确定

20家企业为市级龙头企业。1997年,设立合肥市丰乐种业股份有限公司(简称"丰乐种业")。丰乐种业股票成功上市,成为中国种业第一股,当年市农科所并入市种子公司,实现科研优势与生产经营、资金优势的优化组合。随后,丰乐种业被评为首批国家级农业产业化龙头企业。二是建设生产基地。合肥市规划重点建设一批"百头奶牛、千亩龙虾、万亩蔬菜园艺"、10万头生猪、50万亩饲料玉米、百万只家禽和百万亩高效优质粮油农产品生产基地,并持续推动实施。

自1990年中期以后,合肥市发展农业产业化成果显著。全市重点培育了丰乐种业、丰大集团等一批市县级龙头企业(其中市级30家,县级53家)。到2000年,合肥市已经初步建成种子、优质粮油棉、菜瓜果、畜禽、水产、特色经济6个产业系列,建立较大规模的10多类农产品生产基地,形成购销带动、加工带动、市场带动的产品30多类、200多种,建立基地200万亩,带动40万农户。全市还建有各类农产品市场379个,农产品商品率达到60%以上。种子、水产等农产品出口创汇达700多万美元。[1]

(五)农业综合开发

合肥市属于江淮分水岭地区。自1997年开始,合肥市在农业上还展开了影响深远的江淮分水岭综合治理开发。江淮分水岭从六安市起,斜向贯穿合肥市,一直延续到滁州市境内。江淮分水岭在合肥市的区域,由肥西县西南方向的大潜山(海拔289米)起,经长丰县的吴山镇,穿过肥东县白龙镇向东北方向延伸,全长约140千米。江淮分水岭地区岗冲起伏,垄畈交错,特殊的地理构造和气象条件,使得这一地区长期以来易旱易涝,多灾低产,成为制约合肥市农业生产的瓶颈地带。1997年11月,中共安徽省委、省政府决定对江淮分水岭地区实施综合治理开发,合肥市有39个乡镇被列入重点治理乡镇,

---

[1] 安徽省人民政府主办、安徽省情编委会编:《安徽省情6(1996—2000)》,天马图书2000年版,第402页。

占全省的39%。1998年3月,合肥市率先制定《江淮分水岭综合治理开发规划》,逐步形成《合肥市2003—2010年江淮分水岭易旱地区综合治理开发规划纲要》(修订稿)。[①]

合肥市江淮分水岭综合治理开发,主要实施了"把水留住、把树种上、把结构调优"工程;2002年,又提出了"把路修通"、形成多元化投入机制、培育新增长点等措施。

实施"把水留住"工程,增强农业抗灾能力。主要采取筑坝拦水,挖塘、改造旧塘、建水库蓄水,兴建水利工程引水等综合措施把水留住。同时兴建西水东调、引江济滁、滁河干渠和潜南干渠续建配套等一批重点引水工程,改善水利条件。在水利死角,打井建泵站提水。坚持开源与节流相配套,实施渠道硬化工程。这些水利设施尤其是当家塘坝在抗旱救灾中发挥了明显作用,像肥东八斗、长丰朱巷等过去一些严重缺水的乡镇,干旱年份也能基本保收。

实施"把树种上",改善生态环境。在江淮分水岭地区大力实施退耕还林,并把林果业作为江淮分水岭地区一大支柱产业来培育。实施成片造林、绿色长廊、经果林等植树工程,涌现出一批"万亩乡、千亩村、百亩片"的造林典型。通过促进林业的发展,涌现出肥西上派三岗、聚星,长丰新丰等一批通过发展果林促进农民增收致富的乡镇村,改善生态环境,苗木花卉发展加快。

实施"把机构调优"工程,提高农业经济效益。在江淮分水岭地区坚持因地制宜,大力调整产业结构,加快发展林果业的同时突出发展养殖业,着力提升蔬菜业,努力变对抗性农业为适应性农业。农业和财政部门联合出台《农业设施栽培以奖代补办法》《畜牧业富民工程以奖代补政策》等激励政策,引导岭区发展一乡一业、多村一品的区域产业。分水岭地区形成一批优势产业区(带),如三县主干公路沿线、长丰水湖等地的大棚蔬菜、草莓种植区,肥西上派、农兴等苗木花卉种植区,肥东解集等山羊养殖区,肥西小庙、高店等地大棚鸡养

[①] 《合肥市志(1986—2005)》,第719页。

殖区等，并粗具规模优势和商品优势。特别是设施栽培呈现出快速推进、规模发展的态势，建成多个无公害菜篮子产品生产基地。

在治理开发资金的投入中，坚持优化资金投向和使用办法，整合农业综合开发、分水岭治理开发、扶贫开发、以工代赈各项资金，突出重点项目，加大分水岭地区重点工程建设。在资金使用上，主要采取以奖代补、贷款贴息的办法。如实施栽培以奖代补办法，对规模达到3.3公顷以上的钢架和日光温室大棚每亩分别补助3000元和5000元；分水岭地区挖一口蓄水10万立方米以上的小水库，财政补助8万元；养殖小区以奖代补办法，对规模养猪、养鸡小区达到一定标准的，市财政分别补助8万元和5万元。在坚持以政府投入为主导的同时，鼓励和调动社会各类资金参与建设的积极性。在调整农业结构的同时，通过发展乡镇企业、民营经济，推进农村剩余劳动力转移，加大开发式扶贫等多种途径，促进岭区群众增收，从事二、三产业的农民占农村劳动力明显增加。

（六）扶贫开发

合肥地处江淮分水岭地区，灾害天气多，农业生产比较落后，特别是地处江淮分水岭两侧的长丰县，贫困农户较多，成为国家贫困县。[①] 为促进农村发展，早在1988年，中共合肥市委、市政府即做出"城乡一体共同发展"的决策。

为实现城乡共同发展，合肥扶贫开发的特点是城乡一体，重点长丰，兼顾肥东和肥西。中共合肥市委、市政府自1993年做出关注长丰、支持长丰的决策后，连续5年召开了长丰经济发展工作会议，专题研究部署帮扶长丰工作，并组织全市各方面力量帮扶长丰。到

---

① 长丰县自1965年成立后，在较长一段时间内经济发展缓慢，社会事业发展滞后。1992年，全县国内生产总值仅5.9亿元，财政收入2524万元，农民人均纯收入392元，主要经济指标在全省位列较后。1994年，国务院制定《国家"八七"扶贫攻坚计划》，调整国定贫困县标准，即以县为单位，凡是1992年人均纯收入低于400元的县，为国定贫困县。当年，长丰县被确定为国定贫困县，列入国家"八七"扶贫攻坚计划。参见《长丰县志（1986—2005）》，方志出版社2009年版，第48页。

1996年6月,全市100多个市直部门和企事业单位对长丰进行的帮扶,提供了各类资金近亿元,帮扶建设的项目70个。[①] 与此同时,长丰县委和县政府根据国家、省、市扶贫开发政策,先后于1994年7月和1996年7月印发《关于贯彻实施国家"八七"扶贫攻坚计划和省"3358"脱贫计划的通知》和《关于加快脱贫致富奔小康进程的决定》等一系列文件。确定全县扶贫开发的20个重点乡镇,以1992年人均纯收入在400元以下的277个行政村、42.7万贫困人口为主攻对象,全面实施扶贫开发工作,实现到1997年人均纯收入达到800以上等11项脱贫目标。[②]

到2000年,长丰县国内生产总值达到19.3亿元,财政收入1.46亿元,农民人均纯收入1540元,绝对贫困人口由1994年的30.2万人减少到5.23万人,扶贫开发取得明显成效。[③]

二、科技兴农

1989年,中共合肥市委、市政府做出了科教兴市战略决策后,至2000年的10多年间,全市科教兴农获得前所未有的积极进展。

农科教统筹协调。遵照中共安徽省委、省政府提出的"点上深化,面上推广"的方针,在"八五"期间,合肥市"农科教结合"工作已由示范推广逐步转入整体推动。1994年,安徽省政府调整了省农科教统筹协调领导小组,合肥市也相继做了调整,并加强其办事机构。在农业技术推广上,1995年年底,合肥全市共有各类农技推广机构54个,农技人员2124人,农民技术员866人,农村专业技术协会、研究会36个,会员1400多人,初步形成了农业技术推广体系。合肥市还

[①] 《八年如一日 城乡一体奔小康 城乡优势互补 党群关系融洽》,《合肥晚报》1996年6月4日。

[②] 长丰县地方志编纂委员会编:《长丰县志(1986—2005)》,方志出版社2009年版,第48页。

[③] 《长丰县志(1986—2005)》,第49页。

先后组织实施了"丰收""星火"科技示范工程等多项科技兴农计划和项目。重点实施"种子工程",推广先进实用农业技术,全市已形成1.5万亩杂交水稻、0.5万亩杂交油菜、3万亩杂交西瓜繁育制种基地,杂交稻种、杂交油菜种自给率达80%左右,西瓜种子销售量占全国三分之一,全市良种覆盖率达85%以上。合肥市还建立了5个现代化农业试验区,创办了乡镇企业学校、农业职业中学、职业班,乡镇农民文化技术学校,成为当地实施农科教一体化的重要基地。在此基础上,合肥市还健全了市、县两级农业技术推广学校,重点开展实用农业技术培训、"绿色证书"培训和乡镇企业职工岗位培训,全市三县、郊区利用各种行之有效的形式累计科技培训5万多人次。同时,结合科技成果的推广,强化科普工作,组织科普赶集,举办各种形式的科技咨询活动,做到推广科技和培养人才的紧密结合,提高了农民的科技文化素质。[1]

"科技进村入户"活动。1998年,在科技兴农工作中,合肥市率先在安徽省开展大规模的农业"科技进村入户"活动。此活动围绕农业结构调整、农业产业化经营、江淮分水岭综合治理和扶贫开发,以推广农业实用技术和实施牵动性科技项目为重点。1999年,中共合肥市委、市政府决定由市委宣传部、农经委、科委、教委、农科教办等单位各确定一名领导、带领一个科技组到一个乡镇、联系一个村开展为期一个月的科技进村入户"四个一"活动。每年重点推广20项先进农业实用技术,组织上千名农技人员深入生产第一线,举办各类培训班5000多场次,培训农民50多万人次,发放技术明白纸90多万份,基本做到"每户一个明白人、每户一张明白纸"。2000年,因大规模农业科技进村入户活动成效显著,合肥市被安徽省农科教统筹协调领导小组授予"1999年度全省农科教结合特色地区"荣誉称号。[2]

农科教统筹协调。合肥市1999年农村经济7项重点工作规定:

---

[1] 安徽省人民政府办公厅编:《安徽省情5(1990—1995)》,方志出版社1997年版,第456页。

[2] 《合肥市志(1986—2005)》,第722页。

各县区要有60%以上乡镇开展农科教工作并建立指导服务中心。随后,合肥市加强同安徽省内外农业科研院所、高等院校的联系和合作,聘请中国工程院院士等专家为市委、市政府科技顾问,聘请安徽省内知名农业专家为市农业专家咨询委员会成员,实施农业专家示范推广项目,积极引进农业先进技术,促进农业科技成果转化,发挥农业科技人员的作用。

"八五"和"九五"期间,合肥市科教兴农战略的实施,有效促进了科技成果转化,促进了农业增长方式的转变,农业科技贡献率也明显提高。

三、乡镇企业转型与发展

(一)乡镇企业的发展

进入20世纪90年代后,合肥市乡镇企业进入快速发展阶段。"八五"与"九五"时期,是合肥市乡镇企业发展最好的历史时期。

1991年,合肥市召开乡镇企业工作会议,表彰一批发展乡镇企业的先进单位和个人,制定了《关于大力促进乡镇企业发展的若干规定》,使广大乡镇企业干部职工备受鼓舞,乡镇企业迅速发展。特别是1992年邓小平南方谈话发表之后,全市各乡镇积极兴办乡镇企业,呈现出超常规、跳跃式的发展。1995年,全市乡镇企业实现总产值350亿元,其中工业总产值200亿元,营业收入330亿元,实缴税金9.5亿元,实现利润26.7亿元。

1996年,随着各方面政策放开放宽,合肥市在积极促进乡(镇)、村集体经济发展的同时,鼓励个体、私营企业等非公有制经济发展,乡镇企业出现乡(镇)办、村办、联户与个体办等全面发展的局面。1997年,全市乡镇企业已发展到10.12万家,职工62.1万人,全市乡镇企业共实现总产值550亿元,各项指标达到市乡镇企业发展过程中的最高值。

1998年后,由于国有企业改革步伐的加快、抓大放小方针的实行、市场竞争的日趋激烈,以及乡镇企业自身的局限性,导致合肥市乡镇企业发展放缓。1999年,全市乡镇企业积极进行结构调整,大力发展第三产业和个体私营企业。

(二)乡镇企业的转型

20世纪90年代,合肥市乡镇企业经历了一个转型、改革与变化的过程,主要包括以下几个方面。

企业改制。为了给乡镇企业增添新的活力和生机,实现二次创业,合肥市政府自1993年起实行乡镇企业改革试点,1996年重点推进以产权制度改革为突破口的企业改革改制。据统计,至1997年年底,全市改制乡镇企业1750家,其中股份有限公司8家、股份合作制公司268家、有限责任公司101家、承包经营198家、出售308家、租赁660家、兼并破产64家、其他143家。随后,全市有1060家乡镇企业退出集体序列。[1]

重科技、创名牌。1999年,合肥市乡镇企业在推广新技术、开发新产品、加快乡镇企业科技进步和产品结构调整等方面迈出新步伐。是年上半年,合肥市建立"乡镇企业技术创新服务中心",成立"合肥市技改信息服务中心乡镇企业分中心"和"合肥市农业专家系统智能化信息网络"。全市乡镇企业重科技、创名牌活动取得丰硕成果。由省经贸委、省科委、省乡镇企业局评出的安徽省乡镇企业科技进步奖中,合肥市乡镇企业有8个,占全省29.6%,蝉联安徽省乡镇企业科技进步奖之榜首。

乡镇企业结构。乡镇企业的产业构成随着乡镇企业发展而变化,其行业构成经历了由少向多发展的过程。至2000年,合肥乡镇企业已形成五大行业:农业企业、工业企业、建筑业、交通运输业和商业饮食服务业。

---

[1] 《合肥市志(1986—2005)》,第867页。

工业企业是合肥市乡镇企业的主力军,随着经济的发展,不断进行结构调整,优胜劣汰,大力发展规模以上骨干企业。企业数量锐减,但产值上升。通过改革、改造和科技创新,加大招商引资和与大企业集团配套协作力度,增强企业后劲和抢占市场的能力。到2000年,合肥乡镇工业企业已形成机械、纺织、印刷、化工、家具、食品、建材等几大支柱产业。

农业企业主要包括种植业和养殖业。种植业是乡(镇)村办的农场、林场、果园苗圃、花卉场等。养殖业以养猪、牛、羊、禽、鱼、虾等为主,一些企业发展成为养殖基地,向养殖、加工、销售一条龙方向发展。1986年农业企业仅有147家,产值716万元,随后发展很快。1999年,农业企业414家,产值1.51亿元。其中国家级3家——华泰集团、丰乐集团、丰大集团。省级15家,有金润米业、小刘瓜子、白帝乳业等。

乡镇建筑企业大多是在农村建筑队基础上逐步发展起来的。1986年,合肥全市乡镇建筑企业只有249家,产值仅2.32亿元。至1999年,合肥市乡镇建筑企业有8801家,产值43.77亿元。

合肥市乡镇企业把培植"明星企业"活动与优化经济结构结合起来,与推动企业进步结合起来,与强化管理结合起来,与提高经营者和职工素质结合起来,涌现了一批先进企业和一批乡镇企业家。一批乡镇企业被评为安徽省"明星企业"。一批重点企业在激烈的市场竞争中,脱颖而出,发展成为年收入几亿元的大公司或集团公司。合肥杏花印务股份有限公司、安徽省第三棉纺织有限公司、合肥金钟纸业股份有限公司、安徽省湖滨建筑安装工程有限公司、合肥飞建化工有限责任公司、安徽丰大集团等,更是佼佼者。

在提升乡镇企业管理方面。20世纪80年代,合肥市乡镇企业虽然发展较快,但企业的管理水平比较薄弱,制约了企业生产力的发展和经济效益的提高。随着市场竞争的激烈化,加强管理,提高企业管理素质成为一项重要的工作。合肥市对乡镇企业管理,着重抓技术改造、人才培训、产品创优、提高外向度等工作。

乡镇企业主管部门把职工教育纳入乡镇企业考核指标体系，支持协助乡镇企业专业技术人员办理户口"农转非"，开展有突出贡献乡镇企业专业技术人员享受省政府津贴选拔等工作，充分调动专业技术人员的积极性。在抓职工教育培训中，着重抓乡镇企业家队伍建设，多次开展评选农民企业家活动（后改为乡镇企业家）。

外向型经济一直是合肥市乡镇企业的薄弱环节，鉴于此，合肥市不断强化乡镇企业改革开放和出口创汇意识，学习掌握有关知识，拓宽视野；加强调查研究，寻找对策，下大气力抓好外向型经济，使之不断取得进步，年年有所发展。

四、农民工进城

改革开放以来，合肥市像全国一样，经济生活中出现了一个特殊群体——农民工。安徽是农民工大省，农民外出打工大致经历四个阶段，第一阶段是1979年至1988年，为起始阶段；第二阶段是1989年至1991年，为缓慢发展阶段；第三阶段是1991年至1996年，为迅猛扩张阶段；第四阶段是1996年以后，为稳定发展阶段，从无序逐步走向有序。

1989年春节，铁路客运出现了前所未有的拥挤状况，引起了各方面的关注。于是，媒体惊呼"民工潮"来了。这一提法，形象地概括了农民工流动的势头凶猛。

合肥市是安徽省省会，这里既是农民工的汇聚地，其三县一郊也是农民工的生发地。据统计，1999年，合肥市有流动人口和暂住人口共计33万人，绝大多数是农民工。这其中，大约有11.4%的农民工来自省外，有25%的农民工来自合肥市周边的县。在打工的农民中，性别比例基本协调，男性43.2%，女性56.8%。[①]

---

① 王开玉：《中国中部省会城市社会结构变迁：合肥市社会阶层分析》，社会科学文献出版社2004年版，第237页。

合肥市乃至安徽省的"民工潮"是继家庭联产承包制、乡镇企业之后农民的又一伟大创举。"民工潮"的正面作用、巨大贡献及其历史地位和深远影响,同"大包干"一样,先由群众创造,后被"三农"问题的专家、学者所肯定,继而得到了全社会的认可。

农民外出打工,开拓了农民就业和增收的主渠道。在家庭经营性收入尤其是农业收入绝对减少,乡镇企业仍处于恢复性增长的时期,农民外出打工在解决农民就业和增加农民收入中起着重要的作用。外出打工仔、打工妹"一年土,二年洋,三年盖上新楼房"和"一户打工,带动一村;外出一人,致富一家"已成为合肥贫困地区农民脱贫致富奔小康的普遍现象。同时,外出打工减缓了城乡之间和地区之间收入差距的进一步扩大。因为收入差距是人口流动的诱因,又是经济增长的重要动力。"民工潮"还推动了国民经济的增长,促进了产业结构的调整。农业中大量"零值农业劳动力"转移到城市第二、三产业就业,不会减少农业产出量,却可以带来国民经济产出量的增长。因为农民工的实际工资水平远远低于城市国有企业职工,所以"民工潮"实现了生产要素合理配置与优化组合,降低了工业化的成本,增加了国民经济积累。"民工潮"的出现,还使农民在工业文明和城市文明的熏陶下,提高了科技文化水平和劳动技能,增长了见识,积累从事经营活动的经验,培育了市场经济观念。打工仔、打工妹回到农村,不仅带回了打工的收入,更带回了先进的文化和城市文明的生活方式和生活习惯,推动了农村社会由封闭型向开放型转变。农民工回乡创业,也成为建设社会主义新农村的一支生力军。

当然,大批农民工进城,也出现了一系列问题。如进城的农民工安居问题、户籍问题、子女教育问题、计划生育管理问题、法律援助问题,等等。

就社会地位而言,世纪之交的合肥市农民工基本上处于弱势地位,他们对三大基本的社会资源——经济、组织、文化资源占有很少。据1999年调查分析,合肥市农民工月收入300元以下的占28.6%,

月收入在400至500元之间的占14.3%。在低保线以下的人62%是农民工。其时,合肥市农民工50%以上的都只具有初中文化水平,95%以上的农民工没有接受过任何成人教育,77%的人没有接受过技术培训。① 他们所从事的职业,主要是技术要求低或者根本没有任何技术要求、文化水平相对较低、不需要资金投入的行业,如保姆、建筑、交通运输、装修、维修、环卫及其他服务行业等。少数有点技术、资金、文化的农民工,均做起了个体户和白领员工。合肥市农民工打工形式,大多数是临时工、个体户、家庭作坊,在城镇、乡镇集体打工的很少,打工者主要集中在合肥市区。

20世纪90年代中后期以后,由于合肥市城市发展速度加快,在建筑、交通运输、第三产业等许多重要领域都活跃着农民工的身影。农民工在建设合肥、繁荣合肥经济的同时,推动了合肥市经济结构的大调整、城乡经济的大发展,同时丰富了城镇劳动力资源,弥补了城市劳动力供给的结构性不足,有效地抑制了劳动力成本的上升速度,为发挥劳动力资源优势、提高企业的竞争力做出了重要贡献。同时,也为城镇产业的技术升级和二、三产业的发展创造了有利条件。合肥市林立的高楼、宽阔的大道、繁荣的商业、旺盛的人气,以及四通八达的水陆交通网络,等等,所有这些城市新景观、新气象,都凝聚着广大农民工的汗水和智慧。

第四节 实施科教兴市战略

一、科教兴市战略的实施

1989年,合肥市提出"教育为本,科技立市"的方针,首次将"科教

---

① 《中国中部省会城市社会结构变迁:合肥市社会阶层分析》,第239页。

兴市"作为全市发展的基本战略。合肥市实施科教兴市战略,是利用不断提升与扩展的科教平台,努力发挥科教在全市经济社会发展中的作用,主要体现在以下几方面。

(一)工业科技开发及应用

"火炬计划"是合肥工业科技应用的重要途径。1991年,合肥市被列入"火炬计划"的项目有29个,占全省项目总数一半以上,其中国家级13项、省级16项,有19项进入合肥科技工业园。1992年,合肥市又新立"火炬计划"项目11个,其中国家级4个。全市国家级和省级"火炬计划"项目达37项,落实投资4080万元。大部分项目实施顺利,累计实现销售收入7800万元,利税2500万元,创汇150多万元。1993年,合肥市制定《关于实施科技兴企、创建科技先导型企业活动的意见》,新立"火炬计划"项目7项,其中国家级2项,争取国家贷款989万元。全市累计完成各类科技成果50项。1994年,合肥市科技兴企工作不断深入,各类科研计划向科技先导型企业试点单位倾斜,全市有12家试点企业承担了省市重点科研项目、"火炬计划"项目以及科技开发贷款项目。1995年,中共中央、国务院颁布实施《关于进一步加强科学技术普及工作的若干意见决定》和《关于加速科学技术进步的决定》,合肥市当年有12个项目被列入"火炬计划",其中国家级5项,争取国家贷款2120万元。该年,合肥市"火炬计划"项目全年总产值超过5亿元,出口创汇达1200万美元;全年新认定高新技术企业27家,其中区内企业15家。①

1996年,合肥市科委安排技术含量高、市场前景好的市重点科研项目13项,自筹资金项目25项。这些科技项目的顺利完成并经企业生产交付市场销售后,都产生了十分可观的经济效益。其中,合肥电工机械厂研制的新产品当年即实现销售收入1307.4万元,利税200多万元,出口创汇26.3万美元。全市高新技术产业实现产值

---

① 《合肥市志(1986—2005)》,第1335—1336页。

42.96亿元,占当年全市工业总产值456亿元的9.42%,技工贸总收入40.13亿元,全市新增利税3.45亿元。继续实施国家级和省级火炬计划项目59项,贷款4770万元,项目实现总产值6.62亿元、销售收入5.55亿元、出口创汇839万美元、利税7852万元。①

为更好地将科技成果转化到工业生产中,1997年,合肥市政府编制《合肥市促进科技经济一体化"121"工程规划》,并组织实施。

1998年,合肥市确立把发展高新技术产业、加快高新技术产业化和传统产业高新技术化作为科技工作重中之重,明确提出了"三线一点一突出"的发展思路,即重点抓好电子信息、生物技术与新医药、光机电一体化三条产业线,加快合肥高新技术开发区建设这一亮点,突出发展民营科技企业。随后,合肥市高新技术产业发展形成"一带三线、两区六园"新格局。"一带"是指从合肥经济开发区、学府区、高新技术开发区到科学岛这一高新技术产业带;"三线"即机电一体化、电子信息产业和生物技术与新医药产业;"两区"是指合肥高新技术开发区和合肥经济技术开发区建设;"六园"是指已经形成的合肥软件产业园、留学人员创业园、民营科技园、大学产业园、生物医药园、农业科技示范园。在这期间,由于加快了高新技术、先进适用技术改造传统产业的步伐,使合肥市企业技术装备水平达到20世纪90年代先进水平的占10%,达到20世纪80年代后期水平的占20%。在合肥全市300多种工业产品中,有6类、30多种产品达到国内先进水平;有3类、10种达到国际先进水平;其中合肥市生产的冰箱、洗衣机、叉车、液压挖掘机等产品,在国内外占有较大份额,形成30个超亿元的重点产品,42个省级名牌。

1999年,全市拥有高新技术企业220家,实施火炬计划98项,高新技术实现年产值147.7亿元,占全省高新技术产业的44%,涌现出美菱、荣事达、叉车、江淮、国风、三联、安科、丰乐种业等一批知名的

---

① 《合肥市志(1986—2005)》,第1336页。

高新技术企业。[1]

(二)农业科技开发及应用

农业科技工作以星火计划为切入点,以农业科技攻关、农业技术试验示范为突破口,大力实施"白色工程"、"种子工程"、"1144"科技示范工程[2]等,加快科技兴农的步伐。

现代技术改造传统农业。20世纪90年代,合肥利用"星火计划""丰收计划"等国家制定的农业发展战略,持续开展农业科技的开发与应用。1991年,西瓜皖杂系列和聚宝系列9个新品种先后获奖11项,其中有部分品种被列入国家级星火计划开发项目和农业部丰收计划项目。1992年,实施农田化学除草技术,全市化学除草面积达12万公顷,粮食增产1.5亿公斤。1993年,在西瓜、杂交油菜、大棚蔬菜等新品种示范推广及植物生长调节剂等方面有10项科技成果通过了鉴定,有6个星火项目获全国星火展览会金奖。1995年,中共合肥市委、市政府召开农村科技工作会议,制定了《合肥市星火计划实施意见》《九五星火计划的规划》。1997年,合肥市申报立项省星火计划项目4个,总投资4942万元。1999年,合肥市研发的"丰乐"牌丰甜一号甜瓜、"双墩"牌面条、"卧福"牌蔺草席、"红四方"牌多元复混肥等8个产品荣获1999年中国国际农业博览会名牌产品。2000年,合肥市科委制定了《开展农业科技进村入户活动实施意见》,以30个重点项目为突破口开展科技进村入户活动,重点推广实施20项农业先进适用技术,技术应用面积达26.66万公顷。[3]

农业科技成果推广应用。合肥市实施"星火计划"、"1053科技兴农计划"和"1144""121"科技示范工程,加强对农业科技成果推广应

---

[1] 《合肥市志(1986—2005)》,第1336页。

[2] 白色工程:日光温室大棚菜生产。种子工程:由品种培育和种子生产、加工、营销等环节组成的系统工程。"1144"科技示范工程:建设和培育4个星火密集区、4个科技示范乡镇、100个科技示范村、1000户科技示范户。

[3] 《合肥市志(1986—2005)》,第1342—1343页。

用、农业科技培训和普及。1993年,合肥市"1144"科技示范工程启动,长丰县在5个科技示范村落实8000头肉用黄牛生产基地;肥西县以蚕桑和食用菌开发为支柱的星火密集区粗具规模;"丰乐一号"西瓜新品种在安徽省内外推广286万公顷,增加收入6880万元;植物生长调节剂叶面宝已被推广到10个省市,企业直接经济效益200万元。全市共推广良种面积23.33万公顷,增产粮食1.5亿公斤,增产油料2400多万公斤,增加经济效益1.2亿元。1994年,合肥市重点组织实施"1144""121"科技示范工程,落实科技领导组织和科技服务网络。全市三县、郊区和蜀山镇分别成立科技领导小组,配备科技副县(区)长;每个示范乡镇都设立农技推广站,配有2至4名专职技术人员。肥西县成立了葡萄、树木、养猪、食用菌协会;郊区杏花镇开展科技兴镇活动,实现产值12亿元、利润1.9亿元;肥西县官亭镇示范推广新品种新技术,年人均增加收入200元以上。

2000年,合肥市实施国家级星火计划项目1项,省级星火计划项目5项,省级示范园3个,市级示范园区、示范基地、创新中心13个。肥东县龙岗工业区被批准为"市级星火技术密集区建设单位"。合肥市省级农业科技示范园总体规划通过省专家组论证,丰乐种业博士后流动站和新加坡丰乐生物分子育种中心揭牌。有5个乡镇、8个村进入全国农业科教结合百千万示范工程。[1]

此外,合肥市加大科技下乡、农业新品种推广力度。1997年,合肥市科委组织一批专家、教授赴长丰县开展科技扶贫、送科技下乡活动。次年,合肥市在三县(区)积极推广南江山羊、波尔山羊、三元杂交猪、罗非鱼、罗氏沼虾、龙虾人工养殖和皖西白鹅、吴山贡鹅、巢湖麻鸭、三河麻鸭等新品种,推广优质棉花、油菜、西瓜、黑花生、黑大豆、甜糯玉米等优良品种。1999年,合肥市先后举办了11次大型科普赶集活动,组织动员省、市、县80多家单位,5000多人次科技人员先后参加这项活动。参加赶集活动的农民达30多万人。

---

[1] 《合肥市志(1986—2005)》,第1343页。

（三）科技在城市管理中的应用

随着合肥经济社会的发展和人口的增加，城市管理现代化问题日趋紧迫。从20世纪90年代起合肥市加大了利用科技管理城市的力度，主要体现在以下几方面。

公共安全。合肥根据城市公共安全管理需求，把全市的有关资源和信息进行整合，建立统一、规范、科学、高效的政府公共安全管理指挥体系；建立分工明确、责任到人、优势互补、常备不懈的政府公共安全保障体系；建立信息共享、机制优化、防患未然、科学防灾的政府应急防范体系。

城市交通。1994年，合肥市规划设计院针对"城市综合交通体系规划"开展专题研究，研究出适合中国大中城市实际的城市综合交通体系规划的理论方法和实用技术，提出了一套较为完善的方法体系。对合肥市交通建设、城市总体规划的修编和实施提供了依据。

软科学研究。1997年，合肥市科委针对合肥市经济技术领域热点问题和关键难题，联合专家充分调研、主动设计科研课题，向社会公开征集软科学研究项目。

环境保护与可持续发展。中共合肥市委、市政府重视生态建设和环境保护，首先在郊区抓试点，开展社会发展综合实验区试验示范工作，同时积极申报省、国家社会发展综合实验区。1993年，郊区被省体改委、计委等部门批准列为省级社会发展综合实验区；1995年被国家科委、体改委、计委等部门批准为国家社会发展综合实验区；1997年更名为国家可持续发展实验区。

（四）发展民营科技

进入20世纪90年代后，合肥市民营科技企业从小到大，从弱到强，成为最具活力的经济力量之一，并且对全市经济总量的扩大、财税增收、缓解就业压力都做出了积极贡献，对推进"科教兴市"战略实施，深化科技体制改革，发展高新技术产业，加速科技成果转化，发挥了极为重要的作用。

1991年,市级审批成立的民营科技企业达到103家(其中集体性质的76家、私营性质的3家、个体性质的24家),在科研、开发、应用领域里崭露头角。1993年,合肥市政府印发了《合肥市民办科技机构管理办法》,规定了民办科技机构的性质、审批程序、优惠政策、监督管理等事项。以民营科技企业为主,有关政府部门参加成立市民营科技实业促进会,挂靠在市科委,加强了企业与政府各部门的联系。市科委会同税务部门,对全市民营科技企业进行审查认定,落实了民营科技企业的各项优惠政策。同时,合肥市还开展创建明星民营科技企业活动,加强企业内部的管理工作,引导企业明晰产权关系,开展股份制改造试点工作。1994年年底,全市共有民营科技企业358家,开发新产品、新成果100多项,全年技工贸收入6000多万元。

1998年,根据国家科技部和财政部的部署,市科委等四部门制定《关于贯彻执行〈集体科技企业产权界定若干问题的暂行规定〉的实施意见》,在全市开展旨在明晰集体企业产权关系的产权界定工作,合肥三联事故预防研究所成为合肥市第一家进行股份制改造的民营科技企业,民营科技企业的管理也由科技行政部门审批制改为科技部门认定制。

1999年3月,《合肥市科学技术进步条例》正式颁布施行,从法律角度规定了民营科技企业在科技三项费用、技术创新和技术升级等经费支持上与国有企业一视同仁,民营科技企业的地位进一步提高。是年,有4家民营科技企业获市技术升级与技术创新资金1100万元的支持。同年8月,国家科技部批准合肥建设民营科技企业园。2000年1月,民营科技园企业开工建设,当年有17家企业入园。[1] 民营科技企业发展势头良好,到2000年,全市民营科技企业发展到1200家,其中产值超亿元的4家,超千万元的22家。[2]

---

[1]《合肥市志(1986—2005)》,第1349—1350页。
[2] 合肥市地方志编纂委员会编:《合肥年鉴·2001》,黄山书社2001年版,第4页。

各种政策和措施的落实,使合肥的科教优势转化为产业优势和经济优势,合肥作为科技城变得生机勃勃。20世纪90年代,世界上第一台VCD、第一台仿生搓洗式全自动洗衣机、中国第一台微型电子计算机、第一台国产窗式空调、第一辆国产微型车、第一台"激光大气污染监测雷达"、第一台变容式冰箱,等等,都诞生于合肥市。"合肥制造"与"合肥创造"比翼齐飞。因此,合肥市先后被国家批准为"全国科技进步先进市""全国科技兴贸重点城市"。1999年,合肥与北京、成都、西安一起被确定为国家四大科教基地。

二、教育事业协调发展

(一)基础教育迅速发展

科教兴市,教育奠基,"两基"[①]先行。合肥市始终把实现"两基"作为科教兴市的奠基工程来抓。20世纪90年代,合肥市按照国家和省制定的条件和标准,全面实施"两基"工程。1993年,中市区在全省率先通过"两基"验收,小学、初中入学率均达到99.6%以上;辍学率小学为零、初中为0.5%;完成率小学为99.8%、初中为97.4%;师资学历合格率小学为98.1%、初中为89%。中市区因此被国家教委授予全国"两基"先进区称号。[②] 1994年,西市区、郊区、东市区先后通过省政府"两基"验收。到1998年,肥西县、肥东县、长丰县亦先后通过省政府"两基"验收。至此,全市城乡全面实现"两基"目标。全市小学、初中入学率分别为99.85%和98.82%,城区均达100%;青壮年文盲率从第四次人口普查时的15.08%下降到1.85%,共扫除青壮年文盲24万人。[③] 全市"两基"的实现,进一步夯实了教育基础,为全市提高人口素质,落实"科教兴市"战略奠定了良好基础。在改革

[①] 基本扫除青壮年文盲,基本普及九年义务教育的简称。
[②] 《合肥市志(1986—2005)》,第1390页。
[③] 《合肥改革开放20年大事评选候选事件》,《合肥晚报》1998年12月24日。

开放20周年之际,在全市人民公推的10件大事中,"两基"位居榜首。

普通高中教育得到适度发展,教学质量不断提高,高考升学率逐年提高。这一时期,随着九年义务教育的基本普及,人民群众对高层次教育和优质教育资源的需求日益迫切,导致"普高热""择校热"愈演愈烈。为解决这一问题,1995年,合肥开始进行普通高中办学模式改革试验,将市第26中学、第17中学改为综合高中。1996年开始,分离合肥一中、六中、八中初中部,扩大三校普通高中招生规模,提供更多的优质教育资源。改办市第二中学为特色高中,招收英语、美术和音乐方面的特长生。1997年起,结合布局调整,改造薄弱学校,是年,对41所学校进行校舍改造和设施更新,促进校际资源的均衡化发展。与此同时,改革办学模式,扶持民办高中发展。1999年,正式启动创建省级示范性普通高中工作,以此推动高中教育整体上台阶。同年,教育部决定高等院校与普通高中扩大招生,普通高中教育迅速发展,高考升学率也逐年大幅提升。

在加强基础教育的同时,相关的各类教育也得到协调发展。

幼儿教育健康发展。从1992年开始,为推动幼儿园及其主管部门进一步改善办园条件,提高保教质量和办园水平,启动幼儿园办园水平分类评估工作。是年,5所幼儿园被评为"合肥市一类幼儿园"。这项工作的开展,起到了示范作用,促进了各类幼儿园提升办园层次的积极性。1994年,又有8所幼儿园被评为市级一类幼儿园。1995年,省教委启动创建"省级一类幼儿园"活动,长江路幼儿园、宿州路幼儿园和省政府机关幼儿园成为全省首批一类幼儿园。到2000年,省级一类幼儿园达到23所,幼儿教育总体水平提高。民办幼儿园日趋活跃,2000年发展到32所。①

特殊教育不断发展。此前,合肥市只有一所特殊教育学校即市聋哑学校,1994年至1996年,肥西、长丰、肥东先后各办1所特殊学

---

① 《合肥市志(1986—2005)》,第1387页。

校,全市特殊教育开始呈均衡发展态势。特殊教育的发展,维护了残疾人受教育的权益,也为普及九年义务教育夯实了基础。

(二)职业技术教育长足发展

职业教育与经济社会发展最为密切,20世纪90年代,合肥职业教育进入了稳步发展阶段。1992年,市区有职业学校55所,在校生1.5万余人。1993年至1998年,职教类与普通高中招生数之比,连续稳定在1.7∶1;应届初中毕业生升入高中的比例,连续保持在95%以上,极大地提高了市区高中阶段教育的普及程度。职业学校设置的相对稳定的专业(工种)门类比较齐全,基本适应了全市经济、社会发展的需要。农村职业教育亦发展较快,到1997年年底,三县和郊区职业学校已有29所。1999年,因受普通高中扩招影响,全市职业教育发展处于低谷,市区职业学校减少到39所,在校生2.42万人。[①]

(三)高等教育事业持续发展

按照教育部优化资源的总体要求,合肥市的大专院校进行了部分调整。合肥经济技术学院并入中国科学技术大学,安徽工学院并入合肥工业大学。国家对高等教育实施上学自费、不包分配、双向选择、社会需求的政策,合肥高等学校扩大了招生数量,教育规模不断扩大。高职高专教育蓬勃发展,民办高等学校开始起步并快速发展。1999年,经国家教委批准的三联职业技术学院,成为合肥最早的民办高等学校。次年,安徽新华学院、万博科技职业学院相继成立。

随着实施国家高等教育改革工程,按照增强质量意识,重视素质教育的精神,合肥高等教育加强了科研与经济相结合,建立大学生实习、社会实践基地,鼓励师生领办、创办企业。科大创新、科大讯飞、

---

① 《合肥改革开放二十年》编辑部:《合肥改革开放二十年》[皖非正式出版字(98)第104号],1998年,第47页;《合肥市志(1986—2005)》,第1402—1403页。

工大高科、阳光电源等一批高科技公司都是由中国科学技术大学、合肥工业大学的师生创办的,这些企业研制开发的科技成果多次获国家、省部奖励,并得到广泛应用。安徽大学、安徽农业大学等高校也相继创办了经济实体。20世纪90年代末,各大专院校联合创办合肥国家大学科技园,促进了科研、教学、生产的紧密结合。

(四)社会力量办学方兴未艾

在国家"积极鼓励,大力支持,正确引导,加强管理"的方针指导下,合肥社会力量办学健康发展,粗具规模。至1997年,全市社会力量办学招生数达到1.6万多人;社会力量办学有稳定办学条件的已发展到130多所,涌现出庐州中华职业学校、中山业余学校等社会力量办学先进单位。[1] 这一时期,社会力量办学呈现出以下几个特点:

办学主体呈多元化发展态势,充分体现了办学的社会性。各民主党派成为办学的主力。市民盟、民革、民建等民主党派都举办了一些学校。一批企事业单位积极参与办学,如以企业为后盾的润安公学、新世纪学校进入普通教育领域;省旅游局兴办了启明星职业学校。省中华职业社、市社联、黄埔同学会等各类团体亦群起办学。个人和民营企业办学异军突起。

社会力量办学门类比较齐全,涵盖职业技术教育、普通教育、高等教育、文化补习、幼儿教育和社会生活等方面,所开设的学科增加到100多个,一批适应社会需求的学科亦相继推出,如驾驶培训班、电脑培训班、手机维修培训、果树栽培培训等。

社会办学力量不断壮大,固定资产已达到2亿多元。办学条件逐步改善。庐州、庐阳、明星、建筑工程等18所学校在政府有关部门支持下,自建办学场所,兴建校舍。专兼职教师达1500多人,学历层次和业务水平日益提高。[2]

---

[1] 《合肥改革开放二十年》,第48页。
[2] 《合肥改革开放二十年》,第135页。

总之，这一时期，合肥市社会力量办学无论是数量、质量，还是发展势头，在全省都是领先的。以政府为主，社会力量为辅的多种形式办学教育新格局已经形成。

三、文化事业持续发展

进入 20 世纪 90 年代后，合肥市文坛活跃，在小说、报告文学、剧本、诗歌、散文等方面，都取得了较丰硕的成果，并多次获奖。在民间文学整理方面。1987 年至 1993 年，合肥市以市群艺馆[①]为依托，抽调专人，耗时 6 年，经过广泛的社会普查、征集和认真筛选、整理，先后完成《合肥谚语集》《合肥歌谣集》《合肥民间故事集》等共计 120 余万字资料本的编纂。这是合肥地区自 1949 年新中国成立以来一次较全面集中的民间文学整理编纂工作，填补了合肥市民间文学整理的空白。[②]

这一时期，合肥的剧本创作成果突出。1991 年至 2000 年，相继创作了庐剧《老城隍·新城隍》《好人王科长》《鱼水浪漫曲》、话剧《走进阳光》等优秀剧本。其中，杨刚、陈次方创作的大型庐剧《好人王科长》，获 1994 年省"五个一工程"奖。同时，为解决庐剧演员青黄不接的问题，1993 年，在安徽省艺术学校委培 30 名庐剧青年演员，1997 年毕业后分配到市庐剧团工作，单独成立青年艺术团，每年演出百场以上。这一时期，合肥曲艺步入一个新的繁荣期，相声、小品等曲种活跃在戏曲舞台上。市曲艺团编创演出的相声《鱼老万》，获全国评比一等奖。1993 年，首届中国相声节在合肥举办。1999 年，"金狮奖"第三届全国小品大赛在合肥举办，合肥市获 12 项大奖。

在美术、摄影等方面，涌现出一批在全省乃至全国有影响的新人新作。1994 年，在全国第八届美展中，合肥市画作入选 11 件，是

---

① 合肥市群众艺术馆，前身为市文化馆。
② 《合肥市志（1986—2005）》，第 1428 页。

1949年以来入选全国性大展最多的一次。1999年,在国家和省举办的各个专题美展中,合肥市美协会员有22人分别获得一二三等奖及优秀奖。① 2000年,王仁华的作品《窥探》获"世纪·中国风情中国画"金奖。摄影创作题材广泛,不少作品在全国及国际影展中展出并获奖。1991年,在抗击历史罕见的洪涝灾害中,合肥市电影家协会组织会员深入抗洪救灾第一线,抓拍了许多撼人心魄的纪实图片。在"砥柱中流"中国抗洪救灾摄影展览中,吴家安的《军生》获金奖,王天闻的《中流砥柱》、陈志勇的《俺家被大水冲走了》获银奖。1994年,王天闻的《春归水暖》获中国第四届国际摄影艺术展铜奖。

群众文化持续发展,群众文化活动范围越来越广,群众自我参与、自我娱乐、自我体现的群众文化活动蔚然成风,且形成多渠道、多层次、多形式的格局。1992年后,市群艺馆于每年正月初一至十五,举办春节文化庙会,内容不断丰富,规模亦不断扩大,逐渐成为合肥市群众文化的一个品牌。1996年,召开金秋广场文艺晚会,开合肥市现代广场活动之先河。1999年,合肥市举办了首届"广玉兰文化艺术节"。同年,举办首届以"歌唱祖国"为主题的合唱节。

第五节 加强精神文明建设

一、创建文明城市

中共十一届三中全会以来,合肥与全国各地一样,坚持两个文明一起抓。早在1985年,合肥就开展了创建文明单位、文明街道、文明楼院以及"三好家庭"活动。1992年起,合肥先后荣获全国园林城市、

---

① 《合肥市志(1986—2005)》,第1444页。

卫生城市、双拥模范城市、全国优秀旅游城市等七项殊荣。但是,作为一个中等的内陆城市,合肥尚处于发展之中,可用的财力比较有限,基础尚不完善,精神文明建设的起点不高。因此,出现了"重建设、轻管理""室内现代化、室外脏乱差"等不尽如人意的地方。

1995年,江苏省张家港市成为全国精神文明建设示范市,全国掀起学习张家港活动的热潮,精神文明建设被提到一个十分突出的位置。在此情势下,中共安徽省委、省政府向全省人民提出加强精神文明建设的口号。合肥全市人民积极响应,一场声势浩大的群众性精神文明建设活动在全市展开。

合肥市精神文明建设一直走在全省前列。在1995年全省精神文明建设的工作会议上,中共安徽省委书记卢荣景把省委抓精神文明建设的重要思路做了最简明而具体的概括,这就是"抓合肥,带全省"。

中共合肥市委、市政府积极落实省委、省政府的要求,1995年11月14日,市委书记钟咏三带领市直及三县四区有关领导60余人,前往张家港参观学习。钟咏三回到合肥后,当即就如何强化城市管理一事专门召集了有关部门进行部署。部署完毕,约来了合肥电视台记者,悄悄上街明察暗访。虽然合肥市刚刚第三次获得了"全国卫生城市"殊誉,但还有许多弊端与陋习,不文明的现象仍十分严重,如垃圾乱倒,污水乱泼,摊点乱摆,房屋乱建,车辆乱停,道路乱占,东西乱挂,告示乱贴,废物乱扔,草坪乱踏,等等。暗访回来后,钟咏三主持召开市委常委扩大会议。钟咏三表示,只有横下一条心来,把"创建"工作紧紧抓在手中不放,才能推动整个城市两个文明的协调发展。他要求把"创建"活动作为一项系统工程,立足当前,着眼长远,边实践,边探索,提出自己的奋斗目标,确立具体的突破口和清晰的工作思路。

中共安徽省委给全省提出的"创建"目标是:"半年初见成效,一年大见成效,三年大变样。"合肥确立的奋斗目标则是:"半年初见成效,一年大变样,三年步入良性循环。"比全省超前了两年,而且提出了"良性循环"。为达到这个目标,合肥决定把创建文明城市作为全面加强精神文明建设的突破口,在创建文明城市的活动中把强化城市的管理作为突破口,而在强化城市管理中,又具体地把抓好"三个起来"(把垃圾装起来,把马路让出来,把门前包起来)首先作为整治脏乱差的突破口。

搞精神文明创建,首要任务是发动群众。1995年12月4日,中共合肥市委、市政府将《敬告市民书》和《市民公约》发放了10万份。12月6日,宣布对长江中路、阜阳路等31条重要路段,火车站与四牌楼人行天桥等重要场所首批实行包干管理,同时对工商、公安、市容、规划等职能部门各负其责及协同作战做了部署。12月12日,召开了千人大会,进一步营造创建精神文明建设的氛围。一个月后,又召开了一次规模更大的万人动员会。市长马元飞主持大会,市委书记钟咏三做动员报告。安徽省六大班子的主要领导也全出席,且以普通市民的身份坐在群众中间。省委书记卢荣景在接受记者采访时明确表示:"我们作为合肥的市民,当然要身体力行,不仅要自觉地参加这项工作,还应该带好这个头,做到省市联动。"

省市联动,各级领导身体力行,是合肥创建活动的一个最大特点。省委把"抓合肥,带全省"作为开展全省精神文明建设的重要工作方法之一。安徽省委机关大院,比合肥市文明创建活动早动了15天。大院里率先制定了"六要十五不准"的文明公约,并雷厉风行地整治死角死面,整修了道路,更新和补植了草皮、花木,还在办公楼四周增设了射灯,又在大院内设置了彩色灯光喷泉和其他一些景点,特别是拆除了违章建筑,很快使院容院貌焕然一新,成为合肥市看得见、摸得着的一个"样板"。省政府大院治理脏乱差伊始,省政府办公厅曾郑重其事地举行过一次遵守公约的签名活动,省长回良玉第一个站出来签字。副省长们有的积极参加机关大院的卫生清扫,去银河景区收集垃圾,有的主动到省政府包干管理的路段去督查沿街单位"门前三包"的执行情况,冒雨赶往办公厅设在长江路上的宣传点,向过往行人散发宣传材料。分管创建工作的省委副书记方兆祥,对合肥市创建工作倾注了大量心血,他对不文明的现象"看不惯、忍不住、放不下",被大家称作"三不主义"。① 省领导的率先垂范,既是压力又是动力。中共合肥市委、市政府主要领导把创建作为"一把手工程"来抓;市委书记钟咏三亲任创建总指挥,大到创建总体规划,小到街头垃圾容器,都亲自策划。市长马元飞把创建活动与经济工作统一起来,设法解决创建中的实际问题。各委、办、局和区街领导的身影也更多地出现在创建第一线。

人民群众是创建的主体。创建离不开全市广大人民的参与,鉴于此,合肥始终把创建定位在:"察民情、顺民意、得民心"。1996年4月5日,省、市两级文明委联合组织了一次"市民投诉接待"活动,全市共设了7个固定的接待站,并开通了23部举报监督电话,敞开大门,鼓励市民起来揭露脏乱差死角,对创建以来的工作提出批评和建议。这项活动深得人心。来访来电投诉的人络绎不绝,场面之热烈,出乎组织者的意料。短短11天中,共受理市民投诉1076件,市民投诉举报的问题,先后都得到了及时处理。此后,全市又组织了一次声势浩大的"创建文明城市万人问卷调查活动"。为最广泛地收集到社会各界真实的意见,同时在花园街口和三孝口等数处热闹地段,公开向市民发放问卷。在发出的1万份问卷中,回收到9752份,在问卷所列的7项工作中,群众的平均满意率为87%,尤其是市容市貌的变化,群众满意率高达95%。1万份问卷,既测出了民意,又是对合肥市文明创建工作的一次更大发动。

舆论监督,是合肥市创建活动中重要的力量。创建活动伊始,第一个被曝光批评的便是省人大大院,曝光的媒体是《安徽日报》。省人大常委会主任孟富林看到报纸后说:"曝得好。人大作为最高权力机构也不能光监督别人,更要在创建中自觉地接受监督,起带头作用。"同一时间内,合肥市还有17个较大的单位被公开批评。接下

---

① 汪金福、陈先发:《方书记的"三不主义"——合肥市创建记事》,《合肥晚报》1997年11月14日。

来,予以曝光的则是那些违法违章建筑。是时,合肥越权审批和无证建设的工程,共有200多万平方米,住宅小区乱搭乱盖的违章建筑,更是比比皆是。就连风景秀丽的环城公园,也不断被"蚕食",突然冒出许多酒家饭庄,对周围环境造成严重污染。违法违章建筑泛滥的主要原因,是规划意识差,法制观念淡薄,领导行政干预。中共合肥市委、市政府为此下了个决心,该拆的违章建筑,坚决拆,谁打招呼也不行,谁阳奉阴违就查谁,并且一查到底。

1996年10月11日,中共合肥市委、市政府向全市市民做出深入持久开展创建工作的11项承诺。除继续抓好"三个起来",又增加了8项新的内容,即让城市亮起来、绿起来、美起来,让小区净起来、交通畅起来、市场规范起来、环卫设施跟上来,发挥城市创建对县城辐射和县城创建对市区支撑的作用。这11项承诺,是对"三个起来"的深化和发展,是推进创建工作向背街小巷、居民小区、农贸市场、单位内部延伸,即后来被许多新闻媒介广为宣传的"四个延伸"。

整治小区,是直接与居民群众相关的事情,因此,每一个工作步骤都要仔细研究,尤其是拆除违章建筑,必须做到依法行政,严格按照法律所规定的程序办宣传车,每天在小区内绕着楼房,宣传广播《城市规划法》,宣传市民"八不""十要"的规定,以求做到家喻户晓。为使居民看在眼里,服在心里,指挥部专门确定了一条原则,那就是先公后私,先街道后其他单位,先干部后工人,先党员后群众。由此,创建活动真正实在地深入全市各个基层。

合肥市在文明创建工程中,注重道路绿化,且各主要道路行道树种有别。1996年,合肥市先后植树15.12万株,栽植绿篱5.45万米,铺设草坪10.31万平方米;清除垃圾4万多吨,拆除违法违章建筑192处,取缔无证商贩1.1万多人次,规范门店和群点1500多户;全市近万个单位签订了"门前三包"协议书,主要街道设立起650个"百米一岗";查扣违章车辆1万多辆次;自行车、出租车、小公共汽车,也都做到在划定的地点停靠或摆放,城区所有马路上禁鸣喇叭,各种车辆都要求"静态行驶",坐商归店,行商归市,摊点归群;全市主次干道保洁状况达到良好；小街巷很少有暴露垃圾。

合肥创建文明城市的活动得到了国家各有关部门的关注和重视。中央文明委把合肥树立为全国先进典型，中宣部以一级宣传方式把合肥推向全国。11月11日，中央电视台《新闻联播》《焦点访谈》节目把合肥市作为创建精神文明典型城市推出。紧接着，《人民日报》《光明日报》等14家中央新闻单位，集中、连续、浓墨重彩地报道合肥创建成果。

1998年5月28日，国务院总理朱镕基在给中央党校学员做形势报告时，高度评价了合肥的环境质量："我刚从合肥回来，那里的环境特别好，空气清新，环境整洁。全国有那么几个城市是比较好的，除合肥之外，还有大连、厦门。"①

从1998年8月开始，合肥市创建文明城市活动围绕"三年步入良性循环"的目标，分解任务，落实责任，集中力量解决重难点问题，确保创建工作如期步入良性循环。1999年6月，省委书记回良玉郑重宣布：合肥市的创建文明城市工作已实现初步良性循环的目标。是年，合肥市荣获首批"全国创建文明城市活动先进城市"称号。至2000年年底，合肥市的创建工作基本上实现了比较稳定的良性循环。

在文明城市创建活动中，广大市民"从我做起，从自身小事做起"，素质逐渐提高。全市涌现出了一大批精神文明建设标兵，如倾情播爱的好医生苗素娥、全国劳动模范彭冬生、人民的好警察李素珍、见义勇为好青年张国、勤政廉政好公仆张建勋、基层干部好榜样金根宗，等等。他们为做文明人，创文明城，树立了榜样，播撒着文明。

涌现出一批文明示范窗口，如西园煤气维修站、中市房产分局、杏花派出所、自来水总公司，等等，传播着都市的文明气息。

---

① 《创建给合肥带来巨大变化　朱镕基总理称赞："环境特别好"》，《合肥晚报》1998年6月5日。

二、增强社会主义民主法制建设

(一)法治建设取得新进展

20世纪90年代,合肥市经济建设与民主法治建设相互推进,共同发展,不断取得新的成就。法制建设以人民群众生活改善为根本,以经济建设为中心,以民主法治建设为保障。

合肥市各级政府自觉接受人大依法监督,认真执行人大决议;自觉接受政协的民主监督,尊重政协和各民主党派、工商联、无党派人士的意见和建议。1990年至1995年的5年中,共办结市人大代表议案43件,省、市人大代表建议1268件和省、市政协委员提案1756件,办结率达100%。市政府向市人大常委会报告工作124项。有15个组成部门主要负责人向市人大常委会述职,接受评议,促进了工作。[1] 1995年至1999年的4年中,共办结省、市人大代表建议923件,市人大建议27件,省、市政协委员提案2195件,办结率达100%。[2] 加强基层政权建设,第四届村民委员会选举换届工作顺利完成。积极推进依法治市、依法行政和政务公开,认真实施《行政复议法》,全面推进行政执法责任制,行政执法水平进一步提高。

在法制宣传上,合肥市深入开展了普法教育活动。1991年至1995年开展的"二五"普法活动,其核心内容是"以宪法为核心,以专业法为重点",强调学用结合。"二五"普法的重点对象,是县、团级以上各级领导干部,特别是党、政、军高级干部;司法人员;行政执法人员和大、中学校的在校学生。"二五"普法期间,全市共计建立健全各级普法组织3607个,配备了专兼职人员1.8万多人,有256万人接受和参加了不同程度的普法学习教育。[3]

---

[1] 《安徽省情5(1990—1995)》,第474页。
[2] 《安徽省情5(1996—2000)》,第409页。
[3] 《安徽省情5(1990—1995)》,第474页。

1996年至2000年,合肥市进行"三五"普法教育。全市城乡共有268万人接受过不同程度的普法教育,有1.1万多名党政机关干部和1.2万多名企事业单位经营管理人员分别参加市里统一组织的综合法律知识考试。合肥市普法办荣获"全国'三五'普法先进单位"称号。

(二)社会治安管理取得新成效

1990年12月15日,中共合肥市委下发《关于加强法制建设,实行依法治市的决定》。1991年4月12日,市政府下发《合肥市人民政府关于依法治市实施方案》,正式拉开合肥市实施依法治市帷幕。

依法治市,首要任务是维护社会稳定,加强社会治安综合治理。1991年4月,合肥市社会治安综合治理领导小组更名为"合肥市社会治安综合治理委员会"。1992年,合肥市成立社会治安综合治理委员会办公室,为正县级常设机构。1997年4月,合肥市机构改革,市委政法委员会与市社会治安综合治理委员会办公室实行一套工作机构,两块牌子。

为加强基层社会治安综合治理工作,巩固治安第一道防线,即东市区、西市区、中市区188个居民委员会,全部增配一名副主任,专管治安、调解工作。该年,全市开展了打击拐卖妇女儿童犯罪,查禁卖淫嫖娼活动专项斗争,净化了社会风气,维护了妇女儿童的合法权益。1993年,合肥市开展了围歼车匪路霸专项斗争。此次专项斗争主要打击在旅客行车、公共汽车、长途汽车、轮船上抢劫财物,或实施抢劫、盗窃行为遭制止时以暴力相威胁和行凶杀人的犯罪分子。1994年7月,合肥市见义勇为奖励基金会在安徽省率先成立,并制定颁发了《合肥市见义勇为奖励基金会章程》和《合肥市见义勇为奖励基金会奖励基金管理使用办法》。同年,合肥市开展了对城市公共场所和文化市场突出问题的治理。1995年,合肥市开展打击盗抢机动车犯罪专项斗争。

1990年至1995年的5年中,合肥市侦破了一大批危害大、影响恶劣的重特大刑事案件,全市共破获各类刑事案件7710起,其中大案3605起,破案绝对数年均递增22.5%和76.7%;共摧毁团伙1546个,瓦解成员6762人,逮捕人犯6891人,劳教2026人,缴获赃款赃物总价值5497万余元。刑事案件上升势头得到有效遏制。5年间,合肥市共侦破政治案件21起。打击取缔了"被立王""门徒会""呼喊派"等反动、非法和邪教组织活动点67处,处理为首分子和骨干成员180余人,有效地维护了社会稳定。①

在加强行政执法和执法监督工作方面,合肥率先在全国设立"合肥市行政执法监督电话"。全市各级政府还经常开展行政执法纠风的检查,并定期向人大常委会报告有关法律的贯彻施行情况。在法律服务业的管理方面,1996年,市法律援助中心成立,并发展为财政全额拨款的事业单位,使社会弱势群体的权利能够及时得到法律救济。同时,建立148法律服务专线,体现出司法行政机构执法为民的理念。1997年,按照司法部的要求,市司法局对律师事务所的管理由行政管理模式改变为司法行政宏观指导下的律师协会行业管理体制。同年12月,合肥市律师协会成立。此后,合肥市律师队伍人数不断增加,素质明显提高,律师业务范围及数量随着经济的发展有较大的增长。

(三)开展平安创建活动

在社会治安综合治理的同时,合肥市平安创建活动也取得很大成就。1991年,中共合肥市委政法委在全市领导机关和大单位的同类行业、部门之间开展治安防范工作对口赛,让参赛单位的群众和领导在压力中调动积极性,在治安防范工作中相互学习、相互促进、相互监督、互评劣优,这一做法取得显著成效。《法制日报》曾以《小马拉着大车跑》②为题做过专题报道。1993年,省、市机关领导带头抓

---

① 《安徽省情5(1990—1995)》,第474页。
② 合肥人把街道、居委会称为"小马",把省、市的一些大机关称为"大车"。

治安收到显著成效,取得一定经验,《法制日报》又以《车大马小帮着推》为专题做了报道。1996年7月,市委政法委召开会议,要求各县区以争创模范县区为契机,以基层基础工作为重点,以"谁主管、谁负责"原则为核心,以建设安全文明小区为载体,整体推动合肥市综合治安工作向纵深发展。12月,市委、市政府办公厅转发《关于在全市范围开展创建安全文明小区建设活动的意见》,对创建标准、范围、组织形式、经费来源等做出明确规定,开展创建安全文明小区建设活动,并把这项活动纳入领导责任制和目标管理中,简称"创安"。1997年2月,市综治委开展争创社会治安综合治理模范县区活动,简称"创模"。12月,市综治委召开全市"创安""创模"工作经验交流会。1992年,合肥市荣获"全国社会治安综合治理先进单位";1996年荣获"全国社会治安综合治理优秀单位"。同年,合肥市获中央综治委颁发的首届全国社会治安综合治理"长安杯"。在全国400多个城市中,仅有22个城市获得"长安杯",而省会城市只有合肥市和长春市。合肥市领导因此受到中央综治委、中央组织部的通报嘉奖。

第六节 建设现代化大城市

一、"九五"时期的城市规划

合肥居皖之中,又是省会城市,不论从历史的角度还是从现实基础看,将合肥率先建成全省现代化大城市,既是合肥城市经济社会发展的必然趋势,也是合肥全市人民的期望,同时,合肥建设现代化大城市也有许多有利条件。

1995年年初,中共安徽省第六次代表大会,提出了安徽发展现代化大城市的战略任务。2月,省长回良玉在《政府工作报告》中提出："要确立安徽需要现代化大城市的观念，在建设现代化大城市上下功夫。首先要把省会合肥建设好，尽快使合肥成为一个现代化的大城市。"① 按照"'大、快、美、强'四个字来建设现代化大城市，既要建得大，又要建得快，还要建得美，建得强，以提高安徽的知名度"②。

建设现代化大城市，首先需要对城市规划进行新一轮的编修。《合肥建设现代化大城市规划纲要》编制工作，历时一年，先后六易其稿。其间经过中共合肥市委常委中心学习组、市规划领导小组的多次讨论，经过市人大和市政府专题座谈会的讨论，广泛征求全市各方面意见，认真听取合肥地区大专院校、科研院所和省直有关部门的意见，以及合肥周边地区的意见，还考察借鉴了国内外若干城市的经验。并先后提交市委六届十二次全会、市人大十一届四次全会和五次全会讨论。1996年4月24日经市十一届人大第29次常委会审议通过。

《合肥建设现代化大城市规划纲要》主要包括五个部分，即建设现代化大城市的必要性、可能性，建设现代化大城市的指导思想、总体目标和战略构想，建设现代化大城市的战略步骤，建设现代化大城市的战略重点，建设现代化大城市的对策和措施。

在规划过程中，合肥建设现代化大城市规划办公室（简称"大规办"）及参与起草规划的所有人员，联系合肥市实际，征求各方面意见，反复推敲，提出了六大战略作为该规划的指导思想，即"开放强市、科教兴市、工贸富市、质量立市、园林美市、依法治市"③。《合肥建设现代化大城市规划纲要》提出合肥建设现代化大城市的总体目标是：发挥自身优势，突出合肥特色，进一步强化合肥在全省的政治、经济、金融、文化和信息中心的地位，努力把合肥建成著名的科教城、园

---

① 《首先要把省会合肥建设好，尽快使合肥成为一个现代化的大城市》，《合肥晚报》1995年2月20日。
② 《回良玉参加我市代表团讨论时希望合肥用"大、快、美、强"四个字建设现代化的大城市》，《合肥晚报》1995年2月22日。
③ 程干桐：《建设现代化大城市——合肥人的梦》，《五十年征程（1949—1999）》，第329页。

林城,全国重要的综合交通枢纽,长江经济带以高科技为先导的重要综合加工工业基地,宁汉郑大三角区域中综合力最强的中心城市和多功能、开放型的现代化大城市。《合肥建设现代化大城市规划纲要》对合肥城市空间布局和城市规模做出了设计,确定以现有的老城区为市级中心,三个开发区为市级副中心,店埠、上派等镇为卫星城的大城市空间格局。为适应跨区域开放式发展的趋势,《合肥建设现代化大城市规划纲要》还提出包括巢湖市、庐江县、六安市、舒城县等周边地区形成合肥经济区(城市圈)的构想。

1996年3月,中国科学院、中国社科院、北京大学、南京大学等单位的13位省内外知名专家对《合肥建设现代化大城市规划纲要》进行了评审,认为《合肥建设现代化大城市规划纲要》提出的建设现代化大城市的对策和措施,充分体现了改革开放、开拓进取的精神,具有很强的针对性和可操作性,是一份高质量、成功的规划,达到了省内领先、国内先进水平。

1995年,合肥市还编订了《合肥市城市总体规划(1995—2010)》。其近期规划期限为1995年至2000年,远期规划期限为1995年至2010年,描绘了合肥市大城市建设宏伟蓝图。《合肥市城市总体规划(1995—2010)》指出,城市人口规模,实际居住近期控制在135万人;城市建设用地规模,近期控制在125平方千米,人均建设用地标准近期在92平方米。在市域城镇体系方面,该规划指出,合肥市域总人口近期控制在460万人,城镇人口近期控制在224.5万人,城市化水平近期为48.8%。[1]

二、再造新合肥

20世纪90年代初,中共合肥市委、市政府做出"开放开发,再造新合肥"的重大决策,合肥市迎来了第二次城市建设高潮,城市空间

---

[1] 《合肥市志(1986—2005)》,第201页。

东扩、南移、西拓,拉大了城市框架。这期间,高新技术开发区、经济开发区和新站综合开发试验区相继建成,为合肥市的可持续发展增添了新的经济增长点。1995年以后,合肥市抓住国家扩大内需、加大基础设施投入、拉动经济增长的机遇,改变单纯依靠财政搞建设的方式,多方筹集建设资金,以五里墩立交桥为代表的一批基础设施重点项目相继竣工,"两环九射"的道路格局逐步形成。

(一)"八五"期间的城市建设

整个"八五"期间(1990年至1995年),合肥市城市由以老城改造为主发展到改造老城与开发新区并举。以老城为中心,各新区环城鼎立的城市新格局已基本形成。各项基本设施建设进一步加快。拓宽改造了城市出口道路,拓建了市内一批主干道和支道路,环道建设全面展开并取得重大进展,城市交通状况有了较大改善,现代化大城市道路框架已初具形象。建成了一批与生产生活密切相关的供水、供电、供气、通讯等基础工程;住宅小区建设进一步扩大,档次、水平明显提高;建设改造了一批贸易市场和商业服务设施;城市园林绿化和综合治理成效显著,环境保护得到加强。农村小城镇和道路等基础设施建设有了新的进展,城乡人民的生产和居住条件进一步改善。

"八五"时期,合肥市累计完成市政公用基础设施投资额19亿元,以路、水、气、电为重点的城市基础设施建设取得突破性进展。市区先后新建、扩建了长江路、阜阳北路、美菱大道、合裕路、东流路西段等道路32条,修造2条地下通道、2座人行天桥,有效地缓解了合肥交通拥挤状况,为现代化大城市建设奠定了一定的基础。其中,1992年长江路综合改造工程备受瞩目。随着城市规模和人口快速发展,长江路路幅窄、路况差、没有慢车道、人车混行的现状已难以适应新形势发展的需要。为此,中共合肥市委、市政府决定改造长江路。1992年3月底,成立长江路综合改造工程指挥部,市长钟咏三任总指挥。4月7日,市政府召开动员大会,省委常委、市委书记王太华到会动员。长江路综合改造工程由此拉开序幕。长江路综合改造工程包括移树①、沿线旧房拆迁、各种管线的拆除和重新埋入、道路修建、街景美化等方面,经过140个昼夜施工,到8月25日竣工。路幅由25米拓宽到35米至50米(三孝口以西),有了宽约4米的慢车道,沿街300多家商店、办公楼先后装修一新,长江路以崭新的面貌展现在世人面前。

"八五"时期,合肥城市供水能力也大大提高。自来水厂已发展到5个,日供水能力达到88万吨,是全国为数不多的供水超前发展的城市之一。城市管道煤气日供气能力达27.8万立方,两气气化率达52％,超过全国城市气化率的平均水平。建成防洪泵站19座,防洪堤坝35.4里。城市电力设施建设迈出了新步伐。合肥电厂4号机组建成并投入运营,用电总量增加到29.43亿千瓦时。1995年6月开始兴建的合肥第二发电厂,工程总投资达46亿多元人民币,年发电量为40亿度。

"八五"时期,合肥住宅建设、园林绿化发展迅速。全市房屋竣工总建筑面积2529万平方米,其中住宅建筑面积1235万平方米,解决了人均居住4平方米以下困难户住房6461套,兴建了琥珀山庄、钢铁新村、蜀山新村、花冲新村及桃花民营企业区等住宅小区或建筑组团30多个。居民住宅小区规划、设计、建设质量明显提高。1990年被国家建设部列为国家城市住宅建设试点的琥珀山庄小区巧借地形之便,房屋高低错落,白墙红瓦、草坪、碧水、蓝天融为一体,体现了建设部提出的"造价不多环境美"的思路,1994年荣获全国建筑工程质量最高奖"鲁班奖"和全国城市住宅试点小区金牌及6个单项最高奖,1995年被评定为"合肥十景"之一。城市园林绿化水平不断提高。5年间共植树87.34万株,铺植草皮及其他地被植物36.28万平方米;建成区绿化覆盖率达30.7％,人均公共绿地7.33平方米。合肥

---

① 将沿长江路两侧人行道上的558棵法国梧桐树迁移,是长江路综合改造工程的一部分。当时在广大干部群众中,不少人对清除梧桐树的做法有意见,因而没有直接砍伐,但又因树木高大,无法整体移植,所以采取先矮化树枝、再移植树干的办法。即先将长江路上的树木矮化、挖掘和运输,然后在东流路上移栽、养护。

市区建成"花园式单位"53个。环城公园、逍遥津公园等老公园得到进一步充实、完善,新建的杏花公园已具雏形,野生动物园开始起步建设,西郊风景区建成多处植物专类园和观赏园,蜀山画廊建成并开放。1992年,合肥与北京、珠海一道,被国家建设部授予首批"全国园林城市"光荣称号,1994年又被林业部正式批准为南方森林城的试点城市。

与此同时,合肥市加快了公用事业设施的投资,城市综合服务功能明显增强,人们的生活环境大为改善。市区中开辟并续修了明珠、和平、市政府和胜利等休闲广场,淮河路商业步行街、琥珀潭景区、蜀山野生动物园、安徽名人馆、科技馆及李鸿章故居等已成为市民节假日娱乐休闲的好去处。

(二)打通"一环路"

构筑现代化大城市道路框架,打通城市血脉,是合肥建设现代化大城市的重中之重。因此,中共合肥市委、市政府决定,动员全市力量,以最快的速度打通一环路,并以环路和立交桥建设为重点,迅速建设大城市交通网络,实现城市交通现代化、立体化。

合肥一环路由屯溪路、全椒路、凤阳路、濉溪路、合作化北路5条道路拓宽改造而成,总长16.8千米。5条路均始建于1985年以前,沥青碎石路面,路幅宽10米左右,最宽的濉溪路亦不足20米。1995年4月,一环路开工建设,年底全线贯通,路幅宽为45~50米。工程总投资1.85亿元,资金来源为土地出让金、机动车辆附加费、省计委和财政补助、债券和社会捐款等。道路建设过程中,需拆除房屋18.05万平方米;对排水进行雨、污分流,埋设雨水管道1.81万米、污水管1.56万米;新建绿地7.3万平方米,同步建设五里墩立交桥、全椒路铁路立交桥和屯溪路、明光路、合作化路、濉溪路四座跨河桥和美屯、金屯立交桥。

一环路和五里墩立交桥建设,再一次创造了合肥速度,出现了合肥城建史上诸多第一。在打通一环的过程中,合肥市民倾注满腔热情及无私奉献。修路需要资金,一期工程投资大约需4亿元。安徽省财政给予了近亿元的财政支持,有关部门出台了收取环路建设机动车辆附加费政策,安徽省人民银行、省建设银行、省农业银行等金融部门发放了建设贷款、债券2亿多元,但资金仍然存在缺口。1995年4月14日,合肥市政府向全市各单位和全市居民发出《关于在全市开展一环路建设捐款活动的通知》,全市迅速掀起了"情系一环"捐款活动热潮。短短一个月时间,合肥全市人民共捐款1500万元。

打通一环,拆迁是关键。25万平方米的拆迁任务,若不能在50天内完成,后续工程将无法进行,年内打通一环的承诺就难兑现。拆迁,牵动着2100多户、上万人的心。巨大的搬迁行动,再一次体现出了合肥人的奉献、风格和效率。

合肥屯溪路向西穿过金寨路便成了"断头路",在那一排排的民房中间坐落着4幢小楼,里面居住着8户退下来的副军级以上离休干部。人们称这4幢小楼为"将军楼"。将军楼里老人们平均年龄76岁,年龄最高的达90多岁,他们戎马一生,战争年代曾为中国革命做出过巨大贡献。当他们听说,一环路必须从这里通过,这4幢小楼均属于拆迁范围时,将军们表示,只要上级下达命令,哪怕是搬到外边露营也决不含糊!为表达自己的拳拳之心,他们每人还当即捐款100元,支持一环路建设。①

一环路拆迁工作,涉及的主要都是城郊结合部的居民,为了一环,郊区农民做出了巨大牺牲和默默奉献。常青镇朝阳村的一位农民老汉正忙着为小儿子操办婚事。但当他获知自家的房屋需要拆迁时,立即将全家20口人居住的613平方米房屋的钥匙交给了村拆迁工作小组。

一环路拆迁,做出牺牲的不仅是郊区农民,其他行业或单位也受到了损失。合肥市38中学的教学楼拆了,操场也被占了;市塑料十一厂、万里蓄电池厂均被全部拆除;安徽省建一公司已被几次拆迁,

---

① 中共合肥市委宣传部、合肥市文联主编:《历史的跨越——合肥改革开放二十年纪实》,安徽人民出版社1998年版,第143页。

为了五里墩立交桥建设,他们又让出了60亩地,拆迁291户、1.3万平方米;安徽省人大、省委党校、省地矿局、省水利厅、省公路局等省直单位的占线房屋全都主动搬迁。仅仅50天,25万平方米拆迁任务顺利完成,这在合肥城建史上前所未有,在国内也属罕见。合肥市民们对建设一环的理解、支持和拥护,由此可见一斑。

合肥五里墩立交桥,是一环路建设的关键工程。1995年4月7日,五里墩立交桥向全国公开招标设计方案;5月3日,6家设计院参与竞争;5月24日,施工单位招标揭晓,铁道部第四工程局中标;6月6日,五里墩立交桥举行了隆重而又热烈的奠基仪式。五里墩立交桥,地上三层、地下一层,造型美观,气势宏伟,交通功能合理,5个岔道解决了17个流向的交通,桥梁面积达4万平方米,占地8.9公顷,时为全国少有的规模。从首根桩基浇灌,到桥梁全面竣工,仅仅用了160天时间,建设速度惊人。从某种意义上说,五里墩立交桥成了"合肥速度"的象征。

五里墩立交桥

1995年12月31日,合肥市一环四路三桥全线贯通。

合肥二环路,由当涂路、东流路、环湖东路、砀山路、双七路、瑶海路6条道路组成,总长38.1千米。其中,当涂路自长江东路至合裕路段于1990年按规划建成,其余均为新建道路。二环路以长江路为线,分南北两段。1995年7月南段18.7千米建设启动,包括当涂路自合裕路至合巢路段、东流路、环湖东路南段,同步建设当涂路跨南淝河大桥和合九铁路立交桥,1997年12月贯通。1999年7月,二环路建设北段工程启动。次年3月,北段工程全部竣工,二环路全线贯通。二环路路幅宽60米:机动车道24米,两侧非机动车道5.5米,人行道3米,双向六车道。二环路北段建设过程中,埋设雨水干管1.77万米、污水干管1.46万米,新建绿地35.2万平方米,架设路灯861柱,同步实施供电、电信、煤气、自来水等管杆线工程,建设了南淝河、四里河、板桥河三座跨河桥以及与铁路淮南线、合肥火车客运新站引入线、桃花店铁路编组站相交的三座铁路立交桥。

三、城市建设新格局

合肥一环路全线贯通后,从1996年至2000年,又新建和扩建了二环路、马鞍山路、蒙城北路、合作化南路、淮河路、黄山路等30余条道路,兴建了金屯、美屯等5座立交桥和4座人行天桥,市道路总长度和总面积分别达1071千米和1264万平方米,城市人均拥有道路面积11.76平方米。合肥已初步形成"二环九射加方格网"[①]的路网框架。

1998年,合肥制定并逐步完善了房改实施方案,建立起住房公积金制度和住房分配货币化制度。与此同时,合肥市政府把住房解困解危列入为民实事项目,通过各种渠道解决了1.5万户居民住房困难问题。实施安居工程,制定了优惠政策,在土地供应、规划立项、资金投入等方面给予扶持。5年共开工建设安居工程27项,建筑面

---

① "二环九射","二环",指的是合肥一环路和二环路,"九射"指的是从城市东西南北各个方向向外围延伸的主干道,包括金寨路、阜阳路、长江西路、马鞍山路、新蚌埠路等。

积近百万平方米,经济适用住房工程18项,建筑面积80多万平方米,集资建房150万平方米。据统计,2000年,全市人均住房使用面积达11.8平方米,住房套率占80.96%以上。房地产市场管理进一步加强,逐步建立了商品房预售许可制度、房地产成交价格申报制度、房地产抵押登记制度,规范了房地产市场行为,维护了房地产市场正常秩序,保障了房屋所有权人的合法权益。建成了集房地产权属管理、交易、中介、信息和服务于一体的交易中心,成立了房屋置业担保有限公司,培育和发展了房地产市场。以提高功能、质量、环境为重点,狠抓试点小区建设工作,先后建成了南园新村、银杏苑、安居苑等一批规划布局合理、设施配套、功能齐全、质量优良、环境优美的示范住宅小区。

"九五"时期,合肥市新建了清溪路水厂、水源联络管工程,优质水供水比例大大提高。建设煤气三期工程、煤气技改工程、液化气第二储灌站,管道煤气供气能力32万立方米/日,液化气3万吨/年,城市普及率为90.7%。建成公交第四保养场,新增双层巴士、无人售票车等,拥有城市公交车1548标准台,每万人拥有公交车辆12.1标准台,出租汽车6500辆;小公共汽车和出租汽车的发展,给不同消费层次居民的出行带来了方便。建成王小郢污水处理厂,日处理能力30万吨;建成4座污水泵站,城市污水处理率达60%以上。

"九五"时期,合肥进一步优化"城在园中、园在城中、城园交融、园城一体"的城市园林格局。义务植树和租地造绿取得了新成绩,城市绿化覆盖率达31.5%。对板桥河、南淝河、二里河、史家河、十五里河等进行了治理,提高了防洪能力,改善了环境。在环境保护方面,进一步加大环境综合整治和环境污染治理力度,大力实施"蓝天白云"工程。围绕"一控双达标"做了大量工作,环境质量基本保持稳定。

合肥的城市绿化在"九五"时期持续推进。1997年,全市园林绿化面积3028公顷,人均公共绿地为7.4平方米,在全国处于领先地位。合肥城市园林的最大特点就是实行敞开式布局,扇叶状布局之间是大片田园,为城区绿化留下了大片土地,在改善城区小气候的同时,又减少了环境污染,美化绿化了城市。合肥城市绿化的特色鲜明,正在形成市区以现有绿地为基础,结合道路建设,大力发展园林路、花园街;西郊、北郊以蜀山湖、大房郢水库和大蜀山为依托,规划91平方千米的西郊风景区;通过建设大蜀山至紫蓬山18千米长、40米宽林带,连接紫蓬山景区;在东南方向,结合城市通风口的南淝河两侧绿化,规划建设河滨公园,并与巢湖相连接,建设巢湖风景区。同时,合肥在保持园林城市特色的基础上,结合全市环境建设,将城市三环路的绿色环带与纵横交织的园林路、花园街相连接,形成城区、郊区绿色的网络。

至2000年,合肥城市建成区面积由"八五"末的86平方千米拓展到125平方千米,城市人口由116万人发展到134.47万人。环路等主干道路陆续建成,"二环九射加方格网"的大城市道路框架已经形成。铁路、公路、水路、航空建设取得突出成效,基本构成了方便、快捷的立体化对外交通体系。城市供水、供电、电话、有线电视、园林绿化、环保等公用事业取得新成就,IP宽带城域网建设进入全国先进行列。一批改善城市环境、方便群众生活、提高城市品位的重点工程相继建成,城市面貌进一步改观,现代化大城市新格局开始呈现。

第十章

全面建设小康社会

第十章 全面建设小康社会

新世纪伊始，合肥在经历20多年改革发展的基础上，进入加速崛起发展的快车道。全市经济发展突飞猛进，城乡面貌发生巨变，各项社会事业大踏步前进，改革全面深化，人民生活水平大幅提升，在全国不断争先进位，对全省发展辐射带动作用快速增强。特别是"十一五"以来，合肥以工业立市战略为核心，积极推进"大发展、大建设、大环境"，县域经济、民营经济迅速发展，第三产业蓬勃兴旺，科技教育全面推进，现代化滨湖大城市构架展露英姿，社会主义新农村建设与城乡一体化进程迅速推进，经济社会日新月异，发展日臻完善，居民幸福指数节节攀升，谱写着合肥发展的新篇章。

进入"十二五"时期，随着国家中部崛起战略的深入推进，在合肥经济圈、合芜蚌自主创新综合试验区、皖江城市带承接产业转移示范区的政策叠加新机遇面前，合肥市经过行政区划调整，扩体增容，有力地提升了区域经济社会的发展动力。

21世纪的头10年，合肥人民在新的起点上，以中国特色社会主义理论体系为指导，贯彻落实科学发展观，朝着建设全国有较大影响力的区域性特大城市、全国重要的现代产业基地、全国重要的综合交通枢纽和全国重要的创新型城市方向，开拓进取，阔步前进！

第一节 新世纪初的社会结构与社会变迁

一、城乡人口分布及其变化

（一）2000年以前城乡人口分布

1949年合肥解放之初，全市常住人口5万余人。50年后，经过多次区划调整，到2000年11月第五次全国人口普查时，合肥市常住人口增至446.59万人（包括具有非本市户籍且离开其户籍地半年以上在本市的人口，不包括本市户籍人口中流向市外半年以上的人口），其中市区人口165.84万人。全市常住人口在县、区分布上，东市区24.87万人，中市区24.34万人，西市区38.71万人，郊区77.92万人；市辖三县中，长丰县89.38万人，肥东县100.66万人，肥西县90.71万人。按城乡人口分布计，全市常住人口中，居住在城镇的人口196.34万人，占常住人口的43.96%；居住在乡村的人口250.25万人，占常住人口的56.04%。全市共有家庭户123.92万户，平均家庭户规模为3.38人；在年龄结构上，0~14岁人口100.31万人，15~64岁人口315.24万人，65岁及以上人口31.04万人；在性别结构上，男女性别比（以女性为100，男性对女性的比例）为110.6；在民族构成上各少数民族人口为3.71万人，占常住人口的0.83%；全市常住人口受教育程度，接受大学（指大专以上）教育的约31.15万人，接受高中（含中专）教育的56.96万人，接受初中教育的152.49万人，接受小学教育的130.73万人，全市常住人口文盲率7.69%。①

在1949年至2000年半个世纪的社会变迁发展过程中，合肥市人口发展呈现7个特点：1. 人口增长迅速，50年增长了63.71倍。2. 在绝大多数时间中人口的机械增长超过自然增长，市区人口以迁移入超为主，郊区则以人口划拨入超为主，尤其是改革开放以后，随着经济体制改革和商品经济发展，户籍制度渐进改革，合肥市人口机械变动更呈逐年增加态势，外来人口的迁入数明显增加。3. 自然增长出现三次高峰，20世纪70年代后随着计划生育工作的全面推行和逐步深入，人口自然增长率呈下降趋势，全市人口增长速度受到控制，人口自然增长势头减缓。4. 高速机械增长以及传统重男轻女观念的影响，全市男女性别比例一直偏高。20世纪80年代后，由于生育制度的不断完善和计生政策的深入，妇女地位日益提高，人民生活

---

① 合肥市统计局、国家统计局合肥调查队编：《合肥统计年鉴·2011》，中国统计出版社2011年版，第41—50页。

逐渐安定,总人口性别比由高到低缓慢下降,但由于新增就业人员以及合肥市大中专院校在校学生以男性为多,全市男女性别比仍然偏高。5. 人口年龄结构出现重大变化。20世纪50—70年代处于年轻型(增长型)人口发展模式,80年代转入成年型(稳定型)人口发展模式;20世纪90年代后,随着经济的持续发展,人民生活水平和医疗保健条件的提高,以及计生政策逐步落实,形成的人口出生率明显下降,老年人口比重增加,人口年龄结构由成年型向老年型过渡,到2000年合肥市人口年龄结构已转变为老年型,老年人口问题日益突出。6. 人口总量持续增长,劳动力人口的规模也在不断增大,在总人口比重中逐渐上升,就业压力明显增加;人口文化素质明显提高,有文化人口比重不断增加,受教育层次明显提高;随着计划生育工作的日益深入,家庭结构逐渐以小家庭为主,家庭户人口规模逐渐减少。7. 合肥作为新兴城市,是全省政治、经济、文化中心和科学教育基地,20世纪80年代以后,随着改革开放的不断深入,流动暂住人口大幅度快速增长,总量不断增大。

(二)2000年至2010年的城乡人口分布及变化

2010年11月,第六次全国人口普查。这次普查,距上次普查已有10年时间,也是21世纪初进行的首次全国人口普查。10年间,合肥市经济社会实现了跨越式快速发展,全市人口在总量和城乡分布上呈现出许多重要变化。

第一,随着合肥市经济社会快速发展,工业化、城市化加速推进,城市聚集产业和人口的功能不断提升,区域性中心大城市地位日益显现,吸引了大量劳动力,流入人口数量庞大,使全市常住人口规模不断扩大。普查结果显示,全市常住人口为570.25万人,比2000年增加123.51万人,增长27.65%,年平均增长2.47%;普查登记的户籍人口为501.95万人,比10年前增加98.57万人,增长24.44%,年均增长2.21%。全市常住人口占全省的比重由2000年的7.50%上升到2010年的9.58%,上升2.08个百分点,10年里,全市常住人口净增123.51万人，是上一个10年净增60.31万人的2.05倍。10年间，合肥市由市外流入的常住人口达230.85万人，流出到市外的人口达162.55万人，净流入68.3万人，这其中九成以上人口是15～64岁的劳动年龄人口，反映出合肥市区域性中心大城市建设产生的聚集效应和人口功能的不断提升。①

第二，新世纪以来，合肥市按照城乡一体的发展思路，加快了城镇化发展进程。尤其是"十一五"期间，积极实施"141"城市空间发展战略，加快老城区和东部、北部、西部、西南部四大组团以及滨湖新区建设的步伐，市政建设取得重大进展，市政公用设施日臻完善，城乡一体化向纵深推进，城市综合承载力进一步增强。2010年，合肥市建成区面积突破300平方千米，是10年前的2倍多，全市城镇化率已达68.17%，分别高于全国、全省平均水平18.49个百分点和25.16个百分点。

普查显示，合肥4个城区（含三大开发区）的常住人口为335.21万人，比2000年增加165.81万人，增长97.88%，占全市总人口的比重由37.92%上升至58.78%。三县常住人口235.04万人，比2000年减少42.3万人，下降15.25%，占总人口的比重由62.08%下降为41.22%。三县净流出到县外半年以上人口46万多人，流出到城区的有30多万人。人口由乡村向城市迁移的趋势进一步呈现，全市城镇人口比重快速上升。在全市常住人口中，居住在城镇的人口为388.73万人，占68.17%，居住在乡村的人口为181.52万人，占31.83%。同2000年相比，城镇人口增加192.39万人，乡村人口减少68.73万人。城镇人口比重上升了24.21个百分点。②

第三，全市生育率持续保持较低水平，生育水平不断下降，出生人口减少，同时社会经济发展，人民生活水平不断提高和住房条件改善，使家庭关系发生了深刻变化。一方面家庭户户数大幅增加。

---

① 《合肥统计年鉴·2011》，第41—50页。
② 《合肥统计年鉴·2011》，第41—50页。

2010年,全市共有家庭户172.9万户,比2000年增加49.49万户,增长40.11%。另一方面,家庭户规模逐步缩小。全市平均每户人口由2000年的3.38人下降到2010年的2.83人,低于全省平均水平。①

第四,在性别比构成上,仍然保持着男女性别比偏高的历史连贯性,并呈现出城乡分布上的明显区域差异。全市常住人口中,男性人口为298.25万人,占52.3%;女性人口为272万人,占47.7%,男女性别比为109.65,高于全国和全省水平。这主要是由男性为主的外来人口大量流入造成的,在市外净流入68.3万人口中,其性别比高达116.2,比全市平均性别比高6.55。此外,高校集中,作为本市常住人口普查的近20万大专以上在校生的性别比高达114.04,也是导致合肥市性别比偏高的因素之一。由于大量流入的以男性为主的外来人口以及大专院校多集中在城区,而三县人口是净流出的,并且三县净流出到市外的人口性别比高达130.69,以男性居多,所以男女性别比在城乡地区分布上出现显著区域差异,城区人口性别比为113.33,三县为104.76,城区性别比明显高于三县性别比。②

第五,在年龄构成上,继续呈现出少年儿童人口数量减少、劳动年龄人口和老年人口持续上升的"一减两增"的发展趋势,人口老龄化程度不断加剧。从2000年和2010年的两次人口普查数据看,在全市常住人口大量增加的情况下,0～14岁的少年儿童人口在持续减少,由2000年的100.31万人减少到80.1万人,在总人口中的比重也由22.44%下降到14.05%。这是由于自20世纪末以来,生育率持续保持较低水平,出生人口减少,少年儿童人口在总人口中的比重也逐渐下降。③

新世纪以来,合肥市经济社会跨越式快速发展,产业化程度迅速提高,城市对人口以及产业对劳动力的吸纳力、承载力和聚集作用都明显增强,吸引了大量劳动力,使全市劳动年龄人口大幅增加。普查

---

① 《合肥统计年鉴·2011》,第41—50页。
② 《合肥统计年鉴·2011》,第41—50页。
③ 《合肥统计年鉴·2011》,第41—50页。

时合肥市由市外净流入的人口达68.3万人,其中,92.24%的人口是15~64岁劳动年龄人口。2010年,全市劳动年龄人口达到441.87万人,占总人口比重的77.49%,较2000年增加了127.11万人。[①]

与此同时,合肥市老年人口继续迅速增长,人口老龄化程度不断加剧。据普查数据显示,2010年合肥市65岁及以上的老年人口48.26万人,在总人口中的比重为8.46%,比2000年增加了16.46万人,增长51.76%,占总人口比重上升了1.35个百分点。人口老龄化进程加快,养老保障问题日渐突出。[②]

第六,新世纪以来,合肥市包括学前教育、义务教育、高中教育、高等教育、职业教育等各类教育得到全面发展,扫除文盲工作成效显著。同时,大量流入人口素质较高,在市外流入的人口中,有48.33%的人口具有大专及以上文化程度,再加上合肥是省会城市,是全省政治、经济、文化中心和全国重要的科教基地,其人员平均学历相对较高,因此,在人口受教育程度上,合肥市人口文化素质呈现持续提升的发展趋势。

2010年合肥市6岁及6岁以上人口为535.41万人,占总人口的93.89%。其中,具有大专及以上文化程度的有109.48万人,占20.45%;具有高中(含中专)文化程度的有94.43万人,占17.64%;具有初中文化程度的有192.48万人,占35.95%;具有小学文化程度的有108.91万人,占20.34%。与2000年第五次人口普查相比,具有大专及以上文化程度的比重上升了12.99个百分点,在受教育人口中增幅最大;具有高中文化程度的比重上升了3.81个百分点,具有初中文化程度的比重下降了0.78个百分点,具有小学文化程度的比重下降了11.14个百分点。同时,文盲人口大幅减少,文盲率进一步下降。

与全国和全省的人口受教育程度与层次的平均水平相比较,合

---

① 《合肥统计年鉴·2011》,第41—50页。
② 《合肥统计年鉴·2011》,第41—50页。

肥市每10万人中具有大专及以上文化程度的人数分别是全国、全省的2.15倍和2.87倍,具有高中文化程度的人数也高于全国、全省的平均水平。而具有初中和小学文化程度的人数大大低于全国、全省的平均水平。在人口受教育程度和层次上,新世纪以来,合肥市人口文化素质实现了进一步提升,人口文化素质较高。[①]

从2000年第五次全国人口普查到2010年第六次全国人口普查,10年间,合肥市人口在城乡分布上呈现的重要变化,从多方面反映了新世纪以来合肥市经济社会发展与工业化、城镇化建设的巨大成就,也为合肥市未来经济社会发展政策的制定提供了重要的参考依据。

二、城乡一体化进程与社会整合

20世纪90年代,随着中国工业化进程和市场经济体制改革的不断深入,城市的发展优势越来越明显。打破城市和农村的分割壁垒,改变长期形成的城乡二元经济结构,推进城乡社会整合,实现城乡经济社会协调可持续发展,逐步缩小直至消灭城乡之间的基本差别,实现城乡一体化,成为推进中国现代化建设的重要任务。

为实现城乡一体化目标,合肥市从"十五"伊始,就着手以市场为导向,立足各县区经济资源和区位特点,突出农村工业化、城镇化和农业现代化(简称"三化")三大重点,统筹城乡发展。在农村工业化上,把工业放在县域经济的首位,通过加速体制创新,推动民营经济发展和乡镇企业体制创新,以农副产品加工业为重点,大力发展园区经济、配套经济、民营经济,推动县域经济的快速发展。在农业现代化上,继续加强农村基础设施建设,调整优化农业结构,大力推进农业产业化经营。截至"十五"末,合肥市农业产业化获得巨大发展,全市农业机械化水平居全省前列。在加快城镇化方面,合肥市将加快

---

① 合肥市统计局:《合肥市"六普"公报数据解读》,《合肥年鉴》编辑部编《合肥年鉴·2011》,黄山书社2011年版,第525—528页。

农村城镇化步伐作为推进城乡一体化发展的重要举措,大力实施城镇化战略,加快小城镇综合改革试点与建设步伐。

合肥市小城镇综合改革试点自 1996 年开始实行,到 2000 年,全市已有 3 家综合改革试点镇。其中,长丰县双墩镇和肥西县三河镇既是省级试点镇,又是国家级综合改革试点镇,肥西县官亭镇是市级综合改革试点镇。

合肥市还加大对小城镇规划建设的工作力度,先后对三县和郊区共 18 个乡镇的总体规划进行编制、修编。2001 年,全市确立的 13 个试点小城镇建设进展顺利。全市当年有 2 万余农民进镇务工经商。2002 年,合肥市着手编制《三县县域城镇体系规划》,新增长丰县吴山镇为市级综合改革试点镇,全市 16 个省、市试点小城镇的城市化水平达 32.8%,同比增长 5.3 个百分点。① 2003 年,合肥市启动市辖三县县城近期建设规划及 7 个集体土地流转试点镇总体规划修编工作,肥东县撮镇镇进入市综合改革试点镇行列,并与三河、双墩一起被列为全省重点中心镇。2005 年,全市小城镇建设取得一系列重要成果,城镇化率已达到 55.8%。

"十一五"时期,合肥市加大实施"工业反哺农业、城市支持农村,实现工业与农业、城市与农村协调发展"力度,进一步强化城市对农村的辐射和带动作用、工业对农业的支持和反哺作用,结合"141"城市发展战略,大力推进县域工业化、城镇化、农业产业化和农民非农化,并按照"多予、少取、放活"和城乡"一盘棋"思想,把城乡基础设施、产业布局、生态环境、社会事业、居民社区作为一个整体,统筹规划,加快建设与现代化大城市发展相适应的社会主义新农村,将城乡一体化进程推向一个新的阶段。

首先,继续坚持"三化"联动,走以"三化"带"三农"(农村、农业、农民的简称)的发展道路,统筹推进城乡产业融合发展,积极探索具有合肥特色的城乡统筹一体发展的新路子。一是坚持以工业化致富

---

① 《合肥年鉴》编辑部编:《合肥年鉴·2003》,黄山书社 2003 年版,第 122 页。

农民。全市以"工业立市""工业强县富民"为发展方略,创新举措推进经济、高新、新站三大开发区与三县共建特色园区,促进工业向三县转移。二是以城镇化带动农村。全市以"全域合肥"理念统筹城乡规划,按照"141"城乡空间布局体系要求,构建"中心城区—城市组团—新市镇—中心村"四级城镇体系,以城带动、多点发展,充分发挥城市的辐射带动作用,有组织、分层次地引导农民向城镇转移和集中居住,全市城镇化率由2005年的55.8%提高到2008年的64.2%,超过同期全省城镇化率23.7个百分点。三是以现代化提升农业。坚持把现代农业作为城乡统筹发展、加快新农村建设的产业基础,加强"稳粮、扩菜、强畜、兴生态、重加工"的农业产业体系建设,持续开展农业结构调整,大力推进特色化、规模化、园区化、功能化、板块化特色高效农业发展。到"十一五"末,全市农业初步形成了规模化种养、区域化布局、标准化生产、集约化经营的现代农业发展新格局。

其次,坚持以新农村建设示范村镇为载体,把农房建设作为城乡统筹发展、加快新农村建设的重要抓手,探索出新农村建设的六种模式,建设农村集中区和农村新社区,改善农民居住条件,推动农民向城镇居民转变。一是整村推进型。把土地规模整治与新农村建设相结合,推动村镇产业向园区集中、农民向新社区集中、农用地向适度规模经营集中。二是迁村腾地型。将新村建设与土地整治项目相衔接,鼓励分散居住的农民以其宅基地置换新规划区内的住宅用地集中建房。三是城中村改造型。把搬迁村民的安置房建设同开发商的商品房建设相结合,"捆绑"开发,使农村与城市社区接轨,推动农民向市民转变。四是项目推动型。依托新桥机场、高铁、高速公路等重大工程项目,配套建设新社区基础设施和服务设施,引导农民利用征地补偿费、房屋补偿费统一建设农村新社区。五是产业培育型。以产业龙头企业、规模种养板块为基础,规划建设核心产业园区,依托产业配套建设农民集中居住区。六是环境整治型。按照"五化一制(硬化、净化、亮化、绿化、美化、建制)"标准要求,开展创建文明乡村活动,因地制宜进行整村整片整体整治,改善人居环境,建设自然生态型新社区。

第三,坚持以城带乡,着力推进公共服务向农村延伸。一是统筹城乡基础设施建设。实施市域高速公路网、省道公路网、县道公路网、乡村公路网建设,初步建成了连接城区、覆盖乡村、城乡一体的交通基础设施体系;积极推进城市公交向农村延伸,农村客车通村率达98%;加强农田、水利、供电、供水等基本建设,改善农村发展环境;加快城乡垃圾污染物集中处理、污水处理、园林绿化等环境基础设施建设,林木覆盖率不断提升;加强农村环境综合整治,改善农村卫生条件和人居环境;结合农民集中区建设,做好水、电、路、气、电信、网络等基础设施全面覆盖,农民的居住生活和交通条件逐步向市民转变。二是统筹推进城乡社会保障、就业、教育、卫生、文化等公共服务,让农民群众共享发展成果。2007年以后,进一步完善社会保障体系,在全省率先实行城镇居民医疗保险,实现三县新型农村合作医疗与居民医保"二险合一",逐步建立健全被征地农民养老保障制度、新型农民养老保险制度、农村居民最低生活保障制度和城乡一体的社会救助体系,基本实现城乡社会保险制度的全覆盖;建立城乡一体的劳动力市场,从市到村建立四级就业服务网络,推进了农村劳动力向非农产业转移就业;优化农村教育布局,义务教育城乡均衡发展进入全国先进行列;实施县级医疗卫生机构、乡镇卫生院、村卫生室标准化建设,逐步形成村卫生室全覆盖。实施乡镇综合文化站、农家书屋和农民体育活动场所建设。

2009年,合肥市被批准为城乡一体化综合配套改革试点市。为此,中共合肥市委、市政府出台《关于开展城乡一体化综合配套改革的决定》。2010年,市委、市政府又制定出台了《关于扩权强镇试点工作的实施意见》《关于进一步做好农业农村工作的若干意见》以及《合肥市城乡一体化综合配套改革试验区建设总体方案》等政策文件,在坚持"三化"联动统筹城乡产业融合发展,扎实推进新农村民居建设以及城乡基础设施、社会保障、就业、教育、卫生、文化、财政金融等公共服务一体化发展的同时,实现城乡一体化建设的工作机制、政策制度、农村新社区管理机制等体制机制创新突破,加快新农村建设的动力源泉,全面推进城乡一体化综合配套改革。

"十一五"时期,合肥市通过实施工业立市、县域突破、创新推动三大战略,不断加大城乡一体化发展力度,着力从城乡统筹发展、破解"三农"问题入手,深入推进新农村建设,县域经济社会发展实现了历史性跨越。三县经济由农业主导型向工业主导型快速推进,工业化、城镇化进程大幅提升。"十一五"时期,是合肥市城乡统筹力度最大、县域经济发展最快、农村面貌变化最明显、农民得实惠最多、城乡一体化发展进程快速推进的时期。

进入"十二五",合肥市坚持以城乡一体化发展为根本方略,树立"全域合肥"理念,继续实施"工业立市、县域突破、创新推动"三大战略,继续在发展规划、产业布局、基础设施、资源配置、公共服务、就业保障、生态建设、社会管理等方面加大统筹力度,着力推进城乡规划、产业发展、要素配置、基础设施、公共服务和社会管理六个一体化。2011年,全年投入支农资金49.1亿元,比上年增长30.9%,城乡基础设施和公共服务对接步伐加快,农村基础设施建设力度进一步加大,新农村建设由示范引导向全面推进转变;大力推进"三化联动",农业转型升级成效明显,县域经济快速发展,综合实力显著提升,肥西县在全国百强县位次跃升4位,肥东、长丰县在中部百强县排位分别前移2位、5位;一批区县合作共建工业园区成为城乡融合发展的新典范;农村重点领域改革深入推进,在全省率先开展土地流转市级招投标、农村经营一体化管理和农业经营体制机制创新,进一步完善土地规模规范流转的政策体系;城乡教育、文化、卫生、社会保障等社会事业均衡发展;全年完成植树造林16.86万亩,相当于过去5年的总和,城乡生态环境进一步改善。①

---

① 合肥市地方志办公室编:《合肥年鉴·2012》,黄山书社2012年版,第13页。

第二节　建设社会主义新农村

一、取消农业税　"三农"得实惠

合肥是中国农村改革的发祥地之一。1978年,肥西县山南小井庄农民率先实行包产到户,成为中国农村实行家庭联产承包责任制的重要发源地之一。2000年,合肥又和安徽省各县市共同开始在全国先行试点农村税费改革,揭开了中国农村税费改革全面展开的序幕。

2000年3月2日,中共中央、国务院颁发《关于进行农村税费改革试点工作的通知》,确定在安徽全省范围内进行农村税费改革试点。4月26日,安徽省政府制定下发《安徽农村税费改革试点方案》。其主要内容可概括为"三个取消、一个逐步取消、两个调整、一项改革",即取消乡统筹;取消农村教育集资和所有面向农民征收的行政事业性收费、政府基金、集资;取消屠宰税以及随附征收的各种费用;逐步取消劳动积累工和义务工,3年内完全取消;调整农业税政策,实行地区差别税率,全省最高不超过7%;调整农业特产税;改革村提留征收和使用办法,村提留改为农业税附加方式征收,比例最高不超过农业税的20%,实行乡管村用、专户储存、专款专用,村内公益事业所需资金由农民民主商议解决。

2000年6月起,合肥市启动农村税费改革试点工作。合肥成立以中共合肥市委书记为组长、市政府市长为第一副组长的领导小组,下设办公室。各县(区)、乡镇也相继成立组织机构。

首先,减轻农民负担。农民负担的税赋不得突破1997年农业税、乡统筹费及省、市核定的负担总额;村三项费用(村干部、"五保"

户供养、村办公费)采取农业税附加和农业特产税附加办法收取;取消乡统筹等面向农民的行政性及事业性收费和政府性基金,取消农村教育集资和屠宰税,3年内逐步取消统一规定的劳动积累工和义务工。

其次,调整税收政策,规范征收管理,稳定改革后的农民负担。以农民二轮承包合同耕地面积为基础,落实农业税计税土地面积和任务;农业税应征税额按占计税常产的比例最高不超过7%确定农业税税率;调整农业特产税,实行一个应税品目只在一道环节征税;严禁重复征收。

再次,改革村提留征收和使用办法。由农民上缴村提留开支的部分,采取新的农业税附加方式收取,交纳农业特产税的采取农业特产税附加方式收取;农业税附加比例最高不超过改革后的农业税的20%;农业特产税附加不得超过改革后农业特产税的10%,并保持长期稳定;村内兴办水利、修路架桥等集体生产和公益事业,实行一事一议。

为规范和加强农村税费改革试点工作,达到减轻农民负担并保持长期稳定的目标,合肥市在工作中层层签订减轻农民负担责任状。

经过2000年一年的工作,全市农村税费改革初见成效。一是减轻了农民负担。税费改革后,全年全市农业税及其附加、农业特产税及其附加共2.22亿元,人均78元,亩均57元,与改革前相比,减轻9277万元,亩均减少24元,人均减少32元。[①] 二是理顺了农业税征纳双方的关系。税费改革后,农业税做到依率计征,切实把农民的不合理负担减下来。三是改善了农村干群关系。四是增强了乡镇政府调控能力。税费改革取消乡统筹,相应调整农业税税负,增加了财政收入。五是加强了乡镇资金管理。

2001年,合肥市出台《关于做好2001年农村税费改革工作的通知》《关于进一步规范农业税收征管工作的通知》和《合肥市农税纳税

---

① 合肥市地方志编纂委员会编:《合肥年鉴·2001》,黄山书社2001年版,第133页。

大厅管理办法》,继续推广"三定一公开"(定税额、定时间、定地点,公开透明)的征收办法,引导农民到纳税大厅缴税,改进和加强农业税收征管;加强"一事一议"筹款审批,对乱收费、乱摊派等开展专项整治,并强化税费改革督查,确保各项改革及减负政策及时兑现到位。同时,进一步落实各项税改配套措施,完成市辖三县一郊教师工资上收到县管理方案制定,建立教师工资按月上报和按时发放制度;制定《合肥市农业税灾歉减免资金管理办法》,明确操作规程和灾歉减负资金的拨付程序。全年税费改革共调减农业税计税常产1.57亿公斤,调减农业税及附加1496.9万元,减轻农民负担1.08亿元,人均减负38.6元,有力深化和巩固了税费改革成果。[1]

当年7月,中共中央政治局常委、国务院总理朱镕基来安徽考察,对包括合肥市在内的安徽全省农村税费改革试点给予肯定,同时也提出,还有不少问题尚待解决,要求合肥市及安徽全省继续深入部署,落实好这项重要任务。

2002年,合肥全面推行"三定一公开"征收办法,有106个乡镇设立农税办税大厅,实行农业税收常年征收,税费征收逐步走向规范化。同时成立涉农案件处理办公室,建立农民负担立体监控网络,及时收集、反馈农民负担信息;有计划、有步骤地开展并村减员工作,积极清理核查村级债务,全市村级债务总额为8.6亿元,通过调息降息、回收债权、拍卖闲置资产、清退不合理开支等途径化解2.97亿元;坚持开发式扶贫,通过实施养殖增收、林业增收、劳务增收、草危房改造、结对帮扶和社会救济等工程,全年有1.92万绝对贫困人口和5万低收入人口解决了温饱问题,农民负担进一步减轻。[2]

在合肥及安徽全省农村税费改革取得成功经验后,从2003年开始,全国农村税费改革普遍推开。合肥市出台《关于做好2003年全市农村税费改革工作的意见》和《关于做好粮食补贴方式改革试点工

---

[1] 《合肥年鉴》编辑部编:《合肥年鉴·2002》,黄山书社2002年版,第126页。
[2] 《合肥年鉴》编辑部编:《合肥年鉴·2003》,黄山书社2003年版,第148、122页。

作的实施意见》,按照"'全面抓规范、系统防反弹'的农村税费改革规范年活动"要求,大力推进农业特产税改征农业税工作,加大对农村税费改革和农民负担的检查和暗访力度,开展农业税灾歉减免资金落实情况专项检查;同时,推进粮食补贴方式改革试点工作。

这年,全市农业特产税改征农业税后直接减轻农民负担195.69万元,较好地解决了重复征税等问题,并实现3882万元粮补资金的足额发放。此外,全市全年还安排支农支出1.47亿元,农民减负增收取得了明显成效。[①]

为落实2004年2月《中共中央、国务院关于促进农民增加收入若干政策的意见》(即中央1号文件)及安徽省委、省政府4月颁布的《关于做好2004年全省农村税费改革工作的意见》两个文件的精神,合肥市委、市政府结合农村实际,于4月9日和5月26日先后出台《关于统筹城乡发展增加农民收入的若干政策意见》和《关于做好2004年全市农村税费改革工作的意见》,取消农业税附加和降低农业税税率,继续推进各项配套改革措施,规范农村税费征管,建立防止农民负担反弹的监督约束机制,全面推进农村税费改革工作。

2004年,合肥顺利完成全部取消农业税附加、农业税正税税率降低2.2%的改革任务,两项合计减轻农民负担8216万元,人均减负29元。同时,又相继实行一系列惠农、支农、强农的措施。如,向农民兑现粮食直补资金3882万元,退耕还林资金1.27亿元,水稻良种补贴资金4171万元,专项村级补助资金3555万元;化解村级债务1.37亿元;加大扶贫帮困力度,启动农村扶贫助学和低保试点,增加村级"五保"供养经费,开展对口帮扶、农村特困户生活救助,使全市农村3.24万人次得到帮扶和救助,1.4万人实现脱贫。[②]

2005年2月6日,中共安徽省委、省政府贯彻落实中共中央、国务院《关于进一步加强农村工作,提高农业综合生产能力若干政策的

---

① 《合肥年鉴》编辑部编:《合肥年鉴·2004》,黄山书社2004年版,第155页。
② 《合肥年鉴》编委会编:《合肥年鉴·2005》,黄山书社2005年版,第172页。

意见》(即中央2005年1号文件)精神,并制定《关于进一步加大对"三农"支持力度的若干意见》(即省委2005年3号文件),决定在全省免征农业税,因免征农业税而减少的地方财政收入,由省财政通过转移支付给予相应补助。同时实行粮食直接补贴、良种补贴与农机具购置"三补贴"等重大政策。

3月25日,合肥召开全市农村工作会议,全面贯彻落实中央2005年1号文件和省委3号文件精神,推进财政补贴农民资金管理和支付方式改革,全面取消农业税,落实粮食直补、良种补贴、农机补贴等惠农政策。

这年,全市实行农业税免征政策,全年共免征农业税1.1亿元,减轻农民负担2.22亿元,人均减负77.5元,亩均减负58元;分配落实上级转移支付资金1.1亿元;实施财政补贴农民资金"一卡式"发放,完成64万多农户存折发放工作,发放总金额达2.07亿元,其中,兑现粮食直补、良种补贴、农机补贴三项资金9173万元。同时,继续加大支农投入,全市对农业综合开发投资规模达9393.3万元,市级支农支出1.62亿元。①

此外,合肥还积极探索、不断创新支农方式和办法。2005年全年支农方式实现不断创新,先后出台10多项支农奖补资金源头扶持政策,创新农业综合开发机制,完善以农民为主体的开发机制,探索与其他支农资金相配合的投入机制;全年安排100万元资金启动农业生产资料超市建设,支持农村社会化服务体系建设;投入近1100万元支持村村通水泥路工程建设;农村综合改革试点顺利推进,乡镇清财工作全面完成,农村财务管理逐步规范;扶贫工作扎实开展,25个重点贫困村"整村推进"工程顺利通过省级验收。②

实施农村税费改革过程中,合肥市按照中央和安徽省的统一部署和有关规定,把农村税费改革同乡镇机构改革、农村教育体制改革

---

① 《合肥年鉴》编委员编:《合肥年鉴·2006》,黄山书社2006年版,第231页。
② 《合肥年鉴·2006》,第230页。

和乡镇财政体制改革等配套进行。

一是进一步开展乡镇机构改革。截至2002年年底,全市112个乡镇,党政机关内设机构由987个减为330个,精简67%;乡镇事业单位机构由1503个减为670个,精简55%。二是调整村级规模,实行村干部交叉任职,并村减员。到2002年年底全市村委会减至1217个,村干部减至2891人。三是转移土地力度加大。2000年至2002年,合肥市逐年分配给乡镇的转移土地资金分别为3700万元、3419万元、3437万元。四是保证农村中小学义务教育经费投入和乡镇两级基层正常运转。全市三县农村中小学教师工资于2001年9月统一上收到县管理,工资足额发放。另调整乡镇财政体制,建立工资专户,实行工资统发,规定对上级支付的转移土地资金及村级补助资金必须保证用于村级"五保"、村组干部工资和村办公经费。五是加强农民负担监督管理,认真清理涉农收费,严肃查处违规违纪涉农案件,保证税费改革顺利实施。[①]

合肥农村税费改革试点成效显著。主要表现在:一是农民负担得以减轻。税改前全市农民负担3.14亿元,税改后到2005年已全面取消,农民不再承担任何税费任务。二是农民收入增加。2005年,合肥农民人均纯收入达到3207元,与全国平均水平的差距由2000年的278元缩小到48元,高出全省平均水平566元。城乡居民收入比由2000年的3.23∶1下降到3.02∶1,农村贫困人口由7.4万人减少到3.7万人,低收入人口减少到4.6万人。[②] 三是农村社会和谐稳定。通过税费改革,改善了农村党群、干群关系,乡、村机构组织财力得到基本保障,农民涉农税费问题来信来访下降60%。四是农业结构调整和农业产业化持续推进,农村专业合作组织发展加速,基础设施建设进一步加强,新型合作医疗、教育、文化等社会事业成效显著,农村经济社会蓬勃发展。

---

① 《合肥市志(1986—2005)》,第1175—1176页。
② 《合肥年鉴·2006》,第208页。

从2000年试行农村税费改革,到2005年全面取消农业税,标志着千年"皇粮国税"的终结与"以农养政"时代的结束。合肥的农民、农业与农村迎来历史性的转变,开始迈入一个崭新的历史时期。[①]

二、实施以增加农民收入为核心的农村政策

2000年2月,合肥在进一步深化农村改革,着力解决农民、农业、农村("三农")出现新矛盾之时,就针对农民增收明显趋缓的情势,及时出台了《关于千方百计增加农民收入的意见》,把增加农民收入确定为当前农业和农村工作的核心,提出从调整农业结构,提高农业产业化经营水平,实施科教兴农战略,推进乡镇企业二次创业,放手发展个体私营经济,加强农村基础设施建设,建立和完善农业社会化服务体系,以及加大城市对农村的支持力度等方面支持农民增收的政策、措施。同时,合肥在稳步推进农村税费改革之时,将其与乡镇机构改革、乡镇财政体制改革、农村教育体制改革等结合起来,全面落实减轻农民负担政策,建立多元化、多渠道的支农资金筹集机制,广泛采取以奖代补、投资入股、承包租赁、利用外资、融资和财政贴息等多种形式吸引资金,拓宽筹资渠道。

到2002年,全市农业结构调整和产业化经营取得明显成效。全市粮、经、饲播种面积比重调整为45∶45∶10,农村产业结构和就业结构发生显著变化,种植业占农业的比重下降5.7个百分点。养殖业总产值占农业总产值达51.3%,有20个乡镇实施种草养畜项目,涌现出7000多个上规模的龙虾养殖大户。林业成片造林实现历史性突破,达18.3万亩,是过去10年的总和。[②] 全年农业实现增加值40亿元,较上年增长5%;乡镇规模工业企业营业收入增长10%;县

[①] 2005年全国人大常委会第十九次会议经过表决,决定从2006年1月1日起正式废除《中华人民共和国农业税条例》,原定5年取消农业税的目标在3年内全部实现。至此,在全国范围内中国农民结束了上缴农业税的历史。

[②] 《合肥年鉴·2003》,第121页。

域经济出现加快发展势头。农民来自非农产业的收入大幅提高,人均纯收入 2195 元,较上年增长 8%,扭转了几年来农民收入年增长在 3% 左右徘徊不前的局面。①

2003 年,合肥继续以增加农民收入为核心,以市场需求为导向,推进农业结构调整,并着手实施养殖业富民、林业富民、务工富民、优质农产品基地建设、龙头企业扶植、农业技术推广、农村基础设施建设与扶贫攻坚等 8 项工程。到 2005 年,全市农业结构调整取得明显成效,农林牧渔业和服务业产值构成为 49.3∶23∶37.7∶9.4∶1.3,全年实现农业总产值 95.6 亿元。粮食和棉花产量创历史新高,分别为 153.9 万吨和 1.3 万吨;油料产量 33.9 万吨;肉类总产量再创新高,达到 8.5 万吨;水产品产量 11.6 万吨,蛋类产量 8.5 万吨;奶类产量突破历史最高纪录,达 2.38 万吨。农业产业化经营取得新突破,产业化龙头企业达 66 家,营业收入超过亿元的有 10 家,其中超 10 亿元的 2 家;各类产业园、示范园增加到 65 个;规模以上农产品加工企业 83 家,实现年销售收入 76.9 亿元。②

随着农业结构调整和农业产业化的不断提高,农民收入实现了持续快速增长。2003 年,全市农民人均纯收入 2384 元;2004 年,农民人均纯收入 2889 元,首次超过城镇居民收入增幅;2005 年,农民人均纯收入再升至 3207 元,比全省平均水平高出 566 元。③

"十五"期间,合肥大力实施以增加农民收入为核心的农村政策,农民收入实现了持续快速增长。5 年内,农民人均纯收入从 1975 元升至 3207 元。"十五"规划提出的农民人均纯收入年均增长 8% 左右、农民人均纯收入达到 3000 元的规划目标顺利实现。④

"十一五"期间,中共中央每年 1 号文件都将"三农"问题作为重

---

① 《合肥年鉴·2003》,第 2 页。
② 《合肥年鉴·2006》,第 96 页。
③ 《合肥年鉴·2004》,第 136 页;《合肥年鉴·2005》,第 170 页;《合肥年鉴·2006》,第 208 页。
④ 《合肥年鉴·2006》,第 208 页。

中之重来抓。合肥市委、市政府制定了《推动县域经济跨越式发展的意见》,提出继续坚持以提高农民收入为核心,走以城带乡、以工促农,推进县域工业化、城镇化、农业产业化和农民非农化之路。

在《推动县域经济跨越式发展的意见》实施过程中,合肥结合"工业立市"战略,强化工业立县,狠抓投资与招商引资,培育大企业和特色支柱产业。坚持以城市化带动农村,加快县城和中心镇建设,改善农村基础设施条件,实施劳动力转移培训"阳光工程",提高劳务输出组织化、技能化水平,促进农民有序向城镇转移,推进农民非农化进程。坚持以产业化提升农业,培育、引进龙头企业,建设农业产业园区和现代农业基地,发展特色经济、高效农业和无公害农产品,促进农业结构优化升级,构建农业产业新体系,培育综合性农产品批发市场及各类专业合作经济组织、行业协会,提高农村经济组织化、集约化、市场化程度。

围绕工业化、城镇化、农业产业化的贯彻实施,"十一五"时期,全市县域经济在产业结构调整中迅猛发展,农产品总产量连创历史新高,现代农业发展加快,种植业全面发展,粮食产量稳定增长,由2005年的153.9万吨增加到2010年的186.6万吨,连续6年增产丰收;林业稳步发展,生态环境得到改善;畜牧业快速前进,主要畜产品产量翻番;渔业生产能力提高,产品由单一走向多样化。农业增加值累计增长40%,农业产业化龙头企业由85家增加到500家;农产品加工业产值突破500亿元,年均增长18.6%;规模以上食品和农副产品加工业年产值由67.7亿元增加到295.4亿元;规模农业面积突破10万公顷;肥东和长丰县农产品加工园区成为首批省级农业产业化示范区。[①]

"十一五"期间,合肥市始终把农民增收作为发展的重要目标,在挖掘农业自身潜力的同时,把增加农民工资性收入和资产性收入作为着力点;坚持多种经济成分并举,大中小项目并重,资金、技术密集型与劳动密集型企业并行,扩大乡村民营经济总量,拓宽农民增收途

---

① 《合肥年鉴》编辑部编:《合肥年鉴·2011》,黄山书社2011年版,第85页。

径;鼓励农民进镇进城,从事流通业和服务业;加大农村劳动力培训,完善就业服务,增强农民增收本领。

2006年,合肥农民人均纯收入达3690元,首次超过全国平均水平;此后,全市农民人均纯收入一年上一个台阶,到2010年达7118元。城乡居民收入比由2005年的3.02∶1进一步下降到2.68∶1;全市农民人均纯收入在全国26个省会城市中的位次由2005年的第22位前进至第17位。[1]

由于农业生产机械化水平的提高与农田水利设施的加强,农村经济结构继续优化,在稳定第一产业的同时,二、三产业加快发展,吸引了大量农村从业人员,乡村从业人员结构出现了"一减二增"的态势。2009年,从事农业生产的人数占乡村从业人员的41.9%,比2005年下降了12.5个百分点;从事二、三产业的从业人员比重从2005年的45.6%提高到2009年的58.1%,农村中二、三产业从业人员占到了半数以上,超过了第一产业从业人员。2010年,全市有54%以上农村劳动力转移到非农产业就业。[2]

"十一五"期间,全市农民工资收入的增长速度一直保持较高水平,年均增长22.5%以上,高于同期农民人均纯收入增幅5个多百分点;工资性收入占当年纯收入的比重由2005年的47.4%提高到2010年的59%,对当年农民人均纯收入的贡献率一直保持在50%以上。

在农民工资性收入保持强劲增势的同时,农民家庭经营收入稳步增长,扣除相应的家庭经营费用支出、固定资产折旧及税费支出后,所得家庭经营纯收入占当年纯收入四成左右。在家庭经营收入中,种植业收入占七成以上,年均增长14.6%;二、三产业家庭经营收

---

[1] 《合肥年鉴》编辑部编:《合肥年鉴·2007》,黄山书社2007年版,第213页;《合肥年鉴》编辑部编:《合肥年鉴·2008》,黄山书社2008年版,第231页;《合肥年鉴》编辑部编:《合肥年鉴·2009》,黄山书社2009年版,第215页;《合肥年鉴》编辑部编:《合肥年鉴·2010》,黄山书社2010年版,第276页;《合肥年鉴》编辑部编:《合肥年鉴·2011》,第8、285页。

[2] 《合肥年鉴·2011》,第285页。

入虽然所占比重较小,但保持了较快增速,尤其是来自第二产业的经营收入年均增长达40%。家庭经营的健康、稳定发展成为合肥农民增收的另一个重要因素。

随着收入的较快增长,农民生活消费水平显著提高。2005年,农民人均生活消费支出2534元,2009年增加至4188元。其中,用于家庭设备用品及服务消费支出增长最快,交通和通讯、居住及医疗保健次之,均高于生活消费支出平均增幅;食品支出占消费支出的比重由2005年53%下降到2010年的48.6%。显而易见,合肥农民对生活的追求,已不再停留在简单的"衣、食"温饱层面上,而是追求更舒适、更快捷、更健康的"住、行、医"等方面的消费。

2011年,合肥市制定了《实施"十二五"居民收入倍增规划方案》,加快提高城乡居民收入,建立民生需求保障机制,不断提升人民群众的幸福感和满意度,力争到2015年城乡居民收入比2010年翻一番,城镇居民人均可支配收入达到3.75万元,农民人均纯收入达到1.43万元。

2011年,全市养殖业产值达到179亿元;市级以上农业标准化生产基地发展到160个;实现农业增加值207.7亿元,比上年增长3.5%;全年培训新型农民9.7万人,推动农村劳动力转移就业达153.4万人;启动农民收入5年倍增计划,农民人均纯收入7862元,比上年增长18.7%;国家级扶贫开发重点县长丰县地区生产总值增至210亿元,财政收入增至21亿元,农民人均纯收入增至7291元,成为国家级重点贫困县中全省第一批"摘帽"县,一举跻身中部百强县行列。[①]

三、拓宽现代农业新路径

现代农业是以机械化、专业化、社会化为主要特征的产业。但

---

① 《合肥年鉴·2012》,第269—270页。

是,直到 2000 年,合肥的农业仍以小规模分散经营的传统农业为主,现代农业发展严重不足。

为建立和发展现代农业,2001 年,合肥制定《关于加快发展农业产业化经营的意见》,确定"十五"时期发展农业产业化的基本思路、目标任务和政策措施,提出通过扶持龙头企业、建设生产基地、发展农民专业合作组织、培育农产品品牌等措施,推动农业产业化的发展。

"十五"时期,合肥农业产业化获得了较大发展。龙头企业由 2000 年的 25 个增至 2005 年的 72 个;龙头企业与农户建立的基地面积从 80 万亩增至 380 万亩,带动农户数由 30 万户增至 55 万户;各类农业专业合作经济组织个数达 312 家,成员数 5.2 万人,带动农户 17.9 万户;培育安徽名牌农产品个数由 2000 年的 3 个增至 21 个。

"十五"期间,全市养殖业由分散养殖、粗放经营向规模生产、集约经营转变,2005 年适度规模养殖场达到 3800 个,规模养殖比重提升到 65%。养殖业占农业的比重提升到 47%。蔬果业从粗放种植向设施栽培转变,长丰草莓成为安徽农产品知名品牌,合肥市成为全省唯一市级农业标准化蔬菜生产示范区。粮油业从品种散乱、传统耕作向品种优良、机械化耕作转变,全市良种普及率达 85% 以上,农业机械化水平位居全省前列。[①]

"十一五"时期,合肥发展现代农业是以增加农民收入为核心展开的,具体的主攻方向每年都有所侧重。2006 年,以农业产业化为主攻方向,当年的农副产品加工企业增加到 326 家。2007 年,以新农村建设为中心,结合农村综合改革试点。2008 年,以深入推进农村综合改革为重点,出台《促进现代农业发展若干政策》等,在全省率先构建起市级促进现代农业发展和推进农村深化改革的政策体系。2009 年,以"稳粮、扩菜、强畜、兴果、重加工"等具体措施为努力方向,大幅提升现代农业生产能力。2010 年,制定了《合肥市承接产业转移促进

---

① 《合肥年鉴·2011》,第 284—286 页。

现代农业发展若干政策(试行)》,提出发挥现代农业高效化、规模化、功能化、园区化、产业化"五化"联动的作用,实现农业生产经营方式从"被动适应"向"主动作为"跨越,农业产业功能从"传统单一"向"现代多元"转变,传统农业向现代农业转变。

到2010年,合肥的现代农业取得显著成效。农林牧渔及其服务业产值比例由2005年49.3∶2.3∶37.7∶9.4∶1.3调整为2010年的47.5∶2.2∶39.3∶8.8∶2.1。农业总产值达到227.64亿元,比2005年净增132.05亿元。其中,粮食产量实现了自2003年以来的7年持续增长,小麦、油菜、水稻优质率分别达到85%、98%和96%。蔬菜瓜果种植面积达103.9万亩、总产量达146万吨。规模养殖场(小区)突破5000个,规模养殖比重达78%,养殖业产值突破百亿元。各类农业园区达150个,市级以上"一村一品"和特色镇村230个。规模以上龙头企业发展到600余家。农产品加工产值突破500亿元,加工企业突破500家。农村基础设施建设达到新水平,建设高标准农田面积近百万亩。农业综合机械化率达到53%。农田水利兴修和大型水利设施建设取得重大进展,农村安全饮水率达88%;实现行政村村村通水泥、柏油路,农村通信、网络光纤、广播电视实现全覆盖。[1]

2011年,中共合肥市委、市政府在"十二五"规划中提出"积极发展现代农业"的目标任务,包括要以工业化的理念发展农业,按照高产、优质、高效、生态、安全的要求,建设一批现代农业产业园,大力发展现代设施农业、优质高效农业、绿色生态农业、休闲观光农业,建立新型农业社会化服务组织,建设与省会城市发展相协调,具有鲜明地域特色的现代农业产业体系。

是年,全市农业再传佳绩。主要农产品产量再创新高,粮食总产量321.3万吨,实现"八连增";菜瓜果总产量234万吨,肉蛋奶水产品总产量94.5万吨,均创历史新高。农产品加工业总产值835亿

---

[1] 《合肥年鉴·2012》,第269—271页。

元,增长 29.5％。农民专业合作组织发展到 1875 个,带动农户 16.2 万户。园区农业、设施农业全面发展,建成现代农业园区 224 个。高效规模农业面积突破 200 万亩。"一村一品"特色专业村发展到 310 个。为合肥"十二五"期间现代农业加速崛起奠定了良好的基础。[①]

四、坚持城乡统筹　建设社会主义新农村

统筹城乡发展,建设社会主义新农村,是中国现代化进程中的重大历史任务,是国民经济总体上进入"以工促农、以城带乡"发展阶段面临的崭新课题,是新时期"三农"工作的重要任务。2005 年 10 月,中共十六届五中全会通过《十一五规划纲要建议》,提出要按照"生产发展、生活宽裕、乡风文明、村容整洁、管理民主"的要求,扎实推进社会主义新农村建设。

中共合肥市委、市政府在制定全市"十一五"规划时,明确了"多予、少取、放活"和城乡"一盘棋"的总体认识,着手建立"以工促农、以城带乡"的长效机制,把城乡基础设施、产业布局、生态环境、社会事业、居民社区作为整体,通盘考虑、统筹规划和建设,以农民增收为核心,以繁荣农村经济、发展农村公用事业、改善农村环境、提高农村文明程度为重点,统筹城乡发展,加快建设社会主义新农村,并确立新农村建设全省领先的奋斗目标。

合肥市选择 10 个镇、100 个村,作为社会主义新农村建设的示范镇、示范村(简称"十镇百村"),按照"规划先行、统筹发展,政府主导、农民主体,因地制宜、分类指导,实事求是、量力而行,社会参与、整体推进"的基本原则,努力使 10 个示范镇和 100 个示范村在经济实力、基础设施、村镇面貌、社会事业、民主政治五个方面实现新突破。由此,合肥在全省率先启动新农村示范工程建设。

为使"十镇百村"示范工程真正起到引领作用,合肥市首先精心

---

① 《合肥年鉴·2011》,第 285－287 页。

选择示范点。从全市三县四区遴选出基础条件较好、产业支撑较强、干部群众参与热情高的10个示范镇、100个示范村。其次,坚持规划先行。由市农委和规划局共同编制《合肥市村庄布点规划编制要点》及《合肥市村庄建设规划编制要点》,完成全市市域村庄布点规划和首批10个示范镇、67个示范村的规划并启动实施。

合肥"十镇百村"示范工程建设坚持因镇制宜,因村制宜,以发展特色农业、整治村镇环境、土地复垦整理、实施科教文化工程,及农村综合改革试点等为切入点,结合所处地区不同的自然风貌、经济基础、产业结构差异,分类打造了一批新建型、改造型、整治型和综合型的先行示范点。

新农村建设需要投入大量的资金。合肥市采取政府扶持、项目争取、部门支持、社会捐助和农民自筹资金相结合的办法,发挥政府资金的引导作用、整合作用。2006年,全市共整合市本级资金3.88亿元,集中投入新农村建设,拉动了社会资金和农民投资投劳。其中,市级财政安排2000万元专项资金,直接奖补"十镇百村"示范工程的规划、试点村镇改水改厕、区间道路等基础设施建设、公益事业、农业综合生产能力提高和农民职业技能培训等,起着明显的示范推动作用。此外,大力争取上级支持。全省一个省部共建新农村建设示范点和两个联系点落户合肥;肥西县争取到中央财政整合资金支持新农村建设试点县,两年内每年获得1000万元中央财政资金支持;上派镇三岗村、三河镇木兰村和官亭镇张祠村被农业部列为省部共建新农村示范点和联系点,获得农业部的大力支持。其中,三岗村作为全国35个示范村之一,由农业部农产品质量安全检测中心对口帮扶、规划建设。

在"十镇百村"示范工程建设启动之时,合肥着力加大统筹城乡发展的力度,大幅增加支农投入,市财政支农资金总规模达到4.08亿元,带动了5倍至10倍的社会资金投入;设立农业产业化发展基金;优化城乡产业布局,鼓励"飞地"工业发展模式,促进城乡优势互补、融合发展。

2007年,全市对新农村建设支持力度进一步加大。全市设立总规模达2.62亿元的支持农村经济社会发展专项资金,重点向新农村建设"十镇百村"示范工程倾斜;组织开展"千企联千村共建新农村"活动,推动村企对接,有66个企业对接示范村,投入资金4.02亿元和物资、技术、智力,支持新农村建设;各县区财政同步整合资金,加大投入。以政府投入为引导,村集体和农民自筹为主体,社会资本特别是工商资本广泛参与的新农村建设多元化投入机制逐渐形成。

这年,合肥的新农村建设示范工程开始向面上拓展,市级示范工程由67个扩大到101个,县区级示范工程发展到300多个。各县区突出重点,打造沿主干道路成片的新农村建设示范区,和沿合铜、合淮、合白路沿线的新农村建设示范片。在大力推进农村宅基地复垦整理之时,还实施了10个村庄的新建工程。肥东县费集乡清水村、肥西县山南镇小井庄村、长丰县沛河乡创新村、庐阳区三十岗乡陈龙村等一批高标准农村社区基本建成,另有20多个新村庄布点、建设启动实施。

在整治村庄环境方面,合肥出台了5年行动方案,对400多个村庄开展以"四清四改"为主要内容的村庄环境整治。至年底,各示范村镇新修道路741千米,硬化了村庄内部道路和公共场所,植树86.97万株,清理了垃圾等,改善了农民的居住与生产生活条件。

2008年,合肥出台推进农村改革发展、加速城乡一体化进程的实施意见和支持现代农业发展的53条具体政策,加大新农村建设支持力度。全年累计投入涉农资金14.2亿元。以资源整合、责任分解、调度推进、考核管理等为主要内容的新农村建设工作机制逐步健全完善。

当年,合肥市按照构建城乡一体化发展格局的根本要求,坚持城乡统筹,推进城乡"八个互动",实施城市带动、产业提升、村庄整治、社会发展、农民保障、基层建设"六大工程",为农办好50件实事。探索整村推进型、城中村改造型、环境整治型、产业发展型等新农村建设的多种模式。启动4个整村推进项目和9个农民集中住宅区项目。整理土地及宅基地,新增耕地547公顷。62个城中村改造项目先后动工,使6.2万农民转为市民。"十镇百村"工程市级示范点扩大到152个。"村庄环境整治""生态村创建"以及"清洁家园、绿化乡村"行动深入开展,农村生态及农民居住环境显著改善。

2009年,合肥先后出台《关于推进农村改革发展加快城乡一体化进程的实施意见》《关于开展城乡一体化综合配套改革的决定》《合肥市2009—2012年文明乡村建设规划》等一系列政策文件,强调推进农村改革发展和制度创新,实施全省城乡一体化综合配套改革试点工作,全面开展文明乡村建设活动,将统筹城乡发展与社会主义新农村建设推进到一个新的阶段。

当年,全市坚持以以城带乡、城乡统筹发展为根本,扎实推进城乡一体化综合配套改革试点工作。在实施扩权强县、土地经营权流转、综合产权交易、"双置换"等改革办法方面,成效显著。全市累计流转土地72万亩,万亩土地复垦、宅基地整理和整村推进新农村建设工程成为全国样板,新增耕地4万亩,被誉为"合肥模式"。同时,3个"整村推进"项目相继开工,总面积达2800公顷,受益49个自然村、1.03万人,新建6个新型农村社区,新增耕地328公顷。而在三县四区,结合自身实际,当年实施40多个"增减挂"(即城镇建设用地增加与农村建设用地减少相挂钩)项目,推动"产业向园区集中、农民向城镇集中、土地向规模经营集中"。在新市镇建设中,有5.3万农民转变为城镇居民。全市城镇化率提升到64.1%。行政村水泥路通达率、班车开通率分别达100%、98.3%。"文明乡村"创建活动和村容村貌环境综合整治活动的深入开展,使300多个村庄的面貌发生明显改变。

2010年,合肥的新农村建设由示范引导转为全面推开。全市开展了农村产权交易、经营体制和城乡一体化试验区建设等改革试点,实施集体建设用地确权颁证和林权制度改革;以土地整理为抓手,深入开展整村推进、项目带动、产业培育等形式的新农村建设,万亩土地复耕和整村推进项目成为全国样板;建设市级以上示范村镇200个、农村集中区和新社区420万平方米,34.5万农民居住条件得到明显改善;实施"村庄环境整治行动计划""清洁家园、绿化乡村"等工程，创建3个国家级农业旅游示范点、8个省级环境优美乡镇、17个省级生态村。

"十一五"期间，合肥持续贯彻城乡统筹发展思路，彻底摒弃城乡分治的思维，将三县发展按照城市副中心的标准，统一规划、整体推进，从生产力布局、基础设施建设、公共服务供给和干部配备等方面，给予三县实实在在的支持。5年间，着眼于改善农村生产生活条件，结合社会主义新农村建设，大力提升农村城镇化水平，城镇化率由52%提高到67%，农村道路、教育、医疗、饮水等条件不断改善，城乡统筹发展与新农村建设取得了实实在在的成效。

2011年，中共合肥市委、市政府在"十二五"规划中提出，要继续坚持城乡统筹协调发展，建立健全以城带乡、以工促农、城乡互动的长效机制，推进产业向园区集中、农民向城镇集中、土地向适度规模经营集中，努力实现农业产业化、农村社区化、农民现代化，在全省率先形成城乡一体化发展的新格局。

这年，全市新农村建设继续全面推开。全年实施城中村改造项目54个，3.78万农民居住条件大幅改善，6个整体推进的新农村建设项目取得重大进展，基本建成9个中心村，完成1.3万户农村危房改造任务，新建农村社区78个，实施94个村庄环境综合整治工程，完成植树造林16.86万亩。合肥的城乡统筹与新农村建设又迈出了新的步伐。

第三节　现代化大城市粗具规模

一、城区区划调整

合肥自设市以来，城区区划多次调整。20世纪60年代初，确定了东市、中市、西市、郊区的格局,除1985年对个别辖区范围有局部调整外,这种"三市区一郊区"的格局一直延续到2001年年底。这种郊区环抱城区的区划格局,在计划经济时代,既保证城市的农副产品供应,又推动了中心城区的建设与发展。但随着社会主义市场经济的发展,原有区划格局的历史地位与作用发生了根本的变化,它已变成发展区域经济的不利因素。这主要表现在以下几个方面:一是在经济上限制了三个市区的进一步发展。当时,东市、中市、西市三个区没有农村,所有近郊建设用地全部掌握在郊区手中。郊区像一道"箍"一样牢牢捆在城区身上,成为束缚城市扩张发展的绳索。二是狭小的地域范围使大手笔的城市规划成为空谈。三是郊区环抱城区的状况,严重制约了城区的扩张和郊区的发展。

为拓展城市发展空间,从2001年起,中共合肥市委、市政府开始研究制定行政区划调整方案,进行大量的调查研究和认真反复的论证,并按照"有利发展,便于管理,不增机构,保持稳定"的原则,于2001年9月提出了初步方案。随后,又充分听取各方面的意见,征求了人大代表、政协委员和有关专家学者的意见。12月24日,方案正式上报国家民政部。2002年2月10日,合肥市辖区行政区划调整方案获国务院批准。

2002年3月6日,中共合肥市委、市政府召开区划调整动员大会,出台了市委3号文件,区划调整方案正式实施。这次区划调整的总体方案是撤销郊区建制,设立包河区。具体为撤销东市区、中市区、西市区和郊区建制,将东市区、中市区、西市区分别更名为瑶海区、庐阳区、蜀山区,并对部分街道、乡镇进行更名。原西市区包河街道更名为宁国路街道,原蜀山路街道更名为五里墩街道,原郊区瑶海街道更名为长淮街道,原蜀山镇更名为井岗镇。同时调整部分行政区划,适当扩大了市辖区范围,将原肥东县管辖的磨店乡和龙岗镇的8个村、2个居委会划归瑶海区,扩大市区面积76.37平方千米,增加人口4.62万人。调整后的市区面积为596.01平方千米,总人口

142.57万人,其中非农业人口111.64万人。①

这次行政区划调整,意义重大。一是此举结束了合肥市辖区行政区划自20世纪60年代确定、1985年局部微调后形成的原有格局,城市布局更加科学合理;二是为合肥市的大发展描绘了更新的蓝图,使其具有广阔的空间,城市各种优势将得到充分互补和发挥。而这些,将是合肥实现向大城市跨越式迈进的关键。②

行政区划调整,对整体推进合肥市现代化大城市建设产生了重大而深远的影响。打破了城市区域布局不合理对经济发展的禁锢,改变了郊区包围城市和城中有郊、郊中有城的格局,最大特点是把原郊区所辖农村分别划给新设的4个区,保证了每个区在建设用地上有足够的发展空间。一方面解决了城市发展承载空间不足问题,城区面积明显增加,发展空间大大拓展,另一方面,撤销郊区,实行以城带乡,有利于实现城乡一体,共同发展。

以区划调整为契机,合肥同步规划兴建了瑶海工业园、庐阳工业园、蜀山新产业园、包河产业园等园区,为经济快速发展提供了载体。

二、城市规划建设

(一)《合肥市城市总体规划(1995年—2010年)》

1999年6月3日,国务院正式批复《合肥市城市总体规划(1995年—2010年)》。批复指出:"合肥市是安徽省省会,全国重要的科研教育基地。合肥市的城市建设和发展应坚持可持续发展的战略,依托科研和教育的优势,大力发展高新技术产业和第三产业,把合肥市建设成为经济繁荣、科教发达、布局合理、设施完善、环境优美的现代

---

① 《合肥年鉴·2002》,第26页。
② 祁海群:《合肥行政区划大调整纵深报道》,《合肥晚报》2002年3月28日。

城市。"①

《合肥市城市总体规划(1995年—2010年)》的近期期限到2000年,远期到2010年,对合肥的城市性质与规模、城市发展目标、市域城镇体系建设和用地规划布局等方面制定了一系列具体规定,其远期规划为合肥迈向现代化大城市建设规划了宏伟蓝图,成为新世纪合肥城市发展的重要指南。

在城市发展总目标上,规划要求,到2010年,把合肥市建设成为经济繁荣、科教发达、布局合理、设施完善、环境优美的现代城市。具体表现在三个方面:一是在城市区域协调发展目标上,要加强与长江中下游的上海、南京及武汉地区的经济联系,使合肥成为华东和长江中下游地区重要的中心城市之一;要建立以合肥为中心,包括巢湖、六安、舒城、庐江、无为等市、县的合肥经济区,逐步形成合肥—南京—芜湖经济发达地区;要建立以合肥为中心,巢湖市、六安市为次中心的合肥城市群,加快城市化进程,与长江中下游城市带、长江三角洲地区城市群连片成为华东地区高度城市化地区;要与相邻城市协调,共同治理巢湖污染源;要合理开发资源,加强城市供水、供电设施建设,逐步实现区域性水源、电源的供求平衡。二是在城市经济社会发展目标上,合肥市的综合经济实力要在全国大城市中达到中等水平;要合理布局、健全社会保障体系,实现精神文明建设与物质文明建设协调发展;要依法治理污染源、加强对环境和历史文化古迹的保护,实现城市环境大绿化,创建国家卫生城市和文明城市。三是在城市建设发展目标上,要重视人居环境的保护与发展,大力建设经济实用的居民住宅;逐步形成区域性综合交通枢纽和综合性、国际化的城市通讯网络;实现区域性的金融、商贸、文化、信息中心及皖中旅游中心的战略目标;逐步实现城市人工环境与自然环境的和谐发展,形成具有合肥特色的城市风貌。

---

① 《国务院关于合肥市城市总体规划的批复》,合肥市地方志编委会编《合肥年鉴·2000》,黄山书社2000年版,第17—18页。

在城市性质与规模上,规划指出,合肥市是安徽省省会,全国重要的科研教育基地。城市人口规模,实际居住远期控制在165万人之内;城市建设用地规模,远期控制在150平方千米以内,人均建设用地标准远期控制在90平方米。①

在市域城镇体系方面,规定到2010年,合肥市域总人口控制在520万人,城镇人口控制在307万人,城市化水平为59%。城镇体系,按职能分为4个等级,按人口规模亦分为4个等级。城镇的空间结构是以合肥市为中心,上派镇、店埠镇、水家湖镇为次中心,若干中心镇为片中心,一般乡镇为基础,主要交通干线为城镇发展轴线的城镇布局结构。②

在用地规划布局方面,规划明确以老城区为核心,向东、北、西南三翼伸展,保持"风扇形"城市用地形态,楔入农田、林地等绿色地带,在现有城市基础上,主要向西南方向发展,适当向东发展,有限地向北发展。

2000年,根据《合肥市城市总体规划(1995年—2010年)》编制了城市分区规划。规划期限为2000年至2010年。合肥市区各分区具体规划为:老城区为全市行政办公、商业文化中心,建设用地5.99平方千米,人口规模控制在11万人以内,逐步取消工业用地和仓储用地,减少居住用地,增加公共设施、道路广场和公共绿化用地。东区为对外交通门户,重点发展轻工、机械工业和物流业,建设用地35.49平方千米,人口规模控制在47万人以内,区内花冲地区为商业文化中心,新火车站地区为商业金融中心,明光路地区为商务中心。北区为仓储基地和物流中心,集商贸、居住为一体的综合性功能组团,建设用地18.79平方千米,人口规模控制在20万人以内,在蒙城路与砀山路交口附近建设市级副中心。西南区为科研教育基地和发展中的高新技术产业孵化与生产基地,建设用地85.17平方千米,人口规

---

① 《合肥市志(1986—2005)》,第201页。
② 《合肥市志(1986—2005)》,第200页。

模控制在 88 万人以内,在南七里站地区建设城市副中心,科学岛、昌河汽车制造厂、骆岗机场和淝河汽车制造厂地区为 4 个独立组团,配套建设相对独立的服务中心。新城区依托主城区发展科技含量高的、以工业为主导的新型工业生产基地,建设用地 13.53 平方千米,人口规模控制在 14 万人以内,丹霞路南北地区为 2 个高科技产业组团,合安公路以西地区为商业文化组团,在明珠广场附近扩大商业文化设施建设,逐步形成城市副中心。[①]

《合肥市城市总体规划(1995 年—2010 年)》和 2001 年年底完成的市区 150 平方千米分区规划为新世纪合肥市城市发展规划了具体方向,为经济繁荣、科教发达、布局合理、设施完善、环境优美的合肥现代化大城市建设发挥了重要的规范作用和推动作用。

(二)近期建设规划的编制

在 2002 年行政区划调整后,为适应快速变化的城市建设和经济发展目标,合肥市及时编制并审批通过《合肥市城市近期建设规划(2001—2005 年)》,以落实合肥市新世纪初期的总体规划布局和用地规划布局。规划确定 2005 年合肥城市人口规模达到 200 万人,用地规模达到 209.21 平方千米。在城市总体布局上,规划确定以老城区为核心,向东、北、西南三翼伸展,保持"多中心、组团式"空间结构,在原有布局基础上,有控制地向外拓展。对市区的规划,分为老城区、东区、北区、西南区和新城区 5 个分区。在老城区建立市级中心,东区、北区和新城区分别建立 1 个市级副中心,西南区建立 2 个市级副中心。其中,严格控制老城区建筑密度,增加绿地、广场和停车场等开敞空间,确保环境质量。东区是瑶海区的主要部分,包括新站综合开发试验区和龙岗工业区;建设重点是突出新站综合开发试验区的商贸特点,加快综合开发和现代物流产业的发展。北区是庐阳区的主要部分,为全市大型仓储基地;建设重点是加强基础设施和大房郢

---

① 《合肥市志(1986—2005)》,第 202 页。

水库建设,建设庐阳工业园,与双凤工业区联动发展。西南区是蜀山区和包河区的主要部分,形成以机械、电子为主的西南工业区和科研教育区;建设重点是加快高新技术产业开发区的发展,积极推进政务文化新区的建设。新城区是蜀山区的一部分,是合肥市大工业基地和出口基地。①

在遵循 1999 年《国务院关于合肥市城市总体规划的批复》原则的前提下,按照《安徽省城镇发展纲要(2001—2010)》和《合肥市国民经济和社会发展第十个五年计划纲要》的规定,合肥的城市性质、城市形态、结构、用地布局、发展方向等均不做任何变动,合肥市政府对近期建设规划做出适当的调整,适当扩展城市规模,增设政务文化新区,扩展高新技术产业园区、经济技术开发区与新站综合开发试验区等 3 个开发区,新增 4 个市区产业园区建设用地,并对现有道路网做局部调整。

《合肥市近期建设规划(2001—2005 年)》的编制与调整有效地解决了合肥市城市建设用地不足的问题,尤其是改变了各开发区建设用地矛盾突出的被动局面,缓解了老城区存在的人口与建设密度过高、交通拥挤、停车难、行路难等问题,扩大了对外开放、招商引资,更有利于对城市生态环境的保护,对合肥城市建设和城市化进程,起着积极的推进作用。

此后,合肥市规划局相继完成合肥高新技术产业开发区、经济技术开发区和新站综合开发试验区近期建设规划(2002—2005 年),正式开工建设政务文化新区及瑶海工业区、庐阳产业园、蜀山新产业园、包河工业园等 4 个市区产业园区,旧城改造和新区建设并举,合肥城市建设如火如荼。

(三)城市空间发展战略规划

区划调整后,为了选择适应社会、经济、环境需要的空间发展模

---

① 新城区是相对老城区而言的,原指合肥经济技术开发区丹霞路南北地区和合(肥)安(庆)路以西地区,后并入经济技术开发区。

式,2002年4月,合肥市邀请中国城市规划院、同济大学、南京大学三家设计单位,开展合肥市城市总体发展战略规划的编制咨询工作。

三家单位编制的《合肥市城市发展战略规划》方案于8月初完成。同年10月,三家单位分别向合肥市政府提交方案。12月,合肥市政府举办研讨会,邀请国内外著名规划专家进行研究。2003年11月,合肥市规划局编成《合肥市城市发展战略规划研究大纲》。2004年11月,由中国城市规划设计院牵头,在各家战略规划方案等文件基础上整合出《合肥城市空间发展战略规划》(简称《战略规划》)。《战略规划》将合肥市政府提出的城市空间布局"141"结构形式(一个主城、四个组团、一个滨湖新区)纳入其中。尔后,中国城市规划设计研究院和合肥市规划设计院在战略规划基础上编制《合肥市城市总体规划(2006—2010)》。

三、政务文化新区建设

合肥市政务文化新区(简称政务区)位于合肥市主城区的西南,东临金寨路高架,南接经济技术开发区,西临高新技术产业开发区,北靠老城区。政务区规划面积12.67平方千米,按"世界眼光、国内一流、合肥特色"的要求,通过"三年小成、五年大成、十年建成"三个不同层次目标的建设,拟建成一个集行政办公、文教科研、金融商贸、旅游度假、居住休闲为主导功能,符合人性化尺度,具有地域特色的生态城市空间,打造具有多元文化的魅力之区、时尚之城。

建设政务文化新区,主要基于三个方面的考虑:一是拓展城市发展空间,减轻老城区压力;二是优化城市分区功能,合理调整城区规划布局;三是培育新的经济增长点,促进经济社会发展。2001年9月5日,合肥市启动政务区建设。最初,选址包括大蜀山东麓、北二环外、义城镇、四顶山、东流路等5个点。最后选在东流路的区位。这里不仅符合城市发展方向,而且紧靠老城区,同时将高新区与经济开发区连成一体,可以在不长的时间内将"再造新合肥"变成现实。①

2002年4月,政务区拆迁安置启动,涉及7个行政村、60个村民组。在对人口资料、劳动力资料、户籍资料、房屋面积、特困户等基本情况进行全面、详细的摸底核查后,仅用4个月时间,完成了160万平方米的房屋拆迁任务。2004年,顺利完成拆迁安置工作,至本年年底,2万多居民全部回迁新居。在劳动力就业安置上,创造性运用"四个一"的劳动力安置政策,把农民土地被征同城市企业职工下岗一样看待。在人均置换25平方米的基础上,按800元/平方米的成本造价每人增购20平方米(独生子女可增购30平方米),并免收相关配套费,尽可能多地提供就业场所,创造条件引导和鼓励群众自谋职业、自主经营;通过成立清洁公司、园林绿化公司、物业管理公司、保安公司、综合执法队等,形成区内就业安置平台。8966名村民全部转成城市户口。对征地后申请自谋职业的村民一次性发给自谋职业费1.2万元。自2004年开始建立大病合作医疗制度,按人均120元配比,建立了近200万元的大病合作医疗基金。约5600名劳动力得到了免费培训,1600多人在区内就业,3400多人在区外就业,近5200人参加了大病合作医疗,1700多户特困家庭享受到了城市居民最低生活保障。

政务中心

---

① 郭万清:《从三线起飞——合肥"十五"发展回顾》,安徽人民出版社2009年版,第132—133页。

政务区开发建设之前基础设施差、底子薄。鉴于此,政务区开建后,重视加强道路、管网、水体、绿化等基础设施建设,至2011年年底,先后完成"五路二水"①基础设施建设,构建了"三纵四横"②新区框架,全长约27千米的主干道、50千米次干道全部建成通车,供水、供电、燃气、电信等14家16种专业杆管线随道路建设一次性埋入到位,绿化景观、土方、桥梁、箱涵、人行道铺设等配套内容随道路建设同步并完成。天鹅湖景区建成并对市民免费开放,约10千米环区河道景观绿化工程基本建成,区内6个主题公园基本完成,中小学教育、医疗卫生、商务金融、餐饮休闲、社会生活、道路交通等各项城市基础设施不断完善。

在基础设施建设的基础上,实施重点项目带动战略,狠抓重点工程的固定资产投资,以大项目带动大发展。2003年8月,市政务综合楼工程正式开工,此工程是合肥市重点建设项目,高130米,建筑面积23万平方米,是全市党政机关行政办公的政务活动中心,也是政务区最重要的标志性建筑,至2005年年底,市政务综合楼建成,市四大班子干部全部迁入办公。2004年4月,安徽合肥体育中心开工建设,占地面积32.63万平方米,建筑面积18.35万平方米,整体设计风格为开放式体育公园,能够承办全国运动会及单项国际赛事,2006年10月,合肥体育中心全部建成并投入使用。2005年12月30日,安徽合肥文化艺术中心举行奠基仪式。总建筑面积约7万平方米。建筑群包括主剧场、小剧场、音乐厅等。

重点工程带动了其他各项建设工程。2004年8月18日,东流路下穿隧道北侧道路顺利通车。9月18日,赖少其艺术馆开工建设,至次年12月22日,建成开馆。9月25日至10月2日,新区绿怡居、汇林阁、嘉和苑、翠庭园四个回迁小区相继竣工并投入使用。12月1日,合肥市总工会大厦工程开工。12月8日,合肥市财政局财务综合

---

① "五路二水"指:怀宁路、潜山路、祁门路、习友路、圣泉路、蜀山干渠水利工程、十五里河水利工程。
② "三纵四横"指:潜山路、怀宁路、圣泉路和休宁路、东流路、祁门路、习友路。

办公楼项目开工建设。2005年3月28日,合肥广电大楼项目顺利开工。4月,安徽心脑血管医院隆重开工。5月16日,安徽出版大厦工程主体结构顺利封顶。5月26日,安徽日报大厦项目奠基。截至2006年年底,各类建设累计完成投资98.6亿元,其中,重点工程和基础设施建设完成投资61.6亿元,公用建筑和开发项目完成投资37亿元;累计开工面积357万平方米,竣工面积171万平方米。

政务区始终把招商引资作为第一要务来抓。为营造良好的投资环境,政务区对开发企业的困难、问题及立项、开工的批复等手续做到"24小时答复,3天办结,5天终结",从而形成了政务区投资环境优良的口碑。自2003年至2006年,先后与合家福、大润发、麦德龙、好又多、欧尚等大型超市商谈,与康年、香格里拉、金陵、凯莱国际等酒店管理公司进行谈判,成功引进了商业步行街、五星级宾馆、心脑血管医院等大型公共建设项目。全区招商引资资金由2003年的4.86亿元增加到2006年的12亿元,增长了2.45倍。[①]

2007年6月21日,中共合肥市委书记孙金龙调研政务区建设情况,以"坚持两型、完善功能、法制运作、加快发展"的十六字方针为新区指明了新的起点。从是年开始,新区的工作重点转移到加快推进新区综合开发建设上来。

首先,继续加快重点工程建设速度。2007年11月,合肥八中新校区作为市重点工程在政务区开工建设,次年,完成建设并交付使用。2009年,合肥大剧院竣工并于次年1月正式开业。2009年8月,安徽广播电视台新中心工程开工建设,2011年9月,工程主体结构封顶,以226.7米的高度成为合肥市的新地标。

其次,加快文化产业发展。依托合肥体育中心、天鹅湖、环区河道、合肥大剧院等标志性建筑的名片功能和景观释放作用,以市场为导向,多层次、高频率地组织大型体育、文化、商贸、公益活动,运作一批

---

① 中共合肥市委宣传部等编:《合肥改革开放30年(1978—2008)》,中共党史出版社2009年版,第318页;合肥市地方志编委会编:《合肥年鉴·2007》,黄山书社2007年版,第194页。

精品文化体育项目，充分挖掘市场价值空间，加速文化产业建设，激发资产运营活力。自 2007 年以来相继举办了瑞景商业时尚盛典演唱会、安徽卫视辉煌星歌会、纽崔莱万人健康跑、安徽省第二届汽车用品展、2008 年全国跳水奥运选拔赛、美国百老汇音乐剧《42 街》、"宾悦杯"篮球邀请赛和安徽省第二届老年人运动会和第四届全国体育大会等百余次大型体育、文化、商贸、公益活动和一批精品文化体育项目。

从 2002 年 3 月正式启动建设，到 2011 年年底，政务区各类建设累计完成投资 646.28 亿元，累计开工面积 1547.57 万平方米，竣工面积 1003.55 万平方米。全区招商引资从 2003 年 4.86 亿元增长至 2011 年的 39.14 亿元，增长了 8 倍多。[①] 不到 10 年的时间，从日出而作、日落而息的田园风光，到高楼林立、车水马龙的现代化新城，政务区发生了翻天覆地的变化。如今，政务区已成为一座集行政办公、文教体育、金融商贸、旅游度假、居住休闲功能为一体，独具人居生态特色的魅力新区、时尚之城，已经成为合肥新的政治经济中心和商业文化中心。

第四节　工业立市　实现跨越式发展

一、GDP 千亿规划与"1346"行动计划

（一）千亿规划

"九五"时期，全市财政收入连续跨过 20 亿、30 亿、40 亿三个台阶，年均增长 18.3%；城乡居民收入稳定增长，城镇居民人均可支配

---

① 根据《合肥年鉴》(2007—2012)各卷有关数字计算得出。

收入6389元,农村居民人均纯收入1875元,分别比1995年增长了37.2%和44.2%,人均国内生产总值在"八五"末的基础上翻一番;经济总量在全省比重由8.4%提高到10.7%,综合经济实力在全国26个省会城市中由第21位提升到第18位;产业结构不断优化,二、三产业快速发展,三次产业比例由1995年的18.7∶47.2∶34.1调整为2000年的11.1∶47.7∶41.2;城市建设和管理稳步推进,城市规模不断拓展,城市建成区面积和市区人口分别达到125平方千米和138万人。①

基于"九五"期间合肥经济社会发展取得的良好成绩,中共合肥市委、市政府放眼未来5年,于2000年编制出合肥2001年至2005年"十五"计划纲要,提出未来5年的主要预期目标。在经济总量上,实现国内生产总值年均增长10%以上;产业结构上,实现三次产业比例调整为9∶45∶46;人口及就业目标上,全市总人口控制在460万人以内,其中非农人口200万人左右,人口自然增长率控制在8.5‰以内,城镇登记失业率控制在5%以内;人民生活目标上,城镇居民人均可支配收入年均增长8%以上;人民生活目标上,城乡居民人均纯收入年均增长8%左右。②

2001年6月上旬,中共合肥市第八次代表大会召开。会议选举产生了新一届市委领导班子,市委书记车俊在会上做了《加快发展富民强市整体推进现代化大城市建设》的报告,明确了合肥市未来发展的思路和目标,确定以发展县域经济、高新技术产业、开发区和个体私营经济为重点,实施科教兴市、城镇化、经济国际化、可持续发展四大战略,力争到2005年国内生产总值和财政收入在2000年基础上翻一番,到2010年,全市城镇化水平达到60%,整体推进现代化大城市建设。

---

① 车俊:《政府工作报告(2001年1月7日在合肥市第十二届人民代表大会第四次会议上)》,《合肥年鉴·2001》,第1—2页。

② 《合肥市国民经济和社会发展第十个五年规划纲要》,《合肥年鉴·2001》,第16—17页。

2001年,合肥实现国内生产总值363.4亿元,分别比全省及全国平均水平高2.7个百分点和4个百分点。结构调整成效显著,三次产业比例为10.5∶48.5∶41。①

2001年,受亚洲金融风暴的冲击,全球各地除中国外,都发生了近20年来最严重的经济下滑现象。这年,中国加入了世界贸易组织,从而为中国经济开放提供了更宽阔的舞台。中国的城镇化进程更是加快了前行的步伐。11月,中共安徽省委、省政府举办加快城镇化发展座谈会,提出全面实施城镇化战略的目标、任务和发展原则,研究部署加快推进城镇化的政策、措施。据此,合肥市委、市政府将发展的目光从"十五"延伸到"十一五"。市委副书记、市长郭万清在12月初省委、省政府集体到合肥调研时,汇报了合肥调整后的发展目标,即到2010年,合肥的城市建成区要达280平方千米、城市人口在300万以内,全市城镇化水平达到60%,GDP力争年均增长12%,总量达到1000亿元,占全省GDP比重的15%左右,把合肥建成国内外重要的制造加工基地,国内重要的高新技术研究和产业化基地,国内重要的旅游、文化和教育产业化基地以及全省发展城郊型农业的示范基地。同时,确定以优化发展环境为着力点,加快合肥市现代化大城市建设步伐,全面整顿和治理发展环境,包括软、硬环境,努力使合肥成为全国投资环境最佳、创业环境最佳、人文居住环境最佳的城市之一。

为动员和凝聚全社会的资源和力量,努力实现GDP1000亿元的目标,加快合肥现代化大城市建设,2002年年初,合肥市政府牵头组织各部门经过研究谋划、思路形成、起草文本和审查论证四个阶段,在完成13个专项研究课题和一批专题规划的基础上,于当年年底完成《合肥市千亿规划纲要》。

《合肥市千亿规划纲要》立足现实,放眼10年,提出今后10年合

---

① 郭万清:《政府工作报告(2002年1月15日在合肥市第十二届人民代表大会第六次会议上)》,《合肥年鉴·2002》,第12页。

肥国民经济和社会发展的总体目标是：GDP 年均增长 12% 以上，到 2010 年超过 1000 亿元；城市建设、社会发展迈上新台阶，工业化初步实现由中期向后期过渡，全面建设小康社会取得阶段性成果，人民生活达到较为充裕的水平；把合肥建设成为全省最重要的经济增长极、华东和长江中下游地区重要的中心城市；经济总量占全省的比重达到 16% 以上，对周边地区辐射更深、带动更广，基本形成合肥经济圈，力争在全省率先实现全面建设小康社会的目标，城区在全市率先基本实现现代化。实施的重点是通过建设"四个基地"、培植园区经济、发展城镇经济、构建合肥经济圈等，把合肥建成综合经济实力和竞争力较强的中心城市，布局合理、功能完善的生态城市和在全国具有重要影响的科教城市。

《合肥千亿规划纲要》的公布，引起了合肥市民乃至全省其他城市极大的关注，众多媒体纷纷予以宣传、报道。合肥能否在 2010 年实现 GDP 千亿元目标成为各方关注的焦点。毕竟，2001 年的合肥 GDP 只有 363.4 亿元，若在 9 年至 10 年时间内将 GDP 增加两倍，必须十分努力，还要创新发展。中共合肥市委、市政府在充分认识市情，研讨发展条件和发展环境的基础上，审时度势，确定了 GDP 千亿元目标。

《合肥千亿规划纲要》的制定是合肥新世纪前 10 年经济社会发展的重大举措，对于全市综合实力、人民生活水平再上一个新台阶，加快全面小康社会建设步伐，缩小与先进地区的差距，实现跨越发展起着重要的指引作用。

2002 年，合肥全面、超额完成年初确立的经济社会发展目标。全年实现国内生产总值 412.4 亿元，高于全省和全国 4.2 个百分点和 5.1 个百分点；全年财政收入 60.92 亿元，地方财政收入 29.12 亿元。第一产业完成增加值 39.8 亿元。第二产业实现增加值 206.7 亿元。第三产业实现增加值 165.9 亿元。三次产业结构调整为 9.7∶50.1∶40.2。①

---

① 《2002 年合肥市国民经济和社会发展统计公报》，《合肥年鉴·2003》，第 235 页。

2003年,合肥继续向着GDP千亿元、整体推进现代化大城市建设和全面建设小康社会的目标奔跑,全面完成了目标任务。全年实现GDP477.78亿元,同比增长13.3%,增幅高于全国4.2%,高于全省4.1%。全年财政收入73.08亿元,其中,地方财政收入35.87亿元。第一产业在洪涝和持续高温干旱等灾害影响下,实现增加值40.81亿元,同比下降3.4%。第二产业实现增加值238.33亿元。第三产业虽受"非典"疫情影响,仍快速上升,实现增加值198.64亿元。三次产业结构调整为8.5∶49.9∶41.6。[①]

(二)"1346"行动计划

为使《合肥千亿规划纲要》更有支撑性、带动性,更加利于实施,2004年,合肥市政府正式提出"1346"行动计划,即到2010年实现GDP1000亿元,建成人口达300万的大城市,实施建设加工制造业、高新技术产业、旅游文化教育、城郊示范农业等四大基地和防洪保安、信息、生态、信用、人才、基础设施等六大工程,简称"1346"行动计划,于2004年至2010年实施,以带动合肥市经济快速发展,提高合肥市基础产业和基础设施整体水平,增强经济发展活力和综合竞争力。

"1346"行动计划在总体要求上,强调以科学发展观为指导,以规划为龙头,以项目为支撑,举全市之力,建设一批大项目、大企业、大工程,为推动产业结构升级、增强经济综合竞争力奠定坚实基础。在项目体系上,按项目建设阶段分为续建项目、新开工项目、预备开工项目和前期工作项目四部分。在实际操作中,按动态管理、分步实施、梯次推进、滚动发展的原则逐年推进,做到"建设一批、开工一批、推进一批、储存一批",增强可操作性,使计划项目落到实处,不断增强发展后劲。在项目实施上,要求突出重点,协调发展,强调以工业化为核心,以结构调整为主线,大力发展加工制造业和高新技术产

[①] 《2003年合肥市国民经济和社会发展统计公报》,《合肥年鉴·2004》,第253页。

业,加速推进经济结构优化升级;对于重大项目进行直接调度,率先在高新技术产业、交通基础设施和能源、原材料等具有比较优势和国家鼓励发展的产业方面取得突破;强化基础设施建设,全面推进信息、信用、文化、人才等领域的项目建设,充分发挥其导向性、示范性作用,促进经济与社会、资源与环境等方面的协调发展。

为全力推进计划的实施,合肥市成立重点建设项目领导小组,对在建项目、新开工项目、预备项目和前期工作项目进行跟踪、检查、协调,全面负责"1346"行动计划的实施。各县区政府与有关部门成立相应的领导协调机构,强化组织领导,狠抓工作落实。

"1346"行动计划的制定是实现千亿规划的重要基础和有力支撑,是促进经济结构战略性调整、培育富有竞争力的支柱产业和新增长点的重要抓手,是促进经济社会全面、协调、可持续发展的重要载体。

2004年,是合肥全面贯彻实施"1346"行动计划的第一年。当年,全市建立"1346"行动计划项目库,入库项目240个,总投资1700多亿元。全年"1346"行动计划项目完成投资133.99亿元,占年度投资计划的101.34%;被列入省"861"行动计划的项目完成投资87.89亿元,占年度投资计划的122.67%;市政府直接调度的20个重大建设项目完成投资42.31亿元,占年度投资计划的116.38%;合肥科学城、合宁铁路、合肥大学城、合肥新站物流工程、政务文化新区建设、城市天然气利用、热电联产集中供热、城区路网、县乡公路建设以及汽车、日用化工、高新技术产业等一批事关全局的重大项目当年取得积极进展。[①]

"1346"行动计划的实施,为合肥经济发展提供了充足的动力。2004年,全市实现GDP589.7亿元,是1998年以来发展速度最快、增幅最高的一年。全市当年财政收入跨过百亿元大关,达到105.4亿元。其中地方财政收入44.9亿元。三次产业结构比为9.16∶50.40∶

---

① 《合肥年鉴·2005》,第38页。

40.44。全年城镇居民人均可支配收入8610元;农民人均纯收入2889元,为1997年以来的最高增幅。①

2004年,合肥经济社会实现了跨越式发展,主要经济指标提前一年完成"十五"计划确定的目标。其中,GDP千亿规划的公布与指引、"1346"行动计划的制定与实施,起着重大的作用,亦为"十一五"时期工业立市战略的确立奠定了坚实的基础。

二、工业立市战略

(一)工业企业产权制度改革

2000年以来,合肥在工业改革方面,以产权制度改革为核心,全面推进国企"双退"和国有大中型企业的改革重组。2002年5月,中共合肥市委、市政府出台了《合肥市国有资本营运体系总体方案》,相继组建工业、商业、城建、国资、兴泰、交通、美菱等7大国有控股公司,行使出资人的职能,授权经营国有资产。同年6月,市政府下发《批转市经贸委关于进一步加快我市国有企业改革发展的意见的通知》,标志着合肥市国企"双退"②改革正式开始。到2005年年底,全市所有的国有中小型企业,除法律法规特别规定外,都退出了国有序列;国有大型企业中除合钢公司、合铝集团、四方集团等3家企业外,其余的"双退"工作全部完成。

合肥在工业改革中走过不少弯路,突出表现是不少企业破产重组后,原企业土地由投资商用于开发,企业原有产能不复存在,职工安置则完全由政府承担。为解决这一问题,经市政府批准,合肥市工业投资控股有限公司(简称"合肥工投")于2002年4月成立。合肥工投成立后,结合合肥市国有企业改革实际状况,拟定了"以改革促

---

① 《2004年合肥市国民经济和社会发展统计公报》,《合肥年鉴·2005》,第316、318、319页。

② "双退",即企业国有资本退出和职工国有身份退出。

发展保稳定,以投资求发展增效益"两步走发展战略,全力推进国企改革促发展。合肥工投围绕职工国有身份退到位、国有资本减到位、配套政策推到位,企业债务处置到位的四个到位目标,采取多种形式,突出工业重组,累计推动117户国有企事业和集体企业完成"双退"改革,引进增量资本超过60亿元,盘活国有存量资产超过40亿元,使70%退出国有身份的职工重新就业,解除了37户企业24.5亿元的债务风险,一大批困难企业重新焕发出勃勃生机。

(二)工业立市战略的确立

2005年的合肥,经济总量接近600亿元,人均GDP在2002年已超过1000美元,各项软硬件指标统计显示,合肥已迈入工业化加速推进阶段,经济社会发展正处于重要的战略机遇期。因此,加快现代化大城市建设,奋力实现率先崛起,时不我待。1月6日,中共合肥市委召开八届八次会议,提出要进一步解放思想,增强省会意识,以更大的气魄加快发展,整体推进现代化大城市建设,在全省率先实现全面建设小康社会的目标,在中部地区奋力率先崛起,加快提升区域性中心城市地位。

5月底至6月初,中共合肥市委书记孙金龙、市长郭万清率市有关部门负责人共58人组成党政代表团,赴经济社会发展较快的江浙两省五市学习、考察,实地感受和认知沿海发达地区加快发展的形势,学习先进地区的成功经验,从江浙两省五市考察、学习回来后,中共合肥市委召开八届九次会议,就如何响应省委、省政府"抢抓机遇、乘势而上、奋力崛起"的号召和实施"东向发展"战略,以及"全面提升省会中心城市的首位度,充分发挥辐射带动作用",展开深入的讨论。会议做出一项重要的决议,即合肥在当前和今后一个时期内,确立工业立市的战略,并以此为主轴,强力推进工业经济跨越式发展。

合肥确立工业立市战略是时代的呼唤,是历史的必然,更是合肥广大人民群众强烈要求加快发展的集中体现。首先,合肥的经济底子薄、基础弱、规模小,面临的发展压力非常大。与中部其他5省省会相比,合肥 GDP 处于末位。其次,合肥在省内的首位度不高。全国同类城市中,南昌 GDP 总量占江西省的 25% 左右,长沙 GDP 总量占湖南省的约 30%,西安 GDP 总量占陕西省的近 40%,而合肥 GDP 总量仅占全省的 12% 左右。在人均 GDP 指标上,合肥分别是省内城市马鞍山、铜陵、芜湖的 62%、69% 和 86%。① 第三,合肥发展工业,在电力、土地、人力资源等方面具有优势,已成为吸引发达国家和地区制造业转移的首选目的地。而且,合肥本身又具备工业基础和独特的区位优势,为承接国际、国内制造业转移,建设新型加工制造业基地提供了良好条件。此外,合肥拥有雄厚的科教与人才优势,是全国重要的科教基地和全国第一个科技创新型试点城市,还是建设中的区域综合交通枢纽,加之水、电、土地等要素供给充裕,制造、流通、人力等综合商务成本较低,所有这些都是制造加工业生存、发展的重要条件,对外来投资具有强大吸引力,合肥市将要成为长三角地区、沿海城市乃至世界跨国公司制造加工业转移的首选之地。而且,全市上下已形成一种人心思上、向上、求上的良好氛围,这是加快发展的宝贵财富和强大动力。

这次会议还强调,工业化是现代化不可逾越的发展阶段,也是合肥发展面临的艰巨任务。工业是城市发展的支撑。工业不强是合肥市经济发展最突出的问题之一。当前和今后一个时期,必须突出工业这个重点,狠抓工业人才队伍建设,优化工业发展环境,加强对工业经济的领导,强化工业立市战略,优先加快工业经济发展,走新型工业化道路,合力推进合肥市工业跨越式发展。

会议审议通过了《合肥优先加快工业发展行动纲要》(简称《行动纲要》),正式确立指引合肥"十一五"跨越发展的"工业立市"战略。8月上旬,《行动纲要》正式制定出台。

《行动纲要》明确了工业经济发展的指导思想,制定了发展目标,即到 2010 年,全市工业增加值确保达到 800 亿元,力争达到 850 亿

---

① 孙金龙:《在市委八届九次全会上的讲话》,《合肥年鉴·2005》,第 4 页。

元,年均增长24%以上,现价工业总产值确保2500亿元,力争达到2700亿元;累计工业投入确保1200亿元,力争1500亿元,工业投入占全社会固定资产投资30%以上。同时,《行动纲要》确定了合肥市工业经济发展的方向和产业重点,即重点发展汽车、装备制造、家用电器、化工、新材料、电子信息与软件、生物医药、食品与农副产品加工等8大产业;确立了加大解放思想力度,扩大对外开放,推进改革,扩大投入,提高自主创新能力,培养聚集职业人才,推动产业向园区集聚,培育大企业大集团,加快发展中小企业,大力发展县域工业,全面优化发展环境,构建政策支撑体系等一系列具体的保障措施。

为加强落实工业立市战略,打造工业立市的舆论氛围,树立工业立市的工作思路,中共合肥市委、市政府决定将2006年作为"加快工业发展年"。2006年2月9日,市委、市政府召开动员大会,省委常委、市委书记孙金龙做动员讲话;市委副书记、代市长吴存荣代表市政府与各县、区签订工业发展"责任状"。大会号召全市干部职工树立信心,增强紧迫感和责任感,推动工业经济提速发展,为合肥跨越式发展做出贡献。3月8日,市政府发布《关于加快新型工业化发展的若干政策》,即2006年1号文件。1号文件从设立"加快工业发展专项资金"、鼓励投资工业项目、鼓励工业企业加快发展、鼓励工业企业推进技术创新与加快开发区、产业园区发展五个方面,制定了27条加快新型工业化发展的相关政策,贯彻落实"工业立市"发展战略。

从中共合肥市委八届九次全会做出工业立市的战略决策,到决定在2006年开展"加快工业发展年"活动,以及市政府2006年1号文件的制定出台,合肥"工业立市"战略从指引经济社会发展的宏观层面走向具体的操作实施阶段,吹响了全市"十一五"经济社会跨越发展的进军号角。

(三)工业立市的成效

"工业立市"战略的提出与实施,使"十一五"期间合肥市工业经济出现前所未有的良好发展局面。

2006年是合肥实施"工业立市"战略的开局之年,工业经济呈现出投入大、增长快、效益好的崭新局面。工业经济的快速高效增长有力提升了全市经济综合实力和整体发展水平。全年实现GDP1073.86亿元,提前4年实现2010年GDP千亿元发展规划,比上年增长17.5%,为1997年以来最高增幅,增速在全国省会城市中名列前茅。省会经济首位度达17.5%,比上年提高1.2个百分点。实现财政收入167.77亿元,增长28.2%,总量占全省20.6%。国税收入突破100亿元,地方税收突破50亿元。全社会固定资产投资824.8亿元,占全省23.3%,增长66.5%,创1993年以来最高增幅,增速位于全国省会城市前列。社会消费品零售总额384.3亿元,增长18.5%。城镇居民人均可支配收入1.1万元,增长13.7%;农民人均纯收入3690元,首次超过全国平均水平,增长15.1%。合肥的城市整体竞争力在全国的排名由上年的第31位上升到第29位,城市成长竞争力从第32名前移到第29名。工业立市战略成效初显。①

2007年,合肥"工业立市"战略成效进一步显现。全年实现生产总值1334.20亿元,同比增长18.1%,是自1996年以来的最高增幅,增幅高于全省平均水平4.2个百分点,在中部省会城市中位居第一,在全国省会城市中跃居第二;占全省GDP总量达18.2%。全市完成工业增加值521.2亿元,同比增长24.4%;规模以上工业企业达1083户,完成增加值466.21亿元,同比增长26.3%。全市完成财政收入215.19亿元,同比增长28.3%。全年完成全社会固定资产投资额1310.43亿元,同比增长58.9%;其中,工业投资335.07亿元,增长73.3%,占全部投资的比重为25.6%,比上年提高2.2个百分点。全市人均GDP达2.81万元,比上年增加4922元。全市平均每天实现工业增加值1.428亿元,生产汽车709辆、洗衣机1.51万台、电冰箱1.84万台、彩电7044台、空调4600台。合肥已经建成汽车、家

---

① 吴存荣:《政府工作报告(摘要)2007年1月31日在合肥市第十三届人民代表大会第六次会议上》,《合肥年鉴·2007》,第6页。

电、装备制造三大支柱产业,拥有海尔、美的、美菱、荣事达等众多国内外知名的商品品牌,成为全国名副其实的家电制造业基地。①

合肥"工业立市"战略两年中取得了优秀业绩。2007年12月28日,中共合肥市委召开九届五次会议。会议根据全市经济发展态势,提出有必要适当调高原先规划的"十一五"指标,确立新的"十一五"经济指标,即将原力争实现850亿元工业增加值的目标调高至1000亿元,原规划目标2010年地区生产总值确保1900亿元调高到2300亿元,其他各项经济指标也做了相应的提高。

2008年,全市实现地区生产总值1664.84亿元,分别高于全国、全省8.2个百分点和4.5个百分点,占全省国内生产总值的比重为18.8%;完成工业增加值606.29亿元。全市完成GDP、地方财政收入、全社会固定资产投资、规模以上工业增加值四项指标增速在全国26个省会城市中位居第一,GDP总量升至全国26个省会城市第15位。②

2009年,合肥地区生产总值超过2000亿元大关,达2102.12亿元,省内经济首位度升至20.9%;完成规模以上工业增加值767.51亿元。规模以上工业增加值总量排名在全国省会城市中,已超越太原、昆明、哈尔滨和西安四市,跃居第13位,比2005年前进了4位。主要经济指标连续3年、规模以上工业增加值连续2年增速第一。③

2010年,全市实现地区生产总值2702.5亿元,连续7年保持17%以上增长,总量占全省GDP比重的22%;规模以上工业增加值1052.71亿元,同比增长24.9%;财政总收入476.2亿元;固定资产投资3066.97亿元,占全省固定资产投资总量的25.9%,其中,工业投资1010.17亿元,占全社会固定资产投资比重达32.9%。八大工业产业实现工业增加值762.06亿元,占全市工业比重72.4%;四大家电总产量达到4224.2万台(套),成为合肥市首个产值超千亿元产业。全年净增规模以上工业企业367户,总户数达2091户,其中,工

---

① 《合肥年鉴·2008》,第68页。
② 《合肥年鉴·2009》,第53页。
③ 《合肥年鉴·2010》,第34页。

业产值逾亿元企业481户,逾10亿元企业45户,逾百亿元企业5户。主要经济指标增速继续位居全国省会城市前列,规模以上工业增加值连续3年增速第一,地区生产总值、地方财政收入、全社会固定资产投资、规模以上工业增加值四项指标"十一五"年均增速居全国省会城市之首。①

上述统计数据表明,中共合肥市委九届五次会议重新制定的全市"十一五"规划目标圆满完成,合肥历史上首次实现了工业经济的"六个千亿突破",即工业规模不断扩大,完成的规模以上工业产值比上年净增千亿元;工业对GDP增长的贡献显著提高,实现规模以上工业增加值突破千亿元;工业发展后劲持续增强,完成工业投资突破千亿元;工业产业结构不断优化升级,实现家电产业产值突破千亿元;工业园区载体建设不断做大做强,经开区完成规模以上工业产值突破千亿元;县域工业跃上新台阶,市辖三县完成规模以上工业产值突破千亿元。这"六个千亿突破",真实地体现出合肥"工业立市"战略取得了巨大的成效。

"十一五"时期,合肥工业化进程不断加快,工业经济高速发展,总量不断攀升。全市规模以上工业总产值由2005年的880.82亿元增加到2010年的3769亿元;规模以上工业增加值从288亿元增加到1052.7亿元,增长2.7倍;规模以上工业企业由668户增加至2091户,净增1423户;产值超亿元企业由102户增加至481户,超10亿元企业由19户增加至45户,百亿元企业由4户增加至9户,超百亿元企业由1户增加至5户。

"十一五"时期,合肥的支柱产业做大做强,主导地位更加突出,四大家电总产量由1300万台(套)增加到4224万台(套),跃升全国三大家电基地之首,向着全球家电制造中心迈进;汽车、装备制造业产值突破500亿元,综合产能进入全国前列;新型平板显示、太阳能光伏、新能源汽车、公共安全等战略性新兴产业"无中生有"、快速突破,确立了全

---

① 《合肥年鉴·2011》,第83页。

国领先优势。全市经济工业化率由36%提高至40%以上,工业对经济增长的贡献率达59%,合肥进入工业化加速推进的新阶段。

在工业立市战略的带动下,合肥的经济获得了跨越式发展,地区生产总值从2005年的925.6亿元增加到2010年的2702.5亿元,年均增长17.9%,增速连续3年位居全国省会城市第一位;累计完成全社会固定资产投资9511亿元,年均增长44%,是"十五"时期的6.7倍;财政收入从130.9亿元增加到476.2亿元,增长2.6倍,其中,地方财政收入由57.64亿元增加到259.4亿元;社会消费品零售总额由324.39亿元增加到839亿元,年均增长20.9%;省会经济首位度从17.3%上升到22%;城镇居民人均可支配收入和农民人均纯收入年均分别增长14.5%和16%以上,城乡收入差距比由3.02∶1缩小至2.8∶1;城乡居民人均住房面积分别增长19.3%和14.5%;三次产业结构由5.7∶45.9∶48.4调整为5.0∶52.6∶42.4。金融、旅游、文化、会展、物流等现代服务业蓬勃发展,区域性金融、商贸物流、旅游会展和教育培训中心逐步形成。[1]

"十一五"时期的跨越式发展,提升了合肥在全国的经济社会排名。在全国省会城市中,合肥地区生产总值、规模以上工业增加值、地方财政收入和全社会固定资产投资等主要经济指标平均增速均位居第一;GDP总量由第18位升至第15位,人均地区生产总值从第19位升至第9位,规模以上工业增加值从第17位升至第13位,固定资产投资由第17位升至第8位,地方财政收入由第18位升至第10位,社会消费品零售总额由第18位升至第17位。[2]

2011年,全市实现国内生产总值3636.61亿元,同比增长15.4%,占全省GDP比重的24.1%;规模以上工业完成总产值5597.97亿元,实现增加值1489.7亿元;全社会固定资产投资3376.97亿元;财政总收入623.8亿元,同比增长22.7%,其中地方

---

[1] 吴存荣:《政府工作报告(摘要)》,《合肥年鉴·2011》,第7—8页。
[2] 吴存荣:《立足新起点勇担新使命 为加快建设区域性特大城市而努力奋斗——中国共产党合肥市第十次代表大会报告(摘要)》,《合肥年鉴·2012》,第1页。

财政收入338.5亿元;实现社会消费品零售总额1111.1亿元。地区生产总值、规模以上工业增加值等主要经济指标继续位于全国省会城市前列。全年完成工业投资1336亿元。汽车、装备制造、家用电器、食品及农副产品加工、新型平板显示、新能源及光伏六大支柱产业实现产值3401.1亿元,实现增加值880.8亿元。家电和装备制造业总产值双双突破千亿大关。企业自主创新能力进一步增强。传统工业向新兴工业转型取得明显成效。全年高新技术产业实现产值2900亿元;战略性新兴产业实现产值1331亿元,产业集聚发展态势更加强劲。在"工业立市"战略指引下,合肥新型工业化道路越走越宽,经济社会发展又上新台阶。[①]

三、大发展、大建设、大环境

2006年2月6日至8日,中共合肥市委召开常委中心组理论学习会议,共同研究合肥"十一五"跨越式发展大计,做出了"大发展、大建设、大环境"(简称"三大推进")重大决策,并就"三大推进"提出具体的工作意见和措施。

(一)推进大发展

推进大发展,主要是实施工业立市战略,发展县域经济,加快经济增长,做大经济总量,增强经济实力,提高经济效益。合肥要跨越发展,就必须加快实现工业化,实施工业立市战略,举全市之力打一场工业攻坚战。

精力向工业集中,资源向工业汇集,政策向工业倾斜。2006年合肥在出台加快工业发展的1号文件的同时,又陆续出台了《免收开发园区工业投资项目行政事业性收费》《推动县域经济跨越式发展的意见》等政策文件,设立2.5亿元的加快工业发展专项基金,推进工业

---

① 《合肥年鉴·2012》,第36—37页。

"121"工程(10个重点新开工项目,20个重点续建项目,10个重点竣工投产项目,简称"121"工程),实施县域突破,以抓工业的理念抓农业,强化工业立县。

2006年,全市全年工业投资193.4亿元,比上年增长1.16倍。新增规模以上企业183户,规模以上工业总产值1098.5亿元,提前4年实现全市GDP千亿元规划目标。固定资产投资高速增长,投资结构进一步优化,企业自主投资能力明显增强。重点项目进展顺利,"1346"行动计划项目共完成投资321.1亿元,其中,被列入"861"计划的项目完成投资137.4亿元。

工业运行水平显著提高,规模以上工业实现增加值363.2亿元,比上年增长21.7%;实现利润增长47.9%,高于上年16.8个百分点;亏损企业减亏51.5%,减亏幅度居全省第一;销售收入或产值超亿元的工业企业增至100户以上;工业增加值以近20%的高速增长;工业经济效益综合指数达到209%,位列全省第一,高于全省平均水平30多个百分点。

科技创新能力增强,推动结构优化升级和增长方式转变,科技优势迅速转化为经济优势和产业优势,高新技术产业以30%的高速增长,全年实现高新技术产值达630亿元以上,高新技术产业增加值占全市工业增加值44%。

建筑业持续快速发展,全年完成产值445.6亿元,增长43.9%。全市富民强县的进程大大加快,实施"双百市场"和"万村千乡"市场工程,城乡市场体系不断完善。肥东县、肥西县双双跻身安徽省"十强县",长丰县一举进入安徽"十快县"。[①]

2006年,合肥工业立市战略纲举目张,成效显著,推进大发展全面铺开,迅速有力。

---

① 吴存荣:《政府工作报告(2007年1月31日在合肥市第十三届人民代表大会第六次会议上)》,《合肥年鉴·2007》,第6页。

(二) 推进大建设

合肥推进大建设首先遇到的是违法建设问题太多。

从20世纪80年代以来，伴随着合肥城市化进程的快速发展，各类违法建设日趋增多。到2005年年初，市区的违法建设总量达到1750万平方米，违法建设已发展到了"触目惊心、泛滥成灾"的地步。违法建设的大量出现，污染环境、挤占道路、绿地、生活区，带来大量社会问题，也严重干扰了合肥市规划建设的顺利进行，影响了文明城市创建目标的实现，是城市大发展、大建设、大环境道路上亟待清除的障碍。

2005年6月，合肥市做出在全市范围内查处违法建设的决定，计划用两年时间，分阶段分步骤完成查处违法建设任务。7月4日，全市拆除违法建设（简称大拆违）工作正式启动，7月16日进入实质性拆除阶段。仅用1年多时间，共拆除各类违法建设近1300万平方米，其中"自拆""助拆"占98.5%以上，市民对"拆违的满意度"达到93%。长期以来违法建设泛滥失控的态势得到了根本遏制，违法建设制约城市发展的问题基本得到了解决。全国人民代表大会常务委员会委员长吴邦国称赞合肥"解决了一项全国性的难题"。

在大拆违的过程中，中共合肥市委市政府采用了几点主要做法，保证了大拆违扎实有效地推进。

一是加强领导，深入调研。为加强组织领导，合肥市成立了查处违法建设领导小组。随后立即组织人员开展调查研究，对全市违法建设的数量、成因、权属类型、拆除过程中涉及的群体利益及可能出现的冲突和阻力等，进行了详尽的摸底排查。在深入调查的基础上，6月10日至16日，组团到长沙、深圳、南京3市考察借鉴查处违法建设的经验和做法。6月20日至26日，连续组织召开了4次不同类型、不同层次的座谈会，分别邀请专家学者、人大代表、政协委员、投资者、街道和社区负责人进行座谈，广泛听取社会各界人士的意见和建议。在周密调研和深入分析的基础上，出台了查处违法建设的一系列实施方案。

二是通过党政机关、党员干部带头拆违，带动群众拆违。2005年7月12日，中共合肥市委办公厅带头自拆了位于淮河路上的18间门面房，市人大办公厅亦自拆本单位的违法建设，这在全市上下产生了极大反响。党政机关、党员干部带头拆除自家的违法建设，不仅使广大市民看到政府拆违的决心，而且平衡了群众的心态，使绝大多数市民对拆违工作的态度由最初的怀疑观望变成积极参与、大力配合。

三是广泛开展社会动员，深入持续地开展舆论宣传。利用中央和省市各种媒体，从违法建设的危害，查处违法建设的法律依据，以及违法建设拆除后的成果等各个方面展开舆论攻势。此外，还选派200名机关干部进驻各街道社居委，配合基层组织对拆违对象挨门逐户地反复讲清道理，释疑解惑，化解矛盾。

四是科学的拆违方式，坚持依法拆违和有情操作相结合。依法拆违，一方面是严格依法行政，拆除的是无证无照的违法建设，并实行零补偿。另一方面是法律面前人人平等，既拆官也拆民，既拆大亦拆小，官民一个样，大小机关一个样。在具体实施过程中，实行有情拆违，采用自拆、助拆、强拆三环节：首先发动单位、个人自拆，其次对自拆有困难者，由城区、街道助拆，最后，对拒不拆除，做工作无效的，实施强行拆除。

五是拆建并举，拆管并举，建立长效管理机制。为了破解违法建设"拆了建，建了拆，拆了又建"的怪圈，合肥市非常重视后续管理，孙金龙提出："不能一拆了之，而是要在根治源头、强化管理，健全监督上下功夫，坚持拆建并重、拆管并重、拆治并重。"在查违的同时，规划建设一批配套设施，把拆违还路、拆违治脏、拆违增绿、强化管理结合起来，做到拆一片、管一片、清一片、绿一片。

六是坚持以人为本，及时制定困难群众的社会保障措施。合肥市在查处违法建设的总体方案及整个拆违实施过程中，始终做到"三个确保"，即确保不因拆违出现困难群众无房可住，确保不因拆违导致困难群众生活无保障，确保不因工作不到位出现恶性事件。制定了三个帮扶救助困难群众的文件,并在实践中得到较好地执行。

合肥大拆违取得较好成效,主要体现在以下几个方面:

一是拓展了城市发展空间,美化了市容市貌,改善了城市形象。通过大拆违,大量占用城市建设用地的违法建设得到清除,为城市建设提供了新的空间。大批违法建设被拆除后,园林部门及时建造花坛,种植草坪花木,还绿于城。全市新增拆违绿化面积 100.84 万平方米,新增城市防护绿地 400 公顷,美化了城市的环境。[①]

二是优化了投资经营环境,节约了开发建设成本。大拆违让投资者看到了合肥市致力于改善投资环境的决心和力度,增强了来肥投资的信心。同时,拆违工作为外来投资者节约了巨大的前期开发费用,降低了综合商务成本,加快了开发建设进度。

三是强化了城市管理的基层基础。大拆违使广大市民认识到城市的街道、居民委员会、社区是城市管理的基础平台,街道、社区工作是城市管理、城市建设的重要组成部分。

四是锻炼了干部队伍,提高了能力、素质。大拆违要求各级领导干部到基层去,工作重心下移,以街道为基础平台,统一组织、指挥和协调,在实际工作中提高了各级干部的能力和素质。

五是增强了人们的法制观念,城区新建违法建设现象得到有效遏制。在拆除的违法建设中,政府没有补偿一分钱。使人们意识到,再搞违法建设面临的将是"零补偿",甚至还要花钱自拆,因此单位和个人守法意识普遍得到增强,《城市规划法》等的执行进入良性轨道,城区兴建违法建筑现象得到有效抑制。

合肥的大拆违,在全国及全社会产生了广泛影响。合肥大拆违的成功经验,引起了新华社、《人民日报》、中央人民广播电台、中央电视台等全国各大媒体的关注。北京、上海、广东、芜湖、安庆等省内外城市竞相组团来肥考察学习。2005 年 12 月,全国建设工作会议专题安排合肥市作典型发言。2006 年 9 月,中国城市论坛北京峰会及中

---

① 魏从兰:《城市的嬗变》,合肥工业大学出版社 2014 年版,第 45 页。

国城市管理进步奖颁奖典礼上,合肥市的大拆违以实现"零补偿、零冲突"从全国36个城市中脱颖而出,排在8个获奖城市中第一位。大会认为,合肥市大拆违模式将填补国内城市在查处违法建设方面的许多空白。安徽省人民政府省长王金山评价道:"若干年后,拆违可能是一个壮举……合肥的变化是从拆违开始。"[①]

开展大拆违不久,大建设随之而来。

1949年合肥解放时,建设区面积仅仅5平方千米,与安徽省内其他县城几无二样。显然,合肥作为安徽省省会,其城市功能太弱,城市基础设施太差。此后50多年间,虽经多次建设发展,仍未得到根本性的改观,城市供、排水不足,电力供应不足,交通拥堵,城区人口密集,每平方千米达4万人,省会城市的"县城格局"未能打破。

2006年3月16日,合肥举行首批大建设工程集中开工典礼。从此,合肥大建设一刻不停,持续向前推进。截至2011年3月底,全市开工建设9大类1294项城市建设项目,累计投入1122亿元,相当于"九五""十五"时期总投资的5倍多。

合肥大建设突出交通先行,按照"强攻主动脉,健全微循环,打通断头路,拓展出入口"的思路,着力构建内外衔接的现代交通体系。新建、改造道路共783千米、桥梁99座。对内,7条出城口道路改造基本完成,副中心"一刻钟快速交通网"初步形成。四大组团及开发区间实现畅通连接,主城区路网由"十"字形转为"方格网加放射状"格局,形成"三环多放射"的城市动脉交通网。对外,全国重要的区域性综合交通枢纽框架初现。高速公路已形成"一环六射"路网格局,6条高速公路在此交会,全长105千米的绕城高速公路全线贯通。在铁路交通上,以建设高速铁路枢纽为目标,加快高速铁路规划与建设。合肥新港以1500吨级货轮可从合肥通江达海为目标,加紧建设;设计年吞吐能力1200万人次的4E级新桥国际机场开工建设,计划2012年5月1日试飞。合肥水、陆、空交通大建设加速推进,从过

---

① 魏从兰:《城市的嬗变》,第45页。

去的"通过式交通节点",向承东启西、连南接北"放射式的交通枢纽"转变。

合肥港

大建设坚持生态环保优先,打造一个宜居宜业的生态城市。精心做好"水文章",按照"全截污、全收集、全处理"的思路,治理河道总长112.65千米,全面完成入湖河流沿线截污工程,铺设污水主干管网1398多千米,新建扩建14座污水处理厂,污水处理能力由2005年的43.5万吨提高到2010年的95.2万吨,使城市污水集中处理率达到85%以上。大力做好"绿文章",以争创全国生态园林城市为目标,开展了"城市绿化大比武"和"清洁家园、绿化乡村"等一系列活动,生态建设投资年均10多亿元,新增园林绿地5.6万亩。自2006年以来,先后建成了天鹅湖公园、翡翠湖公园、生态公园、外环森林生态长廊等公园30余个。至2010年年底,城市绿地率达40.2%,人均公共绿地12.5平方米。

大建设坚持统筹推进,做到新区开发与老城改造并举,现代化滨湖大城市建设与社会主义新农村建设齐头并进。2006年11月,启动滨湖新区建设,到 2010 年年底,累计投入 414 亿元,区域建成面积 10.8 平方千米。新区开发带来的土地出让收入除了用于自身道路建设,有三分之一用于支持老城区改造。结合"四大组团"拓展,提升县城和近郊镇规划建设水平,逐步向城市副中心方向发展。2005—2009 年,县域城镇化率从不足 20% 提高到 25% 以上。把新农村建设与规模化土地整理有机结合起来,实施万亩土地综合整治项目,仅 2009 年就缩并自然村 1028 个,近 8 万农民转为市民。

大建设坚持以人为本,让人民群众共享大建设成果。坚持拆迁安置优先,改善了群众居住条件;坚持社会事业优先,新建迁建中小学校,解决上学难问题。

大建设坚持规划引领,实施新区开发、老城提升、组团展开、整体推进,推动城市形态由单中心向多中心、组团式转变。

从大拆违到大建设,一破一立,昭示着合肥迈步进入拥巢湖而居的滨湖新时代。

(三)推进大环境

大环境,是指大幅度地提高政府机关、各部门办理事务的能力、效率,简言之,就是效能建设。推进大环境,是实现大发展、大建设的体制保证。

从 2006 年起,合肥市以行政审批制度改革为重点,开展"效能革命",通过制度的完善和政务公开推进依法行政,优化投资发展环境。3 月 25 日,中共合肥市委、市人大、市政府、市政协召集全市 52 个具有行政审批权限的市直部门负责人,开展清理行政审批事项"会审"。经过会审,全市市级行政许可事项由 353 项减至 230 项,除特殊情况经批准外,所有行政许可项目都集中到市行政服务中心,88% 的事项可在窗口直接办结。[①] 3 月 27 日,合肥市又召开全市机关效能建设年活动动员大会,市长吴存荣对活动做具体部署,要求加强领导,突

---

① 《合肥年鉴·2007》,第 32 页。

出重点，明确职责，统筹兼顾，形成合力，使效能建设年活动真正收到实效，以推进机关"效能革命"。

在效能建设年活动中，全市93个单位把办事程序、效率等公开向社会承诺，接受群众监督。凡属部门审批的项目，在承诺时限内未办结的，实行"超时默认制"。在并联审批中，对拒绝参加或不接受牵头单位协调的，实行"缺席默认制"。各单位还普遍修订完善了岗位责任制、服务承诺制、限时办结制、否定报备制、首问负责制、窗口部门一次性告知制、涉企检查报批制等制度，基本形成了效能建设内部管理制度体系。

效能建设的大力推进，有效促进了合肥市投资发展环境的优化。合肥市对外形象不断改善，知名度大大提高。2006年获得"跨国公司眼中最具投资价值及投资潜力的中国城市""中国大陆最佳商业城市""浙商（省外）最佳投资城市"等称号，跻身于中国城市竞争力30强之列。[①]

2007年，合肥市机关效能建设转入巩固、提高、创新、深化阶段，进一步推进大环境改善。全市以勤政廉政、提高效率、优化环境、执政为民、促进发展为主要内容，广泛开展"查摆找补创"活动，集中整改解决项目落地、窗口服务、工作流程以及涉及群众切身利益等方面存在的问题。大力推行"柜员制""首席代表制""一次性告知制"，进一步深化行政审批制度改革，优化并联审批流程；机关对外办事和内部工作流程得到再造更新，促进了管理模式精细化、扁平化、项目化转变；行政责任追究制得到严格执行，重点行业、重点部门、重点项目的审计监督得到加强；清理确认并向社会公布了市本级91个行政执法主体、4174项行政职权目录；加大政务公开力度，开通"阳光政务114热线"，群众反映的"门难进、脸难看、话难听、事难办"等现象大大减少；干部办事拖沓、推诿扯皮、"吃拿卡要"现象不见了；项目、事务办结效率和速度大大提高。建设项目办结时限由原来200多个工作

---

① 《合肥年鉴·2007》，第64页。

日缩短至最快 25 个工作日,工业项目保证在 3 个月内,其他项目保证在 4 个月内办好手续确保开工。①

当年,合肥被命名为"全国政务公开示范点",投资环境进一步优化,成为中国最具发展与投资潜力的城市之一。推进大环境,极大地保障和促进了大发展和大建设。

大发展、大建设、大环境,"三大推进"环环相扣,层层递进,相互作用,共同构成了合肥跨越式发展战略目标的支撑系统,打造了合肥跨越式发展的崛起之路。

四、"大招商"与"招大商"

改革开放以来,合肥始终坚持走开放强市的发展道路,其中对外贸易和招商引资是重要的内容。"十五"时期,合肥在优化开放环境、搭建开放平台、扩大开放领域、改进招商引资机制等方面持续发力,不断取得新的突破。

在优化开放环境方面。2001 年年底,组建合肥市招商局和合肥行政服务中心,营造良好的投资环境。2002 年开始,中共合肥市委、市政府做出"外资与内资一起引"的战略决策,把吸引内资列入合肥扩大对外开放的重要内容。2005 年,市委、市政府针对合肥经济总量偏小、发展不足、人民生活还不富裕的基本市情,在市委八届九次全会上提出"发展为上,投资为本"理念,进一步、全方位扩大对外开放,开展大招商,要把招商引资作为第一要事来抓,进一步完善招商工作机制,加强各级招商工作机构和队伍建设,改进招商工作方式,不断提高吸引外资的规模和质量,积极营造"开明开放、宽松宽容"的工业发展与投资环境,为工业跨越式发展提供保障。

在搭建开放平台方面。2002 年,全市开发区工作会议提出把开发区和工业园区作为扩大对外开放、实施经济国际化战略的主要阵

---

① 魏从兰:《城市的嬗变》,第 101 页。

地,要求开发区和工业园区率先建立符合国际惯例的管理体制和运行体制,充实服务承载功能,创新运行机制,成为全市投资发展环境最优的"特区"。经过"十五"时期的发展,开发区、县区工业园区已成为全市对外开放的主要载体和平台。

在扩大开放领域方面。首先是在继续重视境外招商的同时,亦重视对浙江、江苏、上海、福建、广东等沿海发达地区的招商。一大批沿海地区企业在合肥投资落户。"十五"时期合肥引进境内资金约460亿元,约为同期引进外资的4.5倍。其次是实施利用外资多元化战略。既重视直接利用外资,又加大间接利用外资的力度。三是重视第三产业的对外开放。重点在商业、物流、服务、金融、城市公用事业等方面做了许多探索。引进家乐福等跨国连锁企业和宝供等知名物流企业。四是推进对外经济技术合作。五是实施外贸结构优化和市场多元化战略。

在改进招商引资机制方面。一是充分发挥企业主体的积极性。二是加强招商引资专业化队伍建设。三是实行外资、外贸、外经、外事、外宣、对台工作统筹协调,合理分工,密切配合的对外工作大格局。四是进一步完善招商引资目标责任制。五是抓好重点招商活动。

"十五"时期,合肥以开放促改革、促发展,将招商引资作为经济工作的重中之重,对外开放取得了重大突破。一是实际利用外资大幅度增长,由2000年的1.27亿美元增至2005年的4.07亿美元,占全省的比重由30.7％上升到59.1％。5年累计引进外资13亿美元。二是对外贸易快速发展,外贸进出口总值从2000年的19.1亿美元上升到2005年的41.8亿美元,占全省比重达到45.9％。三是对外经济技术合作实现了由量到质的飞跃,合同额由2000年的1.45亿美元上升到4.53亿美元,实际完成额由2000年的0.59亿美元上升到2.41亿美元。四是走出去战略取得实际成效,全市有9家企业在海外建立了13个生产基地。① 合肥到"十五"末,基本形成多层次、宽领域、全方位的对外开放格局。

2006年至2010年的"十一五"时期,是合肥大招商强力推进,并取得显著成果的时期。为加强招商的力度、效果,2005年年底,合肥市召开了投资工作暨整治优化发展环境千人大会。会议提出"发展第一要务要靠招商引资第一要事来保证",把招商引资放在十分突出的位置,从而拉开了合肥大招商的序幕。

2006年,合肥招商引资实际到位332.8亿元,同比增长62.9%,完成全年目标任务的110.9%,创历史新高。全市新批外商投资企业155户,合同外资9.24亿美元,实际利用外资7.22亿美元,同比分别增长70%、168%和78%。引进内资项目1926个,资金275亿元,其中引进省外资金183亿元,总量均居全省第一位。② 在引资结构中,工业项目占据主导地位。全年工业实际引资143.7亿元,占同期全市招商引资总量的43.2%,较上年增长了12.9个百分点,完成全年工业引资任务的191.6%。其中,新引进投资总额在1亿元以上的内资工业项目36个,占同期新引进亿元以上内资项目数的43.4%;新批合同外资在1000万美元以上的外资工业项目有15个,占同期新批合同外资在1000万美元以上外资项目数的54%。③

2007年,合肥进一步拓宽招商领域,创新招商方式,狠抓招商队伍建设,夯实招商基础。组建第四批328个招商小组,其中12个小组进驻市开发区和县区工业园,探索招商工作新形式、新经验。全年在境内外共组织开展20余场重要招商推介活动,实际招商引资总量达571.54亿元。实际利用内资497.68亿元;实际利用外资10.12亿美元。实际引进的内、外资总量在全省均居首位。全年新引进投资总额亿元以上、合同外资千万美元以上的内外资大项目132个。德国麦德龙、美国江森自控两家世界500强企业,芯硕半导体、美的、格

---

① 《从三线起飞——合肥"十五"发展回顾》,第97页。
② 《合肥年鉴·2007》,第63页。
③ 《合肥年鉴·2007》,第63—64页。

力电器等先进家电制造业项目,香格里拉、世纪金源、浦发银行等现代服务业项目相继落户合肥。①

2008年,全市上下进一步坚持以大招商引领大发展、支撑大建设、服务大环境、推动大开放,推进产业招商、功能招商、环境招商和服务招商,进一步创新招商方法,拓展招商领域,壮大招商力量,新组建第五批招商小组,推行招商小组进驻工业园区及派驻到在肥异地商会,创新小组招商方式,提升招商效率,各项工作再上新台阶。全年实现引资总量782亿元;实际到位外资12亿美元;实际利用省外资金614.11亿元。② 引资总量位居全省首位。在工业大项目招商上取得重大突破,促成一批带动性强的大项目签约、开工,代表性的有大陆集团合肥新工厂、熔安动力等开工建设,都灵—合肥汽车合作项目、江汽—美国车桥合资公司等先后成立,中盐集团重组、搬迁市属化工企业开始启动,以及投资总额为175亿元的京东方TFT–LCD六代线等高新技术大项目落户合肥。这些大项目带动能力强,对相关产业发展起到了领军作用。2010年,合肥在引资结构、重点地区招商及招商机制等方面,得到进一步提升。引资结构日益优化,全年服务贸易业引资180.98亿元,占总量的19.52%;房地产开发实际引资368.64亿元,占总量的39.7%。③ 乐购、东亚银行等境内外商贸金融类企业纷纷进驻。

2009年,面对日趋蔓延的全球金融危机,合肥力求在危机中寻求招商契机。全市上下主动作为,提前谋划,进一步完善和创新招商工作机制体制,建立健全市领导、分管部门与分管部门招商小组合并考核和评价机制,个人领衔、升级接力招商机制,招商小组与区域、专业招商结合机制,项目流转推荐机制,有效招商进一步增强。全年新组建第六批招商小组391个,围绕重点产业、重点区域和重点活动,狠抓落实。在重点产业招商上,全年累计引进亿元以上内资大项目

---

① 《合肥年鉴·2008》,第75—76页。
② 《合肥年鉴·2009》,第62页。
③ 《合肥年鉴·2009》,第62页。

158个,实际到位资金182.2亿元,新批合同外资在千万美元以上的外资大项目10个;积极开展重大项目产业链招商,吸引法国液空、日本住友化学、法国威立雅水务等一批世界500强在内的国内外大型企业入驻;金融招商获得进展,先后有民生银行、汇丰银行、华夏银行、九江银行、中国进出口银行和高特佳、中盈盛达、中金担保等10余家金融机构开业或获批进驻,工商银行总行后台服务中心正式开工。在重点地区招商上,长三角、珠三角、北京地区实际到位资金657.3亿元,占全市实际到位省外资金的84.5%。在引资结构上,全年工业实际引资428.9亿元,占全市招商引资总量的36.9%;工业八大主导产业到位资金269.9亿元,占工业实际引资总量的62.9%;现代服务业实际引资259.3亿元,占招商引资总量的22.3%。其中,金融业到位76.1亿元,物流业到位15.8亿元。全年全市累计实现招商引资1040亿元,同比增长33%;实际招商引资总量1163.5亿元。其中,省外资金777.4亿元;实际到位外资13亿美元,增长8.4%,完成年初确定的1037亿奋斗目标。①

2010年,合肥市紧紧抓住加入长三角经济圈和皖江城市带承接产业转移示范区建设等一系列优惠政策叠加出台的大好机遇,进一步加大招商引资力度,全年组建540个招商小组。在广泛调研基础上初步筹建汽车、家电、新型平板显示、装备制造、新能源、食品及农副产品加工6个产业招商小组。在招商举措上,建立重大项目政策审议机制,积极推进市国土、规划、财税、招商、法制办等部门以及各县区对"一事一议"重大项目支持政策的审议;建立项目流转推荐机制,对县区开发区不适合在本辖区落户的项目信息,市招商局根据全市招商区域、产业规划的整体布局,做好统筹再推荐工作;完善驻外联络处工作职责,强化刚性考核指标,完善招商信息管理系统,使招商引资基础工作进一步加强。

2010年,合肥的招商引资在主导产业和战略性新兴产业招商方

---

① 《合肥年鉴·2010》,第37—38页。

面取得了重大突破。长安汽车合肥基地、友达光电、赛维 LDK 等一批产值超百亿元项目开工建设,京东方六代线、鑫昊等离子、彩虹高世代液晶玻璃基板、熔安动力等竣工投产,彩虹蓝光 LED、中盐化工基地等项目加快建设。现代服务业招商加速发展,乐购、大洋百货、金鹰百货、华夏银行、九江银行、美国 UPS 等一批境内外知名服务业企业落户;国际金融后台服务基地建设取得突破,中国工商银行总行、中国建设银行总行、上海浦东发展银行等后台中心项目相继动工;世纪金源大饭店、万达广场等一批现代服务业项目建成开业。在区域招商上,全年引进长三角、珠三角、北京地区到位资金 1035.1 亿元,占全市实际到位省外资金的 82.8%。全年累计实现招商引资到位资金 1633.54 亿元,其中实际利用省外资金 1250 亿元,实际到位外资 14.3 亿美元。在引资结构中,全年工业实际引资 584.5 亿元,同比增长 36.3%,占全市招商引资总量的 35.77%。其中工业八大主导产业到位资金 377.3 亿元,占工业实际引资总量的 64.6%。[①]

合肥在"十一五"时期的 5 年大招商中,共组建 8 批、400 多支招商小分队,面向社会公开招聘 9000 多专业招商人员。在招商队伍中,有市区县各级领导班子成员,有企业家和一般员工,有年逾花甲的老人,也有普通市民,正是这些招商人员的勤奋工作,合肥的大招商才硕果累累。5 年间,合肥累计招商引资 4300 多亿元,引进项目达 8125 个,是"十五"时期的 7 倍多。2010 年入驻的世界 500 强企业达到 52 家。全市规模以上工业产值增量的 70%、新增就业岗位的 75%、地方税收增量的 50%,均由外来投资企业创造。[②] 招商引资为合肥确立开放型经济格局,向着充满生机与活力的现代化城市迈进,提供了坚实的基础。

---

① 《合肥年鉴·2011》,第 169 页。
② 《孙金龙在市委九届十二次全体会议上的报告》,《合肥年鉴·2011》,第 5 页。

第五节　拓展民营经济与第三产业

一、县域经济的新发展

长丰、肥东、肥西三县县域土地面积占合肥市国土总面积约90%,县域人口占全市总人口近70%。发展三县县域经济是破解全市"三农"问题、促进城乡统筹发展的关键。但是,直到2000年,合肥城乡二元结构矛盾仍较突出,三县经济发展不快,农民收入增长较为缓慢,城乡差距呈现进一步拉大的趋势。

2001年,中共合肥市第八次代表大会明确提出将发展县域经济与高新技术产业、兴办开发区和发展个体民营经济作为加快合肥经济发展的重要内容。在2002年的市政府工作报告中又进一步提出"以二、三产业为牵动,加快县域经济增长"的重要任务,强调把发展以民营经济为主体的二、三产业作为县域经济的增长点,推动县域经济快速发展。

2003年与2004年,合肥市在着眼大力发展县域经济的目标下,结合县区国有中小企业改制与所有制结构调整,积极推进新型工业化,从多方面、多途径入手,把县域经济作为全市经济重要增长极,把工业放在县域经济的首位来抓,加快发展园区经济、配套经济、民营经济,推动县域经济的快速发展。

从2001年至2004年的4年间,三县经济获得较快发展,经济结构不断优化,园区工业成为引领县域经济快速发展的主导力量,县域三次产业结构不断优化,第二产业比重上升了14.7个百分点。2004年,三县县域生产总值实现128.6亿元,年均增长16%,超过全市平均水平,县域经济整体实力增强,肥西、肥东发展综合指数位居全省前10位,长丰跃居中上游,县域经济发展基础不断夯实。

2005年,为推进跨越式发展,合肥市坚持发展为上,大力推进县域经济快速发展,强化城市对农村的辐射和带动作用、工业对农业的支持和反哺作用,进一步确立"县域突破"战略。同年制定的"十一五"发展规划,对发展县域经济制定了任务目标,即到"十一五"末,三县经济生产总值力争达到500亿元以上,占全市的30%;三县均居全省前10位,肥东、肥西力争有一个县进入全国百强县行列,另一个县缩小与百强县的差距。全市社会主义新农村建设初显成效。

2006年,合肥市制定出台了《关于推动县域经济跨越式发展的意见》。要求把握住县域工业经济、平台建设、项目投资、对外开放、功能集聚和农业产业化等工作重点,拓宽发展思路,优化发展环境,加强组织领导,推动县域经济跨越式发展。是年,全市县域经济呈现跨越式发展态势。三县地区生产总值、财政收入、农村固定资产投资均高于全市平均增长水平。"工业立县"措施得到有力落实,县域全社会固定资产投资增幅同比超过75%,三县规模以上工业实现增加值71.1亿元,比上年增加27.3%;肥西县一举成为全省首个规模以上工业产值超百亿的县;肥东新城、肥西桃花、长丰双凤等县域工业园区发展迈上新台阶,产业集群粗具规模。三县农业产业化经营取得显著成效,各类农副产品加工企业发展到326家,总营销收入占全省四分之一,其中超亿元的19家、超5亿元的5家、超10亿元的2家。[①]

2007年,合肥市把三县纳入"141"战略总体布局,加大以城带乡、以工哺农力度,以突破县域经济带动农村经济社会发展,三县经济继续保持迅猛发展势头,地区生产总值、固定资产投资、财政收入等主要经济指标增速均高于全市平均水平。县域工业园区成为县域经济强劲发展的引擎,撮镇、桃花、吴山等一批乡镇工业园区迅速崛起,成为县域经济发展重要增长极和加快农村城镇化、工业化的重要支撑,

---

① 《合肥年鉴·2008》,第6、214页。

伊利乳业、立华、万润、黑牛等一批农业招商大项目建设进程加快,为后续发展打下了基础。

至2010年,合肥县域经济取得重大突破,三县综合实力显著增强,区域竞争力迅速提升。全市财政支农总支出186亿元,在全省遥遥领先。县域经济在结构调整中迅猛发展。大宗农产品总产量连创历史新高,规模养殖比重上升到78%;农业增加值累计增长40%;农产品加工业产值突破500亿元。县域规模以上工业企业由171户增加至958户;工业增加值由45.1亿元增加至291.8亿元。三县地区生产总值跨越了四个百亿元台阶,由"十五"末的183.61亿元提高到"十一五"末的661.3亿元,财政收入由15.05亿元提高到57.91亿元,县域经济占全市GDP比重由19.8%提高到24.5%,年均增长21.8%以上。① 三县经济实力不断增强,全部进入中部百强县和全省科学发展一类县前7名,在全省的综合竞争力快速提升。长丰县GDP总量在全省位次由2005年第35位升至2009年的第6位,由原来的国家级贫困县跻身全省科学发展先进县行列。肥东县坚持"工业超千亿、全国争百强",GDP、固定资产投资、地方财政收入在全省均名列三甲,2002年至2007年连续5年进入全省"十强十佳"县,2008年、2009年连续两年荣登全省科学发展先进县。肥西县以"全省创第一、中部进十强、全国争百强"为奋斗目标,GDP总量及增幅在2009年双双位居全省61个县(市)榜首,2008年、2009年连续两年荣获全省科学发展先进县一类县第1名,2009年、2010年蝉联全国百强县,并于2010年在省内率先步入中部十强县之列。

工业企业的快速发展极大地提升了三县在安徽省内的经济实力。据2009年的统计显示,在全省61个县(市)规模以上企业增加值中,长丰县已由2005年第19位提升至第8位,肥东县由第6位前进至第4位,肥西县则领先全省61个县(市)。在项目建设上,三县通过加大招商引资力度,大力推进项目建设,极大地增强了经济发展

---

① 《合肥年鉴·2011》,第52页。

后劲。截至 2009 年，三县引进市外资金总量 306 亿元，是 2005 年的 7.65 倍。2006 年至 2009 年累计新开工项目 3382 个，竣工项目 2353 个，全社会固定资产投资由 2005 年 75.3 亿元增加到 2009 年 511.82 亿元。2010 年，三县固定资产投资更增至 656.5 亿元，5 年累计投资 1922.94 亿元，是"十五"时期投资总量的 10.16 倍。①

"十一五"时期，合肥县域经济呈现出厚积薄发、加速发展的良好态势，已成为合肥市经济发展的重要支撑力量，也为"十二五"时期合肥市保持跨越赶超奠定了坚实基础。

合肥市"十二五"规划提出，要坚持以工业化为核心，加快县域工业化、城镇化和现代化进程，进一步壮大县域经济实力，全面增强县域经济实力，推进城乡统筹与新农村建设，并从加大招商引资力度、加强工业园区建设、扎实推进扩权强镇改革等方面对加快县域经济发展做出部署，提出力争到"十二五"末，肥东、肥西、长丰三县全部进入全国县域经济基本竞争力百强行列的奋斗目标。

2011 年 8 月，经国务院批准，安徽省部分行政区划调整，撤销地级巢湖市，庐江县与居巢区（改名成立县级巢湖市）划归合肥管辖，合肥市县域范围在原来长丰、肥东、肥西三县外，又增加了庐江县与县级巢湖市。县域面积进一步扩大，县域经济在合肥建设区域性特大城市发展中的战略地位更趋突出。

2011 年，经过全市人民的辛勤努力，包括长丰、肥东、肥西、庐江县和巢湖市在内的四县一市全年实现生产总值 1178.6 亿元，首次突破千亿元大关；财政收入 110.3 亿元，跨上百亿元台阶；完成规模以上工业产值 1857.6 亿元，占全市规模以上工业总产值的 33.2%；实现工业增加值 471.6 亿元，对全市工业增长的贡献率为 28.7%，拉动全市工业增长 6.7 个百分点；累计完成工业投资 531 亿元，占全市工业投资的 39.8%，占县域固定资产投资的 55.7%。② 当年，四县一市

---

① 《合肥年鉴·2011》，第 52—53 页。
② 《合肥年鉴·2012》，第 269、256 页。

拥有县域规模以上工业企业1042家,占全市的55.8%。其中,实现产值逾亿元的企业有341户;逾10亿元的企业有23户;全市新增规模以上工业企业130户。全年县域生产总值、规模以上工业增加值、财政收入分别占全市的32.4%、31.7%、17.7%。[1]

在行政区划大调整的背景下,四县一市的县域经济发展成绩实现了"十二五"时期的良好开局。

二、民营经济实力增强

到2000年,合肥市以个体私营经济为主体的民营经济已形成相当规模。其中,个体工商户10万多户,从业人员20多万;私营企业8767户,从业人员10万多人。[2] 年产值超百万元的有600多户,超千万元的有120户,超亿元的有4户;有9户私营企业分别组建了企业集团和股份公司。科技型私营企业达851户,其中,经安徽省科学技术委员会认定为高新技术企业的达20多户。采取租赁、承包、兼并、购买等多种方式参与国有、集体企业改革改制的270多户私营工业企业,吸纳、安置国有企业下岗职工近万人。[3]

为了进一步推动民营经济发展,配合国有、集体企业改革改制,实现企业资产重组,优化经济结构,2001年,合肥市在"十五"规划中确立了"加快民营经济发展步伐,促进多种经济成分共同发展"的决策。提出,要进一步改善民营企业发展环境,完善民间投资环境,采取专项扶持措施,鼓励个体私营企业走"科技产业化"道路;支持下岗职工创办个体私营企业或到民营企业就业,鼓励和支持海外留学人员回国兴办企业;引导个体私营经济参与公有制企业改革、改组和改制;引导个体私营经济推进企业的投资方向、企业规模、技术结构和组织结构调整;大力发展高科技民营企业,鼓励和支持民营科技企业

---

[1] 《合肥年鉴·2012》,第269页。
[2] 《合肥市志(1986—2005)》,第882页。
[3] 《合肥年鉴·2001》,第108—109页。

创新,建设合肥国家民营科技企业园,使其成为改革、创新和发展具有示范性作用的技术密集型现代工业区。①

2001年6月,中共合肥市第八次代表大会提出,把发展个体私营经济与发展县域经济、高新技术产业与开发区建设共同作为合肥市经济发展的重点。此后,合肥市结合国有企业改革的深入推进以及乡镇企业结构调整和全面改制,大力实施"国退民进"战略,扶持个体私营经济发展,形成民营经济与国有经济、"三资"(指中外合资、中外合作、外商独资的企业)经济共同发展的新局面。自此,合肥民营经济步入异军突起、迅猛发展的新阶段。

2001年,由于乡镇集体企业着手改制,非公有制经济体量明显增大,全市个体私营企业实现总产值106亿元,增加值31.3亿元,营业收入106.8亿元,实交税金2.68亿元。②

2002年,合肥市个体私营经济共实现营业收入115.4亿元,实现增加值34亿元,实交税金2.4亿元,并形成华泰食品有限公司、安迪健身器材有限公司、富光塑料有限责任公司等一批骨干私营企业。③

2005年,合肥全市新增私营企业5984户、个体工商户1.79万户。到年底,全市个体工商户总计9.3万户,从业人员20.8万人,注册资金16.8亿元;私营企业2.8万户,从业人员51.9万人,注册资金373.4亿元。个体私营经济从业人员占全市新增就业岗位的70%以上,实现增加值195亿元,上缴税收18亿元。在这些个体私营经济中,注册资本超过100万元的有4800多户,超过1000万元的有540多户;50多家私营企业组建了集团股份有限公司;160多户私营企业获得私营进、出口权;涌现出华泰、新长江等一批骨干企业;创办的科技企业达1500多户,其中高新技术企业达160多家。

整个"十五"时期,在中共合肥市委、市政府决策支持下,在国有

---

① 《合肥市国民经济和社会发展第十个五年规划纲要》,《合肥年鉴·2001》,第21—22页。
② 《合肥年鉴·2002》,第104页。
③ 《合肥年鉴·2003》,第127页。

企业、乡镇企业改革改制与"国退民进"战略实施下，合肥市以个体私营经济为主体的民营经济规模与效益不断提升，已成为全市国民经济的重要组成部分和社会生产力发展的重要力量。民营企业经营种类和范围不断扩大，涉及电脑软件开发、医药、电子、交通监控等诸多领域，其中，科大讯飞、恒大自动化、三联集团等企业兴建开发的技术在国内居领先地位，生产的部分高科技产品达到国际先进水平。组织结构日趋优化。组建的独资有限公司占全市私营企业总数的13％，股份有限公司的私营企业达84％，近85％的私营企业建立了适应市场经济体制要求的公司制。投资者素质明显提高。全市民营企业负责人大专以上文化占40％以上，特别是一些博士、硕士和专家、学者领头创建的私营企业，吸纳了大批人才队伍，全市共有6万多科技人员在民营企业工作。科技投入和科技创新水平显著增强。全市有几十家民营企业建立产品研发中心或科研中心，涌现出科大讯飞、恒大自动化、美亚光电、亚徽信息、双科制药等一大批新兴民营高科技企业。至2005年年底，全市有65家企业进入合肥国家民营科技企业园园区，形成以电子信息、生物技术及新医药、光机电一体化和高新技术农业育种等领域为主导的产业格局。

以个体私营经济为主体的民营经济在促进社会就业和资产重组方面发挥了重要作用。"十五"时期，合肥全市民营经济新增就业达到41万人，平均每年向全社会提供8万个就业岗位，零售、餐饮、出租车、农贸市场、社会服务等90％都是个体私营企业；全市有450多户民营企业采取购买、兼并、参股、托管、承包、租赁等多种形式参与国有企业改革，对国有企业固定资产存量盘活和企业职工再就业做出了积极贡献。

2006年至2010年的"十一五"时期，合肥市先后制定出台了《合肥科技创新型企业培育计划》《关于加快发展重点服务业的若干意见》《关于扶持培育农民创业带头人的意见》《合肥市进一步加快个体私营等非公有制经济发展，推进全民创业的实施意见》《合肥市中小企业贷款风险补偿专项资金使用管理办法》以及《合肥市金融机构支持地方发展考核奖励办法》等一系列政策、措施,加大对民营高科技企业的资金扶持力度,确立个体私营经济在县域经济发展中的主体地位,鼓励民营企业开拓市场,完善政策支撑体系和政府服务体系建设,促进和推动了以个体私营经济为主的民营经济的持续快速发展。

2006年,合肥全市有个体工商户10万多户,注册资金24.9亿元,从业人员25万多人;私营企业户数达3.46万户,注册资金502亿元,从业人员达61万人。全市个体私营经济实现总产值200多亿元,占全市当年国内生产总值的25%左右。全市个体私营经济上缴税收17.95亿元,占全市税收的13.8%,占县区税收逾70%,[①]以个体私营经济为主的民营经济呈现出强劲的发展势头。

至2010年,合肥市私营企业5.85万户,注册资金1347亿元;个体工商户10万多户,注册资金总量自2004年以来连续7年保持17%以上的高速增长;全年实现工业总产值2278.5亿元,占全市工业总产值的60.5%;实现工业增加值666.7亿元,比上年增长22.5%,占全市工业增加值的63.3%。全市民营经济比公有制经济增速高4.7个百分点,比全市GDP增速高2.3个百分点,拉动经济增长贡献突破六成,对全市经济产生了举足轻重的影响。[②]

整个"十一五"时期,合肥市民营经济年均增速达20.1%,经济规模不断壮大,所占比重稳步上升,对全市经济发展的贡献也越来越大。全市民营经济增加值从2005年的429.37亿元增加到2010年的1593.31亿元,占GDP的比重从48.3%提高到53.8%,民营经济的快速增长及规模的迅速扩大,成为推动合肥经济发展的重要力量。民营经济对财政收入、税收的贡献率均超过50%以上,为全市经济发展提供了坚实的财力保障。民营经济吸纳了全市70%以上的新增就业人口,解决了全市42%的就业人口,缓解了日益凸显的就业压力,成为扩大就业的重要渠道。民营经济经营领域从传统的批发零售和

---

① 《合肥年鉴·2007》,第265页。
② 《合肥年鉴·2011》,第343页。

住宿餐饮等传统服务业,拓展到现代制造业和现代服务业,投资迅猛增长,涉及一、二、三产业各个领域,广度和深度不断提升。为产业结构调整增添了强大活力。

新世纪以来,合肥民营经济的持续发展,为合肥繁荣经济、增加税收、促进就业、改善经济结构等方面,发挥着越来越重要的作用,为全市实现跨越发展做出了重要贡献。

2011年,为克服"融资难""用工荒"等对民营经济快速发展产生的不利影响,合肥市认真贯彻落实国家和安徽省有关政策文件精神,成立市"工商联与民营经济共成长"活动领导小组,精心指导和推动促进民营经济健康发展和民营经济人士健康成长的"两个健康"实践活动,还相继出台了《合肥市融资性担保公司监管暂行办法》《合肥市小贷公司监管暂行办法》《合肥市承接产业转移进一步推动自主创新若干政策措施》《支持小微企业健康发展若干意见》等一系列扶持举措,以促进民营经济的持续发展。至年底,全市共有私营企业7.29万个,注册资金1868.8亿元;个体工商户18.02万户,注册资金92.1亿元。① 是年,合肥民营经济持续呈现投资活跃、平稳增长、加快转型、自主创业、比重攀升、增速加快、贡献突出的七大特点,成为拉动全市经济增长的重要支柱力量。全市经济呈现出国有经济和民营经济并驾齐驱、共同发展的良好格局。

三、第三产业蓬勃兴旺

在工业化初、中期,随着经济发展水平的提高,技术进步速度加快,社会消费需求提升,以制造业为主导的第二产业和为生产生活服务的第三产业在国民生产总值中的份额将迅速上升。第三产业的发展对于经济结构优化升级,以及工业化和城市化的加快发展都具有重要意义。

---

① 《合肥年鉴·2012》,第327页。

至2000年,合肥市的三次产业结构已由1978年的28.5∶49.6∶21.9调整为11.1∶47.7∶41.2,第三产业在三次产业结构中的比重日渐提升,实现了向"二三一"的转变升级。

2001年至2005年的"十五"时期,合肥市的商贸流通、餐饮、交通运输、邮政电信、旅游业等传统第三产业,借助于国企、集体所有制改革改制,进一步加速发展,形成多种所有制共同发展的竞争局面,并在信息技术的发展推动下,加速了传统服务业的改造升级和现代化步伐。

首先,继大型百货商店扩张后,合肥市商业进入调整、兼并和优化重组进程,商贸流通业迅猛发展。2003年,市商业投资控股有限公司注册成立,徽商集团成为全省年销售额过百亿元的流通航母,居中国企业500强第159位;2004年,周谷堆市场5期工程、安徽大市场等大型专业市场相继扩建,合肥百大集团跨入中国商业50强、全国百货零售业100强行列。

其次,大型商业企业频频扩张的同时,非公有制商业异军突起,国有商业格局被打破。中国台湾好又多、泰国易初莲花连锁超市、法国家乐福、北京东方家园、中国台湾百脑汇、美国沃尔玛、德国麦德龙等外资、台资商业陆续入驻。超市、连锁店、专卖店、专营店、便利店、无店铺销售、物流配送、电子商务等多种业态的新型商业如雨后春笋,蓬勃兴起。社会消费品零售总额连年以两位数增长,年平均增长达到17%。

至2005年年底,全市已涌现出鼓楼商厦、合肥百大、商之都、乐普生、徽商集团、古井赛特、合家福、家乐福、百盛、易初莲花、东方家园等一批大型、特大型商业企业,营业面积达1万平方米以上的大型超市增至18家。其中,新兴商业连锁企业当年实现销售额达72亿元,占全市消费品零售总额的24.1%。

"十五"时期,合肥餐饮业营业额持续以年均24%的高速度递增,2004年达24.8亿元,比1997年增长3倍多,网点突破1万家,5000平方以上的纯餐饮店超20家。餐饮业名店、名品,随着行业发展不断涌现,并呈现出特色性、综合性、集团化发展特点。截至2005年年底,餐饮业实现零售总额39.99亿元,占当年社会消费品零售总额的12.3%。

合肥交通业在"十五"时期获得了较快发展。合巢芜、合徐、合安3条高速公路先后建成通车,宁西铁路合肥至西安段贯通,民航航线通航全国和东南亚地区。到2005年,合肥地区晴雨公路通车总里程达6568.02千米,全年完成客运量6274万人次、货运量4364万吨;合肥地区铁路线路总里程344.18千米,全年完成客运量626万人次,货物到卸量144.25万吨;合肥港拥有货运码头31座,全年完成货运吞吐量641.26万吨;合肥骆岗机场开通经营26条国内及地区航线,全年完成客运量151.17万人次,货邮量2.52万吨。

"十五"时期,合肥邮政业以快递服务为切入点,大力面向生产与市场服务,逐步形成实物流、资金流、信息流"三流合一"的邮政网络;合肥电信业以宽带多媒体为突破口,加快基础通信网络及宽带接入网络的步伐,加大话务量经营及网上业务的应用推广,一个面向信息时代的现代化本地网构筑完成,并逐步形成通信业中电信、移动、联通、铁通、网通"五霸称雄"的竞争态势,有力推进了通信规模的扩大和服务质量的提升。2005年,全市邮政电信业务收入44.29亿元,其中,电信业务收入41.53亿元。年末固定电话用户为153.19万户,移动电话户数为184.79万户,计算机互联网用户数为49.5万户。电信业的快速发展,推进了合肥城市信息化建设步伐。[1]

合肥作为一座旅游资源丰富的千年古城,在1999年被国家旅游局授予首批"中国优秀旅游城市"称号。2000年,旅游经济被列为合肥市新的朝阳产业和新的经济增长点。2003年编制完成《合肥市旅游发展总体规划》。同时,景点开发、设施建设,以及市场开拓和旅游管理,使旅游业获得较快发展。2005年,全市接待国内游客676.4万

---

[1] 合肥市统计局:《2005年合肥市国民经济和社会发展统计公报》,《合肥年鉴·2006》,第370页。

人次,国内旅游收入54亿元,接待海外旅客6.6万人次,旅游外汇收入4005.8万美元,旅游总收入57.2亿元,相当于全市GDP的5%。各项指标较"九五"末,基本上翻了一番。①

在传统第三产业加快发展和技术改造升级的同时,合肥市的会展业、房地产业以及金融、保险等新兴第三产业也实现了重大突破。

合肥会展业起步晚、发展快。在2002年安徽国际会展中心5万平方米展馆建成使用前,合肥没有专业性会展场馆。此后,会展次数逐年增多,规模不断扩大,办展水平不断提高,会展经济商机凸显。至2005年年底,仅安徽国际会展中心即举办大型会展108场,全国性会展达12场。全市已有4个会展场馆,总建筑面积12.14万平方米,从事商品展览、展销以及广告、咨询、服务、物业管理等与会展相关的机构发展到200多家,使合肥市跃居全国二级会展城市之列,并取得"2003年最具魅力会展城市"称号。

合肥房地产业伴随20世纪80年代住房制度改革起步,在"九五"时期获得较快发展。新世纪以来,房地产市场发展进一步提速,成为全市经济发展的重要增长点,对合肥社会经济发展和现代化大城市建设起到了积极的推动作用。2004年,全市房屋交易额突破百亿大关,达107.8亿元,房地产业对合肥市GDP的贡献率为3.2%,共提供各类税收8.71亿元。截至2005年年底,全市房地产开发企业760余家,房地产开发面积提高到500万平方米,房屋总建筑面积为6542万平方米,其中住宅建筑面积3389万平方米,人均住房建筑面积为22.7平方米。

合肥市金融业由两大部分组成,一是国家和省驻市金融机构,二是地方金融机构。前者金融业务面向全省兼营合肥,对合肥乃至全省经济活动、人民生活起着举足轻重的作用。2005年年底,全市国家和省驻市金融机构各项存款余额为1521.85亿元,各项贷款余额为1419.87亿元,存贷基本持平。后者属于地方直接管理,在新

---

① 《合肥年鉴·2006》,第181页。

世纪得以蓬勃发展,并组建了全国第一家由城市商业银行联合而成的区域性商业银行——徽商银行、安徽省首家及合肥市唯一的地方信托机构——合肥兴泰信托投资有限责任公司以及合肥市财政证券公司、合肥市区信用联社等一批地方金融机构,经营银行、信托、证券、租赁等各种金融业务,以合肥市中小企业信用担保公司和创新信用担保公司为首的担保公司,以创新高科技风险投资有限公司为首的风险投资公司等一批金融机构,初步形成了以银行、信托为主导,以租赁、典当、信用担保和风险投资为补充的地方金融服务体系框架,金融服务手段日趋多样,有力地支持了地方经济发展和经济结构战略性调整,推动了金融服务体系的完善和金融业的深化发展。

"十五"时期,合肥市保险业保持了持续、快速、健康发展势头,市场规模不断扩大,市场主体不断增加,在16家保险公司中,有产险公司10家,寿险公司6家。各保险公司根据市场需求的变化,积极调整、提升产品结构,适时推出和开展符合社会需求的新险种,保险产品更加丰富,个性化、多样化的产品在更大程度上满足了人民群众对保险的需要。全市保险业保费收入从2001年的11.1亿元,发展至2005年的20.6亿元,翻了近一番,为合肥市经济的快速增长、社会的稳定安宁提供了有力的风险保障。

"十五"时期,合肥市第三产业年均增长18.1%,第一、二、三产业结构发生了较大变化,从2000年的11.1∶47.7∶41.2转变为2005年的6.2∶44.8∶49.0,第三产业在三次产业中首次占据首位。"十五"末合肥市GDP比"九五"末增加了509.25亿元,其中第二产业的增加值增加了245.37亿元,贡献率为48.2%,第三产业的增加值增加了248.69亿元,贡献率为48.8%,超过第二产业。

第三产业的大发展使合肥市的就业结构发生较大改变。第一产业从业人数逐年减少,由2001年的109.2万人减少到2005年的93.5万人,第二产业由61.5万人增加到68.7万人,第三产业从69.7万人增至94.1万人,净增24.4万人。2005年,全市第三产业就业人数已超过第一产业就业人数,成为提供就业岗位最多的产业,占就业总数的36.7%。

从"十一五"伊始,合肥市在实施"工业立市"战略之时,仍然重视第三产业的协同发展,着力打造现代服务业基地,推进先进制造业和现代服务业的"双轮驱动",创造性地建立了支持新型工业化、自主创新、现代服务业与现代农业发展的"四大政策"体系,形成以高新技术产业为先导,以加工制造业为支撑,现代服务业和现代农业全面发展的新型产业格局,第三产业获得持续快速发展。

2008年,合肥市正式成为中国第12个服务外包基地城市,为全市第三产业发展提供了新的机遇。同年,针对服务业仍存在总量不大、结构不优、水平不高、竞争力不强等问题,合肥市制定出台了《关于加快现代服务业发展的意见》,对金融保险、现代物流、旅游会展等14个领域进行重点扶持,要求在推进"工业立市"战略的同时,把加快发展现代服务业摆在重要的战略位置,牢牢抓住国内外服务业转移加速的难得机遇,重点发展生产性服务业,大力培育新兴服务业,全面提升传统服务业,形成现代服务业快速发展的新格局,力争把合肥建成区域性金融中心、商贸物流中心、旅游会展中心和教育培训中心,增强城市综合服务功能和综合竞争力。

到2009年,全市第三产业增加值为888.5亿元,较2005年的448.5亿元基本上翻了一番,第三产业增加值对GDP增长的贡献率为33.3%,拉动GDP增长5.8个百分点。2010年,全市第三产业产值首次突破千亿大关,达1112.3亿元,创历史新高。在第三产业内部,据2009年的统计数据,交通运输仓储及邮政业、批发零售业和住宿餐饮业增加值占第三产业的比重达33%,金融业和房地产业增加值占比为27%,被通称为大文化产业的科技服务、教育、卫生保障福利、文体娱乐等4个行业的增加值占比为17%,已粗具规模,成为全市第三产业发展的新亮点。

"十一五"时期,全市第三产业中,传统服务业保持增长,新兴服务业迅速崛起。现代物流、金融、房地产、旅游、会展、信息服务等新兴第三产业都实现了较快发展。

在物流业基础建设方面。以电子商务、电子政务为基础的信息平台，为现代物流业的加速发展构筑了高效、便捷的网络环境，涌现出一批发展较好的国内外知名物流企业。第三方物流企业也在加速发展。至2008年年末，合肥市已有物流企业600多户，是2005年的2倍。2009年年末，普通货物运输车辆6万多台、总吨位26万余吨，全年货物运输量1.59亿吨，建成占地百亩以上的物流园区及货运站场12家。

在金融服务业领域。合肥加大金融改革进程，初步形成了银行、证券、保险、信托、租赁、典当、农村信用社等多种金融机构并存，全国性、区域性、地方性机构协调发展的多元化金融组织体系，开始跻身"金融综合竞争力"全国第10强。2009年年末，总部设在合肥的金融机构7家，金融机构省一级分支机构30家，银行、信用担保、风险投资、保险公司等各类金融和准金融机构网点超过1000家。金融业增加值占GDP的比重达5.5%。2010年，全市金融机构人民币各项存款余额4541.78亿元；全市上市公司达22家，通过资本市场筹资43.1亿元，其中，首次公开发行A股3只，筹资21.46亿元，3家上市公司实现再融资，融资规模达21.65亿元；全年保费收入65.69亿元。中国工商银行、中国建设银行、上海浦东发展银行、中国银行、中国农业银行、中国邮政储蓄银行、中国信达资产管理股份有限公司后台基地签约入驻合肥滨湖新区国际金融后台服务基地。金融业不断聚集，区域性中心地位凸显。

在房地产开发方面。"十一五"期间，合肥房地产业市场活跃，投资增长迅速，呈现出企业队伍不断壮大、房地产开发投资持续增长、市场产销两旺的态势。2009年年末，全市共有房地产企业1019家，房地产开发投资额601亿元。2009年，房地产开发投资、商品房新开工面积在中部省会城市中位居第一，房地产业实现增加值124.89亿元，占第三产业比重达14%，占GDP总量的比重达5.94%。2010年，房地产投资819.03亿元，其中住宅投资561.36亿元。房地产业已成为全市经济支柱产业之一。

在旅游、会展业的发展上,保持快速增长的趋势。2009年年末,全市旅行社已增至151家,其中,全国百强旅行社3家;旅游景点30多处,其中,4A级景区10处;全年接待国内游客1711.96万人次,入境旅游人数20.03万人次,旅游总收入172.88亿元,三大主要旅游经济指标增幅领先中部省会城市。2010年,全年接待国内外游客2694.28万人次,实现旅游总收入达247亿元。会展业继进入全国二类会展城市行列后,从事展览业务的企业发展至300多家,专业展览公司达30家,发展势头强劲,已形成中国家电博览会、全国农机产品订货交易会、全国汽车零配件交易会、合肥苗木花卉交易展览会、中国(合肥)国际文化博览会、中国(合肥)自主创新要素对接会等一批知名会展品牌。据2009年统计,全市举办各类会展132场,拉动第三产业增长约25亿元,对社会消费品零售总额增长的贡献率达10%,综合经济拉动效益已达1∶9。

"十一五"期间,合肥信息服务业获得空前大发展。2009年年末,全市从事信息服务业的单位达1699个。其中,电信及信息传输业269个,计算机服务业970个,软件业460个,聚集了全省近90%的软件企业。全年,软件业实现销售收入为51.36亿元,占信息产业比重的18.2%。作为"中国服务外包基地城市"之一,全市共有100多家服务外包企业,实现产值近10亿元,建成3个服务外包示范区。各类科技服务机构已发展到1000多家,其中,国家、省、市工程技术研究中心83个;科技企业孵化器15个,转化科技成果1000余项,孵化企业成活率达到80%以上;产学研战略联盟初步建立,共有90多家单位参加联盟。

为开创"十二五"时期第三产业加快发展的新局面,2011年,合肥市政府制定了《合肥市承接产业转移促进服务业发展若干政策(试行)》,设立"促进服务业发展专项资金",对金融、总部经济、中介服务、物流、商贸服务、会展以及酒店餐饮等服务业采取扶持政策,进一步促进现代服务业的发展和基地建设。

当年,全市社会消费品零售总额突破千亿大关,达1111.1亿元。物流业方面,兴建中国国际农产品物流园、撮镇商贸物流开发区,新增第三方物流企业8家。会展业方面,滨湖国际会展中心建成使用,并成功举办第七届中国国际徽商大会暨第十一届中国(合肥)自主创新要素对接会等各类会展160场。文化产业方面,实现增加值196亿元,文化创意、影视制作、数字动漫等新兴业态迅猛发展。服务外包示范城市建设方面,拥有服务外包企业逾200家,接包合同执行金额逾3亿美元。旅游业呈现跨越式增长,全年入境旅游人数35.5万人次,实现旅游外汇收入2.18亿美元,国内游客4459万人次,实现国内旅游收入368.9亿元。区域性金融中心建设取得重大突破。杭州银行合肥分行、东莞银行合肥分行、马鞍山农村商业银行肥西支行、肥东湖星村镇银行开业;中银国际、第一创业、宏源期货等12家证券期货公司在合肥设立分支机构;中邮人寿、紫金财险等5家保险公司在合肥设立分支机构。全年实现金融业增加值约180亿元,占服务业增加值的12.5%、GDP的5%,金融服务实体经济水平显著提升。此外,一批城市综合体、现代物流、服务外包等项目相继开工建设。

2011年1月,合肥市第十四届人民代表大会第四次会议审议通过了《合肥市国民经济和社会发展第十二个五年规划纲要》,确定了今后5年继续加快发展现代服务业的战略目标。"要坚持市场化、产业化、社会化、国际化方向,全面提升服务业发展质量和水平,增强服务业对经济增长的拉动作用;要适应工业化、城镇化和居民消费结构升级的新形势,推动生产性服务业集聚化、生活性服务业便利化发展,形成全国区域性金融、物流、会展、商贸、旅游、信息服务等现代服务业中心,实现三次产业在更高层次上的协调发展。"[①]

---

① 《合肥市国民经济和社会发展第十二个五年规划纲要》,《合肥年鉴·2011》,第24页。

第六节 科技与教育事业的新突破

一、科技创新型试点市建设

2003年,安徽省、合肥市提出建设"中国合肥科学城"的战略构想。同年年底至次年年初,中共安徽省委、省政府和合肥市委、市政府多次赴京向国务院有关领导和部委专题汇报建设中国合肥科学城事宜,并与国家有关部委组成预研小组,成立预研报告和发展纲要起草小组。2004年7月,经国务院批准,科技部同意将合肥市作为国家科技创新型试点市,重点支持合肥市科技体制综合改革,共同搭建资源共享平台,建立国家科技创新型示范基地。9月30日,省政府致函科技部,上报《合肥国家科技创新型试点市实施方案》。11月12日,科技部复函,正式同意《合肥国家科技创新型试点市实施方案》。11月27日,合肥市举行揭牌仪式和首批项目开工典礼,标志着全国首家国家科技创新型试点市建设正式启动。

2005年1月,合肥国家科技创新型试点市首批项目开工,共7项,计划投资14.1亿元。[1]

为推动工作开展,2006年,中共合肥市委、市政府制定《合肥国家科技创新型试点市工作方案任务分解》,任务目标涉及市属25个相关部门和单位,形成全社会共同推进试点市建设的工作机制。与此同时,合肥市每年安排科技创新专项基金1亿元,专项支持企业技术创新和高新技术产业化。之后,又制定《合肥科技创新型企业培育计划》和《合肥市科技创新型企业评价体系》,组织开展科技创新型企业

---

[1] 《合肥年鉴·2006》,第36页。

培育试点工作,全市全年有120家企业进入培育计划,35家企业列入试点企业。同时还制定《合肥市"科技小巨人"工程实施意见》,有20家企业进入"科技小巨人培育工程"。①

合肥科学岛

2007年,合肥科技创新型试点市建设取得了重要进展,呈现出投入增加、实力增强、贡献提升、环境优化的良性发展态势,推动了经济结构升级和发展方式的转变,加速了科研成果的转化和产业化,自主创新能力显著提升,区域创新体系初步形成。全市研发平台从数量到质量均大幅提升,省级以上企业技术中心发展到51个(其中国家级5个),省级以上工程(技术)研究中心达到36个(其中国家级2个),博士后工作站14个,科技企业孵化器达到12个(其中国家级5个),合肥民营科技创业服务中心被认定为国家级高新技术创业服务中心。② 合肥市连续第五次被评为"全国科技进步先进市"和"全国科

---

① 《合肥年鉴·2007》,第286—287页。
② 《合肥年鉴·2008》,第311页。

技进步示范市";还成为国家知识产权示范城市创建市。

这年,合肥新增高新技术企业 80 家,总数达到 450 家,占全省高新技术企业总数近 40%。其中,国家重点高新技术企业 15 家,产值过亿元高新技术企业 70 家,过 10 亿元企业达 20 家。全市高新技术企业总产值 820 亿元,是 2005 年的 1.68 倍,年均增幅近 30%;高新技术产业增加值 236 亿元,占全市 GDP 比重为 17.69%,占全省高新技术产业增加值的 34.7%。全市规模以上高新技术企业总产值占规模以上工业企业总产值比重为 52.28%,居全国前列。高新技术产业成为合肥市的主导性产业,首次占据全市工业的半壁江山。[①]

2008 年,合肥科技创新型试点市建设又上新台阶,全市高新技术产值突破千亿元大关,达 1057 亿元,占全省高新技术产值的 29.3%,占全市规模以上工业企业总产值的 50.9%,高新技术增加值 317 亿元,占全市工业增加值 52.3%。全市高新技术企业总数达到 501 家,全社会研发投入占 GDP 比重达 2%,基本形成"龙头企业—产业链—产业群"相互衔接的汽车、家电、装备制造业、微电子、新材料、新能源、软件、公共安全等八大产业集群。[②]

2009 年,合肥以科技创新支撑和引领新型工业化,保增长、促发展,深入推进国家科技创新型试点市建设,取得明显成效。当年,合芜蚌自主创新综合试验区获得国家批复,首批国家创新型试点城市获得科技部批复,国家知识产权示范市获得批复,蝉联全国科技进步先进市。

经过 5 年多的努力,合肥市坚持以科技创新推动新型工业化发展,通过推进综合配套改革、完善政策支持体系、培育企业创新能力、建立健全创新融资服务体系和带动新兴产业集群发展等一系列创新性措施,使科技创新型试点市建设取得了积极进展和明显成效,经济结构优化升级,资源节约型、环境友好型社会建设取得新进展。在经

---

① 《合肥年鉴·2008》,第 312 页。
② 《合肥年鉴·2009》,第 294—295 页。

济结构优化上,2009年,全市实现高新技术产业产值1400亿元,增长30%以上;实现增加值420亿元,占规模以上工业增加值55%、占GDP比重21%,其中家电"四大件"产量位居全国城市第一。在资源节约型、环境友好型社会建设上,到2009年年底,已提前完成省下达的"十一五"节能减排目标;基本建立了以节能、节地、节水、低碳、资源综合利用和发展循环经济为重点的经济增长模式,促进了生态宜居的现代化大城市建设。[①]

2010年,合肥市科技创新持续推进,不断进取,突出重点,着力发展新兴产业,培育高新技术企业,整合创新要素,在搭建服务平台、转化科技成果、改革管理体制等各方面都取得了积极成效。全市实现专利申请突破万件,达到1.45万件,授权4007件,发明专利授权485件,专利授权和发明专利授权两项分别占全省的25%和48.7%;高新技术产业产值突破双千亿,达到2021亿元,增长38%,高新技术产业增加值620亿元,占全市规模以上工业增加值约57%,占GDP比重23%;新增高新技术企业96家,企业研发平台突破300家,其中工程技术研究中心129家,企业技术中心129家;新组建产业技术研究院、产学研联盟超过10家。[②]

2011年,合肥科技创新型试点市建设继续推进,获批国家企业股权和分红激励试点、国家科技金融试点、电子信息国家高新技术产业基地、国家信息化和工业化融合试验区、国家"十城万盏"试点城市、国家公共安全信息技术特色产业基地等,第7次蝉联全国科技进步先进市,荣获全国知识产权工作先进集体,荣获中国自主创新年会"十大创新型城市",城市体制机制创新指数居全国第6位。全年实现高新技术产业产值达3080亿元;八大战略性新兴产业实现产值1331亿元;新认定国家高新技术企业130家,总数达532家,其中国家重点高新技术企业23家;专利授权量1.07万件,增长167%,发明

---

① 《合肥年鉴·2010》,第24页。
② 《合肥年鉴·2011》,第376页。

专利授权量 760 件;全社会研发投入 78 亿元;技术合同交易额 33.42亿元,占全省 51.4%;新获国家科技奖 10 项,较上年增加 3 项。①

二、高等教育的新视野

进入新世纪,合肥基本普及九年义务教育和基本扫除青壮年文盲的目标基本实现,中等教育结构进一步优化,普通高中发展加快,中等职业教育和成人教育稳步推进,素质教育得到加强,为高等教育的加速发展奠定了扎实的基础。

1999 年年初,国务院批转了教育部起草的《面向 21 世纪教育振兴行动计划》,提出要积极稳步发展高等教育,到 2000 年高等教育入学率达到 11% 左右,到 2010 年高等教育入学率接近 15%。《面向 21 世纪教育振兴行动计划》对正在大力实施科教兴皖战略的安徽而言,不啻为强劲东风。当年 10 月,安徽颁布《教育振兴行动计划》,提出到 2002 年,安徽高等教育毛入学率达到 8%,2005 年达到 10%,2010 年达到 15%。

合肥集中了安徽省众多的高等院校,教育资源十分丰富。从安徽颁布《教育振兴行动计划》伊始,中国科学技术大学、合肥工业大学、安徽大学、合肥联合大学等 10 多所高校立即着手进一步深化高等教育办学体制改革,推进高等教育资源优化整合,扩展办学规模,提升办学层次。与此同时,各类高职院校如雨后春笋,发展势头强劲。而在公办高等教育机构外,新生的民办高校以及联合办学等多种办学机制纷纷涌现。21 世纪初,合肥高等教育蓬勃发展的新局面,呼之欲出。

为扩大办学规模、提高高等教育入学率,优化高校教育资源,继 1999 年中国科学技术大学整合合肥经济技术学院后,安徽大学、安徽中医学院与合肥联合大学等高校也分别进行了资源整合,以扩展

---

① 《合肥年鉴·2012》,第 354—355 页。

办学规模。安徽银行学校、安徽省财政学校并入安徽大学,安徽省医药学校并入安徽中医学院,合肥师范学校并入合肥联合大学。2002年,合肥联合大学、合肥师范学校与合肥教育学院进一步合并组建成合肥学院。

合肥市政府对各类在肥高校扩大办学规模、新建大学校区等给予大力支持,不仅制定了种种优惠政策,还在财政、物资等各方面予以配套资助。2001年,合肥市突破原有的高校布局于老城区对高等教育发展的束缚,在经济技术开发区规划建设占地13平方千米的合肥大学城,揭开了合肥创建"大学城"的序幕。

合肥工业大学是首个在大学城建设新校区的高校。2001年12月,合肥工业大学翡翠湖校区一期工程开工。仅9个月,一期工程如期完成并交付使用,5600名新生按期入住。接着,二期工程动工,2003年8月交付使用,又有6000名新生入住。仅仅20个月的时间,建筑面积近34万平方米的合肥工业大学新校区矗立于合肥西南部的经济技术开发区翡翠湖畔,直观地呈现着合肥科教兴市战略取得的成效。

接着,安徽大学、安徽建筑工程学院、合肥学院、安徽教育学院等高校相继进入合肥经济技术开发区,纷纷创建自己的新校区。其中,安徽大学新校区选址翡翠湖畔,与合肥工业大学新校区毗邻,建筑面积亦大体相当,各校的体育设施、图书馆等公共资源还可相互利用,大大提升了使用效益。2003年年底,安徽大学、合肥学院、安徽医科大学和安徽建筑工程学院等13所高校新校区相继建成并投入使用,5万名高校学生进入新校区学习、居住。合肥大学城应运而生。

截至2011年年底,合肥大学城及附近地区的高校有:合肥工业大学翡翠湖校区、安徽大学磬苑校区、安徽医科大学新区、合肥师范学院新校区、安徽建筑工业学院新校区、合肥学院新校区以及安徽医学高等专科学校、安徽艺术职业学院、安徽财贸职业学院、三联职业技术学院、安徽新闻出版职业技术学院、安徽水利水电职业技术学院、合肥财经职业学院、合肥信息技术职业学院等十几所普通本科与高职院校。

　　合肥大学城的创建,是合肥提升其全国科教基地地位和打造"学在合肥"城市品牌的重点工程,是加快合肥现代化建设的重要组成部分。合肥市在大学城的规划上,确立了政府主导、高校主体、社会参与的开发模式,建设以重点综合性大学为龙头、其他本科院校和关联的科研机构产业群体为主体、二级学院与专科院校为辅助的综合性高等教育、科研基地及产业园区。

　　为保证大学城建设的强力推进,合肥市政府把大学城与经济开发区、城市新区建设统筹规划,充分利用经济开发区现有的交通网络、基础设施、政策优势和已经形成的学校相对集中的环境优势,并本着资源共享、优势互补、提高效益的原则,对大学城按照教学、共享设施、公共服务、行政办公、生活、体育运动、风景旅游、远期发展等功能要求进行了科学合理的规划。

　　大学城的创建,是合肥高等教育布局的重大突破。全市高校招生数量和教育规模迅速扩大,扭转了长期以来高等教育滞后于区域经济社会发展的局面,初步实现了高校与区域经济社会之间的协调发展,加强了高校与企业、研究机构的联系,提升了高校科研能力,对于科技成果转化和产业化、促进经济建设、缓解就业压力、满足青年学生接受高层次教育愿望、造就高层次人才等方面,发挥了重要作用。

　　合肥作为重要的科教基地,不仅拥有以中国科学技术大学为代表的一批实力雄厚的综合性普通高校,也有着雄厚的职业教育资源。2000年,合肥已有各类中等职业学校106所,其中职业学校75所,中专、师范6所,技工学校25所,在校生达5.2万人。[①] 当年,合肥市政府出台《关于加快职业教育改革和发展的实施意见》,对职业教育"十五"时期的发展规划以及具体措施做明确规定,以推动中等职业教育的发展。同时,为一大批教育基础扎实、教育力量雄厚、办学历史悠

---

① 《合肥年鉴·2001》,第195页。

久的中等职业学校向高等职业院校升格,以及创建新的高职院校,创造条件,制定规划,确立目标。

民办高校发展较快。1999年创办的三联职业技术学院是合肥最早的民办高等职业教育机构。从2000年开始,合肥的高职院校进入快速发展时期,当年,由中等职业学校升格为高职院校的有民办安徽新华职业学院、安徽水利水电职业技术学院、安徽警官职业学院,新建的高职院校有民办万博科技职业学院,采取挂靠普通本科高等学校举办高职教育的有安徽汽车工业技工学校与安徽省贸易学校。2001年,高职院校数量进一步增多,有民办安徽文达信息技术职业学院、安徽农业大学涉外经济职业学院、安徽工业经济职业技术学院、合肥通用职业技术学院、民办合肥经济技术职业学院、安徽交通职业技术学院、安徽体育运动职业技术学院等。

此后几年,高职院校数量持续增加,其中包括中等职业学校合并升格为高职院校、民办高职院校继续发展等。2003年,以公有民办的独立学院形式办学的本科院校开始出现,如安徽大学江淮学院、安徽建筑工业学院城市建设学院、安徽农业大学经济技术学院、安徽医科大学临床医学院等,从而进一步拓展了合肥高等教育的办学模式。

截至2005年,合肥的普通高等院校数量已由1999年的9所扩展至37所,其中,民办高校7所;在校生由4.8万余人增至24.21万余人,其中本科生12.17万人、研究生1.75万人。合肥每万人中有高等院校在校生610.07人,在全国大中城市中排名第7位。

在高等教育规模扩大的同时,高等教育办学层次也实现了进一步提升。2005年,合肥工业大学继中国科学技术大学、安徽大学之后,成为第三所"211"工程高校;安徽新华职业学院经国家教育部批准升格为安徽新华学院,成为合肥市首家民办普通本科高校。

新世纪头5年合肥高等教育的快速发展,为"十一五"期间的高等教育进一步改革和激发活力,提供十分有利的条件。中国科学技术大学、合肥工业大学、安徽大学等综合性大学和省市重点本科高校大力推进各类教育改革,全面实施质量工程建设,学位建设,重点专业、实验室、实训基地建设,着力多渠道、多形式培养各类专业技术人才。"以省为主,省市共建共管"的高等教育管理体制进一步完善,综合性大学和省市重点本科高校作为教育体系的龙头地位开始彰显,有力地推动着合肥科教兴市战略的实施和经济社会发展。

"十一五"时期是合肥市"工业立市"战略如火如荼实施的5年,"工业立市"需要大批的高层次技工人才,合肥雄厚的职业教育资源恰逢其时。2007年,合肥市提出"规划建设职教基地,把合肥建成全国重要的技能型人才培养基地"。职教城建设由此开启。当年,选址于瑶海区磨店乡的合肥职业教育基地正式开工。基地占地7平方千米,总规划面积6.71平方千米,计划总投资30亿元以上,可容纳20万师生入住。基地建设以"世界眼光、中国一流、合肥特色"的理念定位设计,统一规划、综合开发,以吸引国内外各类高等、中等职业学校进驻。

从2008年至2011年,合肥职教城建设快速推进。2008年,合肥幼儿师范学校一期工程开工建设,安徽职业技术学院、安徽广播影视技术学院、安徽城市管理职业学院、安徽农业技术职业学院以及合肥建设学校、铁路工程学校、安徽能源技术学校、安徽工商行政管理学校、安徽经济技术学校、合肥工业学校、合肥经贸旅游学校等17所职业院校签约入驻。2009年,职教城"三横三纵"主干道路网全部建成投入使用,17所签约职业院校中14所学校开工建设。安徽职业技术学院等7所学校校区相继投入使用,入住学生近2.7万人。2010年,入住新生进一步增加。2011年,入驻职教城的合肥幼儿师范学校被国家教育部正式批准升格为合肥幼儿师范高等专科学校,省属普通本科院校的安徽中医学院也签约入驻,使签约入驻院校增至18所。

"十一五"时期,合肥高等教育再创佳绩。至2011年,合肥普通高等院校数量达到48所,其中,新增民办高校4所,总数达11所,新增高职院校10所。继安徽新华学院后,三联职业技术学院、安徽文达信息技术职业学院、安徽外国语职业技术学院等3所民办高职院校分别升格为安徽三联学院、安徽文达信息工程学院、安徽外国语学院。全市高等院校在校生由 2005 年的 24.21 万多人增至 43.3 万余人,其中研究生由 2005 年的 1.75 万人增至 3.12 万人,高等教育办学结构进一步优化,办学规模和层次显著提升。

三、中小学教育的重组与深化改革

新世纪的头 5 年,合肥的教育事业以巩固"双基"(指学校教学中的基础知识、基本技能)和"普九"(指普及九年义务教育)成果,全面推进素质教育为工作重点,全力推进教育改革与均衡发展。

一是对中小学布局进行调整,对教育资源重新配置。2001 年,调整全市中小学数量,全市小学共 1459 所,比上年减少 105 所,初中 171 所,比上年减少 4 所。[①] 2002 年至 2003 年,市政府制定了《关于分离国有企业自办中小学校的意见》,对已不适应义务教育发展需要的企业办中小学实施分离,当年移交包河区、庐阳区、瑶海区、蜀山区等共 41 所中小学,企业自办中小学分离工作基本完成。

2004 年,全市继续整合教育资源。市教育局依据城市发展规划,编制《合肥市教育设施(中小学)布点规划》,撤并 10 余所学校,合并部分中小学校,扩大部分教育质量较好的学校的办学规模。为解决局部地区入学难矛盾,支持各个区扩建或新建一所学校。2005 年,进一步调整中小学布局,建成庐阳中学等学校。

通过调整学校布局、分离企业自办中小学与布点建校,市区义务教育学校的配置发生变化。全市小学数由 2000 年的 1564 所削减为 2005 年的 1097 所,办学规模扩大,条件改善,布局趋于合理,为义务教育的均衡发展提供了有利条件。

二是大力加强基础设施建设,推进校舍改造,提升现代化教育手段和建设示范高中。在农村中小学危房改造方面,从 2001 年至 2005 年,全市共投入 1.4 亿多元,改造危房 46 万平方米,扩建、新建部分

---

① 《合肥年鉴·2002》,第 165 页。

校舍，基本消除农村中小学校舍安全隐患。在现代教育技术建设方面，从2000年至2005年，投资4000余万元，建设以合肥教育信息网为龙头、县区局域网和学校校园网相配套的三级教育网络系统。市区中小学实现高标准的"校校通"网络。农村远程教育工程取得突破性进展。

在创建省级市级示范高中、改造薄弱学校上，截至2005年，全市共投入1.95亿元，创建12所示范高中，投入1.23亿元，改造14所薄弱学校，扩充了优质教育资源。

为适应日趋扩展的人口流动形势，解决来合肥务工人员子女入学难问题，2003年至2004年，合肥投入1612.5万元改造合肥第二十九中学，招收民工子女。

三是深化教育体制改革，全力实施素质教育。2000年，合肥市教委大力进行人事制度改革，开展教师资格认定工作，全面推行中小学教职工聘用制；出台《市属学校内部分配制度改革意见（试行）》，改革学校内部分配制度；实施招生考试制度改革，坚持小学升初中划片招生、免试就近入学，中等教育招生实行普职分流；降低考试难度，减少考试次数，挖掘办学潜力，扩大普高招生能力。

2001年，进一步推进校内岗位聘任制，建立考核制度、人员招聘与解聘辞退制度，实行竞争上岗，推行跨校岗位聘用。2002年，开始面向社会认定教师资格，拓宽教师来源渠道，改善了教师队伍结构。2003年，合肥市启动优秀人才绿色通道，吸纳各类紧缺专业优秀教师和优秀高校毕业生。同时，通过制定和实施"十五"教师培训规划，印发《进一步加强合肥市教师职业道德建设若干意见》，加强教师队伍专业技能和师德师风建设。

通过以上体制改革，为全面实施素质教育，实行课程改革提供了有力的体制保障。2002年，市教育局制定实施了《合肥市基础教育新课程实验工程实施规划》《合肥市基础教育课程改革师资培训工作规划》《关于在基础教育课程改革中加强教育科研工作的若干意见》，全面实施基础教育新课程改革，市区中小学起始年级顺利进入新课程实验，4万多名学生全部使用新教材。2004年，庐阳区、蜀山区分别被确定为国家级和省级校本课程教研示范区。同时，随着市区基础教育课程改革的继续推进，市辖三县全面实施基础教育课程改革，标志着素质教育在合肥市实现了全局性推进。

到"十五"末，合肥市"双基"和"普九"工作取得了积极成果，素质教育收获了可喜成绩，教育改革得到进一步深化。2005年，市区小学、初中阶段适龄儿童入学率保持在100%，三县小学阶段适龄儿童入学率达到99.38%，三县初中阶段适龄儿童入学率达到96.39%。农村青壮年人口非文盲率达到98.45%。和平小学、西园小学被评为市特色小学，合肥四十五中、合肥四十六中被评为市特色初中，包河区成为全国区域教育发展特色实验区，九年义务教育整体水平上了一个新台阶。当年，合肥市首次对全市2万多名初中毕业生进行综合素质评价，在普通高中招生实行以学生毕业学业考试成绩与综合素质评价相结合的方式，改变了过去仅凭分数录取的做法。在当年的安徽省青少年科技大赛中，合肥市中学生获得3个一等奖，6个二等奖；在全国科技创新大赛中获得1金、1银、2铜的好成绩；合肥市中学生代表安徽省参加全国青少年电脑机器人大赛，获得2金、2银的好成绩。①

"十一五"时期，合肥市继续坚持把发展教育事业作为全市经济社会发展的基础性工作，通过进一步调整中小学区布局、扩展优质资源、改革招生考试政策、关注农民工子女入学以及深化教育改革等一系列举措，健全和完善义务教育管理体制，推进教育均衡发展和教育公平，谱写了教育改革的新篇章。

2006年，合肥市根据城市大建设的总体规划要求，编制《2006年—2010年合肥市市区中小学校布局规划》，完善与住宅小区配套的中小学校。合肥一中、合肥四十六中和合肥师范附小等教育质量较高的学校整体搬迁至滨湖新区，同时改造一批教育水平较薄弱的学校，进一

---

① 《合肥年鉴·2006》，第275—276页。

步调整和改善教育布局。2007年,合肥加大义务教育资源整合力度,促使城乡学校、优质教育资源和薄弱学校结成教育共同体,互派教师、共享资源、捆绑发展,促进了义务教育的优质、均衡发展。2008年,合肥市继续调整城区中小学布局,市区又有21所中小学校停止招生或整体迁入新建学校办学,教育布点趋于合理,教育资源得到整合优化。同年,启动三县农村中小学2008年至2012年布局调整规划编制工作,三县共撤并、整合中小学71所,使得教育资源配置更加合理,教育投资效益有所提高。2009年,合肥仍在调整中小学布局上积极努力,以扩大优质教育资源。当年,全市新建并交付使用学校7所,撤并或停止招生学校50所,合肥四中整建制并入合肥六中,新增省市级示范高中6所,省市级示范高中招生计划占招生总计划的74.3%。[①]

在改革招生考试制度方面。2006年,合肥市取消普通高中"同城借读",严格按"三限"(限分数、限人数、限收费)规定招收择校生,实行合肥一中、六中、八中三校联合招生,创建省市示范学校共建实验班。2007年,合肥地区的省示范学校及特色高中扩大招生规模,将省、市示范高中共建实验班学校扩大到14所。义务教育阶段招生行为得到进一步规范,小学招生坚持"两个统一",初中招生实行"划片、就近、免试"的办法。严格禁止公办初中、小学跨行政区招收"择校生",严格控制区内借读生比例。面向全市招生的3所义务教育学校实行公开报名、公开摇号,"阳光招生",真正体现公开、公正、公平。2009年,义务教育中小学招生"三严"(指严格执行小学新生满6周岁入学规定,严格执行不跨区域招生政策,严格执行本区学校间不转学政策)政策得到进一步完善,择校生比例控制在5%以下,落实成效名列全国前列。

关注农民工子女、贫困生和农村留守儿童等弱势群体的义务教育,是"十一五"时期合肥市推进义务教育均衡发展的重要内容。2006年,全市进城务工农民子女定点学校由上年的32所增至44所,

---

[①]《合肥年鉴·2009》,第290页;《合肥年鉴·2010》,第365—366页。

符合条件的农民工子女免收借读费进入定点学校学习。2007年,定点学校扩展到70所,占全省同类学校的五分之一,所有在定点学校读书的农民工子女,均实行统一管理、统一编班、统一教学、统一安排活动,和城里孩子一样免收学杂费,报考省示范高中也不再需要缴纳借读费。2008年,农民工子女受教育权利进一步向普通高中延伸,减免市辖三县户籍考生借读费近1000万元。2009年,农民工子女入学条件更加简化。2010年,定点学校上升到115所,符合条件的3.55万余名外来务工人员随迁子女实现"零障碍"入学。[①]

在关注农民工子女入学的同时,2007年,合肥市积极推进义务教育经费保障机制改革,免除义务教育阶段城乡学生学杂费,对农村贫困家庭学生免费提供教科书并补助寄宿生生活费,建立农村义务教育阶段中小学校舍维修改造长效机制。2008年制定《合肥市调整完善义务教育经费保障机制改革实施办法》,提高农村义务教育阶段贫困寄宿生生活补助标准和中小学生人均公用经费标准,免费提供农村义务教育阶段学生教科书;完善留守儿童教育管理方式,加快寄宿制学校和留守儿童活动中心建设。国家11个部委联合向全国倡导推广合肥市的这些做法。

"十一五"以来,合肥积极推进教育改革,探索新时期教育优质均衡发展之路,使全市教育事业呈现持续健康快速发展的良好态势,获得了显著成效。《人民日报》《光明日报》《中国教育报》等先后多次深入报道合肥改革中小学教育的举措、成就,大大提升了合肥教育在全国的影响力。

2011年,合肥教育系统围绕率先在全省高标准普及15年基础教育的目标,加大投入力度,推进教育改革,实现了教育均衡发展的新成效。

当年,全市完成97所义务教育学校标准化建设达标任务;创新

[①] 《合肥年鉴·2006》,第277页;《合肥年鉴·2007》,第283页;《合肥年鉴·2008》,第306页;《合肥年鉴·2009》,第289页;《合肥年鉴·2010》,第365页;《合肥年鉴·2011》,第370页。

开展城乡教育结对合作,促进城乡教育均衡发展;深入实施进城务工人员随迁子女"五个百分百"政策,即百分之百有学上,百分之百上公办学校,百分之百享受"同城待遇",百分之百与本市户籍考生录取省市示范高中"同等标准",百分之百可录取到合肥高中阶段学校就读;定点学校数量增加到134所。

在教育均衡发展的同时,教育质量再上新台阶。普通高中教育获得新进展,高考升学率继续提升,2011年普通高考本科录取1.5万人,城区本科达线率为50.3%,高分段考生名校录取领跑全省。全市获教育强县(区)的数量继续增加。2011年,继蜀山区、肥西县、庐阳区、肥东县等四县(区)先后被评为"安徽省教育强县(区)"之后,瑶海区、包河区也双双进入省教育强县(区)行列。自此,全省教育强县(区)共27个,合肥市有6个。①

合肥教育事业的新发展,得到了国家及主管部门的肯定。2011年,合肥教育系统共获得省级以上奖项20个,被省级以上主要媒体宣传报道典型经验159篇,其中,中央媒体宣传报道典型经验16篇,校园安全工程、学前教育、义务教育均衡发展、进城务工人员随迁子女入学、关爱留守儿童等方面的经验在全国范围内交流推广。②

第七节　加强民主法制　改善民生

一、建设"平安合肥"

改革开放以来,合肥经济社会的发展日新月异,成就斐然,法制

---

① 《合肥年鉴·2012》,第348—349页。
② 《合肥年鉴·2012》,第348页。

建设亦稳步推进,为全市实现加快发展、富民强市,整体推进现代化大城市建设创造良好的社会环境。

2002年,合肥市人均国内生产总值突破1000美元大关,开始步入经济社会转型的新时期。根据社会发展的历史经验,这一时期,既是经济快速发展的"黄金期",也是社会矛盾凸显、利益变动复杂的时期。人们在享受经济发展成果的同时,因为利益格局急剧调整、社会矛盾日趋复杂,和谐稳定的社会环境面临新的挑战。

新世纪初的合肥,正在向着工业化、城市化、现代化快速推进,面临的社会矛盾、利益冲突日趋复杂,正确处理和有效处置各种复杂的问题,成为中共合肥市委、市政府及全市人民共同面临的课题。因此,2004年,合肥市在认真总结以往维护社会稳定(简称"维稳")和社会治安综合治理(简称"综治")工作经验基础上,由市政法委员会提出了在全市开展创建"平安合肥"活动。"平安合肥",以构建社会政治稳定、治安秩序良好、矛盾纠纷及时化解、公共安全保障有力、法治环境公正高效、公众安居乐业的良好社会环境为目标,以实现群体性事件降下来、治安形势好起来为重点和核心,以稳定、公正、发展、和谐为基本要素,强化资源整合,将维稳、综治工作主要由公安机关承担,转向全社会动员、全民参与,以最大限度地调动人民群众的积极性。

在正式开展创建"平安合肥"活动之前,合肥市政法委员会牵头组织安徽省社会科学院、中共合肥市委政策研究室等单位的专家,深入市区街道、三县农村乡镇调研,在了解和掌握大量现实情况的基础上,初步形成创建"平安合肥"活动实施方案,并经全市公、检、法、司等政法系统干部职工讨论、修改,上报中共合肥市委、市政府通过。

2004年,合肥市借鉴浙江等沿海省市经验,提出要创建"社会政治稳定、治安秩序良好、经济稳健运行、社会公共安全、群众安居乐业"的"平安合肥",当年在长丰县、包河区和肥东石塘等10个乡镇(街道)开展平安创建试点。2005年,创建"平安合肥"活动全面启动。8月16日,中共合肥市委、市政府转发市委政法委、市综治委《关于深入开展创建"平安合肥"活动的意见》,明确全市开展创建"平安合肥"活动的工作目标、主要任务和工作要求。市综治委进一步制定《乡镇、街道社会矛盾纠纷排查调处中心规范化建设指导意见》,指导全市平安创建工作。

创建"平安合肥"的落脚点在基层。城市街道、社区的社会治安状况对全市社会治安的稳定,关系极大。所以,创建活动首先从基层做起。2005年,合肥有133个乡镇、街道全部建立了矛盾纠纷排查调处中心,村和社区建立了调解委员会,县(区)建立矛盾排查调度联席会议制度,形成村(社区)、乡(街道)、县(区)三级化解矛盾的"三道屏障"。城市街面治安巡控网、社区(村居)防控网、单位内部防控网等"三张网"也随即推开;市、县(区)、乡镇(街道)社会治安维稳形势分析通报制度,县(区)、乡镇(街道)政法综治工作目标管理责任制,乡镇(街道)、社区(村)治安责任制等"三个机制"逐步形成。全市综合治理取得明显效果。当年,合肥在全国2001年至2004年度社会治安综合治理先进集体表彰大会上,获得中央综治委颁发的首届"长安杯",荣获"全国综合治理工作优秀城市"称号。创建"平安合肥"活动取得了比较满意的社会效果。市民对全市社会治安满意率达94.2%,比2004年上升0.5个百分点,比全国高2个百分点。[①]

2006年,合肥市提出深入开展平安创建活动,保持安定有序的社会环境,以创建"平安合肥"为载体,把合肥建成全省最平安的城市,成为中部乃至全国最平安的省会之一。

当年,全市的街面、社区(村)和单位内部治安防控"三张网"在推进中巩固,有效遏制了刑事案件高发势头。全市刑事案件发案数同比下降0.61%,街面抢劫、抢夺案件同比下降19.95%和33.86%,八类刑事案件同比下降19%。[②] 在基层平安创建活动中,合肥市综治委及时出台《关于进一步规范和完善乡镇街道、村居政法综治工作的

[①] 《合肥年鉴·2006》,第154页。
[②] 《合肥年鉴·2007》,第158页。

意见》，推进"平安乡镇（街道）""平安村居""平安宾馆"等基层创建活动。与此同时，中共合肥市委、市政府针对省会城市流动人口众多、易发生突发事件的特殊情势，又制定了《关于进一步加强流动人口和出租房屋管理工作的意见》，借以加强对流动人口的动态管理与服务，并从技术层面考虑，出台《关于推进合肥市城市报警与监控系统建设的意见》，强力推进技防手段现代化。全市还建立和完善治安问题通报制度和维稳形势分析通报制度，改进信访接待工作。当年，全市群体性上访事件呈下降态势，治安形势明显好转，安全生产形势稳定。

2007年，创建"平安合肥"活动以突破重点、破解难点、纵深推进为要点，继续巩固全市社会治安的稳定。全年刑事立案数同比下降2%，下降幅度居华东省会城市之首；八类重大刑事案件发案数同比下降13%，占刑事案件总量的比例在中部省会城市最低；"两抢"类案件发生数同比下降14%。同时，破案数大幅上升，全年刑事案件破案数同比上升10%，命案破案率在全国直辖市和省会城市排行第一。流动人口出租房屋服务管理工作取得突破性进展，全市建立流动人口管理服务站327个。还建立了高危人群管控平台系统。

这年，基层的平安创建工作继续向纵深推进。全市各有关部门大力开展"小区治安防控""禁吸戒毒""刑释解教人员帮教安置"等工作，1369名刑满释放人员得到帮教；实行基层平安创建工作动态化管理，把禁毒、无邪教社区、社区矫正等工作纳入基层创建内容；还开展创建平安家庭、平安村居（社区）、平安校园等活动。

合肥持续开展创建"平安合肥"的活动，受到全国和省内各家媒体的关注，《人民日报》等12家媒体给予深度报道。肥东县、庐阳区荣获安徽省"综治模范县（区）"，长丰县、蜀山区被命名为安徽省内的首批"平安县（区）"。在中国城市竞争力研究会公布的首届中国最安全城市排行榜中，合肥市位居全国661个城市第12位。创建"平安合肥"活动得到了社会的积极评价。①

2008年,创建"平安合肥"的活动以流动人口服务和管理、严打整治、矛盾纠纷排查化解为重点,持续向纵深推进。当年,合肥市荣获"全省社会治安综合治理先进市"称号,群众安全感达94.88%,高于全国1.58%。②

2009年,创建"平安合肥"活动以"保平安与创平安、抓基层与打基础、抓广泛与促深入"为主轴,全力推进创建活动向基层进一步拓展。为此,市综治委制定《合肥市基层综治工作中心检查评比标准》,以推动94个乡镇、街道建立综治工作中心。全市还采集51.21万流动人口、12.19万户的出租房屋信息,对30多万建筑工地务工人员进行实名登记,推进流动人口服务管理。市综治委还出台了关于入室盗窃、入室抢劫与撬盗机动电瓶车等"三类可防性案件"的考评办法;又对全市87个无主管单位、无物业管理、无人防的"三无"小区进行综合治理。在全市推广社区"楼栋长"、乡村"巡逻队"等群防群治措施,加强街面和基层动态社会治安防控体系建设。全市社会治安保持了和谐稳定,连续16年荣获"全国社会治安综合治理优秀城市"称号,再次荣获"长安杯"奖,创建"平安合肥"活动的经验被推向全国。③

2010年,创建"平安合肥"活动已形成常态化,融入全市各相关部门和市民工作、生活之中。创建"平安合肥"活动以"社会矛盾化解、社会管理创新、公正廉洁执法"三项工作为重点,进一步促进社会和谐,实施重大事项社会稳定风险评估制度,开展领导干部大接访和矛盾纠纷排查化解攻坚活动,加强乡镇街道综治工作中心建设。创建活动又比上年前进了一大步。当年,合肥市被确定为全国社会管理创新综合试点市;在中国社会科学院发布的《中国城市竞争力蓝皮书》中,合肥的综合竞争力在全国294个地级以上城市中位居第22

---

① 《合肥年鉴·2008》,第171—172页。
② 《合肥年鉴·2009》,第159页。
③ 《合肥年鉴·2010》,第210页。

位,其中"社会公平"名列第一位,公众安全感、满意度分别达96%、98%。[①]

创建"平安合肥"的活动从2005年正式启动,到2010年步入常态化,在6年的时间内,合肥市的社会治安与社会稳定形势良好,法治建设稳步提升,多次获得"全国社会治安综合治理优秀城市"称号,为合肥成为投资环境最佳、创业环境最佳、治安环境最佳的城市做出了有益的贡献,提升了合肥城市的对内凝聚力和对外吸引力,为合肥的现代化滨湖大城市建设和经济跨越式发展提供了有力的社会环境保障。

2011年,创建"平安合肥"活动结合"全国社会管理创新综合试点市"工作,以"为优化经济发展环境保秩序、为重点项目工程保平安、为重大活动保稳定"的"三保"活动为重点,进一步完善重大事项社会稳定风险评估制度,进一步加强乡镇街道综治工作中心和村居综治工作站建设有效化解涉法涉诉积案,高度重视安全生产,重点行业和领域安全监管不断强化,为合肥向着现代化滨湖大城市目标迈进,提供良好的社会环境支撑和公正的法治环境保障。

二、全面实施民生工程

从2004年9月中共十六届四中全会到2006年10月的十六届六中全会,构建社会主义和谐社会被确定为新世纪中国经济社会发展的目标和战略任务。为解决人民群众最现实、最关心、最直接利益的民生问题,各级政府着力实施和主导的"民生工程"应运而生。

合肥市积极贯彻落实构建和谐社会的任务。2007年年初,合肥市出台了《关于实施十二项民生工程促进和谐合肥建设的意见》以及《合肥市十二项民生工程资金筹集方案》《合肥市十二项民生工程实施情况监督检查实施意见》《合肥市十二项民生工程资金审计监督实

---

① 《合肥年鉴·2011》,第224页。

施意见》等15个相关配套文件,成立落实解决12项民生工程政策措施协调小组,具体负责各项政策措施的组织实施工作。各县、区也成立了相应领导机构。

当年,合肥市各级财政共投入建设资金5.6亿元,全面实施12项民生工程。12项工程包括:建立农村居民最低生活保障制度,受益农民8.1万人;提高城乡散居"五保"户供养标准,集中居住、供养的"五保"对象全部被纳入城市低保范围;完善城镇未参保集体企业退休人员基本生活保障制度,对符合条件的2679人按时足额发放基本生活费;积极推进农村新型合作医疗制度,新型农村合作医疗(简称"新农合")参合率达90.4%;启动实施城镇居民医疗保险制度,全市参保人数超过67万人;扩大城乡医疗救助范围,兑现救助资金1200万元;开展重大传染病人医疗救治和生活救助,提高生活救助标准;推进城乡卫生服务体系建设,新建社区卫生服务机构28所,改造乡镇卫生院和村卫生室114所;建立义务教育经费保障机制,免除53万名城乡学生学杂费及6.6万名贫困家庭学生教科书费,对5511名贫困寄宿学生给予生活补助;继续消除农村中小学危房,改造D类危房7.05万平方米;实施农村饮水安全工程,18万人安全饮水问题得到解决;完善农村部分计划生育家庭奖励扶助政策,市财政专项安排配套奖励扶助金。[①]

2008年,安徽省政府公布《关于深入实施民生工程的意见》,将民生工程由12项扩大到18项。合肥市在大力执行省定18项民生工程基础上,新增完善被征地农民养老保障、特殊群体乘坐公交车优惠、农村"五保"供养服务机构"515敬老工程"[②]建设、农村中小学建设、"城中村"改造、农村村庄综合整治与改造、老旧小区改造、行政村

[①] 《合肥年鉴·2008》,第120页。
[②] 农村"五保"供养服务机构"515"工程建设是指:合肥市在"十一五"时期,用5年时间,以福彩公益金投入为主,积极争取财政支持,动员社会力量参与,力争筹资1亿元,加快农村"'五保'老人之家"和敬老院建设,整体实现全市农村"五保"对象集中供养和集中居住率达50%的目标。

通班车、通乡公路建设、"零就业家庭"就业援助等民生工程10项,合计为28项民生工程。与此同时,合肥还提升民生工程的实施标准。截至年底,全市对28项民生工程投入的资金达28.4亿元。民生工程受惠群众达400万人。①

合肥市民生工程的实施成效居全省前列。2007年、2008年,合肥市连续两年荣获全省民生工程实施工作一等奖。

2009年,合肥市继续大力推进民生工程,通过进一步压缩公务性开支等一般性支出,集中更多资金投向民生领域,又在原有28项民生工程基础上,新增8项,总计36项。36项民生工程具有四大特点:一是覆盖范围进一步扩大,涉及低保救助、医疗卫生、交通、教育、住房保障、劳动就业等多个方面,受益群众进一步增加;二是加大城乡统筹力度,缩小城乡差别,涉农项目28项;三是继续加大基础设施建设力度,工程类项目共有16个;四是进一步向弱势群体倾斜,仅涉及残疾人的就有3项。

实施民生工程需要大量资金投入。为此,合肥市除了安排市级和县区级财政资金投入外,还积极调整支出结构,压缩一般性支出,从严控制各项公务开支,尽可能地将财力向民生工程倾斜。在确保配套资金足额到位基础上,进一步实施扩面提标工作。当年,全市36项民生工程共投入资金32亿元,其中,中央及安徽省投入14.08亿元,市投入12.49亿元,县区投入5.43亿元,惠及群众450万人。合肥市政府亦被安徽省政府授予"全省民生工程组织实施工作杰出奖"。②

2010年,合肥市继续加大实施力度,推进33项民生工程。全市新增投入超过1000万元,对民生工程实行扩容提标,扩大保障范围。其中,计划生育家庭奖扶制度在国家规定的年人均720元标准上,提标120元;城镇未参保集体企业退休人员基本生活费,市区由每人每

---

① 《合肥年鉴·2009》,第54页。
② 《合肥年鉴·2010》,第27页。

月 260 元,提高到 280 元;农村居民最低生活保障,除瑶海区外,初步实现城乡统筹,达到市区 3360 元标准;城市低收入家庭住房申请条件由人均住房建筑面积 10 平方米以下调整为 14 平方米以下。9 项生活补助类项目提高保障标准,6 项教育培训类项目巩固提升,7 项医疗卫生类项目圆满完成,7 项农业和农村基础设施类项目全部建成,4 项农村文化建设类项目如期完工,创造了"四个百分之百",即全年民生工程应到位资金 24 亿元,实际到位资金 24 亿元,到位率 100%;全市政策性补助类民生工程应发放资金 5.56 亿元,实际发放 5.56 亿元,发放率 100%;工程类项目已批复建设点 7669 个,已开工 7669 个,开工率 100%;要求当年完工项目 7568 个,已完工 7568 个,完工率 100%。"四个百分之百",体现出合肥推动民生工程的能力和效率。2010 年全省民生项目考核中,合肥市综合考核成绩位列全省第二,社情民意调查为全省第三,被授予"2010 年全省民生工程组织实施工作先进市"荣誉称号。①

合肥民生工程从 2007 年的 12 项,到 2008 年的 28 项,再到 2009 年的 36 项和 2010 年的 33 项,累计投入超过 90 亿元,实施项目涵盖教育、卫生、文化、体育、就业培训、社会保障、基础设施等多个领域,先后完成大小建设点任务 1.62 万个,发放补助资金 23.61 亿元,政策覆盖面超过 500 万人次,人民群众总体满意度超过 80%,连续 4 年受到安徽省政府的表彰。累计完成廉租住房建设 39.58 万平方米、校舍安全加固面积 163.14 万平方米、建成敬老院 117 所,率先完成农村公路村村通、广播电视村村通工程,新建和改建乡镇卫生院、农村卫生室 779 个,解决农村安全饮水 55.28 万人,包括农村最低生活补助在内的多个资金补助项目达到全省最高水平。4 年来,合肥民生工程始终把人民群众的需求作为首要目标,涵盖的范围越来越广,内容越来越实。从最初解决"生活难、上学难、看病难"等突出问题,到全面涵盖"老有所养、住有所居、劳有所得、病有所医、学有所教"等

---

① 《合肥年鉴·2011》,第 87 页。

热点问题；从发放困难群众补助资金为主，到农业基础设施改善、农村精神文明建设、社会环境保护治理等多领域拓展，民生工程的建设内容更加丰富多样，实现了保障内容的大跨越。保障体系逐步完善，纳入保障的人数从2007年的300万人跃升至2009年的450万人。

2011年，合肥市把保障和改善民生放在更加突出的位置，扎实推进生活保障、教育文化、医疗卫生、农村建设类等33项民生工程，坚持发展为了人民，努力为百姓办好事、办实事。全年累计投入资金50亿元，较上年增长200%；先后完成廉租住房、校舍安全加固、"五保"供养服务机构建设、农村公路危桥改造等16大类工程项目建设，涉及建设项目4376个。其中，新建廉租房住房9.77万平方米，实施棚户区改造35个，完成校舍安全加固面积7.3万平方米。在惠民补助发放方面：计划生育奖持标准再次提高，农村居民最低生活保障实现市区内城乡统筹，"五保"供养提标后达到人均1800元，超过省定标准400元。全年累计发放补助类资金15.47亿元，较上年增长239%；初步实现了最低生活保障、城乡医疗保险、困难群众医疗救助、义务教育"四个"城乡全覆盖。此外，全市农村32.05万人饮水安全问题得到有效解决，569个农家书屋、51个乡镇文化站全面投入使用，全市所有建制乡镇卫生院和村卫生室实施了标准化建设，一体化管理达到100%。[①]

合肥的民生工程，以人为本，扎实推进，重在落实，在"五保"供养服务机构、敬老院建设，新型农民培训、农民工技能培训、"零就业家庭"就业援助，城镇居民医保、新农合、城乡医疗救助、重大传染病救治，城乡义务教育经费机制改革、危房改造、高校和中职学校家庭经济困难学生补助、幼儿园标准化建设、校舍安全工程、农村留守儿童之家以及开工建设廉租住房等一系列实实在在的项目完成、兑现后，呈现出全市人民群众"老有所养，劳有所得，病有所医，学有所教，住有所居"的美好画卷。

---

① 《合肥年鉴·2012》，第390页。

三、促进就业与健全社会保障

20世纪80年代初期,随着改革开放逐步推进,中国开始探索就业与社会保障制度的改革。1984年以后,合肥在劳动力就业方面着手改革,力图以市场调节为主导,并先后建立城镇企业职工基本养老保险、城镇职工待业(失业)保险、城镇企业职工工伤保险、城镇企业职工生育保险,以及农村和机关事业单位养老保险制度等。各项保险制度的覆盖面和基金征缴量逐年扩大,保障水平、社会化管理水平逐步提高。

1998年8月,为推动国有企业改革,合肥市提出,要着力解决国有企业下岗职工基本生活保障和再就业问题,把保障他们的基本生活作为首要任务,并争取用5年时间,初步建立起适应社会主义市场经济体制要求的社会保障体系和就业机制。为此,全市19个企业主管局、企业集团全部建立了再就业服务中心,3.25万名下岗职工和再就业服务中心(简称"中心")签订基本生活保障和再就业协议。按照财政出一点、企业出一点、社保基金出一点的"三家抬"政策,保障国有企业下岗职工的基本生活需求。同时,在试点基础上,扩大企业离退休人员基本养老金社会化发放范围,贯彻中共中央、国务院提出的确保企业离退休人员养老金按时足额发放和确保国有企业下岗职工基本生活的"两个确保"工作目标。

从此,合肥在建立健全社会保障体系及就业机制方面着力前行。1999年,开展了扩大养老和失业保险覆盖面,强化养老保险金征集,确保离退休人员养老金按时足额发放等工作,同时增加社会保障支出,确保进中心的国企下岗职工基本生活费按时足额发放,并制定政策,鼓励国企下岗职工走出中心。2000年,正式实行社会保障体系中最复杂的城镇职工医疗保险制度;全市养老金社会化发放率达97.9%,失业保险参保率和保险基金征缴率明显提高;全市住房分配货币化措施稳步推进,住房公积金积累不断增多;同时,全年国有企业下岗职工出中心达1.91万人。至此,合肥初步形成了面向市场的就业机制,基本确立了覆盖城镇各类用人单位和职工的社会保障体系。

21世纪头10年,国家在巩固和健全社会保障体系和就业方面出台了一系列政策、法规。合肥结合本市实际,积极有效地采取了一系列措施,加快落实完善社会保障制度,促进就业和再就业工作。

首先,为贯彻国家颁布的"三条保障线"向"两条保障线"[①]过渡的政策,合肥市规定从2001年1月起,企业在破产、重组兼并过程中新产生的下岗职工,不再进入中心,由企业依法与其解除劳动关系,按规定享受失业保险待遇;在中心3年期满仍未实现再就业的下岗职工必须出中心转为失业;生活困难的纳入低保;不再设立新的再就业服务中心。

其次,加强劳动力市场建设,拓展劳动力市场就业服务功能;加大公益性劳动岗位调控力度,帮助大龄特困下岗职工再就业;积极推行非全日制、钟点工等就业形式和弹性工作制,扶持发展非正规就业劳动组织。

再者,全市建立市、区、街道、社区居委会四级就业和社会保障管理服务体系,实行目标责任管理,将保障和再就业工作任务分解细化并纳入各有关单位年终考核奖惩目标中,以保证就业与社会保障工作目标的落实。

从2001年开始,合肥市劳动保障部门着手在全市各街道建立就业和社会保障工作站,在社区居委会建立就业和社会保障工作室,为建立市、区、街道、社区居委会四级管理服务体系奠定基础。全市下岗职工出中心近2万人,全年新增就业岗位3.2万个。次年,全市四级就业和社会保障体系逐步完善,80%的街道建立了"一站式"社保

---

① 三条保障线:国有企业下岗职工基本生活保障制度、失业保障制度和城镇居民最低生活保障制度。两条保障线:取消国有企业下岗职工再就业服务中心,企业下岗职工基本生活保障制度与失业保障制度并轨,与城镇居民最低生活保障制度一起,简称两条保障线。

服务窗口。市属国有企业下岗职工全年出中心9431人,全年城镇新增就业岗位4.6万个,实施再就业培训1.9万人,出中心下岗职工再就业率达50%。2002年,"两个确保"进一步巩固,社会化发放面达100%。养老保险、失业保险覆盖面进一步扩大。城镇居民最低生活保障工作基本实现"应保尽保"目标,保障标准有所提高。医改工作向企业扩面,三县医改全面启动,全市医保参保25.89万人,医保基金征缴率接近100%。

在"两个确保"方面。2001年,全市的养老保险、失业保险缴费基数分别提高19.4%和13.3%,市区养老金社会化发放面达99%,"两个确保"全面完成,市区享受低保人数4.1万人。

到2002年年底,合肥用5年时间,在全市建立健全了就业和社会保障的四级管理服务体系,社会保障工作重点实现了由生活保障向就业保障的转变。5年累计筹集国有企业下岗职工基本生活保障资金7.3亿元,提供就业岗位15万个;失业、养老保险覆盖面进一步扩大,城镇居民最低生活保障工作基本实现"应保尽保"目标,医疗保险制度改革力度逐年加大,适应市场经济体制的社会保障体系和就业机制基本形成。

2003年,合肥市确立了坚持扩大就业和完善社会保障并重、不断提高城乡居民生活水平的工作目标,要求在促进就业和健全社会保障上实现"两个转变",即从确保下岗职工基本生活保障向实施积极的就业政策、促进就业和再就业转变,从确保离退休人员养老金按时足额发放逐步向规范完善的社会保障体系转变。

为落实"两个转变",2003年,全市发放《再就业优惠证》4.1万本,减免行政性收费项目39个,采取建立下岗失业人员小额贷款担保基金、开发社区就业岗位、购买公益性岗位等办法多渠道促进就业再就业,新增就业岗位4.85万个,下岗失业人员实现再就业2.85万人,国有企业下岗职工出中心再就业率达52%。城镇登记失业率被控制在4.4%以内。在完善社会保障制度方面。全市养老保险、失业保险覆盖面分别新增2.6万人和2.4万人;企业离退休人员养老金按时足额发放,企业退休人员社会化管理服务率达83%;医疗保险覆盖面扩大,参保人数33万人。建立新型农村合作医疗制度并取得重大进展,肥西县首批进入全国试点。全面落实城镇居民低保政策,并启动城市生活无着落流浪乞讨人员救助工作,初步实现由收容遣送向救助管理职能的转变。

"十五"时期的后两年,合肥市继续努力促进就业和健全社会保障体系。在就业方面,从2004年启动再就业扶持政策,鼓励以创业带动就业,将就业和再就业由"保生活"向"促发展"转变。市劳动及有关部门积极探索"组织起来就业"的新模式,兴建"百帮"创业园,又组织实施社区帮扶"4050"人员[①]就业工程和农村剩余劳动力转移培训"阳光工程",当年新增就业岗位5.64万个,安置下岗失业人员2.2万人。2005年,全市又新增就业岗位5.8万个,安置下岗失业人员2.6万人。

在社会保障方面。继续扩大"两个确保"成果,强化社会保险扩面征缴工作,启动农村低保试点,提高最低工资、失业保险金、城镇居民低保和企业退休人员养老金标准;调整完善医疗保险政策,研究解决关闭破产企业退休人员基本医疗保障问题;建立全省首家慈善超市,加强经常性社会救助;大力解决土地征用、城镇拆迁、企业改革中侵害群众利益的突出问题,积极探索"土地换保障"办法,被国家建设部誉为"合肥模式",并向全国推广。到2005年年末,全市参加城镇职工基本养老保险的人数为47.85万人,参加医疗保险人数为55.69万人。养老、失业、医疗、工伤保险基金征缴率均达到90%以上;企业离退休人员社会化管理服务率达98.7%;城镇居民低保实现了应保尽保。此外,肥东和长丰县被列入国家和省农村新型合作医疗试点县,三县参加新型农村合作医疗试点的人数达90.3万人,试点乡镇农民参合率达80%以上。

---

① "4050"人员:是指女40岁以上、男50岁以上劳动年龄段的人员,本人就业愿望迫切,但因自身就业条件较弱、技能单一等原因,难以在劳动力市场竞争就业的劳动者。

"十五"时期,合肥市的就业与再就业工作取得明显成效,农村劳动力外出务工大幅增加,城镇下岗失业人员再就业工作成绩显著,被国务院授予"全国再就业先进单位"。社会保险覆盖面不断扩大,城乡困难群体救助体系逐步建立,在全省率先建立"土地换保障"制度,维护被征地农民的合法权益。城乡疾病预防控制体系、医疗救治体系和卫生监督体系"三大体系"逐步健全,新型农村合作医疗试点取得成功。农村贫困人口和低收入人口分别由 7.4 万、16.5 万人减少到 3.7 万、4.55 万人,扶贫开发成效显著。

"十一五"时期,合肥市将促进就业、健全社会保障体系纳入民生工程建设中,视就业为民生之本、社会保障为民生安全网,进一步完善就业服务体系,建立促进扩大就业的有效机制,健全与经济发展水平相适应的社会保障体系和城乡特殊困难群体社会救助体系,逐步提高最低生活保障和最低工资标准,持续解决低收入群众的住房、医疗和子女就学等困难问题,并积极发展慈善事业、老年事业和残疾人事业。

5 年间,合肥市每年都在就业与社会保障方面寻求重点突破,以积累经验。2006 年,出台了收费减免等 7 项配套措施,涉及资金 1.26 亿元,惠及 9.21 万人。全年新增就业岗位 6.75 万个;以"百帮"创业园、"百帮"就业一条街、街道劳务型服务公司等为依托,开展创业扶持工程;孵化企业 247 个,帮扶就业 1.4 万人;创建"充分就业社区",通过组织起来就业和公益性岗位聘用,促进 3.15 万下岗失业人员再就业,其中"4050"人员再就业率达到 98%;对 2800 多个"零就业家庭"实施就业援助,实现帮扶就业率 100%。全市社会保障体系不断完善,保险覆盖面继续扩大,各险种参保人员较上年净增 19 万人次;被征地农民基本生活保障得到加强,企业退休人员社会化管理服务逐步规范;全面推进劳动合同制度,切实维护农民工合法权益,清理拖欠农民工工资 2530 万元;提高最低工资标准,提高企业退休人员养老金、城镇最低生活保障、失业保险金和农村"五保"户补助等各类标准,惠及近 40 万人;解决低收入家庭住房困难,提高廉租住房租金补贴标准,健全住房保障体系;开展"送温暖,献爱心,慈善一日捐"活动,城乡社会救助体系建设稳步推进。

2007年,合肥市出台廉租房和经济适用房实施意见,继续足额发放符合条件的困难家庭住房补助。全年新增城镇就业岗位超过8.5万个,城镇登记失业率4.1%;帮扶困难群体再就业1.5万人;清理拖欠农民工工资2800多万元;进一步健全完善社会保障体系,探索建立城镇居民医疗保障和农村居民最低生活保障制度,惠及近80万人;提高城乡散居"五保"户供养标准,集中居住、供养的"五保"对象全部被纳入城市"低保"范围;完善城镇未参保集体企业退休人员基本生活保障制度,对符合条件的2679人按时足额发放基本生活费;推进城乡卫生服务体系建设,扩大城乡医疗救助范围,兑现救助资金1200万元。

2008年,合肥市实施"零就业家庭"援助工程,以创业促就业,全年新增城镇就业8.9万人,城镇登记失业率被控制在4.1%以内。城市五项社会保险参保人数307.8万人次,新增加60.8万人次;城镇居民基本医疗保障制使参保人数逾95万人;新型农村合作医疗参合率96%,有18.3万人次享受城乡医疗救助;城市低保实现应保尽保,农村低保覆盖面不断扩大,被征地农民养老保障标准、城乡散居"五保"户供养标准进一步提高,对18.2万被征地农民养老实行市级统筹,保障标准由每人每月100元提高到260元;廉租住房、经济适用房建设取得突破,改造了一批城中村和危旧小区,困难人群居住条件进一步改善。

2009年,合肥市将1988年10月前被征地农民全部纳入保障范围。全市社会保障体系进一步完善,农村低保提标扩面;新型农村合作医疗参合率达97.5%,住院费用补偿提升至47%;"515敬老工程"覆盖全部乡镇,获全国"五保"供养工作创新奖;35万在合肥大学生被全面纳入城镇居民医疗保险;向城区2.8万名80岁以上老人发放高龄津贴;新建、续建廉租住房29万平方米,发放补贴1830万元,低收入住房困难家庭实现应保尽保。在促进就业方面,大力创建国家级创业型城市，推行农民工培训券制度，新建农民工创业园10个；继续实施"零就业家庭"援助项目，提供就业岗位1485个；全年下岗失业人员再就业2.97万人，新增城镇就业10.96万人，年末城镇登记失业率为4.05%。

2010年，合肥市持续开展创建国家级创业型城市，新增城镇就业11.3万人，促进下岗失业人员再就业3.4万人，城镇登记失业率降至3.43%；着力完善社会保障体系，企业职工基本养老保险省级统筹全面落实，城乡居民最低生活保障实现应保尽保，城镇居民医保和新型农村合作医疗制度统筹并轨全面实施，建立城乡统一的居民医疗保障制度，实行物价上涨与提高特困群体生活补助联动机制；对2.4万名贫困、重度残疾人实施救助；在全省率先取消城乡低保、农村"五保"户、重点优抚对象住院门槛费；加大保障性安居工程建设力度，新建续建廉租房项目21个，开工建设蓝领公寓、公共租赁房等超过714万平方米。

"十一五"期间的5年，合肥在"十五"时期取得成效的基础上，继续完善积极的创业就业政策，扎实推进创建国家级创业型城市工作，新增城镇就业岗位46.3万个，基本消除了城市"零就业"家庭；五项基本社会保险参保人次较"十五"末翻一番，实现城乡低保应保尽保，新型农村合作医疗与城镇居民医保全面并轨，新型农村社会养老保险工作进展顺利，城镇居民养老保险试点启动实施，被征地农民养老保障制度不断完善，未参保集体企业退休职工养老、大学生医疗等保障问题得到解决；抚恤优待补助标准逐年提高；创建全国无障碍建设城市，残疾人社会保障和服务体系不断完善；加强城市低收入困难家庭住房保障，累计新建各类保障性住房264万平方米，完成城中村、棚户区改造538万平方米，发放廉租房补贴7055万元。符合社会主义市场经济体制的就业机制和社会保障体系全面建成。

2011年，合肥市坚持不懈地创建国家级创业型城市，建成8个创业孵化基地、32个农民创业园、26个大学生创业园、46条创业街，农村劳动力实现转移就业9.7万人，新增就业14万人，城镇登记失业率被控制在3.5%以内。在社会保障方面,城乡居民养老保险试点全面推开;城镇职工和居民参保人数为229.9万人,征缴率98%;新型农村合作医疗参保244.5万人,参保率108%,实现医疗保障全覆盖;城市低保第8次提标,城区最低工资标准提高到1010元/月,市区城市低保标准为320元/月,4个城区农村低保标准提高到3840元/年;改善并提升"515敬老工程"建设,全面启动"18140"①居家养老服务社会化试点工作,"五保"供养实现应保尽保,并推进肥东、肥西县新型农村社会养老保险试点工作;大力推进保障性安居工程建设,建设各类保障性住房5.3万套,是上年的2.5倍,廉租住房保障条件进一步放宽,保障户数比上年增长74.1%。

新世纪以来的10多年间,尤其是"十一五"以来,合肥市在促进就业和健全社会保障上实现了重大转变,从最初的为国有企业改革脱困的"保生活"转变为对全体大众和整个社会的"促发展";从被动地安排下岗职工再就业到实施积极的就业政策,以创业带动就业,创建国家级创业型城市的新阶段;从以"两个确保"为重点的生活保障向以就业保障为重点,包括养老、失业、医疗、工伤、生育、低保以及社会救助和住房保障等全面、规范、完善的社会保障体系转变。适应社会主义市场经济体制的社会保障体系和就业机制得以建立并逐步健全和完善,为合肥市的改革和社会转型及经济的跨越发展提供了体制保障。

四、加强文明创建　构建和谐社会

(一)创建文明城市

改革开放以来,中共合肥市委、市政府始终坚持两手抓、两手都

---

① "18140"是指:在合肥市18个街道建设居家养老服务中心,在140个社区建立居家养老服务站,并按制定的标准提供居家养老服务。

要硬的方针,在加快经济发展的同时不断加大精神文明建设力度,基本实现了两个文明有机结合,协调发展。自1995年开始,合肥市开展创建文明城市活动,1999年被中央精神文明建设委员会(简称"中央文明委")命名为首批全国创建文明城市工作先进城市。至2000年年底,全市文明创建工作基本实现了比较稳定的良性循环。

2001年,合肥市制定了"十五"期间文明创建工作两步走的战略目标,即到2002年年底,实现创建文明城市工作的稳定良性循环;在此基础上,再用3年的时间,即到2005年,争创具有示范作用的全国文明城市。这是全市为实施GDP千亿元规划和全面建设小康社会,营造最佳投资环境、最佳创业环境和最佳人居环境的活动平台。为此,2001年8月,市长郭万清代表市政府做出新一轮十二项创建目标承诺,全市各级部门围绕"市长承诺",细化任务,明确责任,落实各自承担的文明创建责任和任务。当年,全市主次干道"门前三包"签约率达100%,垃圾袋装率基本达到一环内95%以上、二环内90%的目标,整治"牛皮癣"成效明显。文明县城创建获得重要进展,市辖三县全部做出创建目标承诺。肥东县获得全省创建文明县城工作先进县称号。同时,全市以"双拥"工作"四连冠"为新起点,军地双方高标准、高质量地开展了各种"双拥"创建活动,实现了新世纪创建工作的良好开局。"市长承诺"在这一年得以落实、兑现。

2002年,合肥市继续贯彻落实新一轮承诺,以推进管理体制改革和工作运行机制创新为动力,以解决"薄弱时段、薄弱环节"为重点,以加强街居建设、实现工作重心下移为基础,制定出台了《关于尽快将精神文明创建工作"一个领导体制,两个工作机制"推进到位的通知》《合肥市攻克"两薄"集中整治摊群点实施方案》[①]以及七部地方性城管法规,健全完善创建工作的机制法规保障,掀起了文明创建新高潮。全市深入开展环境卫生、户外广告、摊点管理、违章建筑、交通

---

① "两薄"是指有些人利用中午和晚上的薄弱时段,在市区某些地段摆摊设点,给市容、交通带来混乱。

秩序的整治力度,深化居民小区、集贸市场、小街小巷、单位内部和文明县城、文明村镇的创建管理工作。当年蜀山区、庐阳区被命名为"全国社区建设示范城区",肥东店埠达到初步良性循环,肥西上派和长丰水家湖实现了稳定的"三个覆盖",肥东石塘、肥西三河荣获"全国创建文明村镇先进单位"称号。合肥市步入稳定的良性循环创建目标圆满实现,并再次荣获"全国创建文明城市工作先进城市"称号。

精神文明建设涉及各行各业、方方面面,涵盖的内容也十分多样。如果说,上世纪80年代初开展的精神文明建设以整治公共卫生环境、宣传文明礼貌、学先进、树典型为主,那么到新的世纪,精神文明建设则以提高人的素质、培育社会文明,以及开展公共卫生环境等为主。其中的变化,细而无声,却与时代共鸣。也正因如此,新世纪初,合肥市就制定了《公民道德建设实施纲要》,并于2002年开展声势浩大的公民道德建设启动仪式。从此,合肥的精神文明建设跃上一个新的阶段。

2003年,中央文明委将"全国文明城市"定为"城市物质文明和精神文明两个文明建设综合性的最高荣誉",也就是在两个文明建设方面都取得明显进步。其中的精神文明包括公民道德、社会进步等。据此,合肥市精神文明建设委员会(简称"合肥市文明委")组织专业人士对文明城市测评指标的8大项104个小项进行调研论证,提出一揽子争创方案,并将全国文明城市创建与争创环保模范城、卫生城和"双拥"模范城"五连冠"结合起来,以推进创建活动向深入开展。

2004年和2005年,合肥的精神文明建设以争创全国文明城市为目标。2004年4月,中共合肥市委、市政府出台《合肥市争创首批全国文明城市工作实施方案》,全面系统地提出争创工作思路、组织领导、工作步骤、宣传发动、工作重点与保障措施。各责任单位签订"责任制",按照"双月推进计划"的要求,广泛发动,精心组织,落实推进,创建工作取得阶段性成效。2005年,全市持续不断地开展精神文明建设。合肥市文明委从强化科学有效的考评机制入手,大力促进各项争创任务落到实处。在进一步推动街头市面传统创建工作之时,全市配合"大发展、大建设、大环境"之要求,启动声势浩大的"大拆违"行动,并结合整治公共卫生环境等,实行拆违还路、拆违治脏、拆违改造、拆违增绿、拆违添景的有机结合,做到拆一片、管一片、绿一片、美一片;大力整治交通秩序,加强道路基础设施建设,形成"两环九射加方格网"的道路框架;以"巩固园林城、建设森林城"为目标,启动"拆墙透绿、拆违建绿"工程,加快发展园林绿化。当年年底,在全国116个申报文明城市中,合肥市进入33个全国首批文明城市候选城市行列,并再次获得"创建文明城市工作先进城市"称号。

"十一五"时期,构建社会主义和谐社会成为国家的重大战略任务。达成这一目标,既需要雄厚的物质基础、政治保障,又需要强有力的精神文化支撑。精神文明建设在奠定共同的思想基础、营造和谐的舆论环境、提供强大的精神动力、培育文明的道德风尚以及创造良好的文化条件等方面,为构建和谐社会发挥着重要作用。因此,中共合肥市委、市政府在继续以创建全国文明城市、加强精神文明建设的同时,大力开展构建和谐社会的工作,向着将合肥打造成为全省经济、政治、文化和社会建设全面进步的"首善之区"努力开拓。

"十一五"时期,合肥市的精神文明创建活动一年一个主题。2006年,合肥市以创建全国文明城市为统揽,以公民道德建设、提高市民素质为根本,结合"三大推进"主题宣传活动与"八荣八耻"教育,广泛开展各种群众性精神文明创建活动,包括坚持不懈地整治"四乱"、环境卫生和市容市貌,进一步提升市民文明素质和城市品位。同时,采取各种措施和宣传形式,加强公民道德建设尤其是未成年人思想道德建设。还将在市属三县县城开展多年的创建活动向乡镇延伸,融入社会主义新农村建设中去。

2007年,合肥市文明创建以"讲文明、促和谐"为主题,围绕"确保2007年进入首批全省文明城市行列"的目标,深入开展各项群众性创建活动。同时,大力开展学习型城市创建活动,开办"庐州讲坛""科学家企业家讲坛"等学习交流平台,试办"市民讲坛"。以广场文化、节日文化等群众性文化活动等形式,大力弘扬社会主义荣辱观,加强公民道德建设和诚信建设。

在随后的3年间,合肥市的精神文明建设主要以提升城市文明指数、创建文明城市为主题。2008年,合肥市精神文明建设的核心是提升城市品位。全市集中开展交通安全整治、道路景观整治、户外广告整治、"五小"行业整治等十大整治行动;开展"创建百城万店无假货"示范街活动与"清洁家园、绿化乡村"千村百日活动,统筹推进城乡文明创建。同时,扎实推进社会主义核心价值体系建设,注重加强公民尤其是未成年人思想道德建设,继续做好"留守孩子"关爱工作,精心组织一系列重大主题宣传活动。当年,合肥市第四次荣获"全国创建文明城市工作先进市"称号,一批村镇、单位获得全国文明村镇、全国文明单位称号。2009年,合肥市精神文明建设的主题以提升城市公共文明指数为目标,深入城乡基层开展"讲文明树新风"系列活动,推进文明礼仪宣传、社会志愿服务、窗口行业文明服务、城乡环境和公共秩序整治、文明乡风建设和文化进社区等项工作,开展群众性精神文明创建活动。在当年全国公共文明指数测评中,合肥市在114个参评城市中排名靠前,位于全国省会、副省级城市前15名(省会城市第10位),跻身全国第一方阵。2010年,合肥市的精神文明创建以提升市民文明素质和城市文明程度为核心,从加强宣传思想文化工作入手,突出抓好学习型党组织建设,组织重大主题宣传,提升对外宣传影响力,推进文化体制改革与文化惠民工程,使精神文明创建活动持续开展,还以先进人物为示范,发挥引领作用,推动创建活动。合肥城市的文明程度获得进一步提升。

"十一五"时期,合肥市的精神文明建设核心是,围绕提高城市文明和市民的素质两条主线,开展社会主义荣辱观、社会主义核心价值体系教育,以公民道德、未成年人思想道德建设以及学习型城市建设和群众性文化活动等多种形式展开。同时,与"工业立市"战略、经济跨越发展目标、民主法制建设、打造"平安合肥",以及实施民生工程、促进就业和健全社会保障相辅相成,凸显了社会主义建设"四位一体"的总体要求。5年间,合肥市精神文明创建工作有力地促进了全市的和谐社会构建,为全市经济、政治、文化和社会建设全面进步做出了重要贡献。

2011年,合肥市确立了"大湖名城、创新高地"的城市发展定位。这对市民素质和城市文明程度提出了更高要求。中共合肥市委、市政府坚持不懈地以创建全国文明城市为主线,大力推进文化建设,提升城市文明,全面提高城市品位和市民综合素质,铸造"大湖名城、创新高地"城市精神支柱。在开展群众性精神文明创建活动方面,着力开展评选、树立"全国道德模范"和身边好人的活动,全市入选"中国好人榜"的个人和群体数量居全国省会城市前列;积极开展道德礼仪教育进机关、进企业、进学校、进社区、进乡村、进家庭等"六进"活动以及"我们的节日""讲文明、树新风"等系列主题活动,提升公众文明素养;大力宣传"开明开放、求是创新"的合肥城市精神,激发市民"热爱祖国、建设家乡"的壮志豪情。这年,合肥市再获"创建全国文明城市工作先进市",肥西县被评为"全国文明县城",并新诞生一批全国文明村镇、文明单位。当年10月,合肥承办的"第20届中国金鸡百花电影节"圆满落幕。

(二)弘扬道德模范精神

在社会主义精神文明建设中,合肥好人好事不断,社会风气向善向好,涌现出了一批在全省乃至全国有影响力的道德模范人物。徐辉、胡文传先后当选全国道德模范,谭海美荣获全国道德模范提名奖,先后有14人荣获全省道德模范和提名奖称号。2011年全年有52人(群体)荣登"中国好人榜",在全国省会城市中位于榜首。[①]

徐辉,合肥燃气集团蜀山区服务所所长。1990年,他调入合肥燃气集团,从事户内燃气具维修工作,始终信守合肥燃气集团"让用户办顺心事、用放心气"的服务承诺,实践对用户"不管有多难、只要你肯说"的承诺。只要用户一个电话,他就立即上门解决难题,让用户

---

① 《2011年"合肥好人"感动全国》,《合肥日报》2012年2月7日。

用上"放心气",实现了及时率、处结率、满意率"3个100%",被用户亲切地称为"诚实守信的好人、咱老百姓的贴心人"。2005年,徐辉获得"全国劳动模范"称号;2007年,在全国第一届道德模范人物评选中,获得"全国诚实守信模范"称号,为合肥市首位,也是安徽省唯一获此荣誉称号者;2009年又获"全国技术能手"称号。

胡文传,长丰县岗集镇大窑村村民。2002年夏,在外打工回家的胡文传,听到儿子和其他孩子一起落水,他不顾一切跳进水里救人,从死神手中抢回了另外4名儿童的生命,却来不及救起同时落水的亲生儿子。2007年,当刚满月的小女儿因先天性心脏病无力回天,他选择将女儿的眼角膜捐献,让两名眼病患者重获光明,被誉为"大义父亲"。胡文传先后获得"安徽省见义勇为"一等奖,首届"安徽省道德模范"提名奖,第二届"全国道德模范"提名奖。

谭海美是肥东县六家畈镇湖光村人,她本在合肥市内上学,后因家庭困难,回到乡下读书。在班主任的支持下,她在班里首先成立"留守儿童互助小队",并被推选为小队长,组织开展了许多互帮互学活动:帮助后进生提高成绩,帮助照顾孤寡老人,帮助生活上有困难的同学。2006年年初,肥东在全县各中小学校广泛推广"留守小队"做法。经过一年多的实践,"留守小队"活动对关爱留守儿童健康成长发挥了积极作用。《人民日报》、中央电视台、《中国青年报》等媒体亦对谭海美和肥东"留守小队"的做法进行了专题报道。谭海美先后获得"第十届全国十佳少先队员""全国青少年身边最让我感动的人""合肥市首届道德模范奖"。

冯春余是一名法院退休干部,被称为"铲癣"愚公,合肥捐献遗体第一人。他从2000年开始铲癣,当时各种小广告铺天盖地地出现,长期从事司法工作的他敏锐地意识到其中的危害,"办的都是假证,破坏社会秩序,也影响城市环境。"从此,他每天一手拿铲、一手拎包,穿梭于合肥市大街小巷铲除"牛皮癣"。10多年来,他累计铲下了100余斤、20多万张各式小广告。2008年,在他的倡导下,飞虹社区组建了全市第一支义务"铲癣"队,离退休人员、社区工作人员、大学生们纷纷加入其中。此外,他于2004年自愿参加遗体捐献,成为安徽省遗体捐献第一人,还自费印发了数千份宣传材料,在街头大力宣传遗体捐赠公益行动。

陈万霞,肥东县陈集镇阳光小学校长。2005年,因布局调整,陈万霞执教的小魏小学停办。2006年暑假,陈万霞回村时了解到,自从小魏小学停办后,孩子们要走好几个小时到镇上上学,既不方便也不安全。为了帮助这些留守孩子,陈万霞决定辞职回乡,创办一所寄宿制小学,招收父母外出打工的留守儿童。2006年8月,在当地群众和政府的支持下,她创办了肥东县陈集镇阳光小学,为全国首个留守儿童寄宿制学校。为了倾听孩子们的心声,呵护他们的心理健康,陈万霞特地在校园里设置了"阳光信箱",无论多忙都会回信,并想方设法把孩子的倾诉转达给他们的父母。陈万霞每月还发短信提醒在外务工的孩子父母,别忘了在孩子生日当天打个电话。留守孩子们说:"陈校长上课是老师,下课是妈妈。"2010年,陈万霞被评为肥东县首届道德模范,2011年获合肥市第二届道德模范提名奖,中国好人榜好人提名奖,2011年荣获"最美合肥人"称号。

上述几位是合肥道德模范中的代表,实际还有更多的道德模范,他们或助人为乐、或见义勇为、或诚实守信、或敬业奉献、或孝老爱亲,他们用自己的行动在全社会树立了道德标杆和时代楷模。

(三)民主党派为和谐社会建设做贡献

步入21世纪后,市各民主党派同中共合肥市委同心同德、同舟共济,围绕合肥政治、经济、文化、社会事业发展积极建言献策,为构建和谐社会积极发挥作用。

市各民主党派人士围绕全市中心工作和群众关心的热点难点问题,深入调查研究,通过专题调研报告、人大议案、政协提案、反映社情民意等途径,积极建言献策、履行参政议政职责。如针对群众关注的信用问题,中国国民党革命委员会合肥市委员会(简称市民革)从2002年开始就信用问题着手开展调研,每年出一篇关于信用问题调研报告,建言"诚信"硕果累累,反响强烈,其中市民革主任委员李晓梅提交的《建立信用体系,打造信用合肥》提案,被评为省政协优秀提案,受到省领导高度重视,对全省、全市加快推进信用建设起到了很好的推动作用。中国民主促进会合肥市委员会(简称市民进)主任委员高玉骅提交的《建议抓紧清理乡镇机构中不在编人员》提案,"所涉及的问题和建议具有一定的宏观性、前瞻性、政策性",对安徽省的经济建设和社会发展都很有借鉴作用,被评为省政协优秀提案。① 反映社情民意亦是各民主党派参政议政的重要渠道之一。为广泛开展社情民意反映工作,中国民主建国会合肥市委员会(简称市民建)于2001年创办了《社情民意》简报,至2009年年底,共编发150期,其内容涉及广泛,既有涉及国计民生的大政方针,亦有和群众生活息息相关的"小事"。其中,有不少情况反映和建议得到市委、市政府的重视和采纳。市民建社情民意工作多次得到省市领导的肯定与表扬,为促进合肥市的经济社会发展,发挥了参政党的积极作用。

全市各民主党派市委会利用自身优势,开展形式多样的社会服务活动,在社会办学、智力扶贫、咨询服务、抗洪(震)救灾和招商引资等各项工作中发挥了积极作用。中国致公党合肥市委员会(简称市致公党)自2007年开始,结合"四个一"工程(即每年培训一批弱势群体人员、慰问一次敬老院、帮扶一户困难侨眷、资助一批困难学生),开展了多项服务活动。市九三学社自2008年开始,每年与市科学技术协会联合举办"百名专家乡村学堂讲科普"活动,共为65所中小学和社区的2.3万多名中小学生讲授心理健康、航空、环保、法律、卫生、质量等科普知识。

全市各民主党派成员在各自工作岗位上努力工作,建功立业,很多成为所在单位的业务骨干和学术带头人。在抗击"非典"时期,中国民主同盟合肥市委员会(简称市民盟)副主任委员张雪平日夜奋战在第一线;市民进会员郑志华被省民进表彰为抗击"非典"优秀会员。

---

① 《合肥市志(1986—2005)》,第293页。

市民建会员耿学梅因工作突出，2006年获"全国各民主党派、工商联、无党派人士'为全面建设小康社会做贡献先进个人'"称号。市民进会员姚大全因成功引进光刻机等项目，被评为2007年度合肥十大经济人物、合肥市招商引资先进个人。市民盟盟员浦丽星是屯溪路小学的一名教师，从教40年来，长期关爱贫困儿童，先后资助了百余名学生，其奉献社会的感人事迹受到社会各界的广泛赞誉，被评为合肥市首届道德模范、合肥百年有影响的百名女性。

第八节 建设区域性特大城市

一、"141"城市发展战略

2006年9月，中共合肥市第九次代表大会正式确立"141"城市空间发展战略，并提出了建设"现代化滨湖城市"的目标。10月，中共安徽省第八次代表大会又明确提出："要把合肥市建设成为现代化滨湖大城市，建设成为辐射全省、崛起中部、承东启西，促进中国东中西部互动协调发展的区域性中心城市。"

为使合肥更好更快地发展，从2005年起，合肥市政府在组织编制《合肥市国民经济和社会发展第十一个五年规划纲要》(简称《规则纲要》)时，确定合肥要构筑"一个主城、四中心、一滨湖新区"的现代化大城市框架。提出要按照"世界眼光、国内一流、合肥特色"的要求和省会城市、区域性经济中心、区域性综合交通枢纽、国家重要的科技创新型城市和生态型滨湖城市的定位，牢固树立现代化大城市理念，高起点做好新一轮城市总体规划和土地利用总体规划的修编。充分整合城市空间、土地、经济等资源，拓展主城区，构筑开敞式、组团化的城市空间布局和功能分区框架。按照"新区开发、老城提升、组团展开、整体推进"的思路,使城市空间发展逐步向"环城—滨湖—临江"演变,大力构筑合肥新型的城市空间发展框架,推动合肥城市向"141"布局拓展。

《规划纲要》对合肥"141"城市发展框架从三个方面进行阐述、定位。

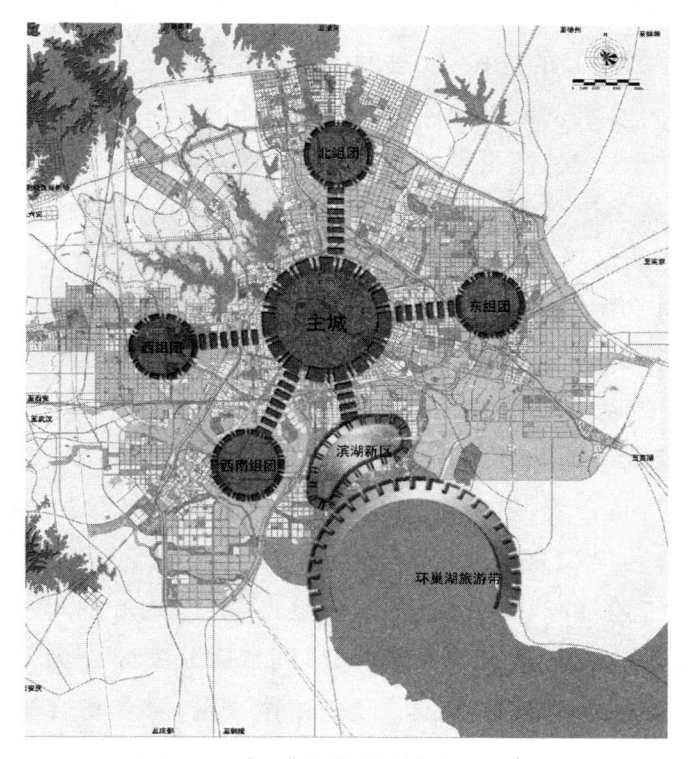

"141"远景空间结构图

第一,改造提升主城区。加快老城区改造步伐,全面提升城市功能;建设中央商务区,推进政务文化新区建设,加快新站区现代商贸物流区建设,将主城区建成集政治、文化、科技、教育、金融、商务、休闲、居住于一体的多元功能区;加强对主城区及主要景观轴线的建筑形式、建筑色调、建筑高度、绿地空间的整体性规划调控,重视保护和利用历史文化资源,建设和谐有序的城市外部景观;加大危旧房和"城中村"改造,改善城市面貌,增强主城区的活力。

第二,依托主城区建设,着力打造四大城市副中心。一是依托国家科技创新示范区、高新技术开发区和蜀山产业园,打造城西副中心;二是依托经济技术开发区、上派镇,打造城西南副中心;三是依托双墩、双凤、庐阳产业园区,打造城北副中心;四是依托店埠、撮镇、肥东新城及化学工业园,打造城东副中心。在城市各副中心之间,在有效保留过渡空间与合理建设生态隔离基础上,建设快速通道,实现主城区与城市副中心的连接,促进城区有序扩张。

第三,大力建设现代化滨湖新区。高起点、高标准规划滨湖新区建设,通过"十一五"及更长时间的努力,将滨湖新区建设成为行政办公中心、商务文化会展中心、旅游休闲基地,集中展示独具魅力的生态型现代化新城区。

2006年,中共合肥市委、市政府做出了实施"大发展、大建设、大环境"三大推进的重大决策。9月,中共合肥市第九次代表大会召开,市委书记孙金龙做《坚持科学发展 奋力率先崛起 为加快建设现代化滨湖城市而奋斗》的报告。报告提出:"从'环城'走向'滨湖'乃至'临江',是合肥城市建设中不以人的意志为转移的客观规律和历史性趋势",建设现代化滨湖城市,"就是要从'立足全省,着眼中部、面向长三角'的战略全局出发,以贯彻'141'城市空间发展战略为统揽,以老城区改造升级为主线,以滨湖新区开发建设为关键,以'四大组团'全面拓展为动力,开发开放,整体推进,早日把合肥建设成为一个辐射全省、崛起中部、承东启西,促进中国东中西部互动协调发展的重要的区域性中心城市。"[①]

按照中共合肥市委、市政府的要求,合肥市规划局组织力量抓紧修编《合肥市城市近期建设规划(2006—2010年)》和《合肥市城市总体规划(2006—2020年)》,落实合肥城市建设的"141"发展布局,为"大发展、大建设、大环境"的三大推进提供实施平台。

---

① 孙金龙:《坚持科学发展 奋力率先崛起 为加快建设现代化滨湖城市而奋斗》,《合肥年鉴·2007》,第23页。

新修编的《合肥市城市总体规划（2006—2020年）》确定，合肥市的城市性质与职能为安徽省省会，全国重要的科研教育基地、现代制造业基地、高新技术产业基地、现代服务业基地，区域性交通枢纽，区域旅游会展、商贸物流、金融信息中心以及长江中下游地区重要的中心城市之一。近期城市建设发展目标为：逐步把合肥打造成为全国重要的先进制造业基地、高新技术产业基地和现代服务业基地，区域性的商贸物流中心、旅游会展中心和金融中心，"引领皖中、辐射全省、联动中部、接轨长三角"的区域性中心城市和全国重要的科技创新城市。

在城市发展规模上，市域总人口与城镇化水平，近期2010年，市域总人口为580万人，城镇化水平为62%；远期2020年，市域总人口为710万人，城镇化水平为74%；中心城区城市人口规模，近期2010年，中心城区城市人口为300万人；远期2020年，中心城区城市人口为360万人；中心城区城市建设用地规模，近期2010年，中心城区城市建设用地为300平方千米，人均建设用地100平方米；远期2020年，中心城区城市建设用地为360平方千米，人均建设用地100平方米。

在城镇空间组织结构上，将形成"一核一圈五轴"。"一核"，即以合肥市中心城区及周边城镇密集区为核心，包括一个主城、四个城市组团、一个滨湖新区，将建成国内外重要的制造加工业基地，高新技术研究和产业化基地，旅游、文化和教育产业化基地，全省城郊型农业示范基地等四大基地，成为全国闻名的科学城、滨湖城，形成带动全省经济腾飞的强劲增长极。"一圈"，即在城镇密集区范围内发展中心城区周边的小城镇，构成发展圈层，按照"多组团"发展格局，进一步明确职能分工，突出特色，成为城市空间的重要补充。"五轴"，即沿合淮铁路、公路，合芜铁路、合马公路，合九铁路、合蓉高速公路，合六公路与合宁高速公路沿线向东、北、西、西南、东南辐射的5条发展轴线。

在城市总体形态结构上，按"141"发展战略，原来在城市周边的大蜀山、南淝河的南段将被包含在城市建城区当中,形成山水入城的城市山水格局,同时小蜀山、北部的江淮分水岭和巢湖成为更大范围上的城市山水背景,使合肥城市总体形态结构由原先以老城区为中心三翼伸展的"风扇形"布局,改变为"山水背景,绿带穿城,斑块分散,多组团,指状发展"的"星型"结构特征。

2006年6月合肥市十三届人大常委会第二十六次会议和11月第二十九次会议,分别审议批准了《合肥市城市近期建设规划(2006—2010年)》与《合肥市城市总体规划(2006—2020年)》。会议要求各级各部门认真贯彻落实城市规划。由此,建设现代化滨湖大城市的"141"城市发展战略正式启动。

二、建设滨湖新区

滨湖新区,位于合肥主城区东南部,在包河区南端,濒临巢湖,过去一直是易涝的农田。滨湖新区规划总面积196平方千米,是国家节约集约用地和全国城市生态建设示范区。开发建设滨湖新区,是实施合肥"141"城市空间发展战略、建设现代化滨湖大城市的关键和重要组成部分。

2006年11月15日,滨湖新区建设正式启动。启动范围:北承合肥老城区,西接经济开发区,向南延伸至滨湖核心区,距巢湖岸线约3.8千米,建设面积3.5平方千米。以此为契机,合肥老城区加快改造升级,四大组团全面拓展,道路桥梁等基础设施建设快速推进,合肥城市发展再次迎来一个新的建设高潮。

紧邻滨湖新区北边的包河区抓住时机,落实滨湖新区规划,实施"会战烟墩、聚焦包河、建设滨湖"战略,10天内完成启动区36.7万平方米拆迁任务;又成立合肥滨湖投资控股集团,开通滨湖项目审批"绿色通道"。

滨湖新貌

此后的两年，滨湖新区开发建设突飞猛进，先后完成滨湖新区启动区、临湖区、拓展区拆迁42.1万平方米，"五路四桥"拆迁6.2万平方米，兴平汽配园、玫瑰绅城、传媒大厦等重点项目拆迁20多万平方米。金寨路高架、徽州大道、包河大道等12条道路建成通车，8个复建点全面开工，在建面积26.2万平方米。滨湖新区拆迁安置高层住宅小区交付使用，2083户拆迁群众回迁新居。又有贯通东西的锦绣大道全线通车，渡江战役纪念馆、滨湖中心医院等重大项目如期开工，滨湖新区四十六中、师范附属小学二期投入使用。与此同时，围绕"新农民、新学生、新民工"和"新家园、新市场、新工地"等人文建设，滨湖新区的管理水平加快提升，城区功能和人居环境大为改善。

两年间，滨湖新区累计完成投资140亿元，建成市政道路50千米，房屋建设开工面积434万平方米，日处理1万吨的小型污水处理厂一期工程建成运行，11万伏变电所、垃圾中转站、消防站等一系列市政配套设施投入建设，17千米的巢湖岸线综合治理以及十五里河、塘西河生态修复、全线截污等一系列重大工程启动；合肥百大合家福超市进驻，40万平方米的购物中心及一批星级酒店、文化娱乐设施等项目陆续开工建设，滨湖世纪城120万平方米商品住宅对外预售。

2009年，滨湖新区坚持基础设施、社会事业、群众利益、聚集人气"四个优先"，开创发展新模式，全面推进各项建设，新开工建设面积428.91万平方米。

基础设施建设方面。新建、续建南京路、福州路、万泉河路等道路，建成道路共20.38千米；完善市政配套设施，建成11万伏变电所1座，另全面开工建设滨湖11万伏第二变电所、22万伏变电所、垃圾中转站、塘西河再生水厂、塘西河河口闸站枢纽工程等项目；还对亮化工程投资1000万元，完成滨湖惠园、合肥一中、合肥四十六中等30幢单体亮化工程建设。

公共设施及文化项目建设方面。新建建筑面积2万平方米、招生规模2160人的滨湖第二小学和3万平方米、招生规模3000人的师范附属小学滨湖世纪城小学如期开学，新区总招生规模扩大到近2万人；并启动建设包括商业、街道办事处、邮局、电信局、银行等服务机构在内的1.3万平方米建设区社区服务中心，以及合肥一中、合肥四十六中体育馆、滨湖轮滑场、国际创新展示馆、合肥滨湖国际会展中心、安徽名人馆等。

园林绿化建设方面。全面实施道路绿化、塘西河生态廊道、防护林、苗圃建设，投资2.88亿元，新增绿化乔木44万株、灌木330万株、竹类130万杆。

征地拆迁安置工作方面。按照"依法用地、有情拆迁、保障建设"的要求，组织实施拆迁大会战，拆迁面积约124.8万平方米，涉及经开区、烟墩镇、义城镇约5500户、17055人。全年缴付土地补偿款和社保基金18.2亿元，建成并交付40万平方米拆迁安置小区——滨湖家园二期、滨湖和园，在建拆迁安置房——滨湖康园一、二期与滨湖欣园156万平方米。

招商引资方面。通过组织参加北京、深圳推介会以及第四届中博会等活动，实现客商投资入驻项目11个。当年前11个月，招商引资实际到位资金总额为46.13亿元。新区全年经营性土地出让逾142.73公顷,获土地出让金29.62亿元,是上年的5倍;经营性住宅用地平均地价升到3129万元/公顷,新开工建设面积428.91万平方米,入驻各类企业缴纳税金9.6亿元。

在参与滨湖新区建设的全体人员努力下,2009年滨湖新区拓展到30多平方千米,入驻项目120多个,完成投资达131亿元,房屋建设开工面积429万平方米,竣工面积226平方米,成为国家"城市生态建设示范区",滨湖新区优势效应加速放大。

2010年,滨湖新区继续贯彻"四个优先",突出生态环保不动摇,通过营造交通、生态、医疗、教育、购物和休闲六个环境,构建区域性金融商务、行政办公、会展旅游、文化体育、研发创意和商业居住等六大中心。全年完成征地报批近630公顷,批复用地363.2公顷,拆迁房屋面积约75万平方米,缴纳征地拆迁社保等费用约7.53亿元。建成道路5.36千米;完善市政配套设施,建成塘西河顶管工程;全面开工建设供配电、开闭所、供电杆线、新区供热、塘西河水源补给、方兴湖竖向工程土方开挖、塘西河上游橡胶坝、塘西河河口闸站枢纽、方兴大道下穿京台高速公路互通立交、环湖大道等工程。建成滨湖轮滑场并投入使用,开工建设滨湖办公服务区二期、滨湖新区要素大市场、城市天地公共租赁房等工程。此外,引入优质教育资源,保障滨湖明珠、滨湖和园及周边小区适龄儿童的入园需求。全面实施塘西河综合治理项目,建成塘西河河道土方工程、两坝三闸、沿河绿化景观等工程,开工建设规划总面积200万平方米、总投资12亿元的金斗公园、塘西河公园和方兴湖公园项目,实施道路交口和两侧绿化提升工程。全年引进商业项目4个,引进金融办公项目5个,招商引资实际到位资金56.17亿元,并完成15宗经营性用地上市供应事项,出让土地95公顷,土地成交金额36.22亿元;经营性用地均价3812.7万元/公顷;新增开业面积35万平方米,全年新区入驻各类企业缴纳国税与地税税金11.6亿元。全年融资12.66亿元。

此外,围绕在建和新签约入驻项目,抓开工、促竣工、帮开业,其中渡江战役纪念馆、安徽名人馆、合肥美术馆等8个项目通过省级安全文明示范工地验收,滨湖康园一期获得"省级安全文明示范小区"称号;开工建设工商银行、建设银行、浦发银行三家总行级后台服务中心项目,并推动中国银行、中国邮政储蓄银行、农业银行、信达资产管理股份有限公司等后台项目在合肥国际金融后台服务基地兴建,促使交通银行、招商银行、华夏银行、平安保险、中国人寿保险股份有限公司入驻国际金融后台服务基地开展业务,使合肥国际金融后台服务基地粗具规模。

经过5年的开发建设,到2011年,滨湖新区累计投入531亿元,建成区达18.93平方千米,主要道路网围合面积32平方千米,常住人口超过36万,拟建并落实签约房建面积1741万平方米,累计开工建设1671万平方米,竣工并投入使用941万平方米,相当于环城路内老城区房建面积的近2倍。一个基础设施较为完备、社会事业粗具规模、群众安居乐业、城湖和谐共生、人气逐渐汇集的生态宜居新城逐渐形成。

5年间,滨湖新区在路、桥、水、电、气、公交、管网等基础设施上,实现了高标准超前建设。在学校、医院等社会事业上,也是高标准超前布局。区内"五横四纵"路网形成,已建成道路总长88.1千米,连接主城区的徽州大道快速公交专线(BRT)通车,贯穿全城的快速通道轨道交通一号线与包河大道高架开工建设;临湖17千米的景观大道以及十五里河、塘西河两岸生态修复与全线截污等一系列重大工程启动,铺设截污管线1200千米,新建扩建10座污水处理厂;完成道路、公园和苗圃绿化500多万平方米,城市绿地率32.2%,绿化覆盖率50%,人均公共绿地面积16平方米。投资10亿元,整建制迁入合肥一中、合肥四十六中、合肥师范附属小学等3所优质教育资源学校入新区;建成华东地区规模最大、设施最好、3000床位规模的滨湖医院;渡江战役纪念馆、国际创新展示馆、安徽名人馆、合肥美术馆、合肥滨湖国际会展中心、合肥要素大市场、合肥博物馆、城建规划馆等一系列馆群与文化项目陆续开工建设。5年间,滨湖新区建成及在建安置房面积330万平方米。招商引资累计入驻项目53个，项目按期开工率达95%以上，其中总建筑面积约486万平方米、总投资120亿元，包括可容纳7万居民的280万平方米住宅、华东地区最大的40万平方米的超级购物中心、15万平方米的五星级酒店与高档办公写字楼为一体的城市综合体项目滨湖世纪城建成并投入使用。

滨湖新区的建设，从一开始就按照"世界眼光、国内一流、合肥特色"的要求，高标准超前建设基础设施，突出生态环保优先，做好"水文章""绿文章"，超前布局学校、医院等社会事业，首创阳光拆迁模式，一幢幢新区安置房拔地而起，积极打造合肥国际金融后台服务基地，一系列大型项目相继开建并投入使用，一座现代化滨湖新城区正在合肥东南方的巢湖岸边迅速崛起。合肥的城市框架正从环城布局转变为滨湖构架，一个现代化的滨湖大城市格局已现雏形。

滨湖新区的建设，是合肥市"141"城市发展战略的重要组成和先导，其示范和创新效应在全市推广，并在实施过程中突出交通先行，生态优先，主城改造、组团展开与新区开发三大板块建设同步推进，城市面貌迅速改观，建设现代化滨湖大城市由此获得重要进展。

"十一五"时期，合肥市基础设施建设累计投入1195亿元，是"十五"时期的5倍，完成1057项城建工程，建成道路864千米、桥梁107座，同步推进水、电、气、热等市政公用设施建设和区域综合交通枢纽建设，城市发展框架基本构筑。在交通大建设方面。合宁、合武高速铁路开通运营动车组客运专线，外环高速公路全线贯通，"一环六射"高速路网正式形成，主城区路网由"十"字形变为"井"字形格局，以市区为中心的"141"一刻钟快速路网形成，金寨路高架、长江西路高架相继投入使用，通往滨湖新区的全省第一条双向14车道的快速干道徽州大道建成通车。总投资43亿元、设计年旅客吞吐量为1100万人次的4E级合肥新桥国际机场开工建设；合宁、合武、合九、合蚌、淮南、宁西6条高速铁路，206国道、312国道和合宁、合芜、合徐、合六、合淮阜、合铜黄、合界7条高速公路在合肥交会；合肥港综合码头首期工程完工。合肥已形成航空、铁路、公路与水运纵横交错、四通八达的立体化交通网络，成为全国重要的区域性综合交通枢纽城市。在环境大建设方面。以"水"和"绿"为重点，大力改善生态环境。"十一五"时期累计投入156.5亿元，治理河道总长112.7千米，埋设截污管网1398千米，新建扩建污水处理厂14座，日污水处理能力由43.5万吨提高到98.2万吨，城市污水集中处理率由60%提高到95%；新增园林绿地5.6万亩，城市建成区绿化覆盖率由37.1%提高到45.1%，全市森林覆盖率达到20.3%，空气质量保持稳定，优良天数超过300天。合肥正向着国家生态园林城市迈进。5年间，城市建成区面积由224.7平方千米扩大到339平方千米，市区常住人口由224万增至335万，城市化率由55.8%提高到68.2%。

"141"城市发展战略建设使合肥的城市基础设施大步提升和改善，拉开了现代化大城市建设的框架，提升了城市的环境质量和品位，改善了城市形象，展现出合肥迈向现代化滨湖大城市的美好前景，为合肥朝着区域性特大城市方向迈进奠定了坚实的基础。

三、建设区域性特大城市

2006年4月，国家确定了关于"中部崛起"的战略，安徽作为中部六省之一，立即响应国家的发展部署，着力探索一条适合本身特色的崛起之路。中部崛起对推动合肥跨越式发展起了重要作用。第一，中部崛起推动了合肥在全国战略地位的上升，使合肥由内陆城市一跃成为承东启西、离沿海较近的中部城市。第二，中部崛起使合肥享受到了国家在局部实施的政策优惠。第三，中部崛起推动了中部区域城市之间的交流与合作。

2006年10月，中共安徽省第八次代表大会首次提出构建省会经济圈的战略思想。2007年年初，安徽省十届人大五次会议确定："规划建设以合肥为中心，以六安、巢湖为两翼的省会经济圈。"2008年5月，安徽省政府颁布实施《安徽省会经济圈发展规划纲要》(2007—2015年)。2009年8月，中共安徽省委、省政府在合肥召开省会经济圈建设座谈会,省委书记王金山正式提出将"省会经济圈"更名为"合肥经济圈",并在9月下发的《关于加快合肥经济圈建设的若干意见》中,将合肥经济圈进一步拓展为包括合肥、淮南、六安、巢湖4市及桐城市等周边地区。中共安徽省委、省政府以合肥为核心规划打造"合肥经济圈"的战略决策,有力推动了合肥城市建设和经济社会发展,为发挥合肥的城市区位优势、引领区域经济发展创造了良好的政策环境。

2008年1月,中共中央总书记、国家主席胡锦涛到安徽视察时强调,安徽教育资源比较丰富,科技实力比较强,应该在自主创新方面有更大作为。10月,安徽启动建设合芜蚌自主创新综合试验区,并向国务院报送《关于设立皖江城市带承接产业转移示范区积极推进泛长三角区域合作的请示》。

建设合芜蚌自主创新综合配套改革试验区,是充分利用合肥、芜湖、蚌埠三个区域增长核,打造区域发展的增长极。合肥是省会,是安徽最大的中心城市,芜湖是皖江经济带的龙头,蚌埠是淮河经济带的龙头。合、芜、蚌三市集中了安徽省大部分的创新资源,三市共有130多所高等院校和科研院所,6个国家级工程技术研究中心,是中国中西部地区科技资源较为密集的地区之一。尤其是合肥市,作为全国唯一的科技创新型试点市,在创新体制机制、探索产学研结合有效模式、整合科技资源等方面取得了积极成效,在提高科技成果转化能力、提升产业综合竞争力等方面取得了一批重要成果。打造合芜蚌自主创新试验区,有利于拓展合肥国家科技创新型试点市自主创新的成功经验,对于推动安徽经济发展具有重要的示范和带动作用,也是承接泛长三角产业转移的试验区和先行区,在自主创新上获得突破口,为安徽实现跨越发展提供战略支撑。

2009年1月,国务院批复同意国家发改委关于设立皖江城市带承接产业转移示范区有关问题的请示;2月,国家发改委会同安徽省和国务院有关部门正式启动皖江示范区规划编制工作。12月,合芜蚌自主创新综合试验区经国家科技部征求有关部门意见并报国务院同意,进入国家推进层面,同时,《皖江城市带承接产业转移示范区规划》报送国务院。2010年1月12日,国务院批准了这个《皖江城市带承接产业转移示范区规划》。《皖江城市带承接产业转移示范区规划》确定的承接产业转移示范区范围为安徽省长江流域,包括合肥、芜湖、马鞍山、铜陵、安庆、巢湖、池州、宣城、滁州九市全境和六安市金安区、舒城县,共59个县(市、区),以沿江一线为发展轴,合肥和芜湖为双核,滁州和宣城为两翼,构筑"一轴双核两翼"的产业分布格局。示范区将立足安徽,依托皖江,融入长三角,连接中西部,成为加快建设长三角拓展的优先区,长江经济带协调发展的战略支点,引领中部地区崛起的重要增长极,全国重要的先进制造业和现代服务业基地。

2010年2月,安徽省《关于推进皖江城市带承接产业转移示范区建设的决定》和《关于皖江城市带承接产业转移示范区规划的实施方案》正式公布,明确了皖江示范区建设的具体措施。4月,安徽省《关于加快推进皖江城市带承接产业转移示范区建设的若干意见》正式实施,从金融、财税、用地等10个方面提出皖江示范区建设具体支持政策,省直相关部门先后出台加快皖江示范区建设配套措施。

从中共安徽省第八次代表大会首次提出"构建省会经济圈"的战略决策,到安徽省政府启动合芜蚌自主创新综合试验区建设,再到国务院正式批准《皖江城市带承接产业转移示范区规划》,3年多的时间内,在国家和安徽省做出的这些重大发展规划中,合肥无疑都在其中占据极为重要的位置,是安徽社会经济发展的核心区域,对实施中部崛起战略而言,地位更是凸显。在此大形势下,2010年9月,中共安徽省委、省政府对合肥市的发展给予再阐释、再定位,着手调整合肥市的城市发展目标,要求合肥市深化"141"城市发展战略,在建设现代化滨湖大城市的基础上,"合肥要放眼全国,进一步提升标杆,做大体量,加快建设成为充满活力、独具魅力、创新发展、宜居宜业的现代化大城市和现代产业基地,努力成为区域性特大城市"。

21世纪,中国的新型城市化进程全面推进。合肥适时建设区域性特大城市,顺应了中国新型城镇化进程的历史潮流,其发展目标与战略定位,也是合肥市经济社会发展客观规律的必然要求,是增强城市综合竞争力的现实选择。区域性特大城市是在一定区域的城镇体系中占据绝对主导地位,对辐射带动整个区域经济社会发展发挥核心作用,通过和区域的互动实现各种生产要素与资源的最优配置,带动城市及所在区域共同体共同发展。区域性特大城市具有一般城市所不及的功能特征,是区域市场经济体系的核心城市,具有优越的区位交通条件、完整的经济体系和高级化的产业结构,左右着区域的经济状况和趋势,区位比较优势明显,各种生产要素密集,服务设施完善,适宜二、三产业集中发展,能够形成产业聚集效应,可以广泛吸引和聚集人流、物流、信息流和资金流,是区域内体制、管理、科技和观念创新的策源地。在城市建设标准上,区域性特大城市除了具有快捷的交通、通讯、良好的环境、方便的服务、合理的布局、有效的功能、鲜明的特色、深厚的潜力、良好的可持续发展基础等属性外,一般应具有1000万人以上的人口规模和5万美元以上的人均GDP指标。

中共安徽省委、省政府提出合肥应建设区域性特大城市后,合肥市委、市政府立即响应,全市上下达成共识,成为合肥新时期城市发展的战略目标和努力方向。在2011年1月编制的安徽省以及合肥市国民经济和社会发展第十二个五年规划纲要中,建设区域性特大城市被列入重要的任务目标。安徽省"十二五"规划纲要明确提出,支持合肥进一步提升在全国省会城市中的地位,加快建设充满活力、独具魅力、创新发展、宜居宜业的现代化滨湖大城市,打造全国重要的现代产业基地和综合交通枢纽,努力成为全国有较大影响力的区域性特大城市。[①] 合肥市"十二五"规划纲要更明确规划了合肥市建设区域性特大城市的战略定位和发展目标。其战略定位是:发挥省会城市的龙头作用,走新型城市化道路,努力拓展城市空间,提升城

---

① 《安徽省国民经济和社会发展第十二个五年规划纲要》,《安徽日报》2011年3月7日。

市建设、管理水平,全面加快现代化、国际化、一体化进程,经过"十二五"乃至更长时期的努力,形成中心城区、城市副中心和小城镇共同发展的格局,把合肥建成在全国有较大影响力的区域性特大城市。其发展目标是:"十二五"时期,合肥城区常住人口突破400万人,建成区面积扩大到410平方千米,城镇化率达到75%,水、电、气、热、公交等公用设施完善,综合交通枢纽基本建成,城市功能品位明显提升,综合承载力显著增强,形成布局合理、特色鲜明的城市空间发展格局;全市地区生产总值突破6000亿元,年均增长16%,占全省比重提高到25%以上,全市人均GDP达到1.5万美元;财政收入达到1000亿元,年均增长16%;全社会固定资产投资5年累计完成2.5万亿元,其中工业投资累计8500亿元;社会消费品零售总额达到2000亿元,年均增长19%。到2020年,地区生产总值在"十二五"基础上再翻一番,人均地区生产总值达2万美元以上,在全省率先基本实现现代化。再经过5年至10年的努力,建成1000万人口规模的区域性特大城市。

合肥市"十二五"规划纲要对区域性特大城市建设提出了明确的要求,高起点、高标准、高效能,全面提升城市规划建设和管理水平,大幅提升与城市地位相适应的载体功能、服务功能和综合保障功能,以建设全国有较大影响力的区域性特大城市为目标,按照"中心集聚、组团拓展、区域协同"的思路,深化"141"空间发展战略,高起点、前瞻性地做好新一轮城市总体规划和土地利用总体规划的修编,加快中心城区和城市副中心建设,实现城市空间由单中心、高集聚向多元化、开敞式转变,实现城市功能的显著提升。①

合肥建设区域性特大城市的目标宏大,任务十分艰巨。一方面,安徽全省尚缺乏一个强有力的城市群和一个起引领作用的特大中心城市,不利于安徽的城镇化进程和经济社会整体转型升级,合肥作为

---

① 《合肥市国民经济和社会发展第十二个五年规划纲要》,《合肥年鉴·2011》,第21、26页。

安徽省省会,又是省内最大城市,必须担当起时代赋予的使命。另一方面,虽然合肥的综合竞争力在"十一五"以来快速提升,城市综合竞争力排名已跃居全国第22位,在全国省会城市中,合肥GDP总量由第18位升至第15位,固定资产投资由第17位升至第8位,地方财政收入由第18位上升至第10位,社会消费品零售总额由第18位上升至第17位。但是,由于地理、历史等原因,合肥城市规模不大、竞争力不强,城市辐射带动功能较弱。作为省会的合肥,2009年人口总量只占全省的7.2%,远低于同期全国省会城市13.3%的平均水平;GDP只占全省的20.9%,经济首位度远低于西安、昆明等省会城市,在中部省会城市中也处于靠后位置。2009年,合肥市国内生产总值2102亿元,分别相当于上海、北京、广州的14.1%、17.7%、23.1%,武汉、郑州、长沙的46.1%、56.1%、63.7%。工业增加值、财政收入、引进外资总量、社会消费品零售总额、居民储蓄存款余额、城市居民人均可支配收入、农民人均纯收入等发展指标相对发达地区也处于较低水平。城市综合承载和辐射能力与特大城市相比,有着较大的差距。

相对于经济社会发展不足制约合肥建设区域性特大城市外,区域发展空间上的局限更是困扰合肥建设区域性特大城市的瓶颈。除主城区外,合肥未来发展的主要腹地是三县的广大地区,空间范围不够大。2009年,合肥共辖县区7个,位居中部6个省会城市末位;市区面积838平方千米,户籍人口203万人,分别居中部省会城市第4位和第6位;城市面积7029平方千米,总人口494.95万人,均位居中部省会城市第5位。从合肥经济圈的次要腹地看,整个经济圈总面积与总人口分别占全省的24.6%和24.8%,合肥经济圈面积在中部省会城市圈排名位居第5位,经济圈产业同构现象与行政割据现象严重,快速交通网络尚未形成,资源流动不够畅通。[①] 这些现象,都制约了合肥区域性特大城市的发展。

---

① 合肥市发改委:《关于合肥区域性特大城市建设的研究报告》,《合肥年鉴·2011》,第486—488页。

但是，上述所有的不足或制约，都是源于发展的过程，必须用发展来解决。经过"十一五"时期的快速发展，合肥建设区域性特大城市在区位交通、产业基础、资源成本、生态环境、改革效应等方面已经具备许多有利条件。同时，合肥建设区域性特大城市，有利于培育江淮城市群的核心城市和增长极，提升江淮城市群竞争力，强化泛长三角和中部地区城市群体系的优化，促进东、中部地区的协调发展，是顺应区域经济客观规律的必然要求；也有利于合肥做大经济规模，优化产业结构，完善城市功能，提升城市综合实力和竞争力，形成安徽核心发展极，带动和引领周边地区乃至全省经济社会全面转型、加速崛起、兴皖富民。

面对合肥建设区域性特大城市存在的不足与限制，安徽省和合肥市积极努力。在经济社会发展方面，安徽省及合肥市分别制定的"十二五"规划明确了发展目标，力图用5年或更长的时间，发展合肥经济，缩小与区域性特大城市经济社会发展指标的差距，直至达到。在区域空间范围方面，安徽省政府积极落实安徽省"十二五"规划纲要中提出的"适时适度调整行政区划，促进形成科学合理的城镇空间布局"的规划决策，为合肥市建设全国有影响力的区域性特大城市增体扩容，拓展城市区域发展空间。

合肥建设区域性特大城市的宏大目标，从2011年正式起航。

四、新起点、新期望、新目标

2011年5月，安徽省政府正式向国务院上报《撤销地级巢湖市及部分行政区划调整》方案，7月14日，国务院批复同意这个方案。8月22日，安徽省政府正式公布撤销地级巢湖市，并对原地级巢湖市所辖的一区四县行政区划进行相应调整，分别划归合肥、芜湖、马鞍山三市管辖。原巢湖市居巢区改设县级巢湖市，由省直辖、合肥市代管，庐江县被划入合肥市，750平方千米水域面积的巢湖成为合肥的内湖。

行政区划调整后,合肥市辖4区1市4县,即瑶海、庐阳、蜀山、包河4区,长丰、肥东、肥西、庐江4县及县级巢湖市1市,并拥有合肥高新技术产业开发区、合肥经济技术开发区、合肥新站综合开发试验区、合肥巢湖经济技术开发区等4个开发区。一个环巢湖、在全国有影响力的区域性特大城市空间轮廓初现。

行政区划调整后的合肥市,在市域面积、人口、经济总量上都有不同程度的增加。在市域面积上,从7029平方千米扩大到1.14万平方千米,在全国省会城市的排名从第24位上升至第15位,在中部省会城市的排名从第5位上升至第2位。在总人口上,从494.95万人增加到706.13万人,在全国省会城市的排名从第17位上升至第12位;在中部省会城市的排名从第4位上升至第3位。在地区生产总值上,2010年合肥市地区生产总值从2701.61亿元增加到2900.8亿元,在全国省会城市中排名第15位,在中部省会城市中排名第4位。①

这次重大的行政区划调整,不仅增加了合肥的区域面积、人口数量和经济总量,同时也改变着合肥的综合区位、资源环境和发展潜力等,对提升合肥市在区域经济发展格局中的地位具有促进作用。

在安徽,合肥市作为省会城市的龙头带动作用更加凸显。全市土地面积占全省比重从5.1%提高到8.2%,户籍人口占全省比重从7.2%提高到10.3%,有200千米市界与马鞍山和芜湖两个沿江城市接壤,这对构建合肥迎江发展的产业高地、呼应马鞍山和芜湖的跨江发展、合力打造皖江城市带核心城市群、进一步促进合肥经济圈与南京都市圈互动发展,乃至加快安徽融入长三角的步伐,都十分有益。同时,巢湖划归合肥市,既有利于实现对巢湖的统一规划、治理,打造环巢湖生态产业经济圈,增强可持续发展能力,又使合肥成为环湖临江城市,推进通江达海的内河黄金通道建设,提升中部地区重要的交通枢纽地位。此外,合肥的中心城市能量和综合承载能力得到显著

---

① 《合肥年鉴·2012》,第21—22页。

提升,有利于在更大区域范围统筹安排生产力布局和基础设施建设,提升资源配置效率,加速工业化、城镇化和农业现代化进程,更好地发挥合肥作为全省发展核心增长极的带动、引领作用和中心城市的辐射作用,加快合肥经济圈以及皖北、皖南和大别山区经济社会发展,推进整个江淮城镇群的崛起。

在长江中下游乃至全国东、中、西三大区域,合肥市进一步成为长三角地区辐射中部地区的"中继站"和"桥头堡"。合肥南临长江,北跨宁西铁路,作为长三角地区辐射中西部地区两条"动脉"上的重要节点城市,能够依托"承东启西"的区位优势,充分利用科教资源丰富、产业基础较好的有利条件,通过承接东部地区产业转移,大力发展战略性新兴产业、先进制造业和现代服务业,推动产业分工向中西部地区梯度转移。在长三角乃至长江经济带,合肥、芜湖和马鞍山三市连成一片,形成与长三角全面对接的空间开发新格局。合肥成为长江经济带南京至武汉段资源丰富、环境良好、发展空间最大的城市。合肥经济圈将和南京都市圈、武汉经济圈、长株潭城市群辉映媲美,从而有力地推动合肥建设成为与南京和武汉相呼应、在全国有较大影响力的区域性特大城市。

这次的行政区划调整范围广、力度大,得到了合肥市民的赞同支持,以及划归于合肥市的巢湖市、庐江县的干部群众的积极拥护。就在安徽省政府公布《撤销地级巢湖市及部分行政区划调整》的第二天,即8月23日,中共合肥市委立即召开全市领导干部会议,对行政区划调整相关工作做出具体部署。

市政府迅速启动多项促进巢湖、庐江经济社会发展的工程,并将巢湖综合治理提上重要议事日程,又在充分调研、论证基础上,明确巢湖市、庐江县的发展定位。合肥市还出台了支持巢湖市、庐江县和合肥巢湖经开区建设与发展的"十大政策",支持巢湖市、庐江县实施"十大工程",全力支持巢湖市、庐江县和合肥巢湖经济开发区发展。

2011年9月21日,中共合肥市第十次代表大会召开。中共合肥市委书记吴存荣向大会做《立足新起点　勇担新使命　为加快建设区域性特大城市而努力奋斗——中国共产党合肥市第十次代表大会报告》的主题报告。该报告提出要按照省委的要求，在现代化滨湖大城市建设的基础上，全力以赴把合肥打造成在全国有较大影响力的区域性特大城市。报告认为，当今的合肥，正面临着新的机遇和新的起点，肩负着新的使命。行政区划调整后合肥市的建设与发展迎来新的机遇；皖江城市带承接产业转移示范区及合芜蚌自主创新综合试验区建设等政策叠加效应日益凸显。合肥要抢抓机遇，在科学发展、创新发展、开放发展、和谐发展上迈出更大步伐；要立足新的起点，制定好新一轮发展规划，努力把合肥打造成经济繁荣、社会文明、人民富足、生态良好的现代化新兴中心城市，为合肥新跨越和安徽加速崛起做出新贡献。①

这次会议为合肥市今后5年的发展确定了奋斗目标，即紧紧围绕抓住全面转型、加速崛起、富民强市的主线，加强经济、政治、文化、社会与生态文明建设，在加快建设区域性特大城市的基础上，把合肥打造成为现代化新兴中心城市，朝着在全国有较大影响力的区域性特大城市方向迈进；"十二五"期间，全市经济要在转变经济发展方式的基础上实现"三个翻番"：地区生产总值翻番，达到7000亿元；财政收入翻番，达到1200亿元；城乡居民收入翻番，城镇居民人均可支配收入、农民人均纯收入分别达到3.75万元、1.35万元。

这次会议还对合肥的城市建设做出原则规定和总体部署。合肥城市综合承载力和辐射带动力要有更快更大提升。中心城区要成为全省"首善之区"和辐射源，重点发展现代服务业和新型业态，进一步实现产业结构优化、服务功能完善和管理水平提升；滨湖新区要进一步拓展建设、提升品质、彰显特色，成为新区开发建设的示范区、展示城市形象的新窗口；四大开发区要成为工业发展的主引擎、创新发展的新高地；5个市要成为新型工业化发展的主战场、城乡统筹发展的

---

① 吴存荣：《立足新起点　勇担新使命　为加快建设区域性特大城市而努力奋斗——中国共产党合肥市第十次代表大会报告》，《合肥年鉴·2012》，第5页。

新典范。巢湖市要按照中心城区标准,等高对接,建设成为现代产业发展的高地、全国著名的旅游休闲度假胜地和山川秀美的生态之城;庐江县要按照新兴中心城市南部副中心和现代产业基地的标准,加快县城和以汤池为中心的旅游度假区规划建设,加大矿产资源开发和循环利用,带动资源大县向经济强县的跨越。

2011年,合肥市生产总值3636.61亿元,比上年增长15.4%;规模以上工业总产值5597.97亿元,实现增加值1489.65亿元;全社会固定资产投资3376.97亿元;财政收入623.8亿元,其中地方财政收入338.5亿元;社会消费品零售总额1111.1亿元;城镇居民人均可支配收入2.25万元,农村居民人均纯收入7862元。[①]

2011年的合肥,城市影响力与经济转型创新能力凸显。省会经济首位度由2010年的22%上升到23.8%;在皖江城市带承接产业转移示范区建设中生产总值占比由2010年的32.14%提升到35.14%,作为中心城市的龙头带动和引领发展作用得到增强。合芜蚌自主创新综合试验区和国家创新型城市建设再上新台阶,被国家批准为企业股权和分红激励试点、科技金融试点、电子信息高技术产业基地、信息化和工业化融合试验区、"十城万盏"试点城市、公共安全信息技术特色产业基地等;入选"2011年中国十大创新型城市",第七次获"全国科技进步先进市";高新技术产业实现产值达3080亿元,八大战略性新兴产业实现产值1331亿元,占全省近三分之一,信息设备制造、太阳能光伏、公共安全等产业集聚发展态势良好,工业主导地位与自主创新能力更加突出。

2011年的合肥城市建设,突出交通先行,坚持生态优先、主城改造、新区开发、组团展开同步推进,城市功能和形象得到新提升,迈向区域性特大城市建设取得新进展。全年新建、续建大型工程579项、总投资833亿元,完成311项。区域性综合交通枢纽日趋完善,新桥

---

① 合肥市统计局、国家统计局合肥调查队编:《合肥统计年鉴·2012》,中国统计出版社2012年版,第36、38页。

国际机场主体工程基本完成,合蚌铁路客运专线基本建成,合福客运专线、铁路枢纽南环线及高铁南站、机场高速、裕溪复线船闸、南淝河下游航道整治等一批重大工程加快推进。合白路、合店路二期工程顺利完成,裕溪路、合作化南路、南北一号线等高架桥建成通车,包河大道和铜陵路高架、徽州大道与高铁衔接工程开工建设;"畅通一环"全线贯通,南二环改造全面完成,城市轨道交通一号线试验段土建工程完工。老城区加速改造升级,实施城中村和旧城改造项目39个;滨湖新区建成区拓展到近19平方千米,常住人口超过36万。市政公用设施加快建设,铺设污水管网307千米,改造排水设施2283处,基本完成龙泉山垃圾填埋场二期工程;新增和更新城市公交车辆658台,六水厂一期工程全部建成,"川气东送"工程接入合肥,东方热电厂建成运营。国家生态园林城市和国家森林城市建设成效显著,启动巢湖综合治理,新增城市园林绿地1.16万亩,完成农村植树造林16.9万亩,相当于过去5年的总和,空气质量保持稳定,优良天数超过300天,生态环境有所提升。①

2007年,在合肥市民充分讨论后,"包公故里、科教基地、滨湖新城"成为合肥亮丽的城市名片。

2011年,在合肥奋力崛起、魅力初显时,"大湖名城、创新高地"合肥新名片,呼之欲出!

合肥,向着区域性特大城市,阔步迈进!

---

① 《合肥年鉴·2012》,第34—35页。

第十一章
1979年至2011年的巢湖、庐江

1979年至2011年的32年间，巢县、庐江两县经历的事件和社会变迁，与安徽各市县大体一致，从拨乱反正、包产到户与实行农村改革，到城市、工厂企业的改革，建立开发区，加大开发开放力度，建立社会主义市场经济，开展精神文明建设和法制建设，等等。其中，改革开放是这32年间最为鲜明的时代特征。也正是得益于改革开放，巢县和庐江两县的经济、政治和社会面貌发生了历史性的巨大变化。

1979年的巢县、庐江在行政区划上变化不大，仍隶属于巢湖地区。此后，巢湖地区行政区划调整较大。1984年，巢县被撤销，改称巢湖市，为县级市。1999年，巢湖地区被撤销，改称巢湖市，为地级市，原县级巢湖市改称居巢区。2011年，巢湖市被撤销，所辖一区四县分别划归合肥、芜湖、马鞍山三市。其中，庐江县划归合肥市，原居巢区改称巢湖市，为县级市，由安徽省管辖、合肥市代管。由此，合肥市在行政地域、人口数量、经济总量等方面都迅速增大，为建设"大湖名城、创新高地"奠定了坚实的基础。

第一节　1979年至2011年的巢湖

一、开启改革开放之路

(一)农业生产责任制改革

早在中共十一届三中全会召开之前的1978年秋，肥西县山南区的农民在执行中共安徽省委1977年11月制定的《关于当前农村经济改革几个问题的规定》(简称"省委六条")过程中，以"借地废荒"的名义，悄悄地试行包产到户。巢县农村很快受其影响，也开始试行包产到户。到1979年年底，全县近9000个生产队中，有40%的队开始实行包产到户和包干到户,简称"双包"。"双包"是集体经济内部以户为单位联系产量计酬的一种责任制,又称家庭联产承包责任制。是年,全县农村经济总收入为8911万元,其中种植业收入为7287万元,农民人均纯收入为123元。

1980年秋冬和1981年春,县、区、社、大队、生产队层层举办训练班,全县有1.8万人参加学习,贯彻落实中央《关于进一步加强和完善农业生产责任制的几个问题》。中共巢县县委还印发有关石桥、书桥、黄麓区、庙集、李桥等乡镇完善责任制的经验。到1981年上半年,全县原有8854个生产队,后合并为6056个生产队。其中包产到户的有5610个队,占92.6%;包产到队的369个生产队,占6.1%;坚持以大队和生产队核算的77个生产队,占1.3%。与此同时,全县共有5638个生产队落实了领导班子,占生产队总数的93%;有2819个生产队的财务建立了新账,占生产队总数的46.5%;有4534个队签订了承包合同,占生产队总数的75%;有1559个队共5876户调整了承包土地,面积7767.5亩;大队干部由1990人减少到1875人,其报酬总额由66.26万元减少到52.23万元;生产队干部由13.7万人减少到9578人,其报酬总额由73.96万元减少到60.1万元。

推行责任制后,农民生产积极性明显提高。1981年,全县粮食总产达5.39亿斤,比上年增长20%;油料总产5100万担,比上年增长83.2%以上;人均纯收入203.9元,比上年增长72.2%,并出现了一批冒尖户。另据218个大队调查,在5.25万户中,户产万斤粮的有112户,户产千斤油的有238户,户存千元余款的1121户。①

(二)轻工业的发展

1978年后,巢县从市场需要出发,结合自身特点,积极调整产品生产,扩大适销对路产品。因肥皂滞销积压而亏损的县肥皂厂改产塑料编织袋;产品不适销的锁厂停止生产;任务不足的机械、中小农具行业

---

① 巢湖市地方志编纂委员会办公室编:《巢湖市志》,黄山书社1992年版,第159页。

积极生产市场急需的食品机械、酿油机械、建筑五金等产品。一些企业恢复了前门设店、后门办厂的传统,积极自销产品,使企业很快恢复生机。同时,二轻企业从1981年开始,推行经济责任制,有效地促进了生产的发展。1985年,二轻工业在产值增长,基数逐步提高,并在减少47个企业的323万元产值的情况下,比1983年还有所增长。在1977年到1984年的8年内,总产值的年平均递增率为5.7%。①

(三)乡镇企业的崛起

1978年后,乡镇企业不断发展,迅速崛起。乡镇企业总收入和乡镇企业总产值连年增长。1984年,乡镇企业总收入4504.58万元,比1983年实际增长86.45%,比1977年的1153.41万元增长2.9倍,创历史最高水平;乡镇企业完成总产值6072.99万元,比1983年实际增长1.35倍,其中,完成乡镇工业总产值3420.26万元,比1983年实际增长73.39%,占全市工业总产值的37.93%,比1977年的919.29万元增长2.7倍;乡镇企业共上缴国家税金143.2万元,比1977年的93.98万元增长0.5倍;实现利润493.97万元,比1977年的77.67万元增长5.3倍。乡镇工业已成为巢湖工业经济的一个重要组成部分。

1984年,全市有环城和东方红两个乡的乡镇企业总产值突破1000万元(环城乡1984年产值达1030.87万元,东方红乡1984年产值达1037万元);村办企业完成总产值100万元以上的有8个行政村;完成总产值20万元以上的联户企业有3个;完成总产值5万元以上的个体企业有1个。②

(四)个体经济的异军突起

"文化大革命"期间,由于对个体经济的排斥,个体工商业者的积

---

① 《巢湖市志》,第298页。
② 《巢湖市志》,第299页。

极性遭到挫伤，个体工商业者人数极少。与此同时，国营和集体经济又不能完全满足人民群众日常生活的需要，一时出现了"理发难、洗澡难、买菜难、吃饭难、住宿难"的现象。1980年后，巢县实行以国营经济为主导，集体经济、个体经济共存的经济体制，私营商业开始逐步恢复和繁荣，全年核发个体工商户营业执照496个，其中农业户口有243个。1981年，个体经济大幅度发展，全年核准发证1386户，工商业者人数1498人。其中农业户口538户，人数644人。1982年，个体工商户发展到2575户，从业人员2820人。其中待业青年146人，社会闲散劳动力2674人。同年开展农村小商店的登记发证工作，计发证977户，其中烈军属55户，伤残军人37户，困难户870户，"五保"户15户。个体经济发展较快的区镇有烔炀136户，黄山117户，槐林184户。

1983年9月，巢县成立个体劳动者协会，举行第一次代表大会，全年发展个体户2701户。同年，全县有个体工商业4020多户，从业人员6000多人，经营五金、电器、鞋帽、服装、钟表、眼镜、音响、家具、烟酒、干鲜果品、饮食等，其中经营服装、香烟、饮食的人数居多。1985年个体商业社会商品零售总额达3439万元。

1985年，全年核准发证的个体工商业7667户，从业人员1.24万人。其中，从事工业、手工业有560户计1012人，从事运输业762户计1148人，从事建筑修缮业15户计41人，从事商业4594户计7250人，从事饮食业749户计1361人，从事服务业406户计695人，从事修理业403户计584人，从事其他行业178户计311人。全年个体户使用资金643万元。[1]

二、发展社会主义市场经济新阶段

（一）行政区划变动

1983年10月23日，安徽省政府转发国务院批复，撤销巢县改置

---

[1] 《巢湖市志》，第476页。

巢湖市,行政区域不变。1984年1月4日,巢湖市正式成立。

1999年,国务院批复安徽省政府,撤销巢湖地区及县级巢湖市,设立地级巢湖市。原县级巢湖市改为居巢区,以原县级巢湖市的行政区域为居巢区的行政区域。①

2011年8月22日,经国务院批准,安徽省人民政府正式宣布撤销地级巢湖市,设立县级巢湖市,并对部分行政区划进行调整,原地级巢湖市所辖的一区四县划归合肥、芜湖、马鞍山三市管辖。根据国务院的批复,撤销地级巢湖市。撤销原地级巢湖市居巢区,设立县级巢湖市。以原居巢区的行政区域作为新设的县级巢湖市的行政区域。新设的县级巢湖市由安徽省直辖,合肥市代管。

（二）农业概况

2005年,巢湖市居巢区实现农业总产值12.5亿元,比1986年增长2.78倍,年均增速为5.5%。区域特色农业呈蓬勃发展势头,散兵、坝镇茶叶,烔炀草莓,司集芹芽,中垾大枣、番茄,西峰水蜜桃,司集、散兵、西峰杂交油菜制种等均已成规模。全区优质品种开发面积达79.33平方千米。农产品质量明显提高,有18个农产品获无公害和绿色食品称号。农业产业化经营稳步推进,全区龙头企业已发展到58家,其中槐祥集团、富煌集团三珍公司、巢湖春友种业科技有限公司等3家企业获省级龙头企业,7家企业获市级重点龙头企业,31家企业获区级重点龙头企业。有7个农产品获市品牌和特色农产品称号,4个农产品获省名牌农产品称号。②

2010年,全区粮食播种面积75.3万亩,单产462公斤,总产34.8万吨;油料播种面积为37.4万亩,单产152公斤,总产5.7万吨;棉花播种面积11.7万亩,单产66公斤,总产0.77万吨;蔬菜播

---

① 居巢之称始见于2000多年前的秦朝,历两汉、南北朝,沿用近千年之久。参见苏士珩、张克锁主编:《巢湖文化全书——历史文化卷》,第74页。
② 巢湖市居巢区地方志办公室编:《巢湖市居巢区志(1986—2005)》,黄山书社2008年版,第465页。

种面积为7.3万亩,总产14.4万吨;肉类总产3.37万吨,蛋类总产1.69万吨。由于全年大宗农产品价格上涨,农作物亩均效益总体高于上年,加之农业补贴力度加大,使农民转移性收入不断增加。[①]

(三)农村经济制度改革

一是农村土地承包制度改革。1993年,中共中央、国务院印发《关于当前农业和农村经济发展的若干政策措施》文件,省委、省政府下发《关于发展农村市场经济的若干规定》文件;1994年,巢湖市制定《关于稳定完善农村土地承包制度改革的实施意见》文件,对全市农村土地二轮承包工作进行具体部署,确定在原板桥乡和高林镇先行试点,并于当年12月在板桥乡召开全市农村土地二轮承包工作现场会,开始土地二轮承包。到1995年10月,全市绝大多数农户同集体经济组织签订农村土地二轮承包合同,进一步强化所有权(土地集体所有)、明确发包权(村集体经济组织同农户签订承包合同)、稳定承包权(土地承包期为30年)、放活使用权(农民承包土地可依法流转)。1999年,承包土地的农户均领取了农村集体土地使用权证书。2010年,按照中央1号文件和省、市开展农村土地承包经营权流转试点方案精神,统一制定《居巢区农村土地承包经营权流转合同》等示范文本,在黄麓、中垾两镇积极探索农村土地承包经营权流转试点,严格土地流转操作程序,依法规范土地经营权流转行为,建立健全土地流转机制,着力搭建农村土地经营权流转服务平台。全区土地流转面积15.16万亩,占总面积的10.4%,涉及农户6.45万户。[②]

二是农村社会化服务体制改革。2002年,在乡镇机构改革中,将原有的乡镇农技站、兽医站、农机站、林业站、农经站以及水产站合并,纳入农村经济服务中心,为"三农"提供统一供种、统一排灌、统一防治、统一机耕机收、统一销售等各种社会化服务,着力解决一家一

[①] 巢湖市居巢区地方志办公室编:《居巢年鉴·2011》,黄山书社2011年版,第129页。

[②] 《居巢年鉴·2011》,第129页。

户办不了、办不好的难题。全区拥有各类植保防治队伍50个,年综防面积万亩以上。为提高农民组织化程度,不断加强农村专业合作组织建设,2005年,全区拥有各类农村专业合作组织32个,其中已注册22个,入会会员2532人,带动1万多农户,生产基地面积36万平方千米,养殖规模1200万头(只),年销售收入3000万元。

三是农村税费改革。1986年,实行任务定额包干、超收分成、减收分担的办法调动乡镇组织农业税收的积极性;狠抓午季征收,密切有关部门关系,采取收购部门代征和乡村政权组织力量上门征收并举的办法。当年完成农业税收入421.8万元,完成预算的110.5%。1994年,积极宣传新税制,强化税收征管,大力组织收入,对硬指标由收入股(室)将收入任务以文件形式下发,年终同奖同罚,各乡、镇、办事处财政所对调整后任务层层分解,建立岗位责任制,并列入政绩考核。当年农业税收入1232万元,增长1倍。1998年,农业税收入2993万元,完成预算的105%。2000年,根据中央、省、市关于农村税费改革有关文件精神,认真搞好农村税费改革工作,进一步规范农业税征管,切实减轻农民负担,促进农村经济发展。通过改革,农村人均负担由103.68元,下降到85.2元;亩均负担由93.31元,下降到76.67元,减幅31.5%。2004年起,根据中央关于农村税费改革有关文件精神,全区不再征收农业税。①

(四)工业概况

2005年,规模以上工业增加值实现9.58亿元,比1999年增长2.31倍,年均增长15%。农副产品深加工、轻工纺织、建筑材料等三大行业在规模以上工业中的主导地位显著,所占比重已达92.6%。1989年始,市政府把社会急需行业作为发展个体经济的重点,积极帮助个体工商户解决经营场地、原材料等困难,促进个体经济稳步发展。2003—2005年,随着企业改制的逐步完成,全区国有和集体企业

---

① 《巢湖市居巢区志(1986—2005)》,第360页。

基本上退出了原来的经济领域。经过改革和重组，恒生纺织、新巢水泥、巢湖锅炉、金巢酒业、富煌电控、华源、华鑫、安巢鞋业等一批民营企业逐步发展为新的经济增长力量；富煌、槐祥、金猴等一批原乡镇企业通过改革、改制已发展成全区民营经济的重要支柱企业。2004年年底，全区共有个体私营企业2.5万户，实现营业收入41.2亿元，上缴税金8100万元。其中，个体工商户2.4万户，从业人员4.16万人，私营企业1023户，从业人员1.09万人，自有资金和资本金分别是3.07亿元、10.09亿元。个体户户数、私营企业户数、自有资金、注册资本金分别是1989年的4倍、113倍、22.5倍、2967倍，经济总量从"配角"上升到"主角"。2005年年底，全区年销售收入500万元以上私营企业58家，产值超千万元的有26家，注册资本金100万元～499万元的有144户，500万～999万元的有44户，1000万元以上的有20户。富煌、金猴、南峰、驰野、大平、槐祥企业成为省级民营企业集团。有11家民营企业进入全市50强，进入全省50强3家、100强1家，进入全国500强1家。个体私营经济向区域化、专业化发展。2005年，民营经济占全区GDP提高到52%。[1] 2010年全区规模以上工业企业实现增加值31亿元，同比增长38%；完成工业固定资产投入37亿元，同比增长44%；全年新上工业项目107家。[2]

（五）工业经济体制改革

1986年后，居巢区工业经济体制改革经历三个阶段。一是企业经营制度改革。第一，实行厂长（经理）负责制。1986—1996年，实施深化企业改革，推行"能者上、平者让、庸者下"的用人机制，让有识、有志之士脱颖而出，使他们在企业管理中施展才华。同时，加强职工代表大会的监督作用，教育职工树立主人翁思想，把职工和企业管理者"两股劲"拧成一股绳，形成新的凝聚力和生产力。第二，推广企业

---

[1]《巢湖市居巢区志(1986—2005)》，第464-465页。
[2]《居巢年鉴·2011》，第125页。

承包经营责任制。承包单位建立"指标量化、百分考核、分档达标、奖惩结合"考核体系,从而激发承包者对生产经营的主动性和积极性。推行企业内部工效挂钩的分配机制,实行工效挂钩,进一步调动了职工的工作热情和工作积极性。第三,其他形式的改革。对市纸箱厂依法实施破产还债、分流职工;对集体企业市航运公司实施解体。一些小的二级独立法人实体企业与小型企业,因市场、资金、管理等因素,被市场淘汰或关闭,人员自行解散。

二是企业股份制改革。第一,全面推行股份制、股份合作制改革。早期在巢南的乡镇企业进行试点,后来逐步推广到市属工商企业。1997年8月1日,巢湖市召开企业改制动员大会,要求用3个月的时间,将全市100多户市属工商企业和200多个乡镇企业改制到位,不留死角。为强力推进,市里成立了以市委书记为政委、市长为指挥长的企业改制指挥部,当年10月底,预定目标基本实现。第二,实施"三改一加强"。主要包括改革、改组、改造,加强企业的内部管理。对一些不太成功的企业进行兼并与重组,一些产权不清、职工身份仍为"全民""集体"的不太规范的公司企业内部管理收效不大,对市场发展前景不大、竞争力不强的企业,如雕刻印花厂、蜗牛油漆厂等企业,通过改制,使其退出市场。①

三是企业"双置换"改革。2003年后,全区坚持以"企业产权、职工身份"双置换为核心,按照"全面改、彻底改、规范改"要求,全面推行改革。区委、区政府注重从思想政治工作入手,狠抓宣传发动,大造改革声势。特别是航运公司、棉纺厂、橡胶厂等企业相继赴省上访后,更是加大宣传力度。各有关部门通过致职工一封信、厂务公开栏、召开职工座谈会、上门走访等多种形式,开展政策宣传工作,宣传企业的实际情况,既讲道理,又算细账,让广大职工明白企业面临的形势、改制的具体内容和方法步骤,消除了职工"等、怕、愁"的思想情绪,自觉地理解改制,支持改制。

---

① 《巢湖市居巢区志(1986—2005)》,第338页。

截至2006年9月,全区列入市考核的各类企业210户,已改204户,完成97%,其中国有企业8户,已改8户;国有合作合资企业76户,已改70户;乡镇企业126户已全部改制。全区区属企业被列入改制的108户,全部完成改制。生产经营性事业单位中的临湖宾馆、城乡建筑设计院、春友种子公司等10户事业单位完成改制。

在改制过程中,各有关部门根据企业实际情况,尊重职工意愿,坚持能破不售、能售不股、依法操作、规范程序。在被列入改制的区属企业中,破产的23户,出售的80户,规范股份制改造的3户。共解除、终止职工劳动关系1.5万人,离退休人员办理医保5585人,参加协保、内退正在发放生活费的755人,累计支付改制成本4亿多元。

巢湖棉纺厂拍卖给福建客商组建恒生公司后,2004年6月份恢复生产,2005年1—8月份实现产值8572万元,生产能力不断扩大。市橡胶厂以1500万元被金猴企业竞买后,于2005年年初正式投入渔网生产,吸纳原企业职工300多人,当年8月底公司实现产值2100多万元。市水泥厂以1040万元价格转让给繁昌客商,70%的原企业职工重新上岗。临湖宾馆以2200万元拍卖给新文采集团,企业经营红红火火。百货大楼整体出售给徽商集团,改造成新的商业龙头企业。商业大厦以1680万元拍卖给浙江客商,改建为大乐购购物商场。其他如巢野、酒厂、化工厂、医药公司、春友种子公司等企业,改制后都焕发了新的生机活力。①

(六)工业管理体制改革

中共十一届三中全会以后,根据中央提出的"调整、整顿、改革、提高"方针,对工业企业先后实行承包到人、企业效益与个人利益挂钩的生产责任制,1986年,全市市属工业企业全部实行经济承包责任制。

---

① 《巢湖市居巢区志(1986—2005)》,第338页。

1988年,轻纺系统23个工业企业,除玻璃厂、服装厂、钟刻厂、鞋厂四家外,其余19家企业都先后落实了承包责任制。承包形式大体分三种:即利润递增包干,超利全留;利税包干,超额全留;定利计税,超收全留。[①]

1990年,市属企业继续稳定和完善承包责任制,对生产经营有成绩的,一般采取"滚筒法"继续承包,对确实有困难、有问题的企业,进一步完善,确保各项任务落实。

1992年,在分配制度上进一步完善计件工资制,向"一线"倾斜。为转换经营机制,改革不合理的用工、分配制度,制定了《企业经营者年薪制和责任追究制实施方案》,分配上坚持向管理人员和一线职工倾斜,重点企业签订目标责任书,法人代表缴纳风险抵押金。人事改革制度方面实行全员下岗,通过定编、定员、定责,层层聘用,竞争上岗。市水泥厂以用工制度改革为突破口,实行退养,鼓励留职停薪、辞职、待岗、转岗、下岗等"五制联动"方法,促进企业经营机制的转换。

为提高企业管理水平,1996年始,全市工业企业开展了"学邯钢、诸城,抓管理、练内功、增效益"活动,学习"丰原经验"和"含瓷精细管理经验",组织企业之间开展互相交流、互帮互学活动。[②] 研究制定了学邯钢、抓管理、增效益的措施,对企业的现场管理、成本管理做出具体要求,对影响成本的几个主要降耗指标进行量化,纳入企业年终考核。推行"厂务公开、民主管理"活动,将企业难点和热点问题向职工公开,接受监督。市橡胶厂在全厂范围内推行"成本倒逼",实行车间内部买卖制,采取比质比价采购,有效地降低了生产成本。通过强化内部各项基础管理,管理费用、销售费用、财务费用大幅度下降。巢湖棉纺厂向管理要效益,制定了十个方面的挖潜方案,层层落实分解到车间、班组,在机制、管理、质量、营销等六个方面挖潜增效。

---

① 《巢湖市居巢区志(1986—2005)》,第342页。
② 邯钢、诸城、丰原和含瓷经验的实质就是以经济效益为中心,依靠职工群众,按照市场的要求,建立起模拟市场核算、实行成本否决的管理机制。

1998年,全市工业按照逐步建立现代企业制度的要求,进一步深化改革。首先,抓好已改制企业的完善工作,加快劳动、人事、分配制度改革,建立科学合理、责任明确、赏罚分明的各种管理制度,切实转换经营机制。其次,深入开展学邯钢、学"丰原经验"活动,通过抓好各项基础管理,修改和完善标准定额及各项规章制度,提高定额管理水平;通过抓好成本管理,以市场价格倒逼成本的办法,将各项管理措施层层分解落实,建立严格的管理制度和经济责任制,严格考核,奖惩兑现;通过抓好财务管理,加强对资金的使用、管理和监督,加速资金周转,降低产品成本;通过抓好营销管理,加强市场调研预测,建立快速反应的信息网络,把握宏观政策变化,正确制定经营战略。加强营销队伍建设,加强售后服务,扩大宣传,提高企业和产品知名度。运用灵活的营销手段,引进现代管理方法,建立面向市场、运转高效的生产经营机制。①

2000年后,居巢区为促进工业发展,在管理上采取了一些重要举措。一是抓宣传,努力营造全民创业氛围。为进一步营造工业强区的氛围,积极协同市经信委、电台、电视台、《巢湖日报》等相关媒体加大对创业典型先进事迹的宣传。2010年,先后推选强坤建材、富煌集团、槐祥集团、娃哈哈食品公司、思维新型建材5家企业参选市首届经济人物评选,对带动全民创业工作的开展起到了积极的示范作用,成效明显。二是抓扶持,确保工业经济平稳增长。按照区委、区政府要求,深入实际,调查研究,对企业提出的有关土地证办理、融资难等问题撰写了专题报告,提请区政府等相关部门研究解决,同时按照区政府的要求制定和出台了《关于加快推进工业发展的意见》,进一步明确了工业发展的思路、目标及重点,完善了土地、财税、科技、融资及创业等扶持政策。三是抓项目,增强工业经济发展后劲。2010年,配合有关乡镇和企业编制备选报省及国家项目52个。积极向上争取资金。上报技术改造、技术创新、节能和资源综合利用、中

---

① 《巢湖市居巢区志(1986—2005)》,第344页。

小企业发展、服务平台建设、信息化等 30 多个项目。四是抓节能减排,促进工业可持续发展。加大对高能耗及环境影响较大的企业的监管与关停,先后制定了轮窑、石灰窑、独立破碎机等关停实施方案。2010 年累计爆破、拆除 15 家轮窑企业。①

(七)加快工业企业技术进步

工业上,在加强企业管理的同时,也加快了企业技术进步。1988 年,第二塑料厂、玛钢厂、染织厂、巾被厂、酒厂 7 个企业进行技术改造(简称"技改"),总投资额 961.4 万元,开发的新产品有乳胶手套、塑料大棚膜、清选脱粒机、胶辊式碾米机组、大蒜综合加工成套设备、印花床单等 6 个品种。

1992—1993 年,机械电子系统投入资金 1448 万元进行技改,开发中档不锈钢制品,新上改装车、汽车配件厂、东亚粮机总厂扩建项目。

1991—1993 年,轻纺系统投入技改资金 2550 万元,开发的新产品有橡胶厂的运动鞋、女式出口绣花鞋,食品机械厂的大蒜加工成套设备、花生剥壳机、板栗脱壳机,轻机厂的 4 千克系列锅炉,一塑的微膜、多功能膜,玛钢厂的非标准件,巢野的男女出口拖鞋,家具厂的汽车夜间会车双向自动变光器,圆钉厂的改拔丝,玻璃厂的节能灯罩、反光灯碗、出口玻璃灯罩,钢窗厂的推拉窗,取得了良好的经济效益。

1996 年,化建、机电系统新上 23 个重点技改项目,完成投资 4316 万元。市万达公司的"涌泉"牌水泵、市一塑的"农家富"牌塑料薄膜获得地区"十大名牌产品"荣誉称号。1997 年,市属重点工业企业实施技改项目 5 个,计划总投资 1.17 亿元,实际完成投资 6861 万元。市轻纺系统筹资 2 亿元,新建扩建数十项技改项目,市食品机械厂引进新技术,并同科研单位共同开发出豪华型感应式户外宫灯;市二塑生产出新型的纸塑复合包装袋;市一塑开发出微膜、多功能膜、

---

① 《居巢年鉴·2011》,第 126 页。

长寿膜等;市酒厂同省中医院合作开发出"培元益寿酒"以及市橡胶厂开发的"亚雷"牌旅游鞋等均受市场欢迎。

1998年,巢湖市乡镇企业新上技改项目319个,总投入2.66亿元,技改项目投入50万元以上项目54个,投资额1.02亿元,新增产值1.41亿元。当年,市属工业实施技改项目8个,累计完成投资9837万元。新扩建项目在引进外资、技术和品牌上有较大突破。

2001年,经济委员会系统企业共实施重点技改项目17个,投入资金9919万元,完成新产品、新技术开发项目36项,其中填补国内空白3项,达国内先进水平6项,省内先进水平22项。

2002—2003年,全区共实施重点技改项目27个,累计完成投资3亿元,完成新产品开发和新技术应用83项,1项产品填补省内空白,2项产品属国内先进水平。[①]

(八)商业概况

1990年以后,在社会主义市场经济体制和市场开放搞活环境下,商业系统受市场冲击最大,逐渐由优势行业变为劣势行业。1990年,全系统商品销售1.09亿元,实现利润123万元,上缴税金276万元;1995年,全系统商品销售2亿元,实现利润68万元,缴纳税金301万元;2004年,全系统商品销售9205万元,实现利润81万元,缴纳税金312万元。

"八五"期间,商业系统多渠道筹措资金,采取新建、扩建、改造、购置并举的方针,不断加大投资力度,投入网点建设和基础建设资金2020万元,国有、集体商业网点遍布全区城乡各地。1995年年底,全系统共有10个公司级企业(9个国有企业,1个集体企业),2个局办实体,80个独立核算单位,营业网点219个,商场面积总计5.05万平方米。其中,大中型商场5个,人均占有营业面积11.1平方米。20世纪90年代中期开始,个体私营商业网点如雨后春笋般地发展起

---

① 《巢湖市居巢区志(1986—2005)》,第343—344页。

来,在激烈的市场竞争中,国有、集体商业网点渐显颓势。自2001年开始,各改制企业通过利用国有资产存量资本来筹集改制成本,实行股、联、合、租、卖等形式,进行产权转换。从此,国有、集体商业网点逐渐被民营取代。[1]

2005年,社会消费品零售总额20.41亿元,比1986年增加8.28倍,年均增长12.44%。安徽商之都巢湖商场、巢湖安德利购物中心、华电超市、苏果超市等商贸企业不断发展壮大,市场日益繁荣。人民生活水平不断提高,城乡居民储蓄存款余额2005年比1986年增加了近百倍,农民人均纯收入由1986年的409元上升到3003元。[2]

2010年,全区外贸进出口稳步增长,实现外贸进出口6390万美元,其中,进口61万美元,出口6329万美元;利用外资实现新突破,引进外资项目5项,到位外资5860万美元;争取项目资金成果显著,争取项目五大类,转移支付三大类,争取项目资金2006万元,转移支付资金6077万元;内贸流通繁荣兴旺,社会消费品零售总额45亿元。[3]

(九)商业经营体制改革

1986年开始,市供销社所属公司、基层社实行定购进、定销售、定费用水平、定资金周转天数、定利润的"五定"考核措施,职工工资外的奖励收入同年度目标挂钩,公司、基层社对经营柜组实行多种不同形式的承包经营责任制,主要有:按完成销售额计奖惩、百元销售工资含量、代销商品提手续费等经营管理形式。同年9月,物资系统实行经理岗位责任制,以行政管理和经济管理两个方面进行打分考核,将经济承包和岗位职责有机结合。10月,外贸系统推行经济承包责任制,各业务股室实行"三包""三控制""四嘉奖""四扣奖""一鼓励"

---

[1] 《巢湖市居巢区志(1986—2005)》,第394页。
[2] 《巢湖市居巢区志(1986—2005)》,第465页。
[3] 《居巢年鉴·2011》,第150页。

的办法,来降低运营成本,拓宽业务渠道,促进效益提高。① 实行经济承包责任制,打破了"大锅饭",形成了"奖勤罚懒"的机制,调动了外贸业务人员的积极性,使企业的经济效益和运行质量明显提高。

1987年,商业系统实行体制改革,推行多种形式的经营承包责任制,推行企业人事制度改革,试行干部聘任制。

1988年,商业企业深化改革,国有企业全部实行公开招标、竞标承包经营,承包经营期一定3年不变,个别企业承包期可视情况而定。发包方为政府部门即财政局、商业局,承包方为国营商业企业。原则是:包死基数,确保上缴,超收多留,歉收自补。承包指标:实现利润、还贷(税前利税还贷、专用基金还贷),上缴财政。承包形式和范围:"内外双包",外包就是企业向国家承包,内包就是公司内部的层层承包;小企业以租赁为主。推行范围:饮服业、蔬菜调味副食品、糖酒等,以及修理业和商办工厂,工业品零售业、食品公司下属食品站。租赁主体:出租权属于国家,主管公司被国家委托为企业租赁时的出租方,但承租方不得层层转租。集体商业企业重点推行合股经营(商业系统归口集体商业),即职工集资与原集体股合二为一。通过合股,使集体的财产为全体职工共同所有。独立核算、自主经营,按劳分配,按股分红,利益共享,风险共担。②

1990年,商业系统实行第二轮承包经营。承包内容为:包实现利润指标、包上缴利润、包原始积累和发展后劲,同时实行工资总额同经济效益挂钩。承包形式:上缴利润、采取减亏分成或定额补贴等形式。承包期仍为3年。

1992年以后,在经济承包责任制的基础上,物资系统相继进行

---

① "三包"就是包收购计划,包上缴利润,包出口商品质量;"三控制"即控制车船费、住宿费、招待费,严格报批程序,控制接待标准;"四嘉奖"就是超额完成收购计划有奖,超额实现承包利润有奖,开拓出口新产品有奖,提供经营信息使单位获得经济效益有奖;"四扣奖"就是实行承包后,达不到规定指标要相应扣奖;"一鼓励"就是鼓励业务人员到外地去寻找渠道,组织货源,发展出口供货有鼓励奖。
② 《巢湖市居巢区志(1986—2005)》,第391页。

劳动制度、人事制度、分配制度的改革。在人事制度上，实行干部招聘任期制，坚持"能者上、庸者让"的用人标准；在利益分配上，坚持"按劳分配、多劳多得、少劳少得、不劳不得、奖勤罚懒"原则，破除"大锅饭""平均主义"的分配制度。1992年6月，成立巢湖市物质总公司，改变过去单一管理型为经营、管理、服务型。在经营上，科学决策抓市场，强化管理促发展，提高了企业对市场的应变能力，企业效益不断提高。

1994年，外贸系统实行资产重组和人员优化组合，形成了独立核算、具有独立法人资格的外贸粮油食品公司、外贸土产品公司、工业品公司、综合贸易公司、畜产公司五大国有企业，并进一步完善"三包""三控制""四嘉奖""四扣奖""一鼓励"的经济承包责任制，推动了外贸企业的发展。

1995年，供销系统根据《中共中央、国务院关于深化供销合作社改革的决定》要求，按照政企分开的原则，供销合作社退出政府行政机构序列，成立理事会，代表企业行使用人权，企业重大经营、投资活动的审批权，企业经营管理的监督检查权，享有财产受益权，但不干预企业具体的经营业务活动。所属企业是独立的企业法人，拥有经营、用工、分配等自主权，走上了自主经营、自负盈亏、自我发展、自我约束之路。在组织结构、经营方式和管理机制三个方面深化改革，实行工资与经济效益挂钩，根据不同的岗位确定相应的工资津贴。所属企业的工业品柜组实行抽底承包，生产资料柜组则实行百元销售工资含量拿手续费、包耗损的承包形式。至1998年，基层社工业品经营门点全部完成抽底承包，化肥、农药、农膜等农业生产资料60%以上实现了抽底承包经营。

1996年，物资系统成立物资集团总公司，明确企业经营方向，推行了租赁承包经营、风险抵押、盈亏自负、超额分成的制度，学习邯钢经验，实行成本否决制。

2000年，供销系统除棉麻系统及所属扎花厂和生资公司外，全部实现以退足退够为目标，将集体流动资金从传统的商品经营中退出,全面推行承包经营合同制,将商品经营权彻底过渡给职工,建立适应市场经济发展的新体制。

1986—2004年,全区粮食企业以法人企业为核算单位。1987年,按照粮油商品流转计划和按规定提起的加价款、差价款实行财务包干。1988年,财权、物权下放,把粮油议价经营下放到区粮站核算,对各粮站实行"包死基数,确保上缴,超收分成,歉收自补"的办法,市粮食局与企业签订承包合同,年终按合同兑现。1999年,各企业根据自身实际情况,实行以二级机构为单位承包经营,在一定程度上,调动了职工积极性。1986—1988年,在资金管理中,制定了一系列管理制度,开展非商品资金的清理工作。1990年,成立粮食系统"资金结算中心",压缩结算资金占用,加速资金周转,提高资金利用率。1995年,实现资金管理"五无",即职工无挪借、现金无事故、企业无保贷、收购无白条、财产无外借。1998—2003年,实行收购资金封闭运行政策,专款专用。2004年,实行收购资金抵押贷款。对大额费用(3000元以上)实行领导班子集体研究、费用开支严格审批制度,即经手人、证明人、复核人、审批人,缺一不可。同时,还制定了招待费、出差费、修理费、医药费、通讯费等一系列管理办法,堵塞漏洞,推进企业按章经营。[1]

2010年,城区人民路商业步行街相继建成营业,巢湖百大、乐天玛特、沃尔玛、苏宁电器等大型商场超市进驻巢湖市并投入经营,区内商业流通骨干企业28家,部分商场超市深入乡镇和新建小区,建立连锁经营网点和综合型商场超市36处,餐饮服务业1200多家,典当拍卖4家,汽车销售、二手市场5家,成品油供应站24处,生猪屠宰厂17个。制定《2010—2012年全区城乡农贸市场建设规划方案》、城西农副产品批发市场建成运营,城南农副产品批发市场顺利关闭,望城农贸市场投入新建,城北、城西菜市场实施省级改造,投资155万元完成城东菜市场改造扩建项目,投资47万元对城乡农贸市场整

---

[1] 《巢湖市居巢区志(1986—2005)》,第392页。

治修缮，改善经营环境和卫生保洁。

在商贸经济政策上，2010年，全区主要以服务巢湖新发展、城市大建设、路桥大会战为契机，推动商贸企业规模建设、市场开拓、城乡商业网点规划布局。主要采取市场调控和政策资金扶持，制定渔网渔具出口扶持奖励措施，产业集群镇建设、中小企业市场对接、进出口企业孵化培育、新产品研发及项目建设等促进政策，扩大产业持续发展能力，提升商贸产业在区域国民经济发展中的份额。[1]

（十）城市规划建设

1984年，巢湖市政府聘请北京大学组织编制了《巢湖市城市总体规划（1985—2000）》。1991年，划定巢湖市城市规划区范围为：北至7410工厂、省维尼纶厂，以长腰山、岠嶂山的100米等高线以下为界；南达望城岗省区测队、抱树桥一线；西及龟山、东风石矿；东到油泵厂、鲍田铺。半汤镇、鼓山风景区、半汤路两侧各50米为城市规划区范围，整个规划区范围为56.84平方千米。

1995年，聘请了安徽省建筑工程学院组织修编了《巢湖市城市总体规划（1995—2010年）》，完成了重要地段和居住小区的详细规划设计。1996—1999年，以"扩容、重特、活水、增绿"的指导方针修编城市第二轮总体规划；先后完成了新区开发规划、环城路拆迁规划、市政府广场拆迁改造规划，确定了向阳路延伸段改造规划方案以及草城小区、圩墩等11处开发段的规划方案，完成了10余条道路改造，打通四门，拉开城市建设框架。

1999年撤地设市后，市政府聘请中国规划设计研究院组织新一轮《巢湖市城市总体规划（2000—2020年）》修编，于2001年12月28日经省政府第96次常委会批准实施。围绕《巢湖市城市总体规划（2000—2020年）》，市建委先后组织编制巢湖经济技术开发区分区规划；城市道路、排水、防洪排涝、水环境、园林绿地系统等专项规划；城

---

[1] 《居巢年鉴·2011》，第151页。

北转盘、四联集团地段、半汤新区、贾塘圩片区、老城区控制详细规划、半汤水景公园修建详细规划、放王岗用地性质调整及控制性规划、巢湖市中小学布点规划、加油站布点规划、商业网点规划、巢湖市港口码头区规划等；确定了5个街道办事处（镇）的社区服务中心和28个社区服务站的网点布局，使市区规划编制覆盖率达95％。[1]

在城市规划建设的同时，老城区改造工程也在展开。1984年撤县建市后，城市规模按照30万～40万人口、40～50平方千米面积的中等城市框架实施旧城改造工程。1988年，在旧城区建成2.57万平方米的朝阳门市场；1994年，改造东河街，建成2.8万平方米的天湖商场；1996年，改造东风西路片，建成占地2万平方米的集商贸、办公、娱乐、住宅、金融为一体的金巢商贸区；1998年，完成北大街改造工程，建成5.1万平方米的南巢商业街；改造天湖商城至市府广场地段，建成4.5万平方米的东风花园商业住宅区；建成了占地近4万平方米的区政府广场和占地近10万平方米的水上体育公园。1993年拆迁旧房面积15.86万平方米，1998年后改造洋码头、西河街和市染织厂3个旧城地段，拆迁总面积为4.28万平方米。至1999年年底，先后修建团结路、西坝桥、团结路立交桥、团结路洗耳桥、健康西路桥、草城街立交桥等；完成环城河治理工程，滨湖大道一、二期工程；延伸拓宽巢柘路、巢南路、东风路、官圩路、长江路、人民路、健康路、天河路、半汤路、环城路、牡丹路等市区交通干道；建造卧牛山公园、环城河公园、洗耳池公园、鼓山公园、湖滨公园、望城公园、龟山公园、儿童公园、百花园、荷花园、西圣小区景点、团结路街心景点等城市园林景点。[2]

2005年7月，居巢区成立规划分局，内设3个股室，1个规划监察大队，选聘53名社居村规划专管员。至2005年年底，对1990年4月1日后的违法建筑进行全面调查摸底，共调查登记违法建筑户

---

[1] 《巢湖市居巢区志（1986—2005）》，第102页。
[2] 《巢湖市居巢区志（1986—2005）》，第102页。

7224户，违法建筑面积85万多平方米。依法强拆违法建筑面积4259平方米，查处群众举报和上级批转的违法建筑案件116起，查处违法建筑264户，违法建筑面积2.2万平方米。同时根据《巢湖市城市规划区个人住房建设管理办法》，复审个人建房552户，面积6.62万平方米。完成37个居民点和居民小区的规划选址定点工作，其中居住小区19个、居民点18个，启动实施东风等4个居住小区和居民点的规划编制工作。①

2010年，居巢区规范程序，抓好城管案件的查处。对城市管理中非法出店经营、挖掘占道、乱设摊点、户外广告案件，严格按调查、取证、事前通知、依法处置程序，全年查处城管案件100多起，且做到了依法行政、程序完善、文明执法，提升了城管监察水平和街容巷貌。

专项整治，改善街巷和校园周边环境。严格按照市容环境秩序的要求，实行点、面结合，多次组织对重点路段东坝口、天湖商城、量具厂、草城街、市委党校路的摊点、户外广告、"五乱"等实行专项整治，发出各类通知、通告及城管法规宣传资料700余份；教育制止随意出店经营100余次；宣传教育、规范违章占道经营的菜农、游商300余人；集中整治违章占道"钉子户"35户；暂扣屡禁不止、违章占道摆放的各类物品53件；取缔违章设置软体广告40余幅，取得了显著成效。

街巷改造，切实创建服务。2010年全区投资200万元，按"先中心、后外围、先市区、后城郊"的原则，对城区内下水不通、道路破损严重、出行不便以及没有硬化的25条小街小巷进行了改造，建设上公开透明，管理上严格监督，验收上保证质量。②

(十一)文明城市创建

1996年，城市管理委员会与市文明办合署办公，下辖城管监察

---

① 《巢湖市居巢区志(1986—2005)》，第102页。
② 《居巢年鉴·2011》，第155页。

大队、环卫处、拆迁办和广告办等创建职能部门。按照"集中领导,条块协作,以块为主,以条保证"的原则,强化市容环境整治。1997年以"三个覆盖"和"四个延伸"为重点,全面推进文明城市创建工作。① 全年开展综合整治68次,清理店外店6200余起。开辟4个便民市场,安置187个固定摊位,环卫处新建39座冲式公厕,垃圾房97座,购置垃圾袋装收集车310多辆,洒水车1辆,果皮箱200只,清运垃圾4.38万吨,彻底改变了"垃圾围城"现象。市广告办先后清除残旧标牌510块,新设"市民文明公约""巢湖市精神"等社会公益性广告牌200块。

1998—1999年,全面贯彻《安徽省城市市容和环境卫生管理暂行办法》,巩固"三个覆盖"和"四个延伸"的成果,以"四个起来"和"六化"②为重点,全方位推进文明城市创建工作,下发了《巢湖市民素质教育实施意见》,编印《市民文明读本》,开办市民文明学校,强化对市民的文明素质教育。

2000—2001年,创建办与文明办合署办公,文明城市创建围绕"两个拓展"(向思想道德领域拓展和向精神文化领域拓展)开展工作。全区各地投入资金228万元,清除卫生死角176个,清除乱贴乱画4000多处,修补道路5万平方米,刷白墙面87万平方米。

2002—2004年,把居民小区、小街小巷、社区建设、党政机关和企事业单位的日常管理作为城市创建工作的着力点。城区5个街道办事处以治理小街小巷和居民小区的乱堆乱放、乱披乱挂、乱停乱靠、乱搭乱建和乱贴乱画等"五乱"问题为重点,清理杂物360多吨,布幔、条幅490余条,乱贴乱画8000多处,制止乱搭乱建80余处,纠正乱停乱靠等行为3000多起,跟踪打击制乱人员38人。2005年,全区各地共投入资金10万多元,组织人力3800人次,刷白墙面10万多

---

① "三个覆盖"是指垃圾袋装覆盖全城、绿化覆盖全城、四个延伸覆盖全城;"四个延伸"是指向机关庭院延伸、向市场延伸、向小街小巷延伸、向居民生活区延伸。

② "四个起来"是指把马路让出来,把车辆控起来,把垃圾装起来,把门前包起来;"六化"是指垃圾袋装化、小区硬化、设施配套化、环境净化、城市绿化、市容美化。

平方米,清理卫生死角 24 处,清理垃圾 400 吨,清除杂草 30000 平方米,清理水面 100 多万平方米,疏通下水道 3500 米,修整花坛 300 平方米,刷新墙面 7 万平方米。①

2010 年,全区文明城市创建工作按照区委、区政府的统一部署,以争创省级文明城市为目标,认真贯彻《安徽省文明城市创建管理办法》的要求,围绕文明委"净化、绿化、亮化、美化"的要求,明确任务,细化职责,将创建全省文明城市的各项目标任务层层分解,狠抓落实,努力提高文明城市创建整体水平。②

(十二)文化体制改革

20 世纪 80 年代中期起,市文化管理部门开始对不适应市场经济发展的文化体制进行改革,以建立国家、集体、社会和个人共同兴办文化事业的新格局。

1988 年,市文化局对市文化馆和各基层文化站实行目标管理。20 世纪 90 年代初,文化局在原有集体办公的基础上,实行了明确分工、归口负责管理体制,分别设立了巢湖市文物管理所、巢湖市文化市场管理股、文化事业股、人秘财务股。同时,对全市文化事业单位人员编制进行认真核查、研究、定编。1991 年,电影公司、图书馆、文化馆、巢湖电影院和人民剧场均明确了单位性质和内设机构。市人民剧场公开招聘经理,剧场的经济实体(文化教育书店)实行"工效挂钩",市电影公司和巢湖电影院实行结构工资。20 世纪 90 年代中期后,市文化管理部门职能转变为:强化全市各项文化事业的宏观管理,从主要依靠行政手段转向依靠法律、经济、行政相结合的综合管理,从偏重管理直属事业单位和文化系统,转向管理全市文化事业;从偏重"办文化",逐步过渡到"管文化";加强对文化市场、文物、文化经济、群众文化、文化艺术生产、文化艺术制作的管理,增强协调、指

---

① 《巢湖市居巢区志(1986—2005)》,第 595 页。
② 《居巢年鉴·2011》,第 34 页。

导、监督、检查、服务职能。20世纪初,巢州电影院与区电影公司脱钩,自行联系片源组织放映。两单位在用工制度上推行竞争上岗和聘任制,解决了"铁饭碗"问题,在分配上定岗定责,绩效挂钩。区电影公司推行减员分流,竞争上岗,并组建了市经纬旅行社。

1992年,全市农村文化站进行移交和人员调整,原来7个区级文化站和3个乡级文化站的人、财、物"三权"全部移交乡政府管理,市文化局保留对街道文化站的"三权"管理。2001年,区文化局重点抓各乡镇文化、广电合并工作,对文化、广电站站长进行业务培训。2004年,区文化广电局将全区基层文化广播站分为中心镇、一般乡镇、街道办事处三类,制定了相应的建设标准,规范了乡镇、街道文化事业建设。

20世纪80年代后期,市文化局要求全市文化系统破除"文化不经商、不理财"的旧观念,抓第三产业,所有文化事业单位要办成两个实体,即文化实体和经济实体。文化馆、电影公司、图书馆、电影院相继成立了经济实体。

1988年,全市拥有中心文化馆一个,区级文化站13个,乡(镇)文化站41个,乡乡有文化站。同时,为将群众文化推向市场,巢湖市专业剧团(庐剧团)于同年撤销。电影事业也逐步实行"三个过渡",即集体包场向售票放映过渡,露天电影向室内电影过渡,小电影机放映向大电影机放映过渡。2002年1月,区文化广电局以文化馆为主体,尝试文企联姻,共同发展,与富煌集团组建了安徽富煌艺术团。①

1988年,市文化局在农村试办图书馆。1991年,市图书馆实行了无偿为主、有偿为辅的双轨服务体系。1994年起,市图书馆在全国公共图书馆评估定级中,不断加强自身建设,连续两届被国家文化部评为县级"二级图书馆"。

1989年,成立巢湖市整顿文化市场领导小组,把"扫黄打非"作为反对资产阶级自由化的一个组成部分,对全市书刊市场、仓库进行突

---

① 《巢湖市居巢区志(1986—2005)》,第517页。

击全面清查,查缴黄色书刊 2.02 万册。随后在市一中举办了"清除精神污染,开展反腐蚀斗争——巢湖市查封书刊内部展览"。1991年,文化市场进一步放开,个体经营队伍不断扩大,办理证照从事文化经营的有 239 户,其中书刊租售摊 72 户,电子游戏 23 户,摄影、彩扩 23 户,印刷厂 24 户,复印、电脑打字 17 户,玻璃工艺 19 户,桌球 19 户,咖啡厅 6 户,录像放映 3 户,综合性游乐场 2 户,其他门类 7 户。为加强市场管理,组织建立了集文化、工商、公安为一体的文化稽查队伍,颁发了省文化厅统一制发的文化市场稽查证和稽查标志,并制定了《巢湖市书刊市场、印刷、音像、娱乐市场管理暂行规定》《巢湖市文化市场收费暂行条例》。同时,为全市文化经营单位重新登记,核发省文化厅制发的《文化经营许可证》,清理书刊进货渠道,管理无证经营和非法出版物,取缔用于赌博的游戏机、跑马机、转盘机。对一些从事文化经营的困难户和残疾人在收费上给予减免。20 世纪 90 年代后,市文化局联合工商、公安、广电等部门常年进行文化市场检查,收缴非法出版物,取缔无证经营的地摊书刊,对娱乐场所进行普查登记,举办书刊经营者培训班,对音像市场进行治理,收缴夹杂色情内容的录像带,对歌厅、舞厅、卡拉 OK 厅实行了定级,协调有关部门对巢城区域内所有含有不良文化的企业名称和商店牌匾进行全面清理,取缔黑网吧,对全区娱乐场所进行消防安全大检查。①

2010 年,全区形成以区文化馆为龙头,乡镇综合文化站、农家书屋、文化信息资源共享工程村级服务点为载体的区、乡、村三级农村公共文化服务网络。农家书屋工程扎实推进。顺利完成 2010 年 30 个农家书屋建设任务,截至 12 月,全区共建成农家书屋 86 个,每个书屋面积达 20 平方米以上,配备了书屋专用的阅览桌凳,配有图书 1462 册、电子音像制品 106 张、报刊 34 种,每个书屋都配备了专职或兼职的管理员,建立了相应的规章制度,条件好的村还自行配备了放映机、电视机、电脑等设备。每个书屋都能坚持正常开放,为广大群

---

① 《巢湖市居巢区志(1986—2005)》,第 518 页。

众读书求知提供方便。

2010年,全区共开展送文化下乡演出10场,各类大型群众性文化活动20多场,协助配合有关单位、街道、社区演出12场。先后举办、承办了区"两会"专场文艺演出、庆祝三八国际妇女节100周年文艺演出、"梨园风采"商贸文化联姻文艺展演、民间腰鼓汇演、居巢区老年红歌会、庆祝新中国成立61周年广场文艺演出、"服务巢湖大建设"专场演出、第六次全国人口普查专场文艺晚会等大型文艺活动,内容丰富多彩,一批优秀的文艺新人和作品登上舞台,丰富了广大群众的文化生活,陶冶了情操,受到社会各界的热烈欢迎和上级领导的充分肯定。[1]

(十三)倡导文明新风尚

一是开展"五讲四美三热爱"活动。1981年,全国总工会、团中央、全国妇联和中国爱卫会等9个单位联合发出《关于开展文明礼貌活动的倡议》后,全县开展了以"五讲四美"为主要内容的文明礼貌活动。1982年3月,巢县开展了"全民文明礼貌月"活动。同年,"五讲四美"活动增加了"三热爱"的内容。1985年,进一步深化"五讲四美三热爱"活动,积极倡导文明、健康、科学的生活方式,在农村以治村育人为目标,开展评"三户"活动,即守法户、文明户和"五好"家庭户;在城市以培育有理想、有道德、有文化、有纪律"四有"新人为目标,开展创建文明街道活动;在窗口行业以提高服务质量为重点,加强职业道德建设,广泛开展"文明街道""文明村""文明车间、工厂""文明商店"和"文明医院"等评选活动。1986年年底,全市共评出文明村475个、优美环境先进单位14个、文明街道2个、文明商店26个、守法户12.45万户、文明户1465户、"五好"家庭1.46万户。

二是开展"讲文明树新风"活动。1984年始,在全市组织开展"学雷锋、树新风"活动,全市成立950多个学雷锋小组,给离退休教师、

---

[1] 《居巢年鉴·2011》,第194页。

街道"五保"户、敬老院送温暖,义务修理家用电器,开展卫生、医疗保健、法律咨询服务,城区建立40多个服务区、服务点,做好事5万多件。1990年,召开全市学雷锋先进集体、先进个人表彰大会,表彰先进集体50个,先进个人132人,并组织"雷锋事迹报告团"到全市各地做16场演讲报告。1997年后,按照中央文明委的部署,广泛开展"讲文明树新风"活动,弘扬中华民族扶危济困、互帮互助的优良传统,开展形式多样的送温暖、献爱心活动。在城市以市民公约为准则,大力开展"文明单位""文明小区"的评选活动;在农村充分发挥妇女禁赌会、民事调解组织的作用,加强社会公德建设;在广大青少年中开展创建"青年文明号"和向不文明行为告别等活动,提高广大青少年的文明素质。文明办还组织各地开展"好媳妇""好公婆""好军嫂""十佳贤内助""人民满意基层站所""巾帼文明示范岗"的评选表彰活动,树立文明健康的社会风气。

三是开展精神文明先进典型评选活动。1994年,省文明委决定在全省范围内组织开展三年一届评选精神文明"十佳人物"的活动,1996年,开展月评精神文明"十佳事迹"活动。银屏镇民政办副主任孙志农2001年被评为省第三届精神文明"先进个人",庙岗乡三份村农民王锋铃2004年当选为省第四届精神文明"十佳人物"。中埠中学教师周正芳扎根基层30年献身乡村教育事业,巢湖天河房地产公司经理刘德鉴捐资80万元建设乡村小学等18件先进事迹入选省精神文明"十佳事迹"。到2003年,居巢区文明委共举办3届全区精神文明"十佳人物"评选活动,袁世业、管绍仲、高燕等30名先进典型被评选为全区精神文明"十佳人物"。

四是开展公民道德建设。2002年,区委宣传部和文明办制定了《居巢区公民道德建设系列活动计划》,在全区宣传思想工作会议上进行动员部署,广泛开展"三做"(在社会做一个好公民,在单位做一个好职工,在家庭做一个好成员)活动。当年,组织全区公民道德建设知识竞赛,30个代表队参赛,赛后组队参加全市、全省公民道德建设知识竞赛,分别获一、二等奖。2003年9月20日,围绕全国第一个

"公民道德宣传日",文明办牵头组织工、青、妇、计生、司法、卫生、地税、信用联社等单位,组成14支青年志愿者和巾帼志愿者服务队,实施了37个便民服务项目。[①] 2010年,全区大力加强未成年人思想道德建设,开展了全区未成年人思想道德建设"三位一体示范工程"的创建活动。烔炀镇凤凰村被评为市级示范村,巢湖市八中、烔炀镇小学、汇文中学等3所学校被评为市级示范学校,烔炀镇小学被评为全省未成年人思想道德建设"百千万工程"示范学校,87户家庭被评为省级"百千万工程"示范家庭。[②]

五是开展"信用居巢"系列创建活动。2004年,区委、区政府出台《关于在全区农村开展"学习沭集经验,创建信用居巢"活动的实施意见》,开展"信用居巢"系列创建活动。文明委与《巢湖日报》联合开展诚实守信研讨活动,在全社会营造"讲诚信光荣,不讲诚信可耻"的良好氛围。区工商局在个体工商户中开办"文明学校",加强诚信教育,提高个体工商户的诚信经营意识。在农村,各乡镇以建立农户"信誉档案"为载体,在农村开展创建"信用居巢"活动,出现了槐林、黄麓、西峰三个乡镇和蜗牛山街道办事处"信誉档案"工作的好典型。文明委制定了《关于进一步加强和改进未成年人思想道德建设的目标任务分工》,明确45项工作的牵头单位和责任单位,文化、教育、妇联、团委等部门强化引导,拓宽教育渠道,开展系列教育与实践活动,努力构建学校、家庭、社会和实践"四位一体"的教育网络。[③]

六是开展"讲文明、树新风"活动。广泛开展"微笑大使"评选活动。2010年8月5日,组织有关部门开展了"和悦杯"巢湖首届"微笑大使"申报评选活动。各地各部门积极组织选手申报参赛,至9月底共15名选手参加了复赛,黄莹、张丽两位选手进入半决赛,其中黄莹当选为巢湖市首届"微笑大使"。精心组织"中华经典诵读"展演活动。为弘扬中华传统文化,区文明办按照市文明委的部署,在全区中

[①] 《巢湖市居巢区志(1986—2005)》,第598-599页。
[②] 《居巢年鉴·2011》,第34页。
[③] 《巢湖市居巢区志(1986—2005)》,第598-599页。

小学生中组织开展了"中华经典诵读"活动,并遴选推荐 96 名选手参加全市"中华经典诵读"展演活动,积极引导青少年诵读经典,热爱中华文化,弘扬中华文明。深化拓展"我们的节日"活动内涵。利用春节、清明、端午、中秋、重阳等重要传统节日,组织各地各单位结合实际开展了民俗和文化娱乐系列活动,突出"我们的节日"文化内涵。团区委、区教育局注重利用主题班会、主题教育课、校园征文、体验实践等活动,加强对广大青少年学生进行爱国主义和革命传统教育。①

(十四)教育改革

十年浩劫结束后,巢湖根据实际情况,对小学教育做了适当调整。据 1979 年统计,全县小学减至 467 所,在校学生 12.63 万人。巢湖还对教师队伍进行了调整。全市民办教师,通过考试和考核,能胜任的发给合格证书;勉强能教课的继续留用,使其在工作中提高;少数确实不能胜任的则予以辞退,发给其一次性补助。截至 1985 年,全市共有中心小学 56 所,一般小学 426 所,省、地、市厂矿职工小学 18 所。在 3812 名专任教师中,中师、高中毕业及高于中师、高中毕业学历的 2349 人(其中中师毕业的 1110 人),中师、高中肄业及初师、初中毕业的 1312 人(其中初师毕业的 154 人),初师、初中肄业及以下学历的 151 人。随着师资质量的提高,加之各项政策的落实,调动了教师工作的积极性,教学质量逐年上升。截至 1985 年,全市除少数乡、村尚有少数学龄儿童未入学外,基本上普及了小学教育。②

1979 年,巢湖教育行政部门贯彻中央"调整、改革、整顿、提高"的八字方针,调整学校布局,确定初中规模,压缩普通高中,逐步改变中等教育结构。到 1985 年年底,全市共有完中和高中 15 所,初中 39 所,基本上做到每乡 1 所初中,每区一所完中或高中(五中、银屏高中、青山中学 3 个学校已改为中等专业学校)。此外,省、地两级在本

---

① 《居巢年鉴·2011》,第 37 页。

② 《巢湖市志》,第 795 页。

市办的有巢湖师专附属中学、7410厂学校、巢湖水泥厂学校、安徽省维尼纶厂学校、东风石矿学校、巢湖油泵厂学校等6所。[①]

至1991年,基础教育实行了分级办学、分工管理,市区基本完成了将小学下到区级管理;农村实行县、乡(镇)二级办学,县、乡、村三级管理,明确了各级办学和管理的责任制。2001年,随着政府机构改革和农村税费改革,进行新一轮管理体制改革。2004年,在全区积极稳妥地推行农村义务教育管理体制改革,基本实现了农村义务教育"由乡镇为主"到"以区为主"的转变,实现了"一破三立"目标;撤销了乡镇教办,成立中心学校,其职能分别由中心小学和初中承担;成立区教育核算分中心,建立区教育人才管理中心。正确处理区、乡镇关系,充分调动乡镇支持教育的积极性。

2001年后,共撤并危房面积大、办学效益低、布点不合理的中小学20余所,全区中小学校总数由312所减少到297所,教育布局趋于合理。同年,拨入资金5142万元,改造各类危房8.35万平方米,其中D类危房6.8万平方米,新建各类校舍10.38平方米。通过对资源的整合优化,全区教育工作整体素质有了较大提高。一批骨干学校脱颖而出,市四中、烔炀中学跨入了省级示范高中行列,市六中、槐林中学、柘皋初中、人民路小学和烔炀镇中心小学荣获市级示范学校称号,市三中、七中等学校的初中教育教学质量明显提高。

通过请进来、送出去、上下交流、左右互动形式,广泛开展了校长培训、课改培训、教师岗位培训、新教师岗位培训和中小学教师继续教育工程。全区教师共有3万多人次参加了各种形式的培训,轮训校长559人次,广大教育工作者的政治业务素质大为提高。在大中专毕业生分配上,坚持向教育倾斜,2000—2005年,全区共录用中小学教师676名,充实到基层一线,师资队伍建设进一步加强,专业结构进一步优化。

---

① 《巢湖市志》,第802—803页。

全区职业教育改革不断深化,已有3所职业学校被省教育厅批准为省级中等职业学校基本合格学校。成人教育通过脱产进修、在岗学习、短期集训等多形式稳步发展,全民素质进一步提高。幼儿教育入园率显著提高,特别是农村幼教工作有了较大的发展,基本实现了乡乡有幼儿园。全区拥有幼儿园34所,其中,民办幼儿园33所,市中心幼儿园、阳光特色幼儿园、西苑双语幼儿园等规范有序,全区幼儿入园率达60%以上。

以实施"四制"(校长负责制、教职工聘任制、岗位责任制和校内浮动工资制)为突破口,改革学校内部管理体制。1998年,出台《关于加快发展教育事业的决定》,启动了全区教育管理体制改革工程。通过点上示范、面上推开的办法,全区中小学内部管理体制改革取得了明显的成效。至2001年8月底,95%左右的中小学实行了"四制"。[①]

2010年,全区教育战线坚持贯彻落实科学发展观,以"办人民满意的教育"为宗旨,坚定不移地实施科教兴区战略,加强师资队伍建设,优化教育资源配置,深化教育课程改革,全面推进素质教育,提高教育教学质量,不断满足人民群众对优质教育的需求。至年末,全区拥有公办中小学校232所,其中职业中学4所,普通中学40所,小学188所。中小学在校学生9.44万人,其中,小学4.86万人、初中2.77万人、普通高中1.16万人、职业高中6502人。全区中小学现有教职工5611人,其中,普通中学2666人,职业高中210人,小学2735人。另有,中师1所,教职工62人,学生396人。民办学校11所,在校学生7584人,各类幼儿园69所,学前3年在园幼儿1.68万人。[②]

---

① 《巢湖市居巢区志(1986—2005)》,第503页。
② 《居巢年鉴·2011》,第191页。

第二节 1979年至2011年的庐江

一、开启改革开放之路

(一)农村经济改革

1978年,庐江县发生了历史上罕见的特大旱灾,有91.52万亩农田受旱,秋种无法进行。① 根据中共安徽省委的意见,允许部分社队将集体耕地借给社员种麦子和油菜,实行谁种谁收谁有,极大地调动了农民抗灾、秋种的积极性。1979年,在全省各地搞多种形式农业生产责任制的影响和推动下,全县有2703个生产队实行包产到组,占生产队总数27%。由于当时县委认识不统一,强调"责任制不能走样子""不许包产到户,不许分田单干"。1980年采取了收缩的做法,以划小生产队代替生产责任制。是年,又遭水灾,双季晚稻大减产,加之"大呼隆"生产,抗灾积极性不高,使全县粮食减产3亿多斤,农民人均纯收入降到52.8元。而周围实行联产承包到组、到户,特别是搞"大包干到户"的地方,不但减产少,多数还增产增收。同年秋后,许多群众自发地搞起包干到户。在国家富民政策的推动下,实行家庭联产承包责任制已势不可当。到1981年春,全县实行包干到户的有1.15万个生产队,占生产队总数98.5%,其余177个队秋后也都相继实行了包产到户,农户普遍增产增收。到1982年,农民人均纯收入迅速增加到181元,超过历史最高水平。1985年,人均纯收入达

---

① 庐江县地方志编纂委员会编:《庐江县志》,社会科学文献出版社1993年版,第157页。

到 288.2 元。①

与此同时,林业实行稳定山林权、划定自留山、确定林业生产责任制的"三定"政策。1981 年 8 月,在冶山公社新华大队进行试点,9 月分两批在全县铺开,至次年春全面结束"三定"工作。但因管理制度不完善,偷盗林木时有发生,加之群众怕政策变化,乱砍滥伐林木,并要求瓜分社队林场。对此,中共庐江县委及时进一步宣传贯彻森林法,落实林业政策,刹住"砍伐风",使 374 个社队林场得到巩固发展。②

随着农业生产责任制的完善和发展,全县农村普遍进行了第二步改革,逐步调整了农村产业结构,发展多种经营,大力发展乡镇企业,扶持发展专业户。到 1985 年,全县农村涌现出专业户 1740 个,各种经济联合体 698 个,从业人员 3647 人。③ 这一新型体制的出现,使农村经济改革得到进一步深化和发展,加快了农村物质文明和精神文明的建设。

随着家庭联产承包责任制的实行,人民公社的管理体制已经不能适应现实的需要,必须对之进行改革。到 1984 年,全县 74 个公社改为乡、镇,561 个生产大队改为行政村,9692 个生产队改为村民小组。④ 至此,人民公社制度结束。

上述改革,促进了农村经济的快速发展。加之 1983 年庐江又被列为首批全国商品粮生产基地县之一,通过商品粮基地建设,农田水利和农技推广条件得到改善,加速了优良品种的引进推广和新技术的普及应用,农业生产水平大大提高。1989 年粮食亩产 300 公斤、总产达 50 万吨。畜牧、水产业同步并不断发展。茶园种植面积逐年扩大,茶叶生产不仅注重总产的增加,而且着力开发"白云春毫"和"潜川雪峰"等名茶。林业生产,以国营林场为示范,大办社队林场,全面

---

① 《庐江县志》,第 158 页。
② 《庐江县志》,第 515 页。
③ 《庐江县志》,第 158 页。
④ 《庐江县志》,第 155 页。

发动,常抓不懈,成片营造杉木林,大搞四旁植树,使荒山变绿,称誉江淮。

(二)城市经济体制改革

1980年起,中共庐江县委、县政府在锁厂试点承包经营责任制,随后扩大试点范围,逐步推行承包经营责任制,厂长(经理)负责制,以承包为内容的责、权、利结合的经济责任制,进行二轮"利改税"(即开征盈利企业所得税)等,不断扩大企业自主权,增强企业活力。

1988年至1993年,全面推行企业公开承包经营责任制,先后实施两轮承包。1988年1月,在企业推行第一轮承包经营方法是:县国有企业管理部门代表国有企业同县财政局签订上缴财政收入责任合同,其主要内容:按第二步利改税政策规定,实行上缴利润包干,超额分成,欠额自补。当年,全县共有103家国有企业实行招标承包经营责任制。1991年1月起实行第二轮承包经营,县财政局会同企业主管局作为发包方直接同各企业签订合同。部分企业在承包经营中效益较好,但也有少数企业在承包经营中包盈不包亏、企业经营短期行为、经济滑坡等。至1993年二轮承包末期,不少企业不能适应市场经济发展变化,生产经营状况越来越差,甚至有的企业出现连年亏损。

(三)加强精神文明建设及民主法治建设

在坚持经济建设的同时,中共庐江县委始终把精神文明建设摆在重要位置,坚持做到"两个文明"一起抓。1980年,开展婚姻家庭的宣传教育,鼓励民众破旧俗、树新风,建立社会主义的新型婚姻家庭。从1981年到1986年,全县广泛开展了"五讲、四美、三热爱"活动和每年3月的"全民文明礼貌月"活动,治理"脏、乱、差",创建文明村、文明单位。在青年中开展"四有"(有理想、有道德、有文化、有纪律)教育,同时加强反封建迷信的宣传。开展"扫黄打非"(扫除黄色读物,打击非法出版物)活动,净化文化市场。1981年,县宣传部和公安部门联合发出查禁淫书淫画和其他淫秽性物品的通知,并付诸查禁行动。1989年7月,开展"扫黄"活动,至9月共收缴有害书刊4069册,取缔3户个体书店。① 自1992年起,开展创建文明县城活动,加强市容市貌建设与管理。

　　加强民主政治建设。首先,进一步完善人民代表大会制度。1980年4月,庐江县第八届人民代表大会第一次会议召开,决定将县革命委员会改为县人民政府,各人民公社、镇设立人民代表大会和人民政府;自这次人民代表大会开始,设"庐江人民代表大会常务委员会",在人民代表大会闭会期间行使职权。其次,成立县政协。1980年3月,组成15人的政协筹备委员会,4月在庐城召开政协一届一次会议,标志着庐江政协组织正式成立。第三,推行机构改革。自1984年起分两步改革领导机构,先改革县级党政机构,后改革县直二级机构和公社、大队体制。通过改革,各级领导班子的"四化"(革命化、年轻化、知识化、专业化)程度均得到提高。如县委常委平均年龄由51.4岁降到46岁,大专以上文化程度的增加3人,占三分之一。县二级机构领导班子调整后,平均年龄由50.3岁降到45.3岁,具有高中以上文化程度的占19%。乡级领导班子成员平均年龄由42.5岁降到39.2岁,具有高中以上文化程度的占11%。② 第四,开展整党运动。庐江县的整党运动自1985年1月开始,至1987年2月结束,共分4批进行。全县共有1279个党支部、近3.4万名党员参加整党。每期整党时间4个月左右,主要解决党员在思想上、组织上、作风上、纪律上存在的严重不纯问题。党员中挪用公款、乱建房屋、乱占耕地和超计划生育等问题均受到严肃处理。为了表彰先进,激励党员斗志,全县评出45个先进党支部、159名优秀党员、各类先进模范人物259名,广泛开展为群众办实事活动,加强了党组织建设,充实了31个单位的领导班子。对村级班子采取减少职数、提高质量、增加待遇

---

① 《庐江县志》,第47页。
② 《庐江县志》,第516页。

的方法进行整顿。在3.27万名党员登记中,予以登记的3.22万名,缓登的394名,不予登记的81名,因故暂未登记的42名。通过组织处理,对有严重错误的1045名党员分别进行开除党籍、留党察看、撤销党内职务、严重警告、警告、取消预备期等处分。① 通过整党,揭露和解决了党内存在的思想、作风和组织严重不纯的问题,促进党风好转,密切党群关系,提高党的战斗力。

法制建设得到加强。开展"严打"斗争,搞好社会治安。1983年、1984年、1985年先后三次组织各级党政干部、政法、公安干警、民兵治安积极分子6800多人次分期统一行动,搜捕抓获一批盗窃、流氓、故意伤人、拐卖人口等危害社会治安的犯罪分子,摧毁一批犯罪团伙,缴获了大批的犯罪凶器和赃款赃物,对其中危害较大、罪恶严重的犯罪分子,分别依法处置,使县境内的社会治安状况明显好转。1991年、1992年,县公安司法部门又组织开展以"反盗窃、破大案、挖团伙、追逃犯、扫'六害'(赌博、卖淫嫖娼、拐卖妇女儿童、贩黄、贩毒吸毒、车匪路霸)"为主要内容的严打专项行动,破获刑事案件110起。② 开展普法教育,增加干群的法制观念。1981年以后,司法部门紧密结合当时形势,围绕中心工作,开展法制宣传教育,编写印发宣传材料,利用有线广播、宣传专栏、图片展览、报告会、上法制课等形式宣传刑法、刑事诉讼法、民事诉讼法(试行)、婚姻法、经济合同法、森林法(试行)等。组织宣传队深入农村、街道、学校、厂矿、企事业单位,宣传法律知识,加强对青少年的遵纪守法教育。1983年7月,开展维护妇女儿童合法权益宣传月活动。司法部门印制了近万份法制宣传材料。1984年,司法局在县直机关、厂矿、企事业单位和区(镇)、乡聘请67名法制宣传员,经常开展法制宣传,使全县公民普遍受到法制教育,增强法制观念。

---

① 《庐江县志》,第520页。
② 庐江县地方志编纂委员会编:《庐江县志(1986—2005)》,黄山书社2010年版,第219页。

（四）科教文卫事业的恢复与发展

十年浩劫结束后，特别是中共十一届三中全会后，庐江的科教文卫等社会事业又重现生机，得到了恢复和发展。

科学技术方面。中共十一届三中全会后，落实党的知识分子政策，科技人员受到重视，科技队伍逐渐壮大。1978年全县各类科技人员1053名，到1985年增加到1369名。科研成果增多。1977年至1984年，共获得135项科技成果，其中有1项获得国家级奖，22项获得省级奖，41项获巢湖地区奖励。①

教育方面。全面纠正"文化大革命"中在教育战线上的"左"倾错误，复查平反各种冤假错案，提倡"尊师重教"，调动了教师积极性，教育质量逐步提高。庐江中学成为全省重点中学之一。改革教育结构，发展多种教育，普通、职业、成人和幼儿教育统筹兼顾，逐步形成结构完整的教育体系。到1991年，全县共有学校678所，其中高中12所、初中71所、职中8所、小学587所、幼儿园36所。②

文化方面。1978年以后，群众文艺活动重新活跃，文化部门和各专业部门、党群团体，组织开展画展、棋类、球类比赛和戏剧、曲艺会演等。文学创作日渐繁荣，文学新人不断涌现。1986年，县内作者创作的各类文学作品近500篇（首）。文物古迹的修复和保护工作得到重视。周瑜墓于1989年被省人民政府定为"省级重点文物保护单位"，并拨款划地，决定重加修建。

医疗卫生方面。1979年，庐江县被确定为全省卫生建设重点县之一。这一时期，全县有1782名医务人员分布于121个卫生医疗机构，形成医疗保健网，庐江人民在2000米范围内能得到一级医疗保健服务。③设备齐全的医药卫生设施，使常见病和部分疑难病症能在县内医治。

---

① 《庐江县志》，第5页。
② 《庐江县志（1986—2005）》，第598页。
③ 《庐江县志》，第5页。

(五)抗洪救灾、重建家园

1991年,庐江县遭受了历史上罕见的特大洪灾,全年降水2191毫米。仅6月1日至7月11日,即出现4次大的降雨过程。由于陡降暴雨,致使全县河湖水位猛涨。西河出现3次洪峰,水位均超过10.5米的警戒水位。与此同时,白山、金牛、忠庙、城关水位分别达到12.83米、13米、12.72米、12.93米,庐江县城被洪水围困,通往外地的5条干线全部积水在1米以上,交通断绝。所有水库超过汛期水位,先后泄洪,金汤水库最大泄水量达310立方米/秒。①

连续不断的暴雨洪峰,致使庐江县损失惨重。全县8区2镇全部受灾,重灾区有6区1镇,41个乡(镇)。受灾人口85.5万人,倒塌、损坏房屋12.4万余间,因灾伤亡133人。全县粮食播种面积8.41万公顷,受灾4.93万公顷,其中绝收4.09万公顷,粮食减产1.92亿千克。毁坏水利工程3855处,冲毁桥梁350座,毁坏机电设备1602台套,电线630千米,邮电通讯线路187千米,公路被水冲毁77.2千米。全县共有347所中小学受灾,占学校总数的50.5%,其中39所学校全部被毁坏。其他各项基础设施也遭严重损坏。全县直接经济损失达5.2亿元,成为全省重灾县之一。②

灾情发生后,全县上下紧急动员,全力抗灾。中共庐江县委、县政府等六大班子负责人按分工到11个防汛指挥所坐镇指挥。县、区、乡,先后抽调3150多名干部,组成抗洪救灾工作队,层层分工,包干负责,固守战区,全县50多万人齐心协力,迎战洪峰。在抗洪抢险中,涌现出了许多动人事迹。为了保住沈圩,近千名干部群众在圩堤上苦战1个多月,柯学明不顾家里房屋倒塌,在圩堤上抢险两夜;张家旺的房子倒了,爱人找来问他要不要家,他说:"没有圩,哪有家?"仍固守在圩堤上。在保卫同大圩、石大圩的过程中,巢湖行署、县领

---

① 《庐江县志(1986—2005)》,第411页。
② 《庐江县志(1986—2005)》,第411—412页。

导在一线指挥,近千名干部群众上堤救圩,连12岁的小学生也加入抢险行列,最终保住了同大圩、石大圩,圩内粮站库存的1850万斤粮食也被安全转移。黄屯乡乡长金先流,患有严重胃炎,仍强忍病痛,日夜坚守在圩堤上。交警大队队长张遵昌在天井抗洪时,指挥所与其父母住的房子隔河相望,但他"三过家门而不入"……诸如此类的动人事迹,不胜枚举。①

庐江发生的严重灾情,牵动了各级党政领导和社会各界的心。省、地领导亲临灾区,查看灾情,慰问灾民,指导抗洪。国家拨给庐江救灾款3379万元,救灾粮食0.5亿千克。② 省、地直单位和驻庐厂矿企业、各红十字会组织、福建省长乐县、上海市、首都解放军、山西省妇联、山东省枣庄矿务局、台胞等亦纷纷捐钱捐物,帮助灾区人民恢复生产,重建家园。

社会各界的援助,给了庐江人民极大的帮助,但开展生产自救,才是根本出路。为此,中共庐江县委、县政府提出"弘扬抗洪精神,重振庐江经济"的口号,在安置好灾民生活后,迅速开展生产自救。"双晚"栽插季节,县委、县政府动员山区、岗区人民支援圩区抢排抢种。5.5万多岗区农民主动为圩区代育"双晚"秧苗。乐桥区还组织岗区劳力到重灾的白山区帮助栽秧。县种子公司从外地调进30多万公斤"早还早"良种,供农民购买或串换。县农业银行筹措800多万元贷款用于圩区抢排抢种急需。县供电部门调度320万千瓦时电力支援圩区抢排……"只要精神不滑坡,办法总比困难多"。许多灾民的"双晚"是栽了又淹,淹了又栽,他们织网、捕鱼、捞沙、采石、喂兔、编筐……想方设法克服困难。到"三秋"前,全县水利兴修穿插战完成土石方600多万方,秋种杂交油菜育苗4520公顷,被洪水洗劫后的土地又萌发出了新的生机。③

---

① 《庐江县志(1986—2005)》,第412页。
② 《庐江县志(1986—2005)》,第414页。
③ 《庐江县志(1986—2005)》,第415页。

二、发展社会主义市场经济新阶段

(一)全面深化各项改革

以邓小平南方谈话和中共十四大为标志,中国的改革开放和现代化建设进入一个新阶段。围绕建立社会主义市场经济体制的目标,庐江县继续深化各项改革,并积极推行与之配套的改革。

1. 全面推进国有企业改组改制

1996年5月,中共庐江县委、县政府成立"庐江县企业产权制度改革领导组"。先后制定《关于大力推行企业产权制度改革的决定》《庐江县关于企业改制若干问题的暂行规定》等文件,按照"因企制宜,一企一策"原则,对全县国有企业产权制度实行改革。县委、县政府在全县推行"先售后股,内部职工持股"为主要形式的股份制和股份合作制。当年确定县水泥厂、县百货公司、县橡胶厂、城关镇包装总厂、冶山宏达包装材料厂5家为首批试点企业。9月,首批改制企业全部实行股份合作制,共募集股金759万元,1673名职工入股,占在册职工的92%。1996年10月,又选择16户国有企业进行第二批改制。1997年4月,县政府出台《关于全面推行国有企业改革的若干补充规定》,全面进行股份制和股份合作制改革。历时一年半,全县共完成改制企业1078户(包括乡镇企业、集体企业),改制面达98%,其中改为股份制、股份合作制225户,募集股金1.66亿元。[①]

全县深化国有集体企业改制工作始自2003年。2005年5月启动新一轮企业改制,坚持以"破、售、股"为形式,以"置换企业产权,置换职工身份"为主要内容,要求国有中小企业全部退出国有序列,企业改制取得新进展。至2008年年底,全县137户国有企业和集体企

[①] 巢湖文化研究会编著:《巢湖文化全书·工商文化卷》,安徽省皖中印务有限责任公司2011年,第465页。

业退出公有序列。2009年,加快改制企业扫尾工作,加速推进剩余企业改制。至2010年年底,全县列入改制的国有集体企业157户;其中已改制企业138户,正在改制7户,未改制企业12户。①

新一轮的企业改制,使水泥、化工、风机、橡胶等一批停产半停产的企业在改革中恢复了生机。冶山水泥有限公司于2004年5月,被浙江客商收购,成立安徽大江股份有限公司,2007年进入安徽省民营企业百名排序50强行列,2008年获安徽省节能先进企业、安徽省质量奖,大江水泥产品获"安徽省名牌产品"称号。庐江化工集团公司于2004年8月被中远英特尔肥业公司和合肥沃德肥业公司收购。2006年,中远公司启动"3250"工程,建立硫基化工产业园,迈入亿元产值以上企业行列。县风机厂于2005年6月依法破产,整体出售彻底改制,2007年标准厂房建成投产,2008年其产品获"安徽省名牌产品"称号,入选安徽省首届机械行业十大重点推广产品。活塞厂于2004年10月改制,整体租赁给浙江客商,成立"安徽省恒泰活塞制造有限公司",2006年公司经济效益综合指标排名全国同行业第三,2008年,公司研发的"铝活塞底冒口补缩工艺"属国内首创。县安德利贸易中心于2002年9月改制,退出国有序列,成立股份公司,400余名员工无一人下岗,实施"向城市发展,朝农村延伸"的双向发展战略。经营方式由单一的百货、卖场拓展到连锁超市、专业商场、便利店和物流配送的复合业态。营业网点遍布全县城乡,还在巢湖市、合肥市建有超市、商城,形成省市县三位一体的经营新格局。步入全国重点零售企业行列,为省政府重点扶持的十大商贸企业之一,2006年经济效益进入全国百货行业100强。

2. 民营经济的发展

庐江县民营经济经历了恢复发展、初步形成和确立主体地位三个阶段。1979年至1996年,开始恢复发展个体工商业,作为国营、集体工商业的补充,发挥其对市场的拾遗补缺作用。1997年,中共庐江

---

① 《庐江年鉴·2011年》,第119页。

县委出台《关于鼓励发展个体私营经济若干规定》,明确提出把发展民营经济作为发展县域经济的主要形式,对促进全县民营经济的发展起到一定的推动作用。是年,全县城乡有个体工商户2.05万户,中外合资企业17家。[①] 民营经济在县域社会经济成分中占据了越来越重要的地位,民营经济的格局初步形成。但此时,由于全县民营经济刚起步,基础较薄弱,存在工业企业少、企业规模小、科技含量低、企业管理粗放等诸多问题。1999年后,县委县政府就民营经济的发展出台了一系列政策,不断优化发展环境,壮大民营经济,使全县民营经济步入持续、健康、稳步发展的新阶段。到2012年,民营经济实现增加值99.8亿元,占全县生产总值的63.7%,对全县经济增长的贡献率达68.5%;民营企业中,规模以上企业达173家;缴纳税收15.5亿元,占全县税收的86.2%,成为主宰县税源增长的绝对力量;民营单位吸纳就业人数9.01万人,占全部单位就业人数的76%,民营经济单位成为劳动力就业的重要吸纳地;民营经济的主体地位基本确立。

(二)进一步深化农村改革

这一时期,庐江农村在稳定和完善家庭联产承包经营责任制的基础上,积极开展农村税费改革、农业产业化经营,加快建立农机、农技、流通和科技服务网等农村社会服务体系,开展科技兴农和扶贫开发活动,不断解放和发展生产力,农业产业结构不断优化,农业生产不断发展。

1994年10月,全县农村土地实行二轮承包,承包期为30年。到2003年,全县基本完成二轮土地承包任务,共签订土地承包合同25.89万份。在土地承包经营中,由于粮食生产比较效益低,部分农田无人耕种,农村出现耕田抛荒现象。1992年抛荒田1734.2公顷,

---

① 《庐江县志(1986—2005)》,第453页。

占耕地面积2.5%；2000年抛荒田5609.5公顷，约占耕地面积8.6%。① 2001年，中共庐江县委、县政府制定并颁发了《关于解决农村土地抛荒的意见》，提出以土地调整、流转和鼓励规模承包经营等方法解决耕地抛荒问题。各乡镇落实实施，到2001年年底，全县抛荒田得到解决。

改革开放以来，庐江农机化发展一直走在全省前列。1996年、1998年、2000年三次被评为全省10强县，2007年庐江县作为安徽省中部地区示范典型入选全国首批100个农业机械化示范区建设。至2008年，全县机耕水平达95%，机收水平达80%，大批农民从繁重的田间劳动中解放出来，从事二三产业致富奔小康。

2000年3月，按照中共中央、国务院和省委、省政府关于农村税费改革试点工作的部署，县委、县政府成立庐江县农村税费改革领导小组，并于4月29日召开全县动员大会，全面启动农村税费改革。税费改革时，县委、县政府抽调机关干部，组成工作队进驻乡镇，按照宣传发动、审批乡镇税改方案、组织实施和检查总结的步骤，积极稳妥地开展农村税费改革和各项配套改革。主要做法是：1.严格落实税费改革政策，在完善税费制度上做到"三个到位"，即政策落实和完善到位、督查力度到位、政策宣传解释到位。2.规范农业税收征管。从2000年起，全面实行"定点、定时、定额"征收方式。同时，重视农业税征管规范化建设。3.强化对农民负担的监督管理。①建立健全农民负担监督管理机制。②清理整顿和规范涉农收费。③强化涉农收费管理。④加强农村中小学收费管理。4.支持农村义务教育发展。①保障工资发放。②抓好农村中小学危房改造工作。③加强学校收费资金管理。④保障教育投入。5.大力推进各项配套改革。①不断完善乡镇财政体制。②积极开展机构改革。通过改革共精简乡镇机关事业单位人员406人，清退不在编人员2654人，节减支出1200多万元。③化解乡村不良债务和解决农村土地抛荒问题。庐江

---

① 《庐江县志(1986—2005)》，第358页。

农村税费改革的做法受到了国家和地方各级领导的肯定。央视《新闻联播》对庐江县农村税费改革的试点经验进行报道。到2003年,全县的农村税费改革试点工作基本结束。通过税费改革,农民负担逐渐减轻。2004年全县取消农业特产税和农业税附加,农业税税率降为4.8%,农民负担进一步减轻。2005年,国家全面取消了农业税,农民与延续数千载的"皇粮国税"彻底作别。

庐江是传统农业大县,农业占绝对优势。1996年后,该县大力调整产业结构,积极发展农业产业化经营,促进传统农业向现代农业转变。1998年8月,金坝芹芽开发有限公司成立,在全县第一个实行"公司＋农户"的产业化经营模式。此后,为推进农业产业化经营,中共庐江县委、县政府成立了农业产业化工作领导小组,先后出台了一系列指导性文件,确定了粮食、家禽、水产、茶叶、蔬菜、油料、苗木花卉7大主导产业作为发展重点,建立专项扶持资金,采取"一个产业、一个班子、一套政策"的机制。在此基础上,积极开展农村社会化服务,使全县农业产业化经营水平不断提升。到2010年,全县农业产业化发展概况为:龙头企业不断壮大,全县县级以上龙头企业发展到105家,其中省级9家、市级50家;基地建设稳步发展,全县建成"一村一品""一镇一业"的特色生产基地48个;全县规模种养发展迅猛,共流转土地16万亩,百亩以上种植大户307户,承包耕地11.62万亩;规模养殖比重占60%以上;农民组织化程度提高,全县农村合作经济组织发展到125家,会员总数1.43万人,带动农户14.7万户;主要农产品产量稳步增长,2010年,全县粮食总产86万吨,2006—2010年连续5年被评为全国粮食生产先进县;农产品竞争力增强,全县农产品通过"三品"(无公害农产品、绿色食品、有机食品)认证55个,"万乐"大米,"威克齐"荸荠等名优产品不断涌现,并远销国内外。[1]但在农业产业化过程中,存在龙头企业规模小、带动力弱,主导农产品特色不突出、优势不明显,经济合作组织不完善、服务范围不

---

[1] 《庐江年鉴·2011年》,第155—156页。

广,土地流转规模小、程序不规范,投入不足、融资能力不强等问题。

(三)从"民工潮"到"凤还巢"

庐江是农业大县,有105万农业人口,农村劳动力52万人,富余劳动力达22万人,占农村全部劳动力总数的42%。从20世纪80年代中期起,全县外出务工经商的农民达20万人,劳务收入近13亿元,占全县农民收入的40%以上。① 为了培养掌握专业技能的现代农民,庐江县大力实施农村劳动力培训"阳光工程"。全县11个"阳光工程"培训机构共开设计算机应用、驾驶与维修、电子电器、建筑装饰等七大专业70多个班次。据不完全统计,全县2万余农民掌握了一技之长,在省内和江、浙、沪等地施展自己的才能。2002年,庐江成为"安徽省外派劳务基地县"。②

劳务输出使农村富余人员找到出路,增加经济收入,同时开阔视野,提高技能。经过多年拼搏之后,一批打工者取得了骄人的成绩,涌现出了一批百万元乃至千万元资产的农民企业家。为吸引这些打工者返乡创业,兴建家园,庐江县多次举办劳务输出和回乡创业先进集体、先进个人表彰会,介绍家乡经济发展情况,推介家乡投资项目。同时,先后出台了一系列优惠政策,为回乡创业者提供全方位"保姆式"服务。在一系列优惠政策的吸引下,一批外出务工经商、事业有成者纷纷回乡创办企业,其中,规模以上企业达80多家。③

农村青壮年劳动力外出打工,进城经商,甚至不少农户举家外出劳务,留守农村多为老人和儿童,留守儿童的教育问题日渐突出。2003年,国家及时调整农村政策,采取减免农业税收、提高农副产品收购价格等措施,调动农民种田的积极性,2005年各级组织努力解决留守儿童就地入学问题,逐步解决务工人员的后顾之忧。

---

① 巢湖文化研究会编著:《巢湖文化全书·农耕文化卷》,安徽省皖中印务有限责任公司2011年,第398页。
② 《巢湖文化全书·农耕文化卷》,第399页。
③ 《巢湖文化全书·农耕文化卷》,第399页。

(四)乡镇企业的转型与发展

庐江县乡镇企业起步较早,1976年试点后逐步发展。至1985年,全县已有乡镇企业1.56万家。1988年全面推行乡镇企业招标承包责任制,有90%的乡镇企业实行公开招标承包。1993年出现大办乡镇企业高潮,全县企业个数增至4.27万家。① 先后有明矾、铁矿石、瓷土、渔网、茶叶等乡镇企业产品进北京农业展览馆展出。涌现出冶山水泥厂等省级明星乡镇企业。

1997年,乡镇企业全面改制,实行股份制、拍卖、兼并、租赁等多种形式的产权制度改革。全县1001个乡镇集体企业参加改制,绝大部分乡镇企业改制为个体和私营企业。是年年底,全县乡镇企业(包括个体私营企业)4442个。2003年全县9150个乡镇企业,采取出售、租赁、股份制、破产等多种形式,进一步推行产权制度改革。全县13户重点乡镇企业被列入市委市政府改制计划。② 其中海神黄酒厂通过竞价拍卖,转为民营股份制企业,更名为安徽省海神黄酒有限公司。庐江宏达包装材料厂被整体出售给浙商,成立巢湖南都塑业有限公司。2004年5月,冶山水泥有限公司被整体转让,成立安徽大江股份有限公司。2005年4月,石山水泥厂被卖给私营业主,年底完成整体资产交替,恢复生产。至此,全县乡镇企业全部被改制为民营企业。

(五)扩大开放,招商引资

随着改革的不断深入,庐江也迈出了对外开放的步伐。1993年,庐江被国务院批准为对外开放县。此后,庐江通过完善政策、优化环境,使得对外贸易、外资利用等方面都有较大发展。

1995年,县政府制定《关于招商引资的若干规定》,1998年相继制定《关于鼓励引进资金、技术、人才的若干规定》《关于鼓励外来投

---

① 《庐江县志(1986—2005)》,第448页。
② 《庐江县志(1986—2005)》,第448页。

资若干规定》《庐江县招商引资优惠政策》《庐江县工业园招商引资优惠政策》等文件,大力推进招商引资工作。2002年出台《庐江县关于损害经济发展软环境责任追究办法(试行)》,取消70多项收费项目,给外来投资者在土地征用、税费征收方面以优惠,减免不必要的手续,为投资者提供方便。2005年,县政府向29个外来投资企业的51位业主颁发"贵宾证",更好地保障外来投资者的合法权益。

1996年,庐江县外贸总公司获准进出口经营权。1997年,庐江县外贸出口创汇20.6亿美元,实现了零的突破。此后,庐江县外贸进出口总额不断增长。2004年,外贸进出口总额突破千万美元,达到1090.5万美元。2005年,外贸出口获权企业24家,16家企业发生实绩。至2010年,外贸进出口总额达5131万美元;外贸进出口获权企业达100家。磁性材料、玩具服装、渔网渔具、蜂蜜等商品出口到美国、韩国、日本、俄罗斯等20多个国家和地区。[1]

1986年,庐江县首次利用世界银行贷款500万美元,进行农业和水利基本建设,开启了利用外资的步伐。2000年后,庐江县利用外资呈"阶梯式"增长。2001年,利用外资294.7万美元。2005年,利用外资突破千万美元,达1124万美元。2009年实际利用外资3087万美元,位居全市第3位,全省第16位。[2] 外资投资方向主要在轻工制造、新能源新材料开发应用及磁性材料生产等方面,投资方主要来自日本、中国香港、中国台湾,以及欧美等发达国家和地区。

开发区是一个地区对外开放的重要窗口和招商引资的重要平台,有经济集聚的功能。庐江经济开发区始建于1996年,2006年升为省级开发区。开发区的产业功能定位是以发展现代工业为主,高新技术产业优先,重点发展轻纺食品、五金机械、新型材料、汽车零部件、电子科技等产业,集科研、商贸、仓储、金融、商住、休闲、综合服务等多功能开发于一体。2011年,全区实现地区生产总值6.34亿元,

---

[1]《庐江年鉴·2011》,第189页。
[2]《庐江年鉴·2011》,第189页。

实际利用外资2000万美元。2010年5月,"庐江台湾农民创业园"经国台办和农业部批准,在原庐江县郭河现代农业示范区的基础上开工建设;同年10月,县硫基化工工业园被提升为省级"安徽庐江龙桥工业园"。开发区和工业园区正在成为全县经济发展的重要增长点,吸引外商投资的重要阵地,在扩大对外开放中起了重要作用。

(六)进一步加强社会主义民主政治建设

中共庐江县委重视加强基层民主政治建设。1995年10月28日,全县村民自治工作在石头镇12个村进行试点。在选举村民委员会后,选配村发展经济委员会、人民调解委员会、治保委员会、教科文卫委员会成员和村民小组组长。1998年8月,全县开展"村务公开、民主管理"工作,共推选产生村民代表2.18万人。同年11月,在泥河镇向阳村进行村民委员会直选工作试点,民主选举新一届村民委员会,试点成功后在全县推开。同时,指导全县村委会依法制定《村民自治章程》《村民代表会议议事制度》《村务公开制度》《村级财务管理制度》《村委会主任职责》《村委会委员工作职责》《村委会工作职责》等制度。1999年制发《关于开展村务公开民主管理的通知》,要求村委会将财务收支、兴办公益事业开支情况、农用物资分配和救灾救济款物发放、村组干部工作目标和工资报酬及公积金、公益金等群众关心的热点难点问题,在"村务公开栏"中公布,接受村民监督。

执行政务公开和改革行政审批制度。1999年9月27日,中共庐江县委、县政府制定颁发《庐江县政务公开实施方案》,全面推行县乡(镇)政务公开。2001年年底,成立县行政服务中心。当年对首批进入服务中心的21个省市县直单位144个项目承诺办理时限、收费标准、收费依据等内容进行逐个核实,编印《项目服务指南》并公布于众,接受社会监督。2002年,县政府法制办搜集、审核、整理51个县直行政执法部门和单位执法所依据的法律、政策、行政收费、行政审批、行政处罚、服务承诺、监督电话等,汇编成册,并通过广播、电视、文件等形式向社会公布。2003年6月,县政府创办《庐江县人民政府公报》，及时公布县委、县政府规范性文件，增强政策的透明度，接受社会监督。2002年至2003年，县政府全面清理行政审批项目，取消303个，保留的433项逐步进入县行政服务中心实行管理，并加强后续监管，纠正乱审批、乱收费的违法行政行为。①

进行机构改革。1996年，按照政企职责分开和精简、统一、效能的原则，开展县直党政机构改革。通过改革，县直党政机构由1995年的56个减少为46个（县党政机构共设39个部门、管理机构7个），精简18％。2001年再次开展县直党政机构改革。通过改革，全县党政机构由36个减为31个，精简14％；部门管理机构由7个减为4个，精简43％；人员编制由706名减为537名，精简25％。改革后，起到转变职能，实现政企、政事、政社分开；理顺关系，合理界定职责分工；改革行政审批制度，规范行政审批行为；改革行政执法体制，整顿和规范行政执法队伍的效果。2010年，实施新一轮机构改革，主要在政府机构进行，不涉及人员编制的精简和分流，着力转变政府职能、调整理顺职责关系。通过改革，县政府共设工作部门25个，另设派出机构2个。②

中共庐江县委还不断完善人民代表大会制度，中共领导的多党合作和政治协商制度；积极支持人大履行法律职能，加强对"一府两院"的工作监督；支持政协充分履行"政治协商、民主监督、参政议政"职能；重视发挥各民主党派、工商联和无党派爱国人士的作用，切实解决实际问题，爱国统一战线不断扩大；工会、青年团、妇联等群众团体工作进一步加强。

（七）全面加强党的建设

新时期，在推进改革开放和社会主义现代化建设中，中国共产党肩负的任务更加艰巨和繁重，客观上对党的建设提出了新的更高要

---

① 《庐江县志(1986—2005)》，第202页。
② 《庐江年鉴·2011年》，第126页。

求。庐江县委十分重视加强党的领导班子建设、党风廉政建设和基层党组织建设。

2000年后,中共庐江县委集中开展以"讲学习、讲政治、讲正气"(简称"三讲")和"三个代表"重要思想为主要内容的党性党风学习教育活动。在县领导班子"三讲"结束后,成立"宣讲团",向乡镇派出32个指导组,到县直单位和乡镇宣讲"三个代表"重要思想。全县共集中培训理论骨干818人,32个乡镇和县直26个部门分块培训5000人,举办各类培训班500多场,征求群众意见1.7万条,受教育人数达20万人,为民办实事3506件,解决热点难点问题94件,使干部经常受教育,农民得到实惠,党群关系不断改善。① 2005年,按照中央和省委的统一部署,庐江县在全体党员中开展了保持共产党员先进性教育活动,分学习动员、分析评议、整改提高三个阶段进行,取得了显著成绩。

为加强领导班子和干部队伍建设,不断深化干部人事制度改革。1998年后,遵循干部"四化"方针和德才兼备的原则,优化领导班子结构,加大年轻优秀干部及女干部、党外干部和少数民族干部培养选拔的工作力度。严格按照《党政领导干部选拔任用工作条例》要求,坚持先行考察,积极推行干部交换轮岗、公开选拔、竞争上岗等制度和措施。2005年6月,中共庐江县委先后出台了《任用干部投票表决实施办法》《干部选拔任用工作责任追究暂行规定》《实名制推荐领导干部工作若干规定》《关于进一步做好经常性干部考察工作的意见》等一系列规章制度,进一步优化了干部选拔任用工作。

加强党的建设,重心在基层。中共庐江县委对基层组织建设高度重视,各级党组织认真抓好《村民委员会组织法》的贯彻实施。1990年至1993年,分三批对村级班子进行整顿,民主选举村级负责人,发展村级经济。1994年5月,印发《关于认真贯彻落实〈中共巢湖地委关于加强农村基层组织建设的决定〉的意见》,整顿后进村党支部,建立乡村干部激励和约束机制,在基层广泛开展"创先进争优秀"

---

① 《庐江县志(1986—2005)》,第157页。

活动。2003年6月,县委出台《2003—2007年农村基层组织建设"三级联创"活动规划》,以整体推进农村基层组织建设,开展争创"先进基层党组织""六个好"乡镇党委"五个好"村支部的创先活动。

(八)实施"科教兴县",积极发展社会事业

1997年4月,中共庐江县委、县政府印发《关于科教兴县战略的实施意见》,大力实施"科教兴县"战略,加强科技对全县经济社会发展的支撑力度,突出科技工作新思路、新目标,形成了自己的特色,有力地促进了全县经济社会的发展。

1. 科技事业发展较快

组织实施一批科技项目,大力开发高新技术产品,积极培育高新技术企业,加强了企业自主创新的步伐,有力地促进了全县工业科技进步。农业科技进步步伐加快,加快农业关键技术的引进创新、配套开发和应用推广,加快农业科技成果的转化步伐,大力推广农业先进适用技术,使科技成果惠及广大农民。积极开展科技宣传工作,在广播电视等媒体上开辟《绿野》科技专栏节目,结合本县农事活动的实际需要,及时播放农业先进适用技术和科技知识,为促进农业和农村科技进步打下了良好基础。科技成果与产学研合作成效显著,到2007年年末,全县共取得各类科技成果十余项,全县拥有各类专利量248件,被省知识产权局授予"全省专利十强县"称号。与安徽农业大学、安徽医科大学、合肥工业大学进行县校产学研合作,恒泰活塞通过国家高新技术企业认定,大地熊新材料被评为全市首家国家创新型试点企业。积极开展创建全国科技先进县活动,相继被国家科委(科技部)授予"全国科技工作先进县"和"全国科技进步先进县"称号。科技队伍不断壮大,到2010年,全县拥有农业、工程、教育、卫生、经济、会计等各类专业技术人员达1.17万余人。科技对经济和社会发展的贡献率达到52%。[①]

---

① 《庐江年鉴·2011年》,第259页。

2. 大力发展教育事业

加强教育基础设施建设，调整中小学布局，整合教育资源，民办教育蓬勃兴起，职业教育持续发展，教育质量稳步提高。

调整教育布局。自1995年开始，根据"小学就近、中学靠乡镇"的原则，调整中小学布局。2001年，根据本地人口分布、行政区划、地理环境、集镇建设、经济承受能力及教育和社会发展的需要，进一步对全县中小学实施布局调整。经过调整，到2010年年底，全县有各级各类学校419所，其中小学243所，初中50所，普通高中18所，职业中学6所，特殊教育学校1所，公办幼儿园7所，民办幼儿园94所（其中取得合格证45所）；在校生15.74万人。①

民办教育蓬勃兴起。1992年以前，全县所有学校均为公办。1993年8月，根据国务院颁发的《社会力量办学条例》中"鼓励和支持社会力量办学"的精神，民办"庐江县育才职业中学"正式建立并招生。2000年，教育体制改革进一步深化，社会力量办学范围进一步扩大、放开。2006年后，民办教育快速发展，办学层次涉及各级各类教育，学科门类达几十个，形成多层次、多学科、多特色的民办教育办学体系。到2010年年底，全县有民办普通高中5所，民办职业高中3所，民办九年一贯制学校2所，民办幼儿园94所，民办非学历教育培训机构13所。②

职业技术教育稳步发展。根据庐江社会经济发展的实际，开设了工科、农科、林科、医药卫生、财经、管理等学科，为当地经济建设培养了一大批学有专长的毕业生。

教育质量稳步提高。从1994年全县开始实施"两基"，1996年获全国首届"中华扫盲奖"，1997年实现基本普及九年制义务教育、基本扫除青壮年文盲目标，被省政府授予"两基"先进县称号。2010年学龄儿童入学率100%，初中升学率87.66%，高中升学率81.2%。注

---

① 《庐江年鉴·2011年》，第249页。
② 《庐江年鉴·2011年》，第252页。

重教师队伍建设,文化素质不断提高。至 2010 年年底,全县共有各级各类学校教职工 8968 人。其中小学、初中和高中专任教师的学历合格率分别为 100%、98% 和 95%。[1] 办学水平有了很大提高,涌现了庐江中学、庐江二中、金牛中学、城关小学、汤池希望小学等一批省、市示范学校。庐江中学入选全国"中学百年名校"。

加强教育基础设施建设,加大教育经费投入。1992 年,教育经费支出 2232.4 万元,占县财政总支出的 35.5%,此后,教育经费逐年增加,到 2005 年,教育经费支出 2.07 亿元,占县总支出的 39.01%。[2] 从 2007 年起,逐步推行义务教育经费保障机制改革,全部免除义务教育阶段学校学生学杂费。实施中小学危房改造,2001 年,全县有各类危房 21.31 万平方米,校舍危房率 25.3%。[3] 是年,中共庐江县委、县政府成立中小学危房改造工作领导组,本着先急后缓的原则,重点消除 D 级、C 级危房。"十一五"期间,全县共投入资金 8985 万元,对校园危房进行改造和抗震加固,其中新建校舍 8.75 万平方米,改造和抗震加固校舍 5.09 万平方米,5 年来共建设标准化学校 88 所。到 2010 年,全县中小学基本消除 D 级危房。进一步提高全县校园网的总量和建设水平,现代化远程教育覆盖全县 17 个镇的中小学。[4] 办学条件不断改善,到 2010 年年底,全县校舍建筑面积为 109.71 万平方米,教学仪器、图书资料、体育器材的配备基本达到国家规定的标准。[5]

3. 医疗卫生事业获得长足发展

公共卫生工作加强,全县已基本消灭血吸虫病、麻风病、丝虫病、脊髓灰质炎等严重危害人民健康的传染病、地方病,1997 年被省政府授予"初级卫生保健合格县"称号。新型农村合作医疗制度不断完善。2006 年,被确定为全国第三批新型农村合作医疗试点县。经过不

---

[1] 《庐江年鉴·2011 年》,第 253 页。
[2] 《庐江县志(1986—2005)》,第 609 页。
[3] 《庐江县志(1986—2005)》,第 613 页。
[4] 《庐江年鉴·2011 年》,第 254 页。
[5] 《庐江年鉴·2011 年》,第 249 页。

断完善,参合率由 2006 年的 84% 提高到 2010 年的 93.4%,人均筹资水平从 30 元提高到 150 元,统筹基金最高支付额由 2 万元提高到 10 万元。建成了较为完善的医疗服务网络。到 2010 年,全县各级各类医疗卫生机构 311 个,其中医院 12 个(县人民医院、县中医院分别被评为"二级甲等医院""二级甲等中医院"),卫生院 17 个,疾病预防控制中心 1 个,卫生监督所 1 个,妇幼保健所 1 个,新型农村合作医疗管理中心 1 个,门诊部 278 个;全县卫生人员 4161 人,卫生技术人员 3630 人。全县每千人口卫生技术人员 3.05 人,每千人口医生 1.01 人;医疗机构床位 2212 张,每千人口医院和卫生院床位为 1.84 张。[①]

(九)城乡规划及建设

1. 城市建设

改革开放初期,庐江县城的市政建设较为落后。到 1985 年,城区面积仅 4.5 平方千米,全城主要街道 14 条、小街 11 条、巷道 59 条,且多为土路和沙石;自来水厂供水能力为 4000 立方米/日,难以满足居民用水需求;城市排水能力不足、防洪能力较差;公共交通落后,客运多为脚踏三轮车,货运工具多为人力平板车。

20 世纪 90 年代后,特别是 2000 年以后,庐城道路、燃气、城防、供排水、公园广场和专业市场等市政工程和基础设施建设加快,城市面貌大为改观。道路方面:陆续建成"七纵七横"主干道路。城市公共交通逐渐发展。1995 年,城内始有小型出租车载客运输。2004 年 7 月,永鹏、巢宇两个汽车出租公司成立,84 辆出租车投入营运,庐江结束了没有出租车的历史。1998 年 6 月,庐城公交车辆正式营运,开辟 4 条公交线路,首批投入 39 辆运营车辆,到 2010 年增至 5 条公交线路,营运车辆增至 61 辆。水厂经过一再扩建,到 2005 年供水能力达到 5 万立方米/日,对居民供水普及率达 95%。绿化方面:改建环碧公园,先后建成政府门前广场、街心公

---

① 《庐江年鉴·2011 年》,第 263 页。

园、绣溪公园、塔山公园、中心广场、莲花泊公园等。同时开展庐城绿化、亮化、美化等城镇文明创建工程，先后被评为"全省创建文明县城工作先进县"、安徽省首批园林县城。到2010年，庐城绿化总面积达356万平方米，绿化覆盖率29.9%，其中公共绿地面积88.37万平方米，人均公共绿地面积7.36平方米。城市发展空间不断拓展，2005年城区面积为13.5平方千米，此后，庐城建设按照"城区东拓、产业西移、依山近水、组团发展"总体思路，先后开发建设城西新区、城东新区，同时对老城区进行改造和环境整治，到2010年，建成区面积达22平方千米。①

2. 调整乡镇行政区划，加快小城镇建设

1992年，全县进行撤区并乡工作。撤销城关、汤池、金牛、白山、盛桥、缺口、泥河、乐桥8个区，保留杨柳乡和戴桥乡原建制，将原71个乡镇合并为25个乡镇，全县共设置27个乡镇。1995年后，进行乡镇调整工作。同年8月，撤销水关乡，新建6个乡。2004年4月，进行乡镇撤并工作，全县由32个乡镇调整为28个。为巩固农村税费改革成果，2005年7月，在巢湖市率先实施乡镇综合配套改革试点，撤销11个乡，分别并入相邻的镇政府，全县28个乡镇调整为17个镇，镇平均人口由4.25万人增加到6.99万人，平均土地面积由83.9平方千米扩大为129.65平方千米。镇领导班子成员由原来的409名减少为138人，减幅达66%。②

"十一五"时期，全县集镇建设投资32亿元，镇区人口新增4万多人，集镇建成区面积扩大12平方千米。到2010年，全县集镇建成区面积达52平方千米，城镇人口增加到38.8万，城镇化率达到39.83%。集镇的集聚、带动效应进一步显现，园区建设加快，庐南重化工、汤池镇旅游、石头镇渔网、泥河镇食品加工等一批工业主导型、贸易流通型、专业市场型、旅游开发型各具特色的集镇已粗具规模。集镇基础社会进一步

---

① 《庐江年鉴·2011年》，第205、221、214页。
② 《庐江年鉴·2011年》，第115页。

加强。全县建制镇平均供水普及率达 86%,液化气普及率 82%,道路铺装率达 88%,绿化覆盖率 26%,有线电视和电话覆盖率 100%。①

3. 新农村建设

2005 年 10 月,中共十六届五中全会提出,按照"生产发展、生活富裕、乡风文明、村容整洁、管理民主"的要求,扎实推进社会主义新农村建设。2006 年,庐江县按照中央和省市的总体要求,全面启动新农村建设工作。全县新农村建设坚持群众自愿、因地制宜、试点先行、循序渐进的原则,自 2006 年 7 月开始到 2010 年年末,已分 4 批开展了 202 个示范村庄的整治,累计改水 9815 户、改厕 7980 户、改路 1.09 万千米,完成投资 5370 万元,惠及 1 万多户 3.5 万多人。② 白湖镇泉水村、乐桥镇浮槐村先后获得"安徽省社会主义新农村建设先进村"称号。

村级规模调整是新农村建设规划中的一项重要内容。早在 2003 年,庐江即开始调整合并村级规模。2005 年年底,在白山镇进行村级规模调整试点。尔后全县开展并村工作,至 2006 年 6 月,全部完成村级规模调整工作,全县原来的 403 个村级单位(其中村 358 个、社区 45 个),被调整为 231 个(其中村 194 个、社区 37 个)。调整后村(社区)平均人口为 4985 人。③

(十)实施"工业强县"战略

庐江是传统农业大县,第一产业比重过大、工业"短腿"带来的经济结构性矛盾比较突出,经济发展的速度和质量长期在比较低的水平线上徘徊。为了改变这种状况,中共庐江县委、县政府从 2000 年起,组织乡镇和县直单位负责人多次赴工业经济发达地区参观考察,拓宽思路,破除在广大干部群众思想中以农为本的观念,树立工业强县的意识。"十一五"期间,庐江县制定了全面实施工业强县战略,采取多种措施,努力改变工业"短腿"状况。

---

① 《庐江年鉴·2011 年》,第 216 页。
② 《庐江年鉴·2011 年》,第 17 页。
③ 《庐江县志(1986—2005)》,第 67 页。

第十一章 1979年至2011年的巢湖、庐江

自此,庐江工业一反慢条斯理的常态,发展加速。到2010年,初步形成矿业、化工、机械电子业、建材、磁电、轻工、农副产品、渔网加工等8大主导产业和庐南重化工、汽车零部件、磁电三大生产基地及沿合铜公路、军二公路、庐巢公路三条工业经济带。全县工业总产值、增加值分别由2006年的36.64亿元、9.94亿元增加到2010年的97.97亿元、28.06亿元,规模以上工业企业由74户增加到152户。2008年,年产值超过千万元工业企业达54户,其中年产值在1亿元以上有8户(龙桥矿业、大江水泥、同大车身、双福粮油、龙磁科技、新中远化工、矾成铜业、万乐米业),2010年工业总产值超亿元的企业达到16家。① 一、二、三产业比重,由2001年的47.84∶26.17∶25.99,调整为2010年的27.1∶36.0∶36.9,到2011年第二产业比重转为最高,三次产业比重为24.7∶38.4∶36.9,工业对经济增长的贡献率达到59.8%。② 庐江正从农业大县向工业强县迈进。

(十一)发展第三产业

庐江生态优美,境内有省级湿地自然保护区——黄陂湖,有"江北小九华"之称的冶父山,号称"华东第一泉"的汤池温泉等自然景观;庐江人文荟萃,孕育了西汉文翁、三国名将周瑜、北洋海军提督丁汝昌、抗法名将刘秉璋、抗日名将孙立人等大批历史文化名人,境内有周瑜墓、武壮公祠、小乔墓、文昌巷等人文景观。庐江旅游资源颇为丰富,但旅游业起步较晚。1992年,中共庐江县委、县政府提出开发冶父山-庐城-汤池"三点一线"旅游发展战略,庐江旅游业开始起步。2002年后,为促进旅游业的发展,采取了政府主导、企业投资、社会参与的方式,县内景区景点建设不断加快。汤池镇、汤池金孔雀温泉旅游度假村、冶父山国家森林公园先后成为国家2A级、4A级、3A级风景旅游区。同时,历史文化资源保护工程

---

① 《庐江年鉴·2011年》,第181—182页。
② 《安徽年鉴》编辑委员会编:《安徽年鉴·2011》,安徽年鉴社2011年,第419页;《安徽年鉴》编辑委员会编:《安徽年鉴·2012》,安徽年鉴社2012年,第363页。

陆续实施,周瑜墓园、孙立人故居和刘秉璋墓园修缮开放。2008年被评为全省旅游经济强县,2009年获"中国温泉之乡"称号。2011年共接待游客696万人次,实现旅游总收入50亿元。庐江旅游业正在不断发展壮大。

服务业发展方面:加快商贸流通业发展。2008年开始编制商业网点规划,并于次年完成。2005年至2007年实施"万村千乡市场工程",中邮物流、徽商农家福、辉隆集团、省供销总公司、安德利、百货大楼等6家试点企业共建成农家店163个,配送中心6个。到2010年,6家试点企业共建成农家店242个、配送中心9个,覆盖全县所有集镇及85%的村。2009年,率先实施"家电下乡"工程,遍布全县城乡销售网点170个。城区各类商业网点达1000多家,其中超1000平方米的连锁超市、百货商场16个,各专业市场9个,农贸市场10个,综合市场1个。① 商贸流通已形成多种经济成分、多种经营方式、多条流通渠道并存的新局面,并逐渐形成存储、物流配送、代理、连锁超市等现代化经营方式和快速流通网络。金融服务体系不断完善,邮政储蓄银行、惠民村镇银行、徽商银行等金融机构挂牌营业,4家小额贷款公司、3家典当公司成功组建。服务行业的范围和种类不断增加,信息中介、家政服务、技术培训等遍及城乡,歌舞厅、网吧、足浴、洗浴城等新兴服务业发展较快。全县社会消费品零售总额不断攀升:2002年为13.2亿元,2005年为23.2亿元,2006年至2010年,以年均17.5%的速度增长,达到42.08亿元。②

第三产业有了一定发展,但仍存在一些问题。第一,交通运输、批发零售、住宿餐饮等传统服务业占比较高,而金融、科技信息等现代服务占比偏低。第二,服务投资结构不合理。房地产投资占服务业投资比重近40%,而金融保险、科技信息等新兴服务业投资不足。现代物流、服务外包、软件、会展等现代服务业均处于起步阶段。第

---

① 《庐江年鉴·2011年》,第190页。
② 《庐江年鉴·2011年》,第189页。

三,随着近年来"工业强县"战略的大力实施,工业总量不断扩大,从而挤压第三产业比重,造成第三产业增加值比重持续下降。

(十二)改善民生,促进和谐庐江建设

发展的根本目的是改善民生,让人民群众共享改革发展成果。庐江在建设与发展过程中,注重民生改善和社会和谐。

1. 全面实施民生工程

为解决群众"生活难、上学难、看病难、住房难、就业难"等民生热点难点问题,庐江县根据上级部署,自2007年起,开始实施民生工程,当年实施12项民生工程,次年增至19项,2009年增加到30项,2011年增至37项。在实施省、市民生工程基础上,还先后自主开展了"鸡蛋助学育才"工程、特殊大病医疗救助、农田水利建设工程等民生工程。其中,仅2010年,发放城乡低保金5586万元、"五保"供养金1328万元。发放大病救助金965.1万元,救助4099人。发放贫困重度残疾人救助金294.2万元,救助7675人。新农合参合率93.4%,补偿1.28亿元。办理被征地农民养老保险1.97万人,发放养老金400万元。新增经济适用房、廉租房320套,发放租赁补贴358户。① 目前,民生工程正不断扩容实施,"学有所教、劳有所得、病有所医、老有所养、住有所居",正由百姓的愿景一步步化作现实。

2. 促进就业与健全社会保障

为促进就业,成立以县政府一把手为组长的就业、再就业工作领导组,建立部门联席会议,落实目标责任制。相继出台《关于减轻企业负担稳定就业局势有关问题的通知》《庐江县促进劳动力就业若干暂行意见》等规定,进一步加大对就业的政策扶持力度。"十一五"时期,通过各种途径新增就业岗位2.7万个,实现再就业1.3万人,其中下岗再就业4100人,城镇人口登记失业率为3.8%。② 建立实施了

---

① 《庐江年鉴·2011年》,第7页。
② 《庐江年鉴·2011年》,第73页。

养老、医疗、失业、工伤和生育保险等一系列保险制度,并不断扩大各种保险的覆盖面,增加基金征缴率。2008年,参加各类社会保险已达31.2万人,是上年的1.9倍。[①] 到2010年,覆盖城乡的社会保险体系初步建立起来。

3. 维护社会稳定,促进和谐社会建设

1997年4月,庐江成立维护稳定工作领导小组,2007年9月,设立办事机构县维护稳定工作领导小组办公室。通过建立预警机制,加强矛盾纠纷排查调处和群众性事件的处置,维护全县的社会政治稳定。一是开展矛盾纠纷排查调处。2006年至2010年,全县排查矛盾纠纷1.52万件,化解率96.42%。[②] 二是稳妥处置群体性事件。及时化解土地征用、城镇拆迁、企业改制、医患纠纷、企业污染等引发的群体性事件,先后处置中远肥业排污和场地纠纷、县活塞厂改制、中江丝绸厂拍卖、大江股份公司石料运输、小岭硫铁矿改制、"8·11"矿难等群体性事件。

(十三)朝着基本实现小康社会目标迈进

2011年8月,安徽省部分区划调整,庐江整体划入合肥市,庐江由此进入一个新的发展时期。合肥市第十次党代会提出:"庐江县要按照新兴中心城市南部副中心和现代产业基地的标准,加快县城和以汤池为中心的旅游度假区规划建设,加大矿产资源开发和循环利用,带动资源大县向经济强县的跨越。"目前,庐江正按照市党代会和县"十二五"规划部署,全力实施"两新"(新型矿业和新兴产业)带动、大庐城建设、沿湖开发"三大战略",着力打造富裕、幸福、人文、"两型"、廉洁等"五个庐江",把庐江建设成未来合肥最富、最美的郊县,力争在5年内进入全国中部百强县,8年左右进入全国百强县,在2017年左右率先全面建成小康社会。

[①] 《安徽年鉴》编辑委员会编:《安徽年鉴·2009年》,安徽年鉴社2009年,第313页。
[②] 《庐江年鉴·2011年》,第103页。

附　录

附录一:大事记

1949 年

1月21日　合肥和平解放。

1月22日　合肥临时军事管制委员会成立,孙仲德任主任。

1月31日　中国共产党合肥市委员会成立,黄岩任书记,李广涛任副书记。

2月1日　江淮行政办事处批准成立合肥市人民政府。全市辖3个行政区、2个直属镇,郑抱真任市长。

2月5日　合肥市军事管制委员会成立,孙仲德任主任,黄岩、宋日昌任副主任。

是月　合肥第一家国营商业企业——合兴贸易公司成立。

4月6日　中共皖北区党委在合肥成立,曾希圣任书记。

9月25日　合肥市第一届各界人民代表大会第一次会议在基督教堂召开。

10月7日　合肥各界3万余人举行"国际和平斗争日"示威游行。

11月7日　合肥市中苏友好协会成立。

11月24日　开始整顿户政,户口登记工作至次年1月14日结束。全市总人口6.06万人,其中非农业人口5.36万人,占总人口88.4%。

是年　皖北行署决定将合肥市逍遥津辟建为公园,这是新中国成立后合肥着手建立的第一个人民公园。

1950 年

1月18日　城郊开展土地改革运动,至4月底结束。

1月27日　合肥市政府废除淝河沿岸码头封建把头制度,宣布码头收归国有,并成立市运输工人合作社。

3月10日　合肥市防空司令部成立。

3月31日　中央救灾委员会视察组一行12人抵达合肥,赴重灾区视察。

是月　市直各机关和驻合肥部队积极响应皖北区党委号召,开展生产救灾运动,开荒种菜,以保证蔬菜自给。

4月16日　合肥市政府民政科开始按照《中华人民共和国婚姻法》办理婚姻登记手续。

6月13日　合肥市人民广播电台建成播音。1951年1月改为皖北人民广播电台。

7月1日　合肥市人民法院成立。

7月18日　合肥市各界人民响应政协全国委员会关于举行"和平签名运动"的号召,全市有4.5万人参加了签名运动。

8月5日　全市各级党组织开展整风运动,目的是揭露和批评党员干部存在的居功自傲情绪和命令主义作风、官僚主义作风。此次整风运动至同年10月结束。

11月5日　全市开展"抗美援朝,保家卫国"群众运动。

11月20日　由合肥城防司令部为主组成的中国人民志愿军新编团,在团长刘凯顺、副政委余树堂率领下,从合肥乘火车赴朝鲜参战。

12月中旬　中共合肥市委根据中共中央《关于严厉镇压反革命分子活动的指示》,在全市开展镇反运动。

1951年

2月3日　遵照中央人民政府关于"以市养市"的决定,市政治协商委员会召开会议,决定从1951年起,合肥市实行"以市养市",自给自足,财政上贯彻"量入为出"的方针。

4月21日　全市开展反对美国重新武装日本的和平签名运动,

共有6.8万人参加签名,占人口总数的95%。

4月25日　合肥市40个工商行业3000多人举行集体纳税游行。

是月　全市各阶层人民支援抗美援朝,捐款16.7亿元(旧币),工商界捐献"合肥工商号"战斗机一架。

5月5日　合肥市首届人民运动会举行。

6月30日　合肥市各界7万人隆重集会,热烈欢迎志愿军归国代表来合肥做报告。

7月9日　城郊区建成安徽省第一座机械灌溉站。

8月16日　合肥市协商委员会做出决定:拆除已残缺的老城墙,改建环城马路;开辟东菜市,整顿中菜市,修建文昌宫街(今淮河路中段)。

8月27日　东南医学院由怀远县迁至合肥市办学,并于1952年12月3日改名为安徽医学院。

9月21日　淮南田家庵至合肥的35千伏输电线路正式送电,此为安徽省自建的第一条输电线路。

11月2日　合肥市协商委员会从工商界、文教界、宗教界抽组21人参加皖北地区土改工作团,赴怀远县河溜区开展土地改革工作。

12月1日　合肥城乡掀起贯彻新颁布的《中华人民共和国婚姻法》宣传、动员热潮。

1952年

1月3日　全市开展反贪污、反浪费、反官僚主义的"三反"运动。

1月31日　按照中共合肥市委统一部署,合肥市工商联召开了有51个同业公会近3500人参加的大会,以动员开展反对行贿、反对偷税漏税、反对盗窃国家财产、反对偷工减料和反对盗窃经济情报的"五反"斗争,并很快在工商界形成斗争高潮。

2月　合肥城郊第一个互助组——陈以春农业生产互助组成立。

3月28日　合肥市协商委员会举行各界人民代表扩大会议,宣布解散原市工商联筹备委员会。

3月底　根据华东军区颁发《关于建立城市人民武装部的通知》，合肥市人民武装部（简称"人武部"）成立，下辖东市、西市和城郊三个区人武部。

6月10日　合肥市文艺界进行文艺整风，至7月16日结束。

7月10日　全市开展肃毒运动。

7月25日　合肥市在新中国成立后民主选举产生了第一个居民委员会——合肥市西市区（蜀山区的前身）三孝口居民委员会。

8月25日　安徽省人民政府宣布正式成立，省会驻合肥市。合肥成为安徽省省会。

9月17日　合肥地区连降暴雨，东西两郊有58个村庄被水淹没，市区有2037户居民受灾，1965间房屋倒塌。

是月　合肥市第一人民医院建立，其为合肥市首所综合性医院。

11月7日　合肥市政府查缴1000多斤假药，在段家祠堂当众焚毁。

1953年

1月　合肥市协商委员会成立学习委员会，组织和领导各民主党派和各界人士开展学习运动。

3月　全市开展取缔反动会道门的运动。

是月　东、西郊区分别试办农业生产合作社。东郊区试办的为韩庆华初级农业生产合作社；西郊区试办的为李延仑初级农业生产合作社。

5月9日　中共合肥市委、市政府决定在东市区进行基层人民代表普选试点工作。结合普选，首次在该区选出了23名人民陪审员。

7月1日　举行新中国成立后第一次人口普查，普查结果是：全市总人口为15.72万人。

7月5日　合肥市政府批准向各工商户贷款，以帮助私营工商业克服困难，走上正轨。

7月18日　全市开展"反对官僚主义、反对命令主义、反对违法乱纪"的新"三反"运动,历时3个月。

7月18日　合肥市召开第一届妇女代表大会,正式成立合肥市民主妇女联合会。

9月30日　合肥市第一座钢筋水泥市政桥——淮河路大桥建成通车,并命名为"胜利桥"。

11月10日　全市城乡掀起学习、贯彻过渡时期总路线热潮。

12月17日　开始实行对粮食、油料实行计划收购、计划供应,原私营零售粮行统一被改为国营粮店。

1954年

5月　恰丰、钜源、仁康、茂昌、义和、义圣公、丰泰等7户私营工商业者集资17055元(旧币),筹建光明胶木厂,1955年8月正式投产,产品全部由省百货公司包销。

7月10日　安徽农学院由芜湖迁至合肥办学。

是月　合肥地区发生百年未遇的洪水灾害。

9月15日　棉花、棉布实行计划收购、计划供应。

11月12日　合肥水厂建成投产,市民第一次用上自来水。

11月21日　合肥市成立义务劳动委员会,人民群众开展义务劳动活动,同时确定这一天为全市第一个义务劳动日。

12月7日　合肥市政府召开中医、西医、西药人员座谈会,推行中西医结合医疗。

12月26日　合肥江淮大戏院建成使用。此为合肥新中国成立后由国家投资建设的安徽省第一座具有民族古典建筑风格的大型剧院。

12月　合肥市对市场物价做出规定,除三类农副土特产品外,其他商品一律执行国家牌价。

1955 年

1 月 6 日　全市各界人民 1000 多人集会，反对美国和中国台湾国民党签订所谓《共同防御条约》。

2 月 8 日　合肥市依照《中华人民共和国兵役法（草案）》，首批征集义务兵 253 名。

2 月 16 日　成立合肥市反对使用原子武器签名运动委员会，全市开展签名运动。

是月　中国人民政治协商会议合肥市委员会正式成立。其前身是 1949 年年底成立的合肥市各界人民代表会议协商委员会。

4 月 10 日　市郊区第一个蔬菜合作社在城东乡成立。

5 月 1 日　合肥市总工会成立。

是月　合肥一中被确定为安徽省重点中学。

7 月 1 日　经安徽省人民委员会批准，合肥地方戏——倒七戏被正式定名为庐剧，倒七戏剧团也改称庐剧团。

8 月 10 日　全市开展内部肃反运动，至 1959 年 10 月结束。

是月　中共安徽省委决定在合肥郊区大蜀山建立革命烈士陵园。

10 月 20 日　全面疏浚南淝河。

11 月 1 日　实行粮食定量供应，使用地方粮票。

12 月 25 日　合肥地区连降 9 天大雪，雪深 1 米多，交通中断 5 天。

是年　合肥市对商品猪实行派购政策。

1956 年

1 月 14 日　全市手工业实现社会主义改造，参加合作社的手工业者占全市手工业人数的 99.1%。16 日，全市工商业界 7000 多名职工集会游行，庆祝全市提前完成对资本主义工商业社会主义改造的任务。

是月　市城区主要交通干道的交叉路口，设置人行横道线，划分快慢车道线,实行人车分离,机动车和非机动车分道行驶。

2月1日　合肥市公共汽车公司成立。首次开辟火车站至农学院线路,全程8千米,沿途设15个停靠站。

3月29日　肥西县蜀山乡划归合肥郊区。

3月31日　合肥卫戍司令部成立。

7月1日　合肥市第一条柏油路——长江路动工兴建,年底竣工,全长3千米。

是月　中国民主建国会合肥市委员会成立。

8月10日　合肥市首次发放合营企业私股股息。

是月　全市开放10多处农副产品自由交易市场。

1957年

1月1日　中国民航局开辟的上海—合肥—徐州—北京航空线正式开航。

3月28日　开放粮、油、棉自由市场。同年8月12日,合肥市人民委员会决定取消粮油交易市场,将原来的粮油交易所改为临时收购站。

4月1日　《合肥晚报》正式创刊。

5月10日　市委发出通知,要求各级干部定期参加集体生产劳动。

5月18日　合肥市政府动员盲目流入城市的2000多名农民回乡参加农业生产。

5月23日　全市各级党组织开展整风运动,主要任务是克服主观主义、宗派主义、官僚主义。

6月5日　安徽第一棉纺织厂建成投产,年生产能力为棉纱856万公斤,棉布138万匹。

6月8日　全市各机关、学校等单位陆续转入反右派斗争。

8月10日　合肥火车站扩建工程竣工,候车室比原来扩大47倍。

8月28日　全市300多名中、小学毕业生被下放到郊区张洼、蜀山两乡参加农业生产。

9月9日　省、市考古工作者在三里街飞机场发掘两座东汉古墓，出土铜镜、宝剑、大小罐等文物多件。

11月18日　全市工商业开始全面整风。19日，市工商行政管理局召开大会，严肃处理7名投机倒把、违反市场管理规定的商贩。

11月23日　召开首次烈军属、伤残军人、复员军人代表和拥军优属模范会议。

12月14日　中共合肥市委、市人民委员会召开3000人大会，欢送第一批中学生赴平湖农庄当第一代有文化的农民。

1958年

1月　中共中央副主席、国务院总理周恩来来合肥视察。

1月28日　城乡开展扫盲运动，全市有1.9万多人参加文化学习。

是月　全市开展除"四害"（苍蝇、蚊子、老鼠、麻雀）活动。

3月2日　全市开展"反浪费、反保守"的"双反"运动。

3月18日　著名京剧表演艺术大师梅兰芳率领梅剧团来合肥公演。

3月27日　国务院批准在合肥市兴建年产5万吨钢和4万吨钢材的合肥钢厂。

是月　市政协组织和推动171名社会人士举行自我改造"大跃进"誓师大会，会上通过"自我改造决心书"。会后开展向党"交心"运动，并制订自我改造规划。

4月　中共中央副主席、中华人民共和国副主席、全国人大常委会委员长朱德来合肥视察。

是月　苏联驻中国大使尤金率24国常驻中国代表来合肥参观蜀山人民公社。

5月　中共中央政治局委员、全国人大常委会副委员长、中央军委副主席刘伯承元帅来合肥视察。

6月8日　30万群众列队街头,参加贯彻"鼓足干劲,力争上游,多快好省地建设社会主义"总路线广播大会。由此,全市开始"大跃进"运动。

是月　中共中央政治局委员、书记处书记、国务院副总理谭震林来合肥视察。

7月　合肥市第一所半工半读学校——合肥第十九中学成立。

8月19日　全市兴起"大办钢铁"群众运动。一个月内办起各式高炉300多座。机关、学校、工厂、街道小高炉昼夜不息。

8月23日　中共合肥市委批转市房地产管理局党组《关于对私人出租房屋进行社会主义改造计划及具体政策的规定》。由此,合肥市私房改造工作开始。

9月1日　巢县、肥东、肥西三县划归合肥市管辖。

9月16日　毛泽东来合肥视察。18日,乘敞篷车在长江路与10万群众见面。

9月25日　市辖三县一郊842个农业社合并建立78个人民公社,全市农村实现人民公社化,实行政社合一体制。

9月27日　毛泽东发出"大办民兵师"的号召,合肥开始组建城市民兵组织,到10月底,全市共建15个民兵师、84个民兵团、346个民兵营,共有15万多人。

是月　安徽大学在西郊建成,毛泽东题写"安徽大学"校名。

10月　中共中央副主席、全国人大常委会委员长、中华人民共和国主席刘少奇来合肥考察。

11月10日　阿尔巴尼亚新闻代表团来合肥访问。

是月　中共中央政治局委员、国务院副总理兼国防部部长彭德怀视察合肥。

12月13日　中共中央政治局委员、全国人大常委会副委员长叶剑英来合肥视察。

是年　合肥地区大旱。

是年　全市自由市场关闭。

1959 年

2月6日　郊区境内不少地方发现麻疹、白喉、百日咳和脑脊髓炎等流行性传染病。

3月15日　全市15万民工参加淠史杭灌溉工程施工。

3月20日　市工交（工业与交通运输业的并称）系统精减6万多民工回乡务农。

4月2日　市直机关干部190人，下放基层劳动锻炼。

4月18日　全市200多万人次参加"积肥送肥"活动，支援农村春耕大生产。

5月23日　中共中央政治局委员、国务院副总理聂荣臻来合肥视察。

6月14日　中国国民党革命委员会合肥市委员会成立。

6月20日　新疆"欢迎支援边疆社会主义建设代表团"来合肥访问。

7月17日　中共安徽省委批转中共合肥市委《关于大力恢复与发展小商品生产意见的报告》，要求各地根据实际情况，发展小商品生产，以解决市场上小商品供应紧缺的问题。

是月　合肥市第一次科学工作会议召开。

9月30日　市中级人民法院宣布特赦一批已经改恶从善的反革命分子和刑事犯罪分子。

10月11日　中共合肥市委召开万名干部参加的"反右倾、鼓干劲"动员大会，动员开展"保卫总路线、'大跃进'、人民公社三面红旗"的"反右倾"斗争。在此次斗争中，全市有1000多名干部、群众受到错误批判或处分。

10月18日　秘鲁、尼加拉瓜、玻利维亚、瑞典等国友好人士抵合肥参观访问。

10月28日　毛泽东来合肥，视察了省委机关钢铁厂、蜀山人民公社和蜀山化肥厂,并做出"民兵要组织好,平时搞生产建设,战时支援解放军"的重要指示。

是月　全市掀起大办民兵师热潮。

11月30日　中共中央政治局委员贺龙、罗荣桓,中央书记处书记谭政来合肥视察。

是月　郊区开展整风、整社运动。

是年　合肥市起初上报粮食总产量为20亿斤,后来核实为10亿斤。浮夸风情况严重,人民生活水平开始下降。

1960年

1月22日　中共安徽省委转发合肥市委《关于开展以技术革新和技术革命为中心的高工效运动的报告》。由此,全市掀起技术革新运动热潮。

2月19日　中共中央总书记邓小平、中共中央政治局委员彭真、中共中央书记处候补书记刘澜涛、杨尚昆来合肥视察。

4月18日　市"三反"整风领导小组成立,开展"反贪污、反浪费、反官僚主义"运动,至6月基本结束。

4月19日　中共中央政治局委员、国务院副总理兼财政部长李先念来合肥视察。

4月22日　中共中央政治局委员柯庆施来合肥视察。

5月3日　合肥地区突遭十级台风袭击,并降暴雨。肥东、肥西两县普降冰雹。损坏房屋20多万间,死伤近1000人。大麦、小麦、油菜倒伏、断秆面达80%。

5月9日　中华人民共和国副主席董必武来合肥视察。

6月5日　东市、西市、南市、北市4个行政区相继成立市区人民公社,实行政社合一,实现城市人民公社化。

是月　市辖各县和郊区开展"亩产千斤水稻、万斤山芋、百斤皮棉"竞赛运动,各公社不顾客观经济规律,弄虚作假,争放"卫星"。

9月1日　全市兴起"以粮为纲,以钢为纲"的增产节约运动高潮。

10月28日　中共中央副主席陈云来合肥视察。

是月　国务院副总理邓子恢来合肥视察。

1961年

2月　中共合肥市委贯彻国民经济"调整、巩固、充实、提高"方针，大力发展轻工生产，日用工业产品供应紧张状况开始缓解。

是月　中共安徽省委书记曾希圣带领省委工作组到合肥郊区大蜀山公社南新庄生产队进行"包产到队、定产到田、责任到人"的试点，即包产到户，并很快在全省各地得到推广。

4月1日　肥东、肥西、巢县三县划出合肥市。

4月24日　全市开始整风运动。在工业企业中贯彻《国营企业工作条例（草案）》，整顿组织；在农村贯彻中共中央《关于农村人民公社当前政策问题的紧急指示》和《农村人民公社工作条例（修正草案）》，纠正高指标、高征购、浮夸风、共产风、瞎指挥等问题。

5月19日　市各中学放农忙假，6000多名师生下乡支援"双抢"（抢收抢种）。

6月7日　《合肥日报》改为《合肥晚报》。

7月4日　精减职工、压缩城镇非农业人口。到8月底，全市在册人口压减2.9万多人。

9月11日　全国人大常委会副委员长陈叔通来合肥视察。

10月31日　国务院副总理兼外交部部长陈毅来合肥视察。

是月　改革土葬旧俗，实行火化。

是年　郊区417个生产队实行责任田，占生产队总数的34%。1962年9月，责任田被视为"方向性错误"，停止实行。

1962年

4月16日　中共合肥市委甄别工作领导小组成立。曾在"大跃进"、"反右倾"、整风整社运动中受到错误批判和处分的大部分党员、干部,得到甄别平反。

4月　合肥地区开展大规模清仓核资工作,次年10月基本结束。共清出积压物资总值1.28亿元,处理物资6580万元,报损物资5288万元。

5月　合肥市人民防空委员会成立,下设人民防空指挥部。

9月18日　部分城镇人口粮食定量标准有所调整。机关、学校、企业职工、基层干部和中学生,月口粮标准增加1.5～2.5市斤。

是年　中共合肥市委、市人民委员会继续贯彻国民经济"调整、巩固、充实、提高"方针,全市工业主要产品大部分超额完成计划,生产成本比1961年降低38%;农业总产值比1961年增长2.13%。

1963年

3月16日　驻合肥部队和城乡人民响应毛泽东主席发出"向雷锋学习"的指示,全市掀起了学雷锋热潮。

4月10日　全市开展"反对贪污盗窃、反对投机倒把、反对铺张浪费、反对分散主义、反对官僚主义"的"五反"运动,至同年9月底结束。

4月12日　中共合肥市委、市人民委员会做出决定,加强集市贸易管理,打击投机倒把活动,关闭了小花园自由市场。

4月16日　合肥地区遭大风雨和冰雹袭击。民政部门拨款5700多元,以帮助受灾户维修房屋,安排生活。

5月18日　撤销北市区人民委员会,成立郊区区公所。各城市人民公社管辖的蔬菜队划归郊区,实行城乡分离。

7月5日　市工人文化宫举办阶级教育展览会,历时3个月,观众达15万。

7月13日　郊区兴集、园林两公社分别划入肥东县和肥西县。

是月　全市婴儿出生率达38.91‰,人口增长速度较快。12月,市、区相继建立计划生育委员会,号召一对夫妇只生2个孩子。

10月4日　郊区用电基本普及,电灌农田面达到80%以上,装用电灯的农户达 85%。

1964 年

1 月 29 日　颁布《合肥市城市交通规划实施细则》。

4 月　全市开展"学大庆、学解放军、学毛主席著作"群众运动。

是月　合肥灯泡厂召开全厂职工大会,当场砸碎 4150 只质量不合格灯泡,在社会上引起很大反响。

6 月 16 日　合肥酒厂生产的薯干白酒获国家银质奖章。

6 月 30 日　第二次全国人口普查工作开始。普查结果:全市总人口 4.62 万人,比 1953 年第一次全国人口普查时增长 2.9 倍。

7 月　郊区肉猪存栏数达 1.9 万多头,平均每户养猪数超过一头。

8 月 10 日　省暨合肥市各界 4000 人集会,声援越南人民抗美救国斗争。下午,10 万群众走上街头示威游行。

9 月 1 日　肥西县优胜、园林、井岗 3 公社和十八岗等 7 个生产大队划归合肥郊区。

是月　划寿县 4 个区,定远、肥东、肥西各 1 个区,共 7 个区、55 个公社,约 46 万人,设置长丰县,为合肥市辖县。

是年　全市开展"清政治、清经济、清组织、清思想"的"四清"运动。

1965 年

6 月 28 日　合肥市人民委员会发出通知,对一些老街老巷改命新名。

7 月 1 日　降低猪肉售价:甲级猪肉由每市斤 0.85 元降为 0.65 元,乙级猪肉由每市斤 0.8 元降为 0.6 元。同时降低市内公共汽车票价。

9 月 16 日　全市增设 13 个街道办事处和 72 个居民委员会。

是月　市郊区开展"农业学大寨"运动,推行"三田"(样板田、种子田、试验田)。

10月6日 我国第一台大型喷洒农药机械——悬挂式喷雾喷粉机,在农机一厂试制成功,并通过国家鉴定。

11月10日 全市开展"学习王杰"活动。

11月29日 蒙古漂来浮尘,造成合肥地区下"黄沙"。

是年 全市工农业生产继续增长,财政收入比上年增长24%。国家对城镇职工及其供养亲属每人每月发粮价补贴0.7元。

是年 全市人口粮食定量标准月增加1~2市斤,植物油定量由每人每月2市两增至半市斤,群众生活告别了"低标准、瓜菜代"阶段。

1966年

2月9日 中共合肥市委发出通知,号召党员、干部开展学习焦裕禄活动。

2月16日 中共合肥市委发出通知,要求各级党组织把学习毛泽东著作放在一切工作的首位。

3月19日 合肥灯泡厂试制成功1万瓦弧氙灯。

3月22日 中共合肥市委工交政治部召开企业班组长代表会,会上举行授《毛主席语录》仪式。活学活用"毛主席语录"运动热潮在全市兴起。

4月下旬 中共中央政治局候补委员陆定一视察长丰县下塘中学,肯定了下塘中学的教学改革试点经验。

5月8日 《合肥晚报》转载江青化名的文章:《向反党反社会主义的黑线开火》,由此,合肥文艺界掀起"查黑线""揪黑帮"运动。

5月23日 中共合肥市委召开17级以上党员干部大会,传达中央"五一六通知"。由此,全市开始了"文化大革命"。

8月12日 《中国共产党中央委员会关于无产阶级文化大革命的决定》公开发表,由此,全市掀起了大鸣、大放、大字报、大辩论的"四大"热潮。

8月20日　省暨市15万人在省体育场举行"庆祝无产阶级文化大革命"大会，推动运动向纵深发展。

8月24日　合肥地区一些大专院校和中学的"红卫兵"，开展破"四旧"（旧思想、旧文化、旧风俗、旧习惯）运动。破"四旧"之风迅速席卷全市。

8月26日　下午，合肥百货大楼墙上出现《炮轰安徽省委司令部——造李葆华的反》大字报。

8月27日　合肥地区部分机关干部、职工和市民与一些高等学校学生因对《炮轰安徽省委司令部——造李葆华的反》的大字报认识不一致，在大街上发生争论，以致扭打，即所谓"八二七"政治事件。

9月1日　外地学生百余人冲进中共安徽省委机关大院，为进办公楼看大字报与省委机关干部发生争执。随后，合肥工业大学、安徽工学院等院校的"造反派"千余人拥进省委机关大院并发生冲突。

是月　合肥各校师生开始进行全国"大串联"。

10月9日　安徽省合肥工人革命造反派联合委员会（简称工联会）成立。

10月18日　合肥地区大中学校红卫兵革命造反司令部（即安徽"八二七"革命造反兵团）成立。

11月9日　部分造反群众冲进全省三级干部会议住地——稻香楼宾馆，围攻、批斗李葆华等省委主要领导。

12月26日　淮南"红卫军"上百人持枪窜来合肥，全市由此开始武斗。

1967年

1月23日　安徽省暨合肥市造反派召开"斗争反革命修正主义分子李葆华之流大会"。在此前后，市直的一大批领导干部以及基层干部被打成"走资本主义道路的当权派""反革命修正主义分子"，受到错误批判和斗争。

1月26日　合肥地区28个造反派组织联合进占省委、省人委机关,宣布夺了中共安徽省委,省人委党、政、财、文大权,成立"安徽省革命造反派总指挥部"。同日,市委、市人民委员会也被夺权。这就是"一·二六"夺权事件。

2月　合肥地区众多"造反派"组织,围绕"一·二六"夺权问题发生分歧,并逐步分裂成相互对立的两大派——"G派"和"P派"。

3月　合肥市军事管制委员会(简称"军管会")成立。部队实行"三支"(支工、支农、支持左派)、"两军"(军管、军训)。

4月10日　安徽省军管会决定成立合肥市工作委员会(简称"工委")。工委内设革命指挥部、生产指挥部和办公室。4月17日,4个市属区也以区人武部为主,相继成立各区军管领导小组。

7月24日晚　合肥市人武部被造反派抢走各种武器1000余件,子弹3万余发。

是月　全市连续发生打、砸、抢事件,群众不敢上街,工厂被迫停产,人民生命财产受到威胁。

8月7日　中国人民解放军南字124部队奉命进驻合肥,成立军管会合肥工作委员会,掌握地方各级党政领导权。李全贵任军管会主任。

8月8日　"G派"和"P派"在市区发生大规模武斗,时称"八八"事件。合肥地区开始"全面内战"。

9月12日　合肥地区两派群众组织联合召开拥军爱民大会,会后出现大联合高潮。至9月28日,合肥市780多个单位实现大联合。

10月10日　全省赴京汇报代表团,达成《关于制止武斗,抓革命、促生产,拥军爱民等问题》的协议。

1968年

1月11日　全市大办毛泽东思想学习班。

是月　全市"献忠心"运动逐渐兴起。

4月3日　经南京军区党委批准,合肥市革命委员会成立。市革委会成立后,原省军管会合肥工委随之撤销。

4月10日　合肥市文攻武卫指挥部成立。

是月　合肥江淮汽车制造厂采用W270型汽油发动机组装成E130型2.5吨巢湖牌载重车。1969年更名为"江淮牌",并投入批量生产,填补了安徽省不能制造载重汽车的空白。

6月20日　全市开展清理阶级队伍运动,大揪"叛徒、特务",一些干部、群众因此受到迫害。

7月29日　市首届"活学活用"毛泽东思想积极分子代表大会召开。

8月25日　全市县以上单位全部成立了革命委员会,实现"一片红"。

8月29日　合肥市第一批毛泽东思想宣传队(工宣队),相继进驻机关、学校,以"领导"上层建筑开展"斗、批、改"运动。

10月19日　省、市党政直属机关首批3000余名干部被下放"五七"干校劳动,开展"斗、批、改"。

10月26日　合肥市首批5000余名中小学毕业生被安置到农村插队落户。

是月　合肥电厂首台2.5万千瓦机组投产供电。

12月　合肥地区高等院校1万多名师生,被组织步行到农村、厂矿进行"斗、批、改"。

是年　全市各级党组织按照毛主席"五十字"建党纲领,开展整党建党,实行思想上、组织上的"吐故纳新"。

1969年

1月16日　全市12所中学被下迁到长丰、阜阳农村办学。

1月18日　省暨合肥市军民10万人集会,欢送全市首批知识青年上山下乡。

3月　全市20万人集会游行,抗议苏军侵犯我国领土珍宝岛。

4月5日　市区、郊区的一些医务人员被下放到农村,以落实把卫生工作重点放到农村去的"最高指示"。

4月10日　合肥矿机厂自行设计制造单斗万能挖掘机。

4月11日　安徽农机一厂试制成功江淮40型拖拉机。

是月　我国第一颗人造地球卫星上天。内有合肥模型厂生产的高频接插件及合肥晶体管厂、合肥元件二厂生产的元件产品,该三厂分别受到国家颁发的3万元、4万元、1万元奖金。

6月6日　市革委会批准省建二纵队第三支队子弟小学附设初中班,以解决小学毕业生的升学问题。由此,全市大多数小学相继实行小学"戴帽子",附设初中班。

7月　因城市医院和医务人员被相继下放农村,城市就医难矛盾日渐突出。为此,市轻、重工业系统举办红医班,一批工人被突击提拔为"红医"。

9月　派驻合肥市进行"三支""两军"的解放军,其任务基本结束,大部分人员撤回部队。

12月5日　由贫下中农、干部和解放军"支左"人员1万多人组成的毛泽东思想宣传队(贫宣队)被派往农村,开展"斗、批、改"运动。

1970年

1月20日　中国科学技术大学从北京迁至合肥市,在原合肥师范学院校址办学。合肥师范学院迁往芜湖,与安徽工农大学(原皖南大学)合并。

1月30日　全市开展"三清四反一深挖"(清账目、清仓库、清财物,反贪污盗窃、反投机倒把、反铺张浪费、反资本主义经营,深挖隐蔽的阶级敌人)运动,至1973年3月结束。

4月24日　午夜12时,全市统一行动进行所谓"政治大清查",挨家逐户清查户口,群众正常生活秩序和合法权益受到侵害。

5月7日　全市30万军民集会游行,声援印度支那三国(越南、老挝、柬埔寨)人民抗美救国正义斗争。

7月15日　合肥无线电厂试制成功701型黄山牌电视机。

8月31日　轻工业部在合肥市召开13省、市印染污水处理现场会。安徽印染厂污水处理工程受到与会行家们的高度评价。

10月21日　合肥市首次选送200多名工农兵学员上大学。

12月1日　中共合肥市委发出通知,号召全市党员、干部向模范党员、革命伤残军人吴成德学习。

1971年

2月1日　合肥市直机关开展反对骄傲自满、提倡谦虚谨慎的自我教育运动。

5月6日　全市开展"批修整风"运动,并对所谓"五·一六"反革命阴谋集团进行清查。清查工作因遭干部、群众抵制而不了了之。

是年　合肥市被定为全国人防工作重点城市。全市开始人防工程施工,深挖地下坑道。

1972年

1月20日　全市开始"批林整风"运动。

2月21日　中共合肥市委召开长丰、郊区公社和挂钩厂领导干部会议,推行厂社挂钩做法,以此普及"大寨县"。

10月1日　全市居民生活用煤实行凭票供应。

1973年

7月25日　中共合肥市委、市革委会组织"630工程"会战,改造合肥轧钢车间。该工程于10月1日竣工并投产。

10月　合肥市3万民兵在警备区统一组织下,协助公安部门和有关单位进行"打击投机倒把和其他不法分子"活动。

11月16日　中共合肥市委抽调600多名干部组成宣传队,分赴农村社队和工厂,开展基本路线教育运动,至1977年年底结束。

1974 年

2月　全市各单位普遍建立所谓"评法批儒"理论小组,建设理论队伍,开展"批林批孔"运动。

8月10日　市革委会颁发《布告》,取缔"自由市场""非法买卖""地下工厂""地下商店""地下包工队",反对"资本主义倾向",打击"投机倒把"。

1975 年

2月18日　全市开展学习无产阶级专政理论运动。

9月　全市开展"评《水浒》、批宋江、反对投降派"运动。

是月　推广所谓朝阳农学院经验,全市首次招收"社来社去"大、中专学生130名。

1976 年

1月8日　周恩来总理逝世。群众自发举行追悼活动。

3月10日　《人民日报》发表社论《翻案不得人心》后,合肥开展"批邓、反击右倾翻案风"运动。

5月8日　省暨合肥市召开"掀起批邓、反击右倾翻案风,追查反革命新高潮大会",清查所谓"天安门事件"的支持者。

8月5日　市卫生系统抽调500多名医务人员赴唐山震区救护伤员。市各医院同期接收治疗700名唐山地震伤员。

8月6日　为缓解旱情,合肥进行人工降雨。

9月9日　毛泽东主席逝世。18日,省暨合肥市20万军民在省体育场隆重举行追悼大会。

10月23日　省暨合肥市20万军民在省体育场集会,热烈欢呼粉碎"四人帮"反党集团。

11月8日　市革委会召开三届十二次全委扩大会议。会后,全市开展揭批"四人帮"运动。

1977 年

4 月 10 日　市电信局开始办理合肥至北京、上海等地电报传真业务。

4 月 23 日,安徽无线电厂(后改名为安徽电子计算机厂)和清华大学等单位协作,联合设计试制成功了中国第一台 DJS-050 微型电子计算机并通过鉴定,由此,合肥被誉为"中国微机的摇篮"。

7 月 1 日　郊区蜀山公社建立毛主席视察蜀山纪念馆。

11 月中旬　"文化大革命"中进驻学校的工人宣传队开始撤出。"文化大革命"中创办的街道民办小学陆续就近移交公办小学。

12 月 14 日　坐落在合肥南郊的骆岗机场建成通航,骆岗机场是当时国家一级机场,与北京、上海、广州等机场同被誉为全国八大机场。

是年　全市各大专院校恢复考试招生制度。各大专院校通过统一考试,择优录取首批 1207 名新生。

1978 年

1 月　市新华书店恢复发行在"文化大革命"中被禁止发行的《郭沫若剧作选》《唐诗选》《宋词选》《古文观止》《铁道游击队》《悲惨世界》《牛虻》等 55 种文艺书籍。

2 月 25 日　合肥市恢复专业技术职称评定工作。至 1983 年 8 月,全市有 1500 多人获得工程师以上职称。

是月　合肥市南门小学被定为安徽省重点小学。

4 月 19 日　全市抽调 160 多名干部赴各厂矿企业,开展企业整顿工作。

5 月 22 日　肥西县义城、义兴、晓星、大圩 4 个公社和烟墩公社 2 个大队划归合肥郊区。

5 月 27 日　全国政协副主席荣毅仁来合肥视察。

是月　合肥一中被重新确定为安徽省重点中学。

9 月 15 日　省暨合肥市在省体育场召开群众大会,公开宣判"文化大革命"中犯有严重打、砸、抢罪行的犯罪分子。

11月23日　中共合肥市委做出决定：凡为悼念周总理、反对"四人帮"及因"天安门事件"受牵连而遭迫害的人，一律彻底平反，恢复名誉。

是年　合肥地区持续高温、干旱，长丰县塘坝干涸，南淝河断流，水库见底。

是年　一批在"文化大革命"中遭受迫害的劳动模范、人民教师及文艺界人士等，得到平反昭雪，恢复名誉。

是年　合肥市对用非所学的523名具有大专以上学历的人员进行工作调整，调整人数占应调整人数的97%。

1979年

1月　陆续撤销"文化大革命"中小学附设的初中班。

2月5日　全市100多名所谓"地富反坏"分子被摘掉帽子。对错定的所谓"四类分子"予以纠正。

2月17日　中共合肥市委成立对国民党起义、投诚人员落实政策领导小组。

2月21日　中共合肥市委召开全委扩大会议，贯彻党的十一届三中全会精神，实现工作重点向经济建设方面转移。

2月22日　粮油交易自由市场开放。

4月27日　合肥郊区建成蔬菜自动化喷灌工程。

8月25日　全市开展《中华人民共和国刑法》《中华人民共和国刑事诉讼法》等共7个法律的宣传月活动。

8月30日　召开计划生育工作会议，提出"鼓励一胎、控制二胎、杜绝三胎，逐步提高一胎率比例"的计划生育方针。

11月11日　合肥市政府决定在12家国营工厂推行扩大企业自主权试点。

是年　市有关部门对收到的591件申诉材料进行复查，其中属全错全平的352件，占总数的59.5%；部分错部分平的37件，占 6.2%。

是年　中共合肥市委、市政府决定：居民委员会主任转为大集体职工,可以退休,退休费由区财政支付。

1980 年

1 月 1 日　市各级人民法院恢复公开审理案件制度,同时恢复律师辩护制度。

2 月 27 日　合肥市政府决定：各街道革命委员会改称街道办事处。

3 月 22 日　成立地名普查领导小组,开始地名普查工作。

4 月 9 日　国务院颁文将明教寺列为汉族地区佛道教重点寺庙之一。

5 月 20 日　日本久留米市与合肥市建立友好城市关系。

5 月 23 日　中共合肥市委、市政府颁发《关于县、区、局级干部生活待遇的若干规定》,对领导干部的住房面积做了限制。

7 月 18 日　合肥地区连降暴雨,有 1.29 万户居民、39 家工厂、38 家商店、16 座大中型仓库被淹,造成直接经济损失达 1000 多万元。

9 月 2 日　省暨合肥市联合创办一所自费走读综合大学——合肥联合大学,首届学生 380 人开始入学上课。

11 月 23 日　合肥市婚姻服务处成立。

是年　中共合肥市委、市政府继续贯彻国民经济调整方针,压缩基本建设投资 350 万元,工农业生产持续增长。其中,工业总产值比上年度增长 4.91%,粮食总产量比上年度增长 30.7%。

1981 年

3 月 4 日　全市开展"讲文明、讲礼貌、讲卫生、讲秩序、讲道德"和"心灵美、语言美、行为美、环境美"的"五讲四美"文明礼貌活动。

7 月 5 日　市内电话从即日零时起启用五位号码。

9月8日　合肥市古教弩台、明教寺、包公祠被安徽省人民政府公布为省重点文物保护单位。

10月　据统计,全市社队企业已发展到1000多家,职工达5.3万多人,年总产值达7000万元。

10月20日　原庐州府城隍庙由市政府拨款修复。

是月　中共中央政治局委员、国务院副总理方毅,在著名科学家严济慈陪同下来中国科学院合肥分院视察。

11月22日　上海纺织行业帮促队结束在合肥市的对口帮促活动返沪。

是年　全市粮食总产量比上年增长24.3%,长丰县实现人均生产千斤粮。

是年　市属三十八中、四十二中、四十五中三所中学被改为九年一贯制实验学校。市区小学学制改为六年。

1982年

2月9日　市税务局对农村新办社队企业,除生产烟酒、棉纱、手表、肥皂、皮革、造纸的企业外,一律给予免税3年的优惠政策。

3月3日　西市区人武部参谋、共产党员郭俊,在西郊靶场组织民兵投掷手榴弹时,为掩护一名发生意外事故的民兵而英勇献身。5月19日中央军委发布命令,授予郭俊"舍身救人的好干部"荣誉称号。

4月19日　合肥市地方志编纂委员会成立,合肥市第一代方志编修工作由此启动。

5月31日　合肥塑料六厂与意大利S机器制造厂签订协议,合资经营生产离心纸人造革,成为合肥市首家中外合资企业。

7月1日　举行全国第三次人口普查。全市总人口为322.7万人,其中市区82.1万人。

10月16日　原国民党少将、退役军官罗园仙,从台湾抵合肥,受到欢迎。

12月29日　合肥市政府决定：凡在"文化大革命"中被任意更改的路名、街巷名、公园名等全部恢复原名。

是月　合肥市建成蜀山森林公园。该园位于西郊大蜀山，面积550公顷。

1983年

1月14日　长丰县吴山镇和郊区东方红公社率先实行人民公社体制改革，撤销公社管委会，成立乡人民政府。至6月底，全市三县一郊共建乡镇政府172个，结束了政社合一的体制。

2月3日　日本久留米市日中协会会长久原忠夫，专程送电视片《合肥》《合肥的朋友们》来合肥，并赠送介绍久留米市的电视片《故乡的四季》。

2月9日　合肥市30家小型国营商业、服务行业的企业与主管部门签订合同，实行集体和个人承包制。至4月底，供销系统的零售商店、饮食服务店全部实行经营承包制。

3月22日　市房地产管理局在东门小花园举办第一次市民住房交换大会。

5月25日　合肥市政府改革殡葬旧俗，规定城镇居民逝世后，一律实行火葬，不准披麻戴孝，不准悬挂孝帐的车辆经过市区。

是月　合肥市辖三县一郊开展公开选聘乡镇干部工作。

6月3日　省政府批准合肥市所辖长丰县为商品粮生产基地。

6月4日　合肥市个体劳动者协会成立。当时，全市共有个体工商户3400多家，从业人员4500多人。

6月7日　省政府决定，将巢湖行署所属的肥东县、六安行署所属的肥西县划归合肥市管辖。

7月25日　市长办公会议决定，改造长江路东段、金寨路北段的沿街门面，实行依靠社会财力，统一规划，统一拆迁，统一经营的办法，开展旧城改造。

8月15日　合肥地区暴雨成灾，水势、灾情为1954年以来最大的一次。

  是月　合肥市园林部门对全市古树名木进行调查。调查结果：全市计有百年以上的古树14株,其中树龄最长的一株银杏树约200年。

  11月1日　合(肥)裕(溪口)公路合肥辖段23.7千米拓宽工程动工。路基宽17米,柏油表处行车路面宽14米,总投资1173.3万元。1987年10月1日竣工。

  是年　全市经济形势继续向好,全年工业总产值超23亿元,农业总产值逾9.3亿元;财政收入逾3.6亿元。

1984年

  1月　合肥市及辖县、区三级领导班子,按照革命化、年轻化、知识化、专业化的要求进行全面调整。新班子成员的平均年龄为44岁;具有大专以上文化程度的干部在县委班子中占32%;在区委班子中占45%。

  2月2日　举办首届庐州灯会。

  2月6日　皖籍旅法著名女画家张玉良的部分遗作从法国巴黎运抵合肥。

  2月17日　合肥市召开农村"两户一体"(专业户、重点户、经济联合体)代表会议。全市农村中的各种专业户、重点户发展到7万多户,占总农户的12%,出现了不少万元户。

  是月　合肥市被评为全国绿化先进单位。

  4月8日　我国发射试验通信卫星成功。内有合肥无线电二厂生产的高频接插件。为此,该厂收到中共中央、国务院、中央军委联名发来的贺电。

  4月18日　中共安徽省委决定以合肥为中心,大力发展科学教育事业,逐步将合肥市建成现代化的科研教育基地,并将此作为振兴安徽经济的战略重点之一。

  5月7日　中共合肥市委、市政府决定扩大企业用人权。在人事、干部管理制度上,为企业"松绑"。

5月25日　中共安徽省委决定在合肥市实行经济体制改革试点。重点是搞活流通,搞活企业。

7月1日　合肥市首次举办人才交流科技攻关洽谈会。

7月10日　中共合肥市委、市政府做出决定,在全市18个企业试行"厂长(经理)负责制"。

8月5日　城隍庙商场建设工程破土动工,1986年1月建成开业。商场总建筑面积49万平方米,工程总投资2000万元。

9月2日　国务院总理赵紫阳考察合肥市一些工厂和城市建设,并就合肥市的城市改造、经济发展等问题发表意见。赵紫阳还要求国务院有关部门帮助合肥市总结经验,加以推广。

9月18日　市文化局在长江剧院举行"合肥市首届戏剧节"开幕式。

9月25日　市九届人大常委会第八次会议决定:广玉兰树为合肥市市树;桂花、石榴花为合肥市市花。

10月6日　全国第一届伤残人运动会在合肥举行。

是月　《合肥市城市总体规划》荣获国家城乡建设环境保护部颁发的部级优秀设计二等奖。

11月17日　全市"以工代干"整顿工作基本结束,有近9000名"以工代干"人员转为国家正式干部。

11月20日　合肥国家同步辐射实验室奠基典礼在中国科学技术大学新校区举行,党和国家领导人胡启立、严济慈等出席。

1985年

1月1日　全市48家粮店实行承包经营。

1月3日　全国第一台2000吨油压机主体工程在合肥江淮汽车制造厂安装完成。

1月18日　合肥、马鞍山、芜湖、淮南4市同南京、常州等13个城市建立全国第一个发展城市工业品贸易中心横向联系经济联合体——苏皖地区贸易中心经营协会。

1月19日 大型受控热核聚变和等离子体物理研究基地在合肥郊区中国科学院高温等离子体物理研究所建成。

1月27日 皖沪经济技术协作意向协议在合肥签字。

3月5日 合肥市政府发出通知取消粮食统购,实行粮食合同定购。

4月1日 合肥地区猪肉价格放开,生猪取消派购,开放市场。

7月22日 中共合肥市委、市政府对市区区划进行调整。

7月27日 长丰县首次向东欧国家运销大米。

10月20日 合肥自行车厂加盟上海"永久集团",成立上海自行车厂合肥分厂。

是年 国务院批准合肥市为甲类开放城市。

是年 合肥市价格体系改革正式起步。蔬菜、猪肉价格放开,国家发给居民每人每月2元肉价补贴。

1986年

1月15日 占地面积6.3万多平方米,合肥市第一家多种服务业的综合性、开放性的大型市场——城隍庙市场举行开业典礼。

3月25日 中共合肥市第五届委员会举行第一次全体会议,以无记名投票方式选举产生市委领导机构成员。

3月29日 世界粮食评估组来合肥,对开发低洼盐碱荒地,发展水产养殖情况进行考察。

6月24日 合肥郊区七里塘镇被确定为全国3个集镇建设试点之一。

7月9日 国务院经济发展研究中心、国家经济体制改革委员会、国家计划委员会、城乡建设环保部、中国房屋建设开发公司、人民日报社、中央电视台、北京日报社、北京晚报社等单位一行14人,联合考察合肥市在房屋开发、城市改建和住宅商品化方面所取得的成绩和经验。

11月14日　合肥市两项新的改革措施出台：在部分企业试行股份制和资产经营责任制。首批试行股份制的企业是：合肥电缆厂、合肥工具厂、合肥雨具厂、合肥玛钢配件厂及合肥一商系统的6家小型零售商店。首批试行资产经营责任制的是2家全民所有制单位：合肥毛巾厂、合肥制笔厂。

12月5日　合肥工具厂向职工发行股票。成为合肥市第一家实行股份制的国有工业企业。

12月15日　全市启用程控电话。

12月24日　合肥市政府颁发《股份制经济试行办法》，从即日起符合条件的企业将依此办法实行股份制。

是月　合肥地区大中专院校部分学生上街游行，喊口号、搞演讲，形成学潮。

是年　市公安局在西市区曙光新村进行颁发居民身份证试点。正式颁证工作至1987年全部完成。

1987年

1月3日　肥东县被列为省粮食生产基地，用于基地建设总投资计划为825万元。

1月13日　安徽省六届人大常委会第二十七次会议通过批准《合肥市关于游行、示威的暂行规定》。

2月10日　合肥市公交公司售票员陆忠在公共汽车上被歹徒杀害。对此，省、市领导和社会舆论极为关注，中央和省、市新闻单位均做了报道。

2月12日　合肥市获"全国绿化先进单位"称号。

3月27日　世界银行访华团来合肥教育学院考察。

4月10日　世界粮食计划署援助项目"W-中国2814项目"在市辖肥东县开工。

4月24日　合肥市被评为"全国人防先进城市"。

5月22日　上海市卢湾区与合肥市结为友好城区。

6月29日　合肥市落实知识分子政策工作结束。

9月22日　国务院副总理田纪云来合肥视察。

10月1日　包孝肃墓园竣工,并对外开放。该墓园于1986年10月动工兴建,总投资260万元。

1988年

2月5日至12日　市第十届人民代表大会第一次会议在江淮大戏院召开。选举孙人格为市人大常委会主任,并选举钟咏三为市人民政府市长。

3月15日　南昌市党政代表团来合肥访问。17日,南昌市与合肥市缔结为友好城市。

5月10日　联邦德国下萨克森州工业技术样本展览会在合肥举行。

8月9日　合肥—香港航线正式通航。

8月12日　中共合肥市委召开全市党政负责干部大会,杨永良、陈光琳先后在会上讲话。杨永良调安徽省委担任副书记,芜湖市原市委书记陈光琳任合肥市委书记。

1989年

3月23日　联合国世界粮食计划署官员来合肥,对由联合国援助建设的"2814"项目进行中期评价。

3月25日至31日　由于发生食油涨价的谣言,全市各粮店门口从早到晚排起购食油的长龙。仅29日至31日晚,销量近30万公斤,超出平时10倍。

4月26日　国家同步辐射装置在合肥建成并调试出光,标志着中国建造同步辐射加速器的技术已跨入世界先进行列。

5月15日　北京"政治风波"波及合肥,晚7时左右,合肥市部分高校学生上街游行请愿。

5月20日　凌晨,中共合肥市委常委举行会议,认真学习讨论国务院总理李鹏在首都党政军干部大会上所做的重要讲话,号召大家行动起来,旗帜鲜明地制止动乱。

5月23日　市人民政府发出通告,要求稳定合肥,维护合肥正常的社会秩序和人民生活的安定。

5月31日　以丹麦奥尔堡市市长凯乐为团长的友好代表团来合肥访问,并与合肥市结为友好城市。

6月3日　合肥塑料厂将一幢新建住宅楼(36套)全部出售给职工。这是合肥市第一个经市住房制度改革领导小组批准的方案。

6月6日　《合肥市文化市场管理办法》出台并正式实施,这是合肥市第一个地方性文化法规。

8月25日　中共合肥市委、市政府决定,对全市乡镇、街道以上各级党政机关、群众团体在职和离退休干部建造私房进行清理整顿。

9月12日　合肥廉泉啤酒荣获全国啤酒专业协会全行业啤酒质量评比金质奖章。

是月　市工商经济检查分局公开销毁一批价值21万多元共12个品种的假冒伪劣商品。

是年　合肥市确立了"教育为本、科技立市"的基本方针,大力实施科教兴市战略。

1990年

2月16日　合肥科技工业园正式成立。

3月12日　全市1118名党政机关干部下到基层,联系群众、了解民情、调查研究、解决问题、帮助工作。

是月　合肥汽车首次远销国外。

6月12日　市公安机关从零点起在全市范围内统一行动,开展严厉打击严重刑事犯罪斗争。

6月13日　合肥市创建灭鼠先进城市工作通过考核鉴定。8月16日,全国爱国卫生委员会授予合肥"灭鼠先进城区"称号。

是月　国家特有珍稀动物黑鹿在合肥市逍遥津公园繁殖成功。

7月6日　首届亚洲青年女子手球锦标赛在合肥举行,印度、南朝鲜、中国台北、日本和中国队运动员、教练员抵合肥参赛。

7月15日　合肥机场口岸对外开放。

8月1日　合肥市坝上街粮油批发交易市场开业,实行国家、集体、个体多渠道经营,开展省际粮油批发交易。

11月4日　明教寺举行迎接玉佛和《大藏经》法会。

12月10日　市统计局发布第四次人口普查手工汇总结果:截至1990年7月1日零时,合肥市总人口为386万人,其中市区人口111万人。

1991年

1月17日　据市农业统计年报会议统计,1990年全市粮食产量创历史最高水平,粮食总产16.76亿公斤,油菜子总产1.35亿公斤,棉花总产812万公斤。

2月9日　市政府向合肥电冰箱总厂发出贺信,祝贺该厂生产的"美菱·阿里斯顿"电冰箱在1990年商业部组织的全国冰箱、洗衣机、彩电三大类产品评比中,荣获"1990年全国最畅销商品"称号。

3月4日至9日　中共合肥市第六次代表大会召开。

3月19日　合肥科技工业园经国务院正式批准为国家高新技术产业开发区。在进出口、资金信贷、产品价格、基建规模、税收等方面国家将给予该区相应的优惠政策。

是月　合肥市荣获"全国造林绿化先进单位"称号。

6月15日　连日的大暴雨为合肥历史少见。由于汛情来势猛,全市受灾农田面积达4.21万公顷,倒塌民房1.43万间,先后被洪水围困4.1万人,因灾造成死亡12人、伤20多人,肥东、肥西、长丰三县一些地方交通、通讯、供电中断。

7月7日至8日　中共中央总书记江泽民和国务院副总理、国家防汛总指挥田纪云,中共中央书记处候补书记温家宝在安徽沿淮地区了解洪涝灾情,现场部署防汛工作。

9月17日　合肥市核实灾情工作完成。全市受灾农业人口239.1万人,成灾人口220.4万人。8月底仍在水中的村庄816个、农田1.86万公顷、人口16.7万。全市倒塌房屋31.4万间,损坏房屋20.3万间。农作物总播种受灾面积40.1万公顷,成灾面积35.48万公顷。因灾减产粮食70.8万吨。死亡23人,受伤411人。三县一郊直接经济损失28.26亿元,全市累计直接经济损失31.26亿元。

10月17日　合肥日化总厂生产的芳草牌药物牙膏荣获"国优"银牌。

11月8日　中共合肥市委部署农村社会主义思想教育工作。全市农村1979个建制村分批进行社会主义思想教育。

12月13日至21日　中共中央政治局常委、全国人大常委会委员长乔石,先后考察合肥等7个地市。在合肥重点考察长丰县庄墓职业中学和樊祠新村。

是月　总投资6240万元的国家重点建设工程——中国科学技术大学国家同步辐射实验室通过国家鉴定和验收,正式使用。

1992年

4月2日　全市首批企业自行组织招工。

4月20日　市出让第一块国有土地——合肥科技工业园A区1.33万平方米面积的土地。

6月10日　合肥客车厂开发的中国第一代高级豪华卧铺客车研制成功。

6月20日　在合肥东区建成全省规模最大、功能最全的物资调剂市场——长江批发市场,占地2000平方米。

7月21日　市外资工作委员会成立。

7月22日　合肥高新技术产业开发区正式挂牌。

8月11日　合肥橡塑总厂推行全员劳动合同制,成为合肥市首家用工制度改革的企业。

8月13日　国务院决定对沿江、内陆省会城市实行沿海开放城市政策,合肥市名列其中。

9月12日　合肥市全面放开粮油购销价格。

9月16日　900兆赫移动通信(俗称"大哥大")在合肥开通。

9月30日　合宁高速公路全线通车。

10月12日　市政府决定,将全市358家国有和合作供销商业企业全部实行"四放开",即经营范围放开、价格放开、用工放开、财务收支放开。

11月23日　合肥市首家企业发行内部股票——合肥美菱股份有限公司首期内部记名普通股的募股工作开始。

1993年

1月4日　合肥引进外资取得重大突破,全市"三资"企业达254家,总投资4.1亿美元。

2月4日　安徽省人民政府和中国东方航空公司联合组建的"中国东方航空安徽有限公司"签字仪式在合肥举行,安徽省结束没有航空企业的历史。

4月5日　《合肥住房制度改革方案》出台。

4月15日　安徽省政府下达《关于同意设立合肥经济开发区的批复》。

5月1日　合肥市开始实施住房制度改革。27日,出台《合肥市房改实施细则》。

6月10日　中共中央政治局常委、全国政协主席李瑞环在合肥考察。

6月22日　人民日报社、中央电视台等11家中央新闻单位组团采访琥珀山庄。

9月18日　中共合肥市委召开六届八次全体委员会。审议通过《关于紧紧围绕建立社会主义市场经济体制,搞好科技与经济结合若干问题的意见》,听取审议《抓住机遇,加快发展,开放开发,再造新合肥》的报告,并通过相应决议。

11月11日　市工业总产值提前2年零2个月实现"八五"计划中工业年总产值150亿元目标。

11月28日　合肥新火车站建设区大规模开发拉开帷幕,站前12万平方米的"亚洲商城"奠基兴建。

12月28日　自1992年5月开始的清理"党政机关和事业单位用公款购买商业保险"和"党政领导干部拖欠公款或利用职权将公款借给亲友"的"双清"工作结束。共清理各类资金3.06亿元,收回2.37亿元。"双清"中,检察机关立案51件51人,逮捕35人。法院受理立案17件17人,判刑8人。另外,处分党员22人,政纪处分39人。

1994年

1月20日　明珠广场开工建设。

2月21日　合肥市建立信息市场,推动全市信息产业化。

3月26日　"合肥一号"2200吨江海货轮在威海造船厂下水,这是合肥有史以来建造的第一艘江海近洋货轮。

5月14日　长丰县被列为国家扶贫开发重点县。

5月20日　市政府决定:将长江路向东西延伸,原来的3千米路长增至20多千米,原市区的长江路更名为长江中路,原东门的胜利路、蚌埠路更名为长江东路,原西门的蜀山路更名为长江西路,原一环路更名为环城公园路,原规划建设的二环路更名为一环路,原规划建设的三环路更名为二环路。

7月30日　合肥市国家税务局和合肥市地方税务局正式成立。标志着合肥正式实行分税制改革。

8月24日　市政府召开大会,为琥珀山庄荣获建设部城市住宅小区建设试点金牌祝捷。

10月1日　合九铁路合(肥)—安(庆)段全面投入营运,结束了合肥至安庆不通火车的历史。

10月8日　合肥郊区乡镇企业进入全国百强,1993年实现营业收入63.93亿元、利税6.2亿元。

是年　郊区乡镇企业年营业收入突破百亿元大关。

1995年

1月11日　城隍庙二期工程建成。此项工程由蒙城路商场、中心广场、小商品世界、下沉式广场四大建筑群体组成。

1月17日　1994年市进出口总额突破1亿美元,位居全省各地市之首。

2月6日　合肥经济技术开发区总体规划通过省级评审。

2月7日　据统计,城隍庙、坝上街、中菜市、双岗四大集贸市场1994年销售额超过10亿元。

2月18日　中共安徽省委决定:钟咏三任合肥市委书记,马云飞、李培垣任市委副书记。

3月25日　市查处违法建筑,一年中检查建筑单位1326家,工程项目2229个,查出违法建筑工程1194个,拆除违法建筑243间。

5月15日　合肥"122"交通事故报警台开通。

6月　安徽省第一座高标准公路立交桥——五里墩立交桥开建。

7月13日　市政府办公厅与市辖三县四区政府办公室及市政府主要委、办、局实现信息计算机联网。

7月29日　市政府出台《合肥市深化城镇住房制度改革的实施方案》和《合肥市出售公有住房试行办法》。

8月26日　市成立推行公务员制度工作领导小组,全面推行国家公务员制度。

8月29日　"合肥十景"评选揭晓。它们是包河风景区、蜀山风景区、环城公园、逍遥津、教弩台、琥珀山庄、庐州灯火、五里墩立交桥、花园街、吴山庙。

9月29日　肥西县10万农民参加养老保险。

10月2日　全国人大常委会原委员长万里到合肥考察。

10月13日　中共中央政治局委员、书记处书记、国务院副总理吴邦国在合肥考察。

11月7日　纪念刘铭传逝世100周年海峡两岸学术研讨会在合肥市举行。

1996年

1月1日　一环路贯通；合肥新火车站建成。

1月4日　在市农村基层干部学习肥东县草庙乡党委副书记金根宗先进事迹座谈会上，有关部门领导传达中共中央政治局常委、书记处书记胡锦涛重要讲话精神。胡锦涛说：金根宗尽忠职守，哪里艰险哪里去；扶贫济困，忘己忘家未忘国；两袖清风，为党为民不为私。

1月20日　市"120"急救专用电话在市救护站正式开通。

1月31日　市外贸部门公布：1995年合肥市进出口总额达1.7亿美元，比1994年增长70.9%，居全省第一。

2月15日　合肥经济技术开发区被中央机构编制委员会办公室、国务院特区办公室确定为全国开发区行政管理体制和机构改革试点单位。

3月23日至24日　《合肥建设现代化大城市规划纲要》由北京大学、南京大学等单位的12位专家组成的评审会通过。

3月27日　合肥新站综合开发试验区揭牌。这是全国首家城市综合开放试点区，也是合肥市自高新技术产业开发区、经济技术开发区组成后设立的第三个开发区。

3月29日至4月3日　中共合肥市第七次代表大会召开。

4月4日　在中共合肥市第七届委员会第一次全体会议上，钟咏三当选市委书记，马云飞、龚存玲、车俊、李培垣当选市委副书记。

5月4日　中共中央政治局常委、国务院总理李鹏考察合肥美菱电冰箱二厂。

6月5日至7日　全国52个国家级高新区的代表到合肥高新技术产业开发区，共商促进高新技术产业发展的大计。

7月1日　《合肥市城区居民最低消费生活保障暂行办法》发布

实施。

7月23日至24日　中共中央政治局常委、书记处书记胡锦涛在合肥市考察指导工作。

11月4日　中国科学技术大学国家同步辐射实验室二期工程,列入国家"九五"期间大科学工程首批四个项目之一。

1997年

3月4日　合肥市发布,全市15万家个体私营企业1996年为国家创下1.08亿元税收,位列全省第一。年销售额5000万元以上的零售企业有11家。

3月24日　琥珀山庄住宅小区、长江中路商业街被列为全国创建文明城市活动示范街,肥西县三河镇、郊区城东乡隆岗村被列为全国创建文明村镇示范点。

4月1日　合肥新火车站开通,原运行60年的老火车站停止使用。

4月20日　市公交公司开通201、202路无人售票公交线路。

4月21日　"美菱"商标被国家工商局认定为"中国驰名商标",这是安徽省第一件由国家商标管理权威机构认定的驰名商标。

6月11日　据统计,合肥市1997年午季小麦总产量达31.4万吨,是历史上小麦产量最高的年份,单产达280公斤。

7月1日　总投资1.5亿元改造扩建后的合肥骆岗机场,以崭新面貌迎接八方旅客。

7月12日　全市有32万名职工建立养老保险个人账户。

10月1日　市政府公布《关于深化合肥市住房制度改革的实施意见》,要求全面建立住房公积金制度,大力开拓城镇住宅市场,做好住房解围解困工作。

10月16日　历时一年的清财工作结束。全市5000名干部下到乡村,共清理资金32.5亿元,查出1248人贪污挪用公款,66人移交检察机关立案查处,涉案43件。

11月8日　市首次土地拍卖落槌。经过53轮角逐，振业（合肥）股份有限公司以每667平方米（1亩）107.3万元报价，取得原合肥无线电一厂2.21万平方米国有土地使用权。

1998年

1月5日　市第十二届人民代表大会第一次会议举行，选举产生新一届市人大常委会和市人民政府领导成员。

2月23日　合肥市政府决定实施水污染物排放总量控制、发放许可证，加大对巢湖和董铺水库污染的治理力度。

4月30日　纪念包拯千年诞辰筹委会举行第一次会议。会后，省市领导为包公文化园一期工程奠基。

9月24日　中共中央总书记、国家主席、中央军委主席江泽民考察合肥高新技术产业开发区、琥珀山庄以及荣事达洗衣机总厂、美菱电冰箱总厂、丰乐集团等企业。

10月9日　合肥市机关事业单位职工社会养老保险工作正式启动。

11月16日　国家"创优"考核验收组宣布，合肥市创建"中国优秀旅游城市"基本达标，12月29日通过国家旅游局检查验收，被命名为第一批"中国优秀旅游城市"。

1999年

4月18日　西市区青少年素质教育实践基地正式开园。

5月10日　合肥市"菜篮子"工程获安徽省科技兴菜奖和宏观调控奖。

5月28日　中共安徽省委决定：车俊任合肥市市长。

6月8日　由市委统战部、市工商联创办的合肥市光彩事业促进会成立。

9月7日　国务院副总理吴邦国在合肥考察企业经济。

9月10日　和平广场建成，并开始迎接市民游览。

9月16日　合肥市获"全国创建文明城市工作先进城市"称号。

9月27日　"李鸿章故居"正式开放。

12月20日　市政府在市府广场举行升国旗仪式,庆祝澳门回归祖国。

2000年

1月11日　城隍庙市场的庐阳宫发生大火,这是合肥市20多年来发生的最大的一场火灾。

2月13日　国务院批准合肥经济技术开发区为国家级经济技术开发区。

1月至5月　合肥市遭遇50年来最严重的春旱。全市降雨量155毫米,比大旱的1978年还少54毫米。

6月28日　来自美国、法国等16个国家和地区的600多名学者聚首合肥稻香楼,参加第三届全球智能控制与自动化大会。

8月28日　长丰县水湖镇丰峡村迎来最后一批三峡移民。此次移民总人数625名。

11月23日　市土地储备交易中心正式成立。

2001年

1月4日　合肥市与清华大学签订全面协议。主要内容有:双方共孵高科技基地;清华大学及时提供新技术成果,帮助合肥改造传统产业;合肥市重点骨干企业与清华大学共建技术开发中心科技成果转化基地;把清华大学优秀教育资源引入合肥;双方共建研究生社会实践基地等。

2月22日　全国农村税费改革试点工作会议在合肥召开。

3月2日　中共安徽省委决定:车俊任合肥市委书记,郭万清任合肥市委副书记。

4月10日　合肥市第五次人口普查汇总数据显示:合肥市常住人口中,城镇人口占43.96%,共196.34万人。

6月10日至15日　中共合肥市第八次代表大会召开。八届一次会议选举车俊为市委书记，郭万清、许道明、周富如、张东安、黄同文为市委副书记。

5月至7月　累计降雨159毫米，比大旱的1978年同期少128毫米。全市25万人、10万头大牲畜饮用水困难，农作物受旱面积达20万公顷，其中重旱10.66万公顷。

9月29日　以缩微形式将黄山、九华山、巢湖、徽州牌坊、安庆振风塔等全省著名风景名胜集于一园，又模拟长江、淮河贯穿其间的合肥市新建景区——徽园正式开放。

11月18日　合肥大学城暨合肥工业大学翡翠湖校区奠基。

2002年

1月1日　《合肥市土地储备实施办法》施行。

1月7日　合肥市荣获国家"一类城市"称号，显示出合肥市在人口结构和劳动力素质等方面具有相对优势。

3月6日　合肥市行政区划调整。调整后的市区面积扩大了76.36平方千米，人口增加4.62万人。原东市区、中市区、西市区和郊区分别更名为瑶海区、庐阳区、蜀山区、包河区。

3月10日　中共合肥市委、市政府召开全市党政机构改革动员大会，全面启动党政机构改革。经此次改革，市级行政编制（含市辖区和国家级开发区）由4664名减为3265名，精减30％。

5月28日　合肥科技馆正式对市民开放，该馆为安徽省规模最大的科普教育基地。

9月6日　安徽国际会展中心建成开馆。

10月7日　位于合肥桃花店村境内的大型汉代古墓群发掘完毕。该处墓葬为竖穴土坑墓，计56座，出土文物1000多件，有陶、瓷、铜、玉、铁等器皿，多数为生活用具，少数为兵器及货币。

11月10日　"第二届中国·合肥高新技术产业发展暨项目—资本对接会"闭幕。合肥各代表团、参展团共签订合同或意向协议98

项,总投资 59.1 亿元。其中外商投资占 40.6 亿元。

2003 年

1 月 1 日　市城市规划展在安徽国际会展中心开展。

2 月 11 日　市政府出台闲置土地处置办法。规定:凡土地闲置满 2 年,包括取得土地使用权满 2 年未实施拆迁的,原批准用地的市、县人民政府可无偿收回土地使用权。

4 月 3 日　市政府下发《合肥市千亿规划纲要(2003—2010)》。提出合肥市 GDP 年均增长 12% 以上,到 2010 年超 1000 亿元。

4 月 9 日　市卫生局成立"非典"紧急疫情处理领导小组,并出台预防控制"非典"措施方案,要求全市 17 家医院对"非典"实行包括零报告在内的日报制度。

4 月 12 日　合肥市首届农民运动会开幕。

5 月 1 日　合肥市图书馆新馆正式对外开放。

6 月 26 日　香港曼图公司整体收购合肥锻压机床股份有限公司,在合肥经济技术开发区设立曼图工业园,项目总投资 10 亿元人民币,占地 52 公顷。

9 月 15 日　首届中国徽商大会在合肥安徽国际会展中心开幕。

11 月 5 日　肥西县烟墩乡发掘出一座宋代古墓。

11 月 15 日　中共中央政治局常委、全国人大常委会委员长吴邦国在合肥考察调研。

11 月 19 日　横穿长江东路、明光路、芜湖路的几条铁路专用线被拆除,铁路专用线分割城市的问题得到解决。

12 月 6 日　建于合肥新站综合开发试验区的安徽国际汽车城开业。

12 月 21 日　合肥首批 6610 户居民用上天然气。

2004 年

1 月 19 日　合肥粮食工业园正式落户双凤经济开发区,占地近 30 公顷。

1月　市区居民最低生活保障金由原来每月190元提高到210元。全市享受低保居民逾120万人次。

2月17日　《合肥市价格监督检查条例》出台，它是全国第一部关于价格监督检查的地方性法规。

2月26日　合肥科学岛中国科学院等离子研究所研制成功国内第一台专吃"危险废弃物"的等离子体高温无氧热解炉。

4月13日　市财政局拨款150万元用于回收刘老圩。由此，刘铭传故居恢复开发工作启动。

5月8日　在"五一"黄金周期间，合肥旅游总收入超亿元。

7月6日　合肥市20名民营企业负责人赴中共中央党校，系统学习有关宏观政策和民营经济理论知识。

7月27日　合肥荣事达三洋电器股份有限公司在上海证券交易所挂牌上市，股票名称为"合肥三洋"。该公司是国内首家获准上市的中外合资家电企业。

9月5日　逍遥津动物园大搬迁历时7天结束，该园动物全部迁居合肥野生动物园新家。

11月18日　合肥市十大建筑工程评选揭晓。它们是：合肥晚报社报业大厦、合肥科技馆、合肥多普勒天气雷达塔楼、安徽国际会展中心、安徽广播电视中心、省邮电通信调度中心、市图书馆、中国电子科技集团公司第三十八研究所科研综合楼、合肥第二长途通信枢纽楼、中国科学技术大学基础科学教学实验中心。

11月19日　中共中央政治局常委李长春在合肥考察调研科技文化工作。

11月29日　合肥市环城公园夜景观照明工程入选全国节约能源——城市绿色照明示范十大工程。

12月20日　中共中央政治局常委、全国政协主席贾庆林在合肥考察调研。

是年　合肥财政收入首次破百亿元大关。

2005 年

1月12日　合肥市人民政府新闻发言人制度正式确立并举行首次新闻发布会。

1月24日　肥东县兴农水利抗旱服务公司13名职工出资购买本公司国有股权232万元，通过"国退民进"成为民营股份公司，也成为全国首家改制成功的水利事业单位。

3月7日　经市政府批准，包公墓、卫立煌故居（含吴氏炮楼和宋世科住宅）被列为合肥市第三批市级文物保护单位。

3月10日　市政府出台《合肥市社会科学成果奖励办法》。

4月4日　合肥市召开文化体制改革领导小组第一次会议，启动全市文化体制改革试点工作。

5月1日　中国农村首个包产到户纪念馆在肥西县山南镇小井庄举行开馆仪式，并接待首批参观者。

5月11日　省委常委、市委书记孙金龙公开接待信访群众。从此全市党政领导干部连续公开接待群众信访活动正式拉开帷幕。

5月18日　2005年中国国际徽商大会在安徽国际会展中心开幕。

6月29日　中共合肥市委召开全市哲学社会科学工作会议，发布《关于繁荣发展哲学社会科学的实施意见》。

7月4日　全市查处违法建设动员大会召开。

7月15日　市政府出台《关于查处违法建设期间提供就业援助的实施意见》《关于做好查处违法建设期间城市居民最低生活保障的实施意见》《关于查处违法建设期间住房保障的实施意见》，以保障群众利益。

8月1日　肥西县花岗镇被批准为合肥市小城镇改革发展试点镇。

8月10日　中共合肥市委、市政府出台《关于优先加快工业发展的行动纲领》。

9月10日　合肥市政府门户网站"中国·合肥"通过专家组验收。

10月31日　合肥市城市管理行政执法局正式成立。

2006年

2月7日至8日　中共中央政治局常委、全国人大常委会委员长吴邦国来合肥考察。

3月1日　亚洲最大的电冰箱生产基地长虹美菱高新产业园在经济技术开发区动工建设。

4月5日　合肥事业单位改革改制工作走在全国前列,其典型代表为合肥168中学的改革模式。

4月24日　中共合肥市委、市政府召开"十一五"大建设第二、三批工程动员大会,全面启动包括拓宽城市出入口、贯通城市中环线、构建城市快速通道、改造东区断头路等在内的26条道路建设。

5月13日　经国家发改委审核认定,合肥市上报保留的9个开发区全部通过国家审核,它们为:合肥高新技术产业开发区、合肥经济技术开发区、合肥瑶海经济开发区、合肥庐阳工业园区、合肥蜀山经济开发区、合肥包河工业园区、安徽长丰双凤经济开发区、安徽肥东经济开发区、安徽肥西桃花工业园区。

10月28日　"第六届中国·合肥高新技术项目—资本对接会"开幕。

11月15日　合肥市滨湖新区启动区首批项目建设正式开工。

2007年

1月16日　合肥投资30亿建职教基地。

3月20日　合肥市滨湖新区建设指挥部成立,同时组建合肥市滨湖新区建设投资有限公司。

4月25日　合肥市公布并正式实施《合肥市建设领域农民工工资支付保障实施办法》。此举开创全国农民工工资清欠先河。

5月9日　合肥市政府召开新闻发布会,宣布从5月起,全市启动"全民"医保工程,将除城镇职工和在校大学生以外的居民全部纳入医保,此举惠及 90 多万人。

5月18日　以"开放、创新、合作、崛起"为主题的 2007 中国国际徽商大会在合肥开幕。

12月21日　全长超过 17 千米的徽州大道全线贯通。该路北起市府广场、南至滨湖新区的通衢大道,是连接老城区与滨湖新区的主干道,是合肥南北走向的大动脉。

2008 年

1月11日至14日　中共中央总书记、国家主席、中央军委主席胡锦涛,先后到芜湖、阜阳、合肥等地视察。

1月30日至2月1日　受胡锦涛总书记委托,中共中央政治局常委、全国政协主席贾庆林专程到合肥、六安等雪灾严重地区,代表党中央、国务院慰问抗灾救灾干部群众。

5月28日　北京奥运圣火安徽境内传递暨合肥市火炬接力起跑仪式在合肥举行。

8月1日　合宁铁路"和谐号"动车组列车 D477 次列车准时驶出合肥火车站二站台。合宁铁路动车组列车的开通,使乘火车由合肥到南京的时间从过去的 5 个多小时减少到不足 1 小时、到上海的时间由过去的 8 个多小时减少到不足 3 小时,为安徽省加速融入长三角提供了重要保证。

8月27日　中国(合肥)非物质文化遗产园奠基仪式在长丰县岗集镇卧龙山隆重举行。

12月19日　合肥市隆重举行合肥新桥国际机场开工建设典礼。

12月22日　东亚银行合肥分行正式举行开业典礼,这是进入安徽省的第一家外资银行。

2009 年

1月19日至20日　中共中央政治局委员、国务院副总理张德江来合肥视察安徽叉车集团公司和江淮汽车集团公司。

1月31日　中共中央政治局委员、国务院副总理回良玉来合肥视察城市基础设施和滨湖新区建设。

4月25日　中部论坛合肥会议在合肥举行。会议主题是：应对金融危机，加快中部崛起。

4月26日　由国家商务部、税务总局、工商总局、广电总局、旅游局、中国贸促会、全国工商联、中国工业经济联合会，山西、江西、河南、湖北、湖南、安徽六省人民政府联合主办的"第四届中国中部投资贸易博览会"在安徽国际会展中心开幕。

7月6日　中共中央政治局常委、全国人大常委会委员长吴邦国和全国人大常委会副委员长兼秘书长李建国视察合肥。

8月7日　合肥城市轨道交通1号线试验段开工典礼在滨湖新区举行。

10月7日　南北高架1号线和裕溪路高架工程开工典礼在包河区举行。

11月8日　全国最年轻的省会城市市委机关报——《合肥日报》创刊发行。

11月27日　由省政府、中国国际贸易促进会共同主办，合肥市政府、滁州市政府、芜湖市政府和中国贸易促进会安徽省分会联合承办的"第三届中国（合肥）国际家用电器博览会"在安徽国际会展中心开幕。

11月29日　中共中央政治局常委、国务院副总理李克强视察合肥。

12月9日　合肥首个廉租房滨湖惠园摇号配租。

2010年

1月16日　合肥岛式站台正式迎来送往，首条BRT专线长江路段开通，合肥公交驶入新时代。

2月28日　合肥市推进皖江城市带承接产业转移示范区建设首批项目集中开工仪式在合肥经开区举行。

3月2日　合肥跻身"长三角"俱乐部。

4月26日　《2010年中国城市竞争力蓝皮书：中国城市竞争力报告》在京发布，合肥被评为"中国未来十年最具潜力城市"。

5月16日　以"体育的盛会、人民的节日"为宗旨的"第四届全国体育大会"在合肥开幕。

6月20日　以"承接转移、创新共赢"为主题的"第六届中国国际徽商大会"在安徽国际会展中心开幕。

6月28日　合肥首入"金融竞争力10强"。

9月17日　省委书记张宝顺，省委副书记、省长王三运率全省各市党委、政府主要负责人来合肥，前往合肥新站区、高新区、经开区考察招商引资工作，并召开合肥市招商引资工作情况汇报会。

11月14日至15日　中共中央政治局常委、中央纪律检查委员会书记贺国强来合肥视察。

11月30日　合肥经济圈淮南、六安、安庆、桐城、巢湖五市党政领导第一次会商会议在巢湖市召开。

12月10日　中共合肥市委九届十一次全体会议在合肥举行。会议提出，加快现代化滨湖大城市和现代产业基地建设，朝着建设区域性特大城市的方向阔步前进。

2011年

1月25日　中共合肥市委、市政府印发《中共合肥市委合肥市人民政府关于加快承接产业转移示范区建设的实施方案》，明确了合肥市加快承接产业转移示范区建设的目标步骤、主要任务、工作要求、保障措施等。

4月9日　中共中央政治局常委、中央书记处书记、国家副主席习近平视察合肥。

4月17日　全国政协副主席、致公党中央主席、科技部部长万钢来合肥考察自主创新工作。

4月30日至5月1日　全国文化体制改革工作会议在合肥

举行。

6月9日　省委书记、省人大常委会主任张宝顺到包河区常青大学生创业中心了解创业孵化基地建设情况,并看望大学生创业者。

7月5日　中共中央政治局常委、国务院副总理李克强来合肥视察。

8月　安徽省实施行政区划调整。撤销原地级巢湖市,设立县级巢湖市,新设的县级巢湖市由安徽省直辖,合肥市代管。原地级巢湖市管辖的庐江县划归合肥市管辖。

9月21日　中共合肥市第十次代表大会开幕。吴存荣代表中共合肥市第九届委员会向大会做题为《立足新起点勇担新使命　为加快建设区域性特大城市而努力奋斗》的报告。

9月24日　中共合肥市第十届委员会在市政务中心举行第一次全体会议,选举产生新一届市委领导机构,通过市纪委十届一次全会选举结果。吴存荣当选市委书记。

10月19日　由中国文联、中国电影家协会、合肥市人民政府共同主办的"第20届中国金鸡百花电影节"在合肥体育中心开幕。

10月23日　合肥成立首个县级新闻发布厅。

11月20日　长江三角洲地区主要领导座谈会在合肥市举行。

12月9日　百名县级领导干部"赴一线、抓发展"活动动员大会在市政务中心召开。

12月26日　安徽省最大的创新铝产业基地在长丰县下塘重工业园开建。

附录二：历届合肥市主要领导人名单

（1949年至2011年）

中国共产党合肥市委员会主要领导人名单

中共合肥市第一次代表大会前的市委书记(1949年1月—1956年6月)

书　　记：黄　岩(1949年1月—1949年3月)
　　　　　张恺帆(1949年3月—1949年5月)
　　　　　李广涛(1949年5月—1950年5月)
　　　　　树　海(1950年5月—1951年7月)
　　　　　雷　文(1951年7月—1951年12月)
　　　　　吴　婧(女)(1951年12月—1953年10月)
　　　　　丁继哲(1953年10月—1955年8月，1953年10月—1954年6月为代理书记，1954年6月—1955年8月为书记)
　　　　　傅大章(1955年8月—1956年5月)

中共合肥市第一届委员会(1956年5月—1960年2月)

第一书记：傅大章(1956年5月—1958年5月)
　　　　　刘征田(1958年5月—1960年2月)
第二书记：陈爱西(1958年6月—1960年2月)
书　　记：谢童关(1956年5月—1959年6月)
　　　　　杜炳南(1956年5月—1960年2月)
　　　　　范涡河(1956年5月—1960年2月)
　　　　　顾　浩(1956年5月—1960年2月)

　　　　　杨　寒(女)(1956年5月—1959年3月)

　　　　　赵　凯(1958年8月—1960年2月)

　　　　　赵　华(女)(1959年8月—1960年2月)

　　　　　郑　秀(1959年8月—1960年2月)

　　　　　任慎修(1959年12月—1960年2月)

中共合肥市第二届委员会(1960年2月—1966年5月)

(一)1960年2月—1963年2月

第一书记:刘征田(1960年2月—1963年2月)

　　书　　记:赵　凯(1960年2月—1963年2月)

　　　　　杜炳南(1960年2月—1963年2月)

　　　　　任慎修(1960年2月—1961年3月)

　　　　　范涡河(1960年2月—1963年2月)

　　　　　郑　秀(1960年2月—1963年2月)

　　　　　顾　浩(1960年2月—1963年2月)

　　　　　赵　华(女)(1960年2月—1961年10月)

　　　　　王国昌(1961年12月—1963年2月)

　　　　　高思明(1961年12月—1963年2月)

(二)1963年2月—1966年5月(1963年2月,改书记处第一书记为书记,改书记处书记为副书记)

　　书　　记:刘征田(1963年2月—1965年9月)

　　　　　杨效椿(1965年9月—1966年5月)

1966年5月16日"文化大革命"开始,党组织停止活动。

中共合肥市核心小组(1969年2月—1970年12月)

　　组　　长:李全贵(1969年2月—1970年12月)

中共合肥市第三届委员会(1970年12月—1980年12月)

　　书　　记:李全贵(1970年12月—1973年2月)

　　　　　魏建章(1973年2月—1975年8月)

　　　　　郝一针(1975年8月—1977年6月)

　　　　　郑　锐(1977年9月—1980年12月)

中共合肥市第四届委员会(1980年12月—1986年3月)

书　　记：郑　锐(1980年12月—1985年8月)

　　　　　杨永良(1985年8月—1986年3月)

中共合肥市第五届委员会(1986年3月—1991年3月)

书　　记：杨永良(1986年3月—1988年8月)

　　　　　陈光琳(1988年8月—1991年3月)

中共合肥市第六届委员会(1991年3月—1996年3月)

书　　记：陈光琳(1991年3月—1992年3月)

　　　　　　王太华(1992年3月—1995年2月)

　　　　　　钟咏三(1995年2月—1996年3月)

中共合肥市第七届委员会(1996年3月—2001年6月)

书　　记：钟咏三(1996年3月—1998年9月)

　　　　　　马元飞(1999年5月—2001年3月)

　　　　　　车　俊(2001年3月—2001年6月)

中共合肥市第八届委员会(2001年6月—2006年9月)

书　　记：车　俊(2001年6月—2005年3月)

　　　　　　孙金龙(2005年3月—2006年9月)

中共合肥市第九届委员会(2006年9月—2011年9月)

书　　记：孙金龙(2006年9月—2011年9月)

　　　　　　吴存荣(2011年9月—2011年9月)

中共合肥市第十届委员会(2011年9月—　)

书　　记：吴存荣(2011年9月—　)

合肥市人民政府主要领导人名单

合肥市人民政府(1949年2月—1955年4月)

市　　长：郑抱真(1949年2月—1949年4月)

　　　　　　树　海(1949年5月—1951年8月)

　　　　　　丁继哲(1951年8月—1954年2月)

代　市　长：章嘉乐(1954年2月—1954年6月)

市　　　长：章嘉乐(1954年6月—1955年4月)

合肥市人民委员会[①]**(1955年4月—1966年5月)**

第一届人民委员会(1955年4月—1956年10月)

市　　　长：江　城(1955年4月—1955年11月)

　　　　　　杨　枫(1955年11月—1956年1月,未到职)

第二届人民委员会(1956年10月—1958年10月)

市　　　长：杜炳南(1956年10月—1958年10月)

第三届人民委员会(1958年10月—1961年12月)

市　　　长：赵　凯(1958年10月—1961年12月)

第四届人民委员会(1961年12月—1963年10月)

市　　　长：赵　凯(1961年12月—1963年10月)

第五届人民委员会(1963年10月—1965年12月)

市　　　长：赵　凯(1963年10月—1965年12月)

第六届人民委员会(1965年12月—1966年5月)

市　　　长：赵　凯(1965年12月—1966年5月)

"文化大革命"开始后,合肥市人民委员会逐步陷于瘫痪。1967年3月,合肥市革命生产领导小组成立,刘智惠任组长。同年4月10日,安徽省军事管制委员会合肥市工作委员会成立。该机构是在"文化大革命"中,中共合肥市委和市政府等党政机关被造反派夺权后,由安徽省军管会报经南京军区批准成立的地方军事管制机构,钟国楚任主任。

合肥市革命委员会[②]**(1968年4月—1979年12月)**

(一)1968年4月—1976年10月

主　　　任：李全贵(1968年4月—1973年2月,军代表)

[①] 1955年4月,根据国家颁布的《中华人民共和国宪法》规定,合肥市人民政府改称合肥市人民委员会。

[②] 1968年4月18日,经南京军区党委批准,成立合肥市革命委员会,为党政合一地方领导机构。

　　　　　魏建章(1973年2月—1975年6月)
　　　　　郑　锐(1975年6月—1976年10月)
(二)1976年10月—1980年1月
　　主　　任:郑　锐(1976年10月—1978年1月)
　　　　　魏安民(1978年1月—1979年12月)

合肥市人民政府①(1980年1月—　　)

第八届人民政府(1980年1月—1983年7月)

　　市　　长:魏安民(1980年1月—1983年7月)

第九届人民政府(1983年7月—1988年1月)

　　市　　长:张大为(1983年7月—1985年3月)
　　　　　　周本模(1985年3月—1987年9月)
　　代 市 长:钟咏三(1987年9月—1988年1月)

第十届人民政府(1988年1月—1993年1月)

　　市　　长:钟咏三(1988年1月—1993年1月)

第十一届人民政府(1993年1月—1998年1月)

　　市　　长:钟咏三(1993年1月—1995年8月)
　　　　　　马元飞(1996年1月—1998年1月)
　　代 市 长:马元飞(1995年8月—1996年1月)

第十二届人民政府(1998年1月—2003年1月)

　　市　　长:马元飞(1998年1月—1999年5月)
　　代 市 长:车　俊(1999年5月—2000年1月)
　　市　　长:车　俊(2000年1月—2001年2月)
　　代 市 长:郭万清(2001年2月—2001年7月)
　　市　　长:郭万清(2001年7月—2003年1月)

第十三届人民政府(2003年1月—2008年1月)

　　市　　长:郭万清(2003年1月—2006年1月)

---

　　① 根据1979年7月1日第五届全国人民代表大会第二次会议通过的《中华人民共和国地方各级人民代表大会和地方各级人民政府组织法》规定,1980年1月,合肥市第八届人民代表大会第一次会议决定将合肥市革命委员会改为合肥市人民政府。

代　市　长：吴存荣（2006年1月—2006年2月）

市　　　长：吴存荣（2006年2月—2008年1月）

第十四届人民政府（2008年1月—　）

市　　　长：吴存荣（2008年1月—2011年9月）

代　市　长：张庆军（2011年9月—　）

合肥市人民代表大会常务委员会①主要领导人名单

合肥市第八届人民代表大会常务委员会（1980年1月—1983年1月）

主　　　任：郑　锐（1980年1月—1983年1月）

合肥市第九届人民代表大会常务委员会（1983年1月—1988年1月）

主　　　任：杜宏本（1983年1月—1988年1月）

合肥市第十届人民代表大会常务委员会（1988年1月—1993年1月）

主　　　任：孙人格（1988年1月—1993年1月）

合肥市第十一届人民代表大会常务委员会（1993年1月—1998年1月）

主　　　任：邹淦泉（1993年1月—1998年1月）

合肥市第十二届人民代表大会常务委员会（1998年1月—2003年1月）

主　　　任：邹淦泉（1998年1月—2003年1月）

合肥市第十三届人民代表大会常务委员会（2003年1月—2008年1月）

主　　　任：车　俊（2003年1月—2005年3月）

---

①　合肥市人民代表大会常务委员会，成立于1980年1月。1980年1月25日至31日，合肥市人大八届一次会议举行。会议根据《中华人民共和国地方各级人民代表大会和地方各级人民政府组织法》，设立合肥市人民代表大会常务委员会。

孙金龙(2005年7月—2006年1月)

黄同文(2006年2月—2008年1月)

合肥市第十四届人民代表大会常务委员会(2008年1月—　)

主　　任:黄同文(2008年1月—　)

中国人民政治协商会议(简称"政协")合肥市委员会主要领导人名单

(一)合肥市历届各界人民代表会议协商委员会

合肥市第一届各界人民代表会议常务委员会(1949年9月—1950年7月)

主　　席:李广涛(1949年9月—1950年7月)

合肥市第二届各界人民代表会议协商委员会[①](1950年7月—1951年2月)

主　　席:树　海(1950年7月—1951年2月)

合肥市第三届各界人民代表会议协商委员会(1951年3月—1951年4月)

主　　席:树　海(1951年3月—1951年4月)

合肥市第四届各界人民代表会议协商委员会(1951年4月—1951年11月)

主　　席:树　海(1951年4月—1951年11月)

合肥市第五届各界人民代表会议协商委员会(1951年11月—1952年1月)

主　　席:雷　文(1951年11月—1952年1月)

合肥市第六届各界人民代表会议协商委员会(1952年1月—1952年3月)

---

① 1950年7月,合肥市第二届各届人民代表会议召开。会议决定将合肥市各届人民代表会议常务委员会改称合肥市各届人民代表会议协商委员会。

主　　席：吴　绩（女）（1952年1月—1952年3月）

合肥市第七届各界人民代表会议协商委员会（1952年3月—1952年8月）

主　　席：吴　绩（女）（1952年3月—1952年8月）

合肥市第八届各界人民代表会议协商委员会（1952年8月—1953年3月）

主　　席：吴　绩（女）（1952年8月—1953年3月）

合肥市第九届各界人民代表会议协商委员会（1953年3月—1955年2月）

主　　席：吴　绩（女）（1953年3月—1953年10月）
　　　　　丁继哲（1953年10月—1955年2月）

（二）政协合肥市历届委员会（1952年2月—　　　）

政协合肥市第一届委员会（1955年2月—1958年10月）

主　　席：丁继哲（1955年2月—1956年9月）
　　　　　傅大章（1956年9月—1958年10月）

政协合肥市第二届委员会（1958年10月—1961年12月）

主　　席：刘征田（1958年10月—1961年12月）

政协合肥市第三届委员会（1961年12月—1963年10月）

主　　席：刘征田（1961年12月—1963年10月）

政协合肥市第四届委员会（1963年10月—1965年12月）

主　　席：刘征田（1963年10月—1965年12月）

政协合肥市第五届委员会（1965年12月—1980年1月）

主　　席：杨效椿（1965年12月—1980年1月）

政协合肥市第六届委员会（1980年1月—1983年7月）

主　　席：丁　之（1980年1月—1983年7月）

政协合肥市第七届委员会（1983年7月—1988年1月）

主　　席：王荣华（1983年7月—1988年1月）

政协合肥市第八届委员会（1988年1月—1993年1月）

主　　席：黄连海（1988年1月—1993年1月）

政协合肥市第九届委员会(1993年1月—1998年1月)

主　　席:马学模(1993年1月—1998年1月)

政协合肥市第十届委员会(1998年1月—2003年1月)

主　　席:李培垣(1998年1月—2003年1月)

政协合肥市第十一届委员会(2003年1月—2008年1月)

主　　席:周富如(2003年1月—2008年1月)

政协合肥市第十二届委员会(2008年1月—　　)

主　　席:董昭礼(2008年1月—　　)

注:参考资料

合肥市地方志编纂委员会编纂:《合肥市志》,安徽人民出版社1999年版。

合肥市地方志编纂委员会编纂:《合肥市志(1996—2005)》,方志出版社2012年版。

中共合肥市委党史工作委员会办公室:《中共合肥市委志(1926.9—1995.5)》,安徽人民出版社1995年版。

中共合肥市委党史研究室编:《中国共产党合肥简史》,中共党史出版社2006年版。

《合肥年鉴》编委会编:《合肥年鉴·2006》,黄山书社2006年版。

合肥市地方编委会编:《合肥年鉴·2007》,黄山书社2007年版。

合肥市地方编委会编:《合肥年鉴·2008》,黄山书社2008年版。

《合肥年鉴》编辑部编:《合肥年鉴·2009》,黄山书社2009年版。

《合肥年鉴》编辑部编:《合肥年鉴·2010》,黄山书社2010年版。

《合肥年鉴》编辑部编:《合肥年鉴·2011》,黄山书社2011年版。

合肥市地方志办公室编:《合肥年鉴·2012》,黄山书社2012年版。

附录三：合肥市综合统计表

（主要年份人口数、主要年份生产总值、主要年份财政收入）

说明：

因合肥行政区划的变更，不同的计算口径会导致统计结果的不同。本附录的表1和表3中，全市的数据是指合肥当年辖区范围[①]内的统计数字。具体统计数字范围参见表下注。

表1　主要年份人口数（年末人口）　　　　　单位：人

年份	全市总人口	市区总人口（含郊区）	肥西县总人口	肥东县总人口	长丰县总人口	庐江县总人口	巢湖市总人口[②]
1949	69015	69015	—	—	—	—	—
1950	70526	70526	—	—	—	—	—
1951	117434	117434	—	—	—	—	—
1952	138551	138551	—	—	—	—	—
1953	157233	157233	—	—	—	—	—
1954	186204	186204	—	—	—	—	—
1955	191309	191309	—	—	—	—	—
1956	285045	285045	—	—	—	—	—

---

① 1949年至1957年，全市管辖范围即市区（含郊区）。1958年至1960年，肥东、肥西、巢县划归合肥管辖，1961年划出，故1958年至1960年全市管辖范围为市区、肥东、肥西、巢县。1961年至1964年，全市管辖范围即市区（含郊区）。1965年，设置长丰县，归合肥管辖，故1965年至1982年合肥管辖范围为市区和长丰县。1983年，肥东、肥西划归合肥，故1983年至2010年合肥管辖范围为市区、肥东、肥西、长丰。2011年新的行政区划调整，合肥管辖范围为：市区、肥东、肥西、长丰、庐江、巢湖市。

② 1983年前指巢县。1983年10月，省政府转发国务院批复决定，撤销巢县改置巢湖市，行政区域不变。

续表

年份	全市总人口	市区总人口（含郊区）	肥西县总人口	肥东县总人口	长丰县总人口	庐江县总人口	巢湖市总人口
1957	303781	303781	—	—	—	—	—
1958	2028264①	471205	762009	795050	—	—	—
1959	2664994	547478	757455	816371	—	—	543690
1960	2231653	582307	576215	623000	—	—	450131
1961	505555	505555	—	—	—	—	—
1962	448167	448167	—	—	—	—	—
1963	423248	423248	—	—	—	—	—
1964	461856	461856	—	—	—	—	—
1965	971021	477826	—	—	493195	—	—
1966	1038001	509385	—	—	528616	—	—
1967	1041780	493164	—	—	548616	—	—
1968	1066546	502858	—	—	563688	—	—
1969	1087108	493893	—	—	593215	—	—
1970	1128629	519255	—	—	609374	—	—
1971	1166121	539892	—	—	626229	—	—
1972	1201669	557652	—	—	644017	—	—
1973	1235031	570952	—	—	664079	—	—
1974	1263414	583211	—	—	680203	—	—
1975	1290124	595995	—	—	694129	—	—
1976	1310155	606131	—	—	704024	—	—
1977	1330929	613657	—	—	717272	—	—
1978	1438013	706934	—	—	731079	—	—
1979	1484657	738933	—	—	745724	—	—

① 1958年全市总人口数为市区（含郊区）、肥东县、肥西县（缺巢县人口数）。

续表

年份	全市总人口	市区总人口（含郊区）	肥西县总人口	肥东县总人口	长丰县总人口	庐江县总人口	巢湖市总人口
1980	1526963	769870	—	—	757093	—	—
1981	1559115	794927	—	—	764188	—	—
1982	1584682	815155	—	—	769527	—	—
1983	3397279	830116	830416	959655	777092	—	—
1984	3436648	853118	837557	962837	783136	—	—
1985	3487557	881421	844926	971558	789652	—	—
1986	3530159	901822	856421	975801	796115	—	—
1987	3573956	927013	864648	980245	802050	—	—
1988	3647927	953716	886023	992314	815874	—	—
1989	3713917	977288	901504	1002474	832651	—	—
1990	3808795	1002014	916092	1019821	870868	—	—
1991	3861035	1023551	926685	1028311	882488	—	—
1992	3921624	1059860	938153	1031089	892522	—	—
1993	3970903	1088642	948562	1035192	898507	—	—
1994	4027147	1126556	953890	1041480	905221	—	—
1995	4111148	1159610	958971	1062012	930555	—	—
1996	4164742	1190107	965517	1070290	938828	—	—
1997	4223087	1228479	969564	1082976	942068	—	—
1998	4259801	1279420	945469	1086056	948856	—	—
1999	4299517	1302775	952245	1088438	956059	—	—
2000	4381754	1344660	956624	1101490	978980	—	—
2001	4421574	1379543	959396	1102380	980255	—	—
2002	4480791	1465165	962502	1075231	977893	—	—
2003	4566048	1558670	964572	1066030	976776	—	—

续表

年份	全市总人口	市区总人口（含郊区）	肥西县总人口	肥东县总人口	长丰县总人口	庐江县总人口	巢湖市总人口
2004	4446818	1635213	968538	1067311	775756	—	—
2005	4556978	1753132	970432	1063516	769898	—	—
2006	4698460	1931447	897798	1087436	781779	—	—
2007	4789046	1983930	910957	1102621	791538	—	—
2008	4867381	2034871	924725	1108852	798933	—	—
2009	4914294	2085774	929586	1092676	806258	—	—
2010	4949483	2155767	932681	1092564	768471	—	—
2011	7061288	2183371	938647	1083910	773667	1185786	895907

注:1. 数据来源

合肥市地方志编纂委员会编纂:《合肥市志》,安徽人民出版社 1999 年版。

合肥市地方志编纂委员会编纂:《合肥市志(1986－2005)》,方志出版社 2012 年版。

肥东县地方志编纂委员会办公室编:《肥东县志》,安徽人民出版社 1990 年版。

肥东县地方志编纂委员会编:《肥东县志(1986－2005)》,方志出版社 2014 年版。

肥西县地方志编纂委员会编:《肥西县志》,黄山书社 1994 年版。

肥西县地方志编纂委员会编:《肥西县志(1986－2005)》,黄山书社 2011 年版。

长丰县志编委会编:《长丰县志》,中国文史出版社 1991 年版。

长丰县地方志编纂委员会编:《长丰县志(1986－2005)》,方志出版社 2009 年版。

巢湖市地方志编纂委员会办公室编:《巢湖市志》,黄山书社 1992 年版。

巢湖市居巢区地方志办公室编:《巢湖市居巢区志(1986－2005)》,黄山书社 2008 年版。

合肥市统计局编:《合肥统计年鉴·2006》,安徽省统计局印刷厂 2006 年。

合肥市统计局编:《合肥统计年鉴·2007》,合肥市统计局 2007 年。

合肥市统计局编:《合肥统计年鉴·2008》,合肥市统计局 2008 年。

合肥市统计局、国家统计局合肥调查队编:《合肥统计年鉴·2009》,合肥市统计局 2009 年。

合肥市统计局、国家统计局合肥调查队编:《合肥统计年鉴·2010》,中国统计出版社 2010 年版。

合肥市统计局、国家统计局合肥调查队编:《合肥统计年鉴·2011》,中国统计出版社 2011 年版。

合肥市统计局、国家统计局合肥调查队编:《合肥统计年鉴·2012》,中国统计出版社 2012 年版。

2. 本表中全市总人口是指当年辖区范围内的人口,具体计算范围如下

1949 年至 1957 年,1961 年至 1964 年,全市总人口即市区(含郊区)人口。

1958 年全市总人口数为:合肥市区(含郊区)、肥东县、肥西县。

1959 年至 1960 年,全市总人口数为:合肥市区(含郊区)、肥东县、肥西县、巢县。

1965 年至 1982 年,全市总人口数为:合肥市区(含郊区)、长丰县。

1983 年至 2010 年,全市总人口数为:合肥市区、肥东县、肥西县、长丰县。

2011 年,全市总人口数为:合肥市区、肥东县、肥西县、长丰县、庐江县、巢湖市。

表 2　主要年份合肥生产总值　　　　　　　　单位:亿元

年份	国内生产总值 (按当年价格计算)	第一产业	第二产业	第三产业
1949	0.9	—	—	—
1952	1.41	—	—	—
1957	3.56	—	—	—
1965	6.91	—	—	—
1978	12.58	3.60	6.23	2.75
1980	14.15	4.18	6.80	3.17
1985	31.39	9.58	14.93	6.88
1990	58.19	16.72	26.36	15.11
1991	59.69	13.89	29.19	16.61
1992	71.32	14.77	36.33	20.22
1993	97.15	20.42	46.31	30.42
1994	134.59	27.76	63.68	43.15
1995	173.54	31.59	80.02	61.93

续表

年份	国内生产总值（按当年价格计算）	第一产业	第二产业	第三产业
1996	222.43	35.86	101.35	85.22
1997	266.05	41.59	118.53	105.93
1998	294.59	40.55	128.41	125.63
1999	327.15	36.31	143.32	147.52
2000	369.16	37.31	162.36	169.49
2001	423.98	38.42	184.87	200.69
2002	500.67	40.42	216.09	244.16
2003	603.64	40.02	263.02	300.60
2004	740.92	52.76	317.80	370.36
2005	925.61	52.50	424.59	448.52
2006	1121.29	61.71	532.36	527.22
2007	1401.55	77.28	684.98	639.29
2008	1776.86	105.12	887.78	783.96
2009	2102.13	108.69	1104.99	888.45
2010	2701.61	132.74	1456.64	1112.23
2011	3636.61	208.22	2002.1	1426.29

注：1. 数据来源为合肥市统计局、国家统计局合肥调查队编：《合肥统计年鉴·2012》，中国统计出版社2012年版。

2. 2002—2008年合肥生产总值是根据全国第二次经济普查资料修订后的数据。

3. 1957年和1965年的国内生产总值是指当年的农业生产总值和工业生产总值之和。

表3 主要年份地方预算内财政收支表   单位:万元

年份	地方预算内财政收入		地方预算内财政支出	
	全市	市区(含郊区)	全市	市区(含郊区)
1952	200	200	400	400
1953	322	322	441	441
1954	443	443	754	754
1955	600	600	726	726
1956	1323	1323	1236	1236
1957	1229	1229	1134	1134
1958	2887	1186	5329.3	4425
1959	4039	1975	3684	2462
1960	10890	8936	2183	1102
1961	6229	6229	775	775
1962	4077	4077	884	884
1963	4291	4291	1090	1090
1964	5650	5650	1342	1342
1965	6744	6083	1586	1244
1966	7483	7011	1601	1207
1967	4644	4295	1749	1105
1968	3975	3607	1436	1102
1969	8400	8000	1975	1607
1970	15264	14815	2750	2266
1971	18750	18281	3465	2962
1972	20626	20150	3297	2714
1973	26065	25453	2323	2727
1974	18855	18241	4437	3727
1975	23199	22586	3949	3253

续表

年份	地方预算内财政收入		地方预算内财政支出	
	全市	市区（含郊区）	全市	市区（含郊区）
1976	24581	23853	3499	2743
1977	28039	27324	3945	3105
1978	34805	34086	5032	4096
1979	33496	32759	7560	6201
1980	30187	29352	5885	4908
1981	30232	29366	5202	4192
1982	30912	29990	5936	4981
1983	36440	32666	9575	5386
1984	40264	36316	12651	8011
1985	51944	47202	17807	12201
1986	59522	52794	25434	18061
1987	62901	56031	26447	18669
1988	67961	60499	28857	19941
1989	75788	66672	32992	22206
1990	79001	69024	38817	26295
1991	68916	60656	43684	26782
1992	84707	74731	41208	26597
1993	105016	92683	43803	27561
1994	147584	128993	58225	36381
1995	180703	147289	85848	50112
1996	247249	207138	120300	77194
1997	314217	269084	172735	120964
1998	355317	306993	202739	146965
1999	390741	337991	233148	173494
2000	418980	362446	257798	184657
2001	492856	434281	310189	224940

续表

年份	地方预算内财政收入		地方预算内财政支出	
	全市	市区（含郊区）	全市	市区（含郊区）
2002	609204	538988	364580	274297
2003	730757	639597	464275	348525
2004	1054002	928710	570603	431531
2005	1308760	1158244	734118	560936
2006	1677720	1478293	1028869	777102
2007	2151943	1875684	1322608	976938
2008	3012128	2659488	2071808	1618845
2009	3419060	2983578	2458575	1888746
2010	4762004	4182883	3177157	2465847
2011	6237715	5134889	4748895	3225194

注：1. 1952年的财政数字来源于《合肥年鉴·1998》，合肥市统计局网。

2. 其他数据来源

合肥市地方志编纂委员会编纂：《合肥市志》，安徽人民出版社1999年版。

肥东县地方志编纂委员会办公室编：《肥东县志》，安徽人民出版社1990年版。

肥西县地方志编纂委员会编：《肥西县志》，黄山书社1994年版。

安徽省长丰县志编委会编：《长丰县志》，中国文史出版社1991年版。

合肥市统计局、国家统计局合肥调查队编：《合肥统计年鉴·2012》，中国统计出版社2012年版。

3. 本表中全市财政开支是指当时辖区范围内的开支，具体计算范围如下

1951年至1957年及1961年至1964年的全市财政收支与市区（含郊区）相同。

1958年至1960年全市财政收支为：合肥市区（含郊区）、肥东县、肥西县、巢县的总和。

1965年至1982年全市财政收支为：合肥市区（含郊区）、长丰县的总和。

1983年至2010年全市财政收支为：合肥市区、肥东县、肥西县、长丰县的总和。

2011年全市财政收支为：合肥市区、肥东县、肥西县、长丰县、庐江县、巢湖市的总和。

附录四：1955年合肥行政区划图
2011年合肥行政区划图

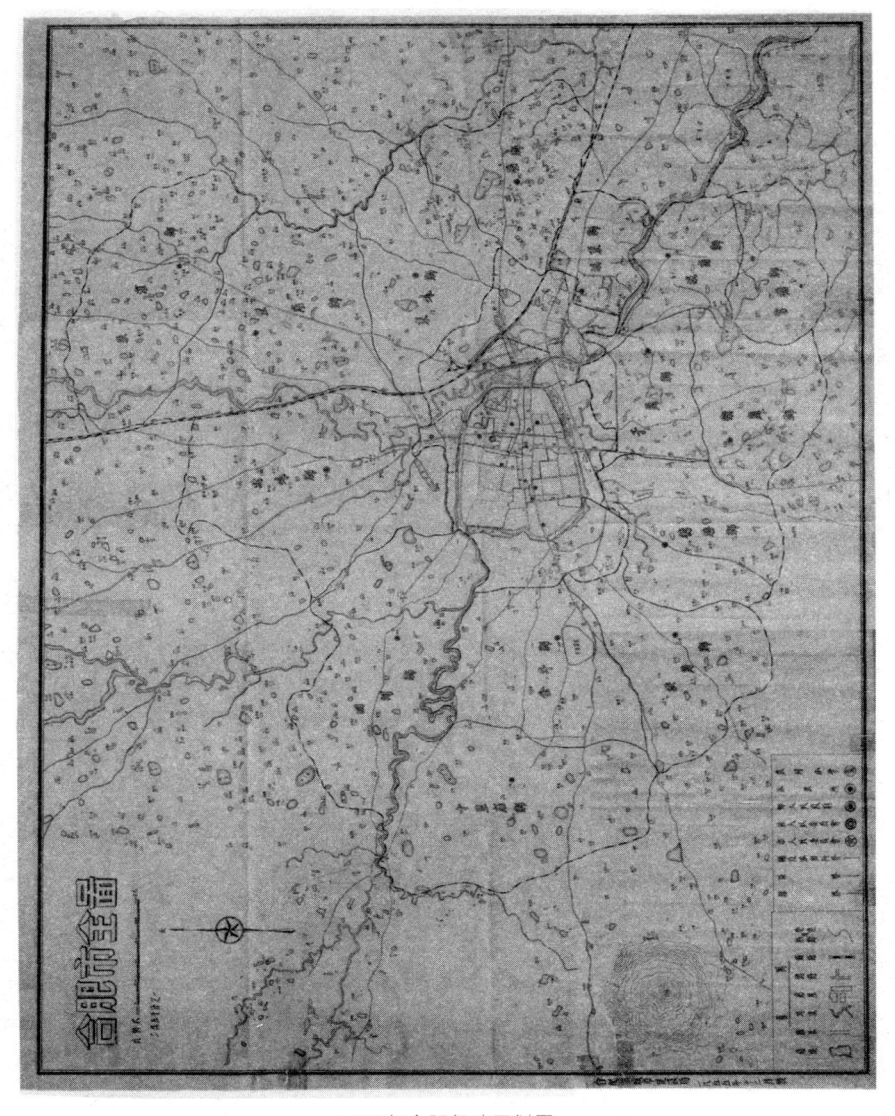

1955年合肥行政区划图

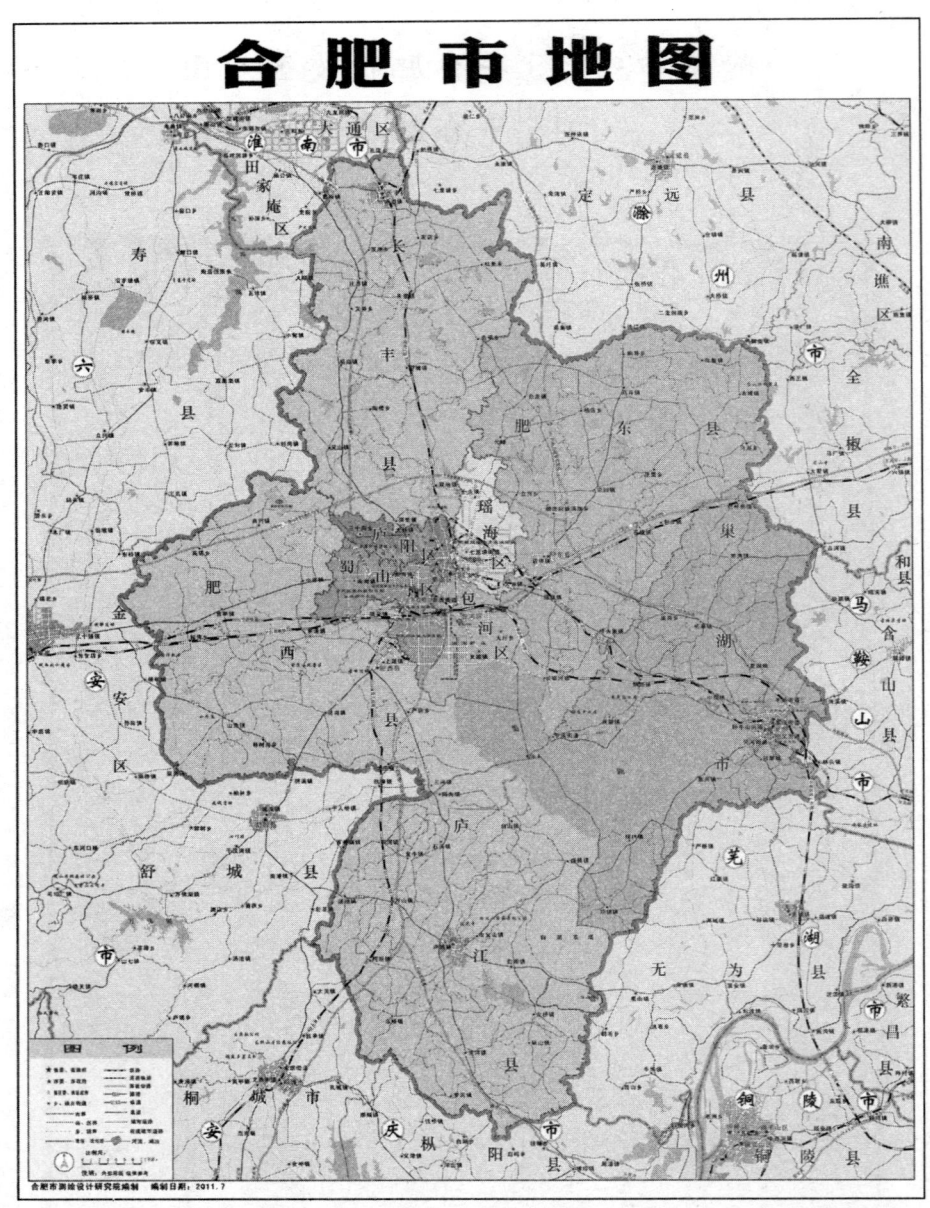

2011年合肥行政区划图

参 考 文 献

一、期刊资料

[1]张世荣.我两次见到毛主席——毛泽东视察安徽纪实之二[J].江淮文史,1993(3).

[2]陆德生.六十年代初安徽责任田问题风波[J].中共党史研究,2006(4).

[3]朱来常.文革"中安徽"斗批改"运动概述[J].安徽史学,1995(3).

[4]柯资能,丁兆君.科大南迁合肥始末[J].校史资料与研究,2007(2).

[5]汪名昷,夏军.合肥民生工程四年观察[J].决策,2010(10).

二、公开出版书籍或资料

[1]合肥市地方志编纂委员会编纂.合肥市志[M].合肥:安徽人民出版社,1999.

[2]合肥市地方志编纂委员会编纂.合肥市志(1986—2005)[M].北京:方志出版社,2012.

[3]中共合肥市委党史工作委员会办公室.中共合肥市委志(1926.9—1995.5)[M].合肥:安徽人民出版社,1995.

[4]安徽省地方志编纂委员会编.安徽省志·政党志[M].北京:方志出版社,1998.

[5]安徽省地方志编纂委员会编.安徽省志·公安志[M].合肥:安徽人民出版社,1993.

[6]安徽省地方志编纂委员会编.安徽省志·司法志[M].合肥:安徽人民出版社,1997.

[7]安徽省地方志编纂委员会编.安徽省志·建置沿革志[M].北京:方志出版社,1999.

[8]安徽省长丰县志编委会编.长丰县志[M].北京:中国文史出版社,1991.

[9]长丰县地方志编纂委员会编.长丰县志(1986—2005)[M].北京:方志出版社,2009.

[10]肥东县地方志编纂委员会办公室编.肥东县志[M].合肥:安徽人民出版社,1990.

[11]肥西县地方志编纂委员会编.肥西县志[M].合肥:黄山书社,1994.

[12]合肥卫生志编纂委员会编.合肥卫生志[M].合肥:黄山书社,2001.

[13]安徽省合肥市第二轻工业局编.合肥市二轻工业志[M].北京:中国文史出版社,1991.

[14]合肥市规划局编.合肥城市规划志(上册)[M].合肥:黄山书社,2013.

[15]巢湖地区地方志编纂委员会编.巢湖地区简志[M].合肥:黄山书社,1995.

[16]巢湖市地方志编纂委员会办公室编.巢湖市志[M].合肥:黄山书社,1992.

[17]巢湖市居巢区地方志办公室编.巢湖市居巢区志(1986—2005)[M].黄山书社,2008.

[18]巢湖工商行政管理志编纂办公室.巢湖工商行政管理志[M].合肥:黄山书社,1993.

[19]庐江县地方志编纂委员会编.庐江县志[M].北京:社会科学

文献出版社,1993.

[20]庐江县地方志编纂委员会编.庐江县志(1986—2005)[M].合肥:黄山书社,2010.

[21]合肥市交通志编纂委员会编.合肥市交通志[M].合肥:安徽人民出版社,1992.

[22]郭青山主编.合肥市水利志[M].合肥:黄山书社,1999.

[23]合肥高新技术产业开发区地方志编纂委员会编.合肥高新技术产业开发区志(1991—2005)[M].合肥:黄山书社,2011.

[24]合肥新站综合开发试验区地方志编纂委员会编.合肥新站综合开发试验区志(1992—2005)[M].合肥:黄山书社,2010.

[25]巢湖市居巢区地方志办公室编.居巢年鉴·2011[M].合肥:黄山书社,2011.

[26]庐江县地方志办公室编纂.庐江年鉴·2011[M].合肥:黄山书社,2011.

[27]合肥市地方志编委会编.合肥年鉴·2000[M].合肥:黄山书社,2000.

[28]合肥市地方志编纂委员会编.合肥年鉴·2001[M].合肥:黄山书社,2001.

[29]《合肥年鉴》编辑部编.合肥年鉴·2002[M].合肥:黄山书社,2002.

[30]《合肥年鉴》编辑部编.合肥年鉴·2003[M].合肥:黄山书社,2003.

[31]《合肥年鉴》编辑部编.合肥年鉴·2004[M].合肥:黄山书社,2004.

[32]《合肥年鉴》编委会编.合肥年鉴·2005[M].合肥:黄山书社,2005.

[33]《合肥年鉴》编委会编.合肥年鉴·2006[M].合肥:黄山书社,2006.

[34]合肥市地方编委会编.合肥年鉴·2007[M].合肥:黄山书

社,2007.

[35]合肥市地方编委会编.合肥年鉴·2008[M].合肥:黄山书社,2008.

[36]《合肥年鉴》编辑部编.合肥年鉴·2009[M].合肥:黄山书社,2009.

[37]《合肥年鉴》编辑部编.合肥年鉴·2010[M].合肥:黄山书社,2010.

[38]《合肥年鉴》编辑部编.合肥年鉴·2011[M].合肥:黄山书社,2011.

[39]合肥市地方志办公室编.合肥年鉴·2012[M].合肥:黄山书社,2012.

[40]合肥市统计局,国家统计局合肥调查队编.合肥统计年鉴·2010[M].北京:中国统计出版社,2010.

[41]合肥市统计局,国家统计局合肥调查队编.合肥统计年鉴·2011[M].北京:中国统计出版社,2011.

[42]合肥市统计局,国家统计局合肥调查队编.合肥统计年鉴·2012[M].北京:中国统计出版社,2012.

[43]吴昌期,王开玉主编.安徽省开发区年鉴·(1992—1997)[M].合肥:安徽人民出版社,1997.

[44]安徽省人民政府办公厅编.安徽省情2(1949—1984)[M].合肥:安徽人民出版社,1986.

[45]安徽省人民政府办公厅编.安徽省情5(1990—1995)[M].北京:方志出版社,1997.

[46]安徽省人民政府主办,安徽省情编委会编.安徽省情6(1996—2000)[M].上海:天马图书,2000.

[47]合肥市政府志编纂委员会编.合肥市政府志(1949.1—1985.12)[M].出版社:出版者不详,1999.

[48]中共中央文献研究室编.关于建国以来党的若干历史问题的决议(注释本)[M].北京:人民出版社,1985.

[49]中共中央文献研究室编.建国以来重要文献选编(第1册)[M].北京:中央文献出版社,1992.

[50]《安徽大学简史》编写组编.安徽大学简史[M].合肥:安徽大学出版社,2008.

[51]中共合肥市委党史办公室编.新民主主义时期中共合肥党史大事记[M].合肥:安徽人民出版社,1990.

[52]中共肥东县委党史工作委员会编.渡江战役期间总前委在瑶岗[M].合肥:安徽人民出版社,1989.

[53]朱根生,马德宝编著.把握转折举重若轻:邓小平辉煌历程聚焦[M].北京:军事科学出版社,2004.

[54]童天星主编,中共安徽省委党史研究室编.城市的接管与社会改造·安徽卷[M].合肥:安徽人民出版社,1997.

[55]中共安徽省委党史研究室编.安徽省社会主义时期党史资料专题集(第一集)[M].合肥:安徽人民出版社,2000.

[56]邹淦泉主编.走综合治理之路[M].合肥:安徽人民出版社,1993.

[57]中华全国妇女联合会编.中国妇女运动重要文献[M].北京:人民出版社,1979.

[58]侯永主编.当代安徽简史[M].北京:当代中国出版社,2001.

[59]中共合肥市委党史办公室编.必由之路——合肥市资本主义工商业的社会主义改造[M].合肥:安徽人民出版社,1991.

[60]汪庭干主编.走进合肥[M].合肥:安徽人民出版社,2003.

[61]市群众文化学会刘浩主编.合肥群众文化50年[M].北京:中国文联出版社,2007.

[62]中共蚌埠市委党史研究室编.剑指江南:总前委在蚌埠孙家圩子[M].北京:中国文史出版社,1999.

[63]吴世宏主编,《合肥工业五十年》编委会编.合肥工业五十年[M].合肥:黄山书社,2000.

[64]中共安徽省委党史工作委员会,中共安徽省委统一战线工

作部编.中国资本主义工商业的社会主义改造·安徽卷[M].北京:中共党史出版社,1992.

[65]中共安徽省委党史研究室.中国共产党安徽历史第二卷(1949—1978)[M].北京:中共党史出版社,2014.

[66]中共安徽省党史研究室编."大跃进"运动和六十年代国民经济调整(安徽卷)[M].合肥:安徽人民出版社,2001.

[67]肖冬连.求索中国——文革前十年史[M].北京:红旗出版社,1999.

[68]毛主席在安徽[M].合肥:安徽人民出版社,1978.

[69]苏桦,侯永主编.当代中国的安徽[M].北京:当代中国出版社,1992.

[70]中共合肥市委党史研究室编.中国共产党合肥简史[M].北京:中共党史出版社,2006.

[71]中华人民共和国国家农业委员会办公厅编.农业集体化重要文件汇编(1958—1981)[M].北京:中共中央党校出版社,1981.

[72]侯永,欧远方主编.当代安徽纪年[M].北京:当代中国出版社,1992.

[73]周曰礼等主编,《曾希圣传》编撰委员会.曾希圣传[M].北京:中共党史出版社,2001.

[74]何沁主编.中华人民共和国史[M].北京:高等教育出版社,2009.

[75]邓小平.邓小平文选[M].北京:人民出版社,1983.

[76]张广友.改革风云中的万里[M].北京:人民出版社,1995.

[77]窦永记主编.起点——中国农村改革发端纪实[M].合肥:安徽教育出版社,1997.

[78]卜华伟.砸烂旧世界——文化大革命的动乱与浩劫[M].香港:香港中文大学出版社,2008.

[79]李德生.李德生回忆录[M].北京:解放军出版社,1997.

[80]中共安徽省委党史研究室.中共安徽80年简史[M].合肥:

安徽人民出版社,2003.

[81]中共安徽省委党史研究室.中国共产党安徽历史(1949—1978)[M].北京:中共党史出版社,2014.

[82]中央文献研究室编.邓小平年谱(1975—1997)[M].北京:中央文献出版社,2004.

[83]黄一兵.转折:当代中国改革开放启动实录[M].福州:福建人民出版社,2009.

[84]中共安徽省委党史研究室编.安徽现代革命史资料长编(第四卷)[M].合肥:安徽人民出版社,2004.

[85]中共合肥市委宣传部等编.合肥改革开放30年(1978—2008)[M].北京:中共党史出版社,2009.

[86]周曰礼.农村改革理论与实践[M].北京:中共党史出版社,1998.

[87]中共合肥市委宣传部,合肥市文联主编.历史的跨越:合肥改革开放二十年纪事[M].合肥:安徽人民出版社,1998.

[88]戴健,等编著.锦绣安徽:庐阳春晖[M].合肥:安徽教育出版社,1999.

[89]魏从兰.城市的嬗变[M].合肥:合肥工业大学出版社,2014.

[90]杨继绳.邓小平时代[M].北京:中央编译出版社,1998.

[91]丁传光主编.为什么是安徽——安徽改革开放三十年纪实[M].合肥:安徽人民出版社,2008.

[92]完颜海瑞.丁玉兰[M].合肥:安徽文艺出版社,1989.

[93]潘小平.坐拥江淮:合肥[M].北京:中国青年出版社,2008.

[94]中共合肥市委党史办公室编.严峻的考验——1991年合肥抗洪救灾纪事[M].合肥:安徽人民出版社,1992.

[95]合肥市文联编.雨情,灾情,人情[M].合肥:安徽文艺出版社,1991.

[96]陆子修.新世纪"三农"沉思录[M].合肥:安徽人民出版社,2008.

[97]国务院农民工办课题组.中国农民工发展研究[M].北京:中国劳动社会保障出版社,2013.

[98]王鹤龄主编.安徽民营经济发展报告·2006[M].合肥:安徽人民出版社,2007.

[99]中共中央宣传部理论局编.从怎么看到怎么办:理论热点面对面·2011[M].北京:人民出版社,2011.

[100]鲁树忠,于晓光主编.平安建设实践与探索第十五届全国社会治安综合治理工作理论研讨会论文集[M].北京:中国长安出版社,2005.

[101]陆学艺主编.当代中国社会阶层研究报告[M].北京:社会科学文献出版社,2002.

[102]王开玉主编.中国中部省会城市社会结构变迁——合肥市社会阶层分析[M].北京:社会科学文献出版社,2004.

[103]中共安徽省委宣传部编.安徽省纪念党的十一届三中全会召开30周年理论研讨会论文集[M].合肥:安徽大学出版社,2009.

[104]郭万清.从三线起飞——合肥"十五"发展回顾[M].合肥:安徽人民出版社,2009.

[105]钱征主编.巢湖历史上的今天(1949—2009)[M].合肥:黄山书社,2009.

[106]中国城市规划学会编.五十年回眸:新中国的城市规划[M].北京:商务印书馆,1999.

[107]袁法群主编.合肥市大事记(1840—1990)[M].合肥:黄山书社,1993.

[108]马扬,汪克强主编.中国科学技术大学[M].杭州:浙江大学出版社,2000.

[109]方兆本主编.安徽文史资料全书·巢湖卷[M].合肥:安徽人民出版社,2005.

[110]安徽省经济文化研究中心,安徽省政协文史资料委员会

编.安徽文史资料第 34 辑·1961 年推行"责任田"纪实[M].北京:中国文史出版社,1990.

[111]《安徽年鉴》编辑委员会编.安徽年鉴·2009[M].合肥:安徽年鉴社,2009.

[112]《安徽年鉴》编辑委员会编.安徽年鉴·2011[M].合肥:安徽年鉴社,2011.

[113]《安徽年鉴》编辑委员会编.安徽年鉴·2012[M].合肥:安徽年鉴社,2012.

三、内部出版物、档案资料

[1]厉德才、李碧传主编,合肥市城市建设志编委会编.合肥市城市建设志.[皖内(95)第 0026 号],合肥:安徽省地质印刷厂印刷,1995.

[2]合肥市统计局编.合肥统计年鉴·2006.合肥:安徽省统计局印刷厂,2006.

[3]合肥市统计局编.合肥统计年鉴·2007.合肥:合肥市统计局,2007.

[4]合肥市统计局编.合肥统计年鉴·2008.合肥:合肥市统计局,2008.

[5]合肥市统计局,国家统计局合肥调查队编.合肥统计年鉴·2009.合肥:合肥市统计局,2009.

[6]合肥市公安局编.合肥公安志.[合文管办内临时出版字(90)18 号],1990.

[7]苏士珩,张克锁主编.巢湖文化全书·历史文化卷.合肥:安徽省皖中印务有限责任公司,2011.

[8]巢湖文化研究会编著.巢湖文化全书·工商文化卷.合肥:安徽省皖中印务有限责任公司,2011.

[9]巢湖文化研究会编著.巢湖文化全书·农耕文化卷.合肥:安

徽省皖中印务有限责任公司,2011.

[10]中共合肥市委党史办公室编.合肥党史专题(1919—1949).(内部发行),合肥:中共安徽省委办公厅新星印刷厂印刷,1988.

[11]中共合肥市委党史研究室合肥市新四军历史研究会编.扬帆飞渡定乾坤——渡江战役资料集锦.(内部资料),1999.

[12]中共合肥市委党史研究室.中共合肥地方史(1919.5—1949.10).[皖非正式出版字(99)第097号],2000.

[13]中共合肥市委党史研究室.合肥市社会主义时期党史专题资料辑存(1949—1978).(内部发行),2009.

[14]合肥市人民政府地方志编纂办公室编.合肥概览.[皖内(87)2060号],合肥:安徽新华印刷厂印刷,1987.

[15]中共合肥市委党史研究室编.合肥解放五十年纪事.[皖非正式出版子(99)第096号],2000.

[16]合肥市统计局编.合肥四十年巨变——四十年经济、社会发展统计资料(1949—1988).合肥:合肥市统计局编印,1989.

[17]宋毅主编.中国文化大革命文库.香港中文大学中国研究服务中心,2006.

[18]中共合肥市委党史研究室编.五十年征程(1949—1999).(皖内部图书:2001-103号),2001.

[19]合肥市政协文史资料委员会合肥市卫生局编.合肥文史资料第十五辑·卫生专辑.[皖内部图书:(97)—68],1997.

[20]中国人民政治协商委员会议合肥市委员会文史资料委员会编.合肥文史资料第八辑·上海内迁企业专辑.[皖非正式出版字(93)第18号],1993.

[21]合肥市政协学习与文史委员会编.合肥解放五十年·合肥文史资料第十七辑.[皖内部图书(99)—08],1999.

[22]中国人民政治协商会议安徽省庐江县委员会编.庐江文史资料·潜川新篇.[皖非正式出版字(85)第2059号].

[23]合肥市政协文史资料委员会编.安徽文史资料第14辑.[皖

内部图书:(96)—199].

[24]合肥市政协文史资料委员会编.我与合肥——纪念合肥解放45周年.[皖非正式出版字(93)第82号],1993.

后　　记

　　本卷为《合肥通史》第五卷·当代，分上下两册（以下简称《合肥通史》第五卷），上册起讫时间为1949年至1978年，下册起讫时间为1978年至2011年，记述了当代合肥共计63年的历史。

　　《合肥通史》第五卷撰写工作于2011年启动，经历：公开选聘撰写人员，审定编写要义，草拟、讨论、审定提纲，搜集书籍、报刊、档案等资料，分工撰写和统一协调、整合，形成初稿，主编审查与修改，形成送审稿，征求各级各部门负责人和专家学者的意见、建议，再次修改，形成终审稿，由《合肥通史》编纂委员会办公室提交编纂委员会审定后，送交出版社。

　　《合肥通史》第五卷的撰写人员有：安徽省社会科学院沈葵、祝凤鸣、赵胜、段金萍，安徽中医药大学人文学院林家虎，安徽省博物院王梦迪。其中，段金萍撰写第一、二、三章；赵胜撰写第四、五、六章，祝凤鸣撰写第八、九章，林家虎撰写第十章，王梦迪撰写第七、十一章，沈葵撰写绪论。附录主要由段金萍编写。沈葵协调、整合并修改第五卷书稿。

　　《合肥通史》第五卷的撰写工作是在《合肥通史》编纂委员会和《合肥通史》学术指导委员会的部署、领导下进行的，得到了安徽省社会科学院、中共合肥市委宣传部、《合肥通史》编纂委员会办公室的大力支持。《合肥通史》学术指导委员会顾问黄传新、主任陆勤毅对本卷书稿提出了重要的指导性建议，学术指导委员会委员汤奇学、翁飞、沈世培等都对如何进一步修改书稿，提出了许多建议。正是因为这些专家学者做出的贡献，才使得本卷书稿尽可能地接近史实、贴近时务。

在《合肥通史》第五卷(送审稿)征求意见过程中,合肥市的历任领导钟咏三、郭万清,市和区县的各部门负责人司胜平、完颜海瑞、戴健、魏从兰等,以及合肥市地方文史学者许有为、彭国维、何峰、刘浩等,都给予了大力支持,并对书稿提出了许多有益的意见、建议。这些意见、建议大多已被采纳、吸收,对提升书稿质量大有益处。

《合肥通史》第五卷在编辑、出版过程中,《合肥通史》编纂委员会办公室特邀魏从兰审读了书稿下册,戴健审读了书稿全册。安徽人民出版社洪红、王大丽承担了编辑任务。谨向他们致以谢忱!

《合肥通史》第五卷中的图片资料由戴健、黄欣提供,在撰写过程中参阅了大量的书籍、报刊等资料及相关研究成果,在此,谨向这些媒介的原作者、编者表示感谢!

沈 葵